La vierge dans le jardin

A. S. Byatt

La vierge
dans le jardin

Traduit de l'anglais
par Jean-Louis Chevalier

Titre original:
THE VIRGIN IN THE GARDEN
Éditeur original: Chatto & Windus

Pour mon fils
Charles Byatt
19 juillet 1961 – 22 juillet 1972

PROLOGUE

Le musée national du Portrait – 1968

Elle avait invité Alexander – sous l'impulsion du moment ou avec préméditation, il ne le savait pas – à venir écouter Flora Robson interpréter la reine Elisabeth au musée national du Portrait. Il avait eu l'intention de dire non, mais il avait dit oui, et il se trouvait à présent devant l'édifice, à regarder l'inscription noire de fumée sur le fronton. Elle avait aussi, pour faire bonne mesure, invité tous les autres convives d'un dîner très mal assorti ; seul Daniel, à part lui, avait accepté. Un jeune peintre avait déclaré que les mots « national » et « portrait » suffisaient à le rebuter, merci bien. Ce n'était pas, affirma ce jeune homme décidé, son genre. C'est le genre d'Alexander, avait fermement dit Frederica, et Alexander avait fait des difficultés, quoiqu'il eût toujours eu un faible pour cet endroit. En tout cas, il était venu.

Il considéra ces mots, jadis puissants, défunts à présent, « national » et « portrait ». Tous deux avaient rapport à l'identité. L'identité d'une culture (lieu, langage et histoire), l'identité d'un individu en tant qu'objet de représentation mimétique. Tous deux avaient, ou avaient eu, de l'importance pour Alexander. Il se trouvait néanmoins amusé, esthétiquement parlant, par le décor. À la courbe noire de la grille qui ceint le musée était accrochée une ribambelle de pâles reproductions du portrait Darnley d'Elisabeth Tudor, corail éteint, or, blancheur, arrogance, vigilance, annonçant « Gens d'hier et d'aujourd'hui ».

En chemin, il était passé devant plusieurs affiches de recrutement de la Première Guerre mondiale, pointant chacune un doigt accusateur dans sa direction, et devant une boutique du nom de « J'étais le valet de chambre de Lord Kitchener », remplie d'un bric-à-brac de copies d'objets de l'Empire britannique, sur fond, non de clairons retentissants, mais des universelles stridences et plaintes amplifiées d'une guitare électrique. Sur une palissade de Shaftesbury Avenue il avait observé l'image monstrueuse d'un ouvrier musclé vu de dos, nu jusqu'à la ceinture et ensuite enserré dans un pantalon collant rouge, blanc, bleu. « Tous derrière l'Angleterre » était-il gribouillé sur le postérieur proéminent de cet individu.

Au-dessus de lui, sur le perron du musée national, stationnait le jeune peuple itinérant aux têtes de jadis. Nu-pieds, cafetans, explosions sporadiques de chants ou de clochettes brisant un silence stupéfié.

Alexander entra. Elle n'était pas là, comme il aurait dû s'en douter. Le musée avait changé depuis sa dernière visite, qui n'était pas si récente que cela. Il avait perdu de sa solidité victorienne couleur chamois et acajou et acquis une richesse théâtreuse faite de niches rouge sombre, pour abriter dans l'escalier des icônes Tudor qui n'étaient pas, pensa-t-il, malvenues. Il monta regarder le portrait Darnley déplacé pour la circonstance, et se retrouva assis sur une banquette à contempler une Gloriana de rechange : ocre rouge et blanc de céruse, elle chevauchait les comtés d'Angleterre sous le soleil et sous l'orage, couverte d'un pouce de fard, coiffée de crin de cheval et teinte au henné, lestée de soie ouatinée, soutenue et serrée par le baleinage.

La foule s'écoulait entre les tableaux et lui. Elle semblait déborder du perron du musée national, en divers uniformes, uniformément diverse. Pieds crasseux dans des sandales, en bas ; barbes mal peignées, bouffantes ou soyeuses, en haut ; saris et robes safran. Vareuses militaires du Vietnam et de Crimée, moustaches à peine naissantes, cous de poulet jaillissant de cols dorés au-dessus d'épaulettes ternies. Filles rebondies en collants argentés, bottes argentées, jupe argentée tressautant sur leur derrière compact. Filles avachies en velours noir qui laissaient ballotter des bourses en mailles métalliques, des fleurs en papier dans les torsades et les cascades de leur chevelure artificielle. Plusieurs George Sand et Miss Sacripant en pantalon, chemise à jabot et béret de velours. Des êtres asexués traînant la savate en vêtements amples faits dans ces couvre-lits indiens à l'impression bon marché qui avaient été des nids à poussière dans les greniers de l'enfance d'Alexander au bord de la mer. Certains tenaient des sébiles de mendiant de Bénarès flambant neuves. Pareils à des vaches, ils faisaient sonner des clochettes neuves et brillantes autour de leur cou. Alexander les avait vues en vente dans des douzaines d'éventaires. Les vendeurs avaient de petites pancartes indiquant que les clochettes symbolisaient la vie intérieure.

Sous des mackintoshs anglais, du tweed anglais, du cashmere anglais, des touristes américains allaient obstinément de l'avant, petit à petit, reliés par des oreillettes en plastique au murmure intérieur des visites guidées sur cassette. Leur étaient sans doute chuchotées des informations sur les qualités iconiques et pourtant réalistes de ces images de la Renaissance anglaise, barbare et mal dégrossie deux siècles après les gloires solides et aériennes de la Haute Renaissance, et pourtant d'un style qui commençait à avoir conscience de ce qu'il était. Un style profane, une nouvelle aube après les excès iconoclastes du règne du jeune Edouard VI, quand anges, Mères et Enfants avaient éclaté en flammes et crépité dans les rues, immolés à un Dieu logique et absolu qui réprouvait les images.

Alexander songea, tout en promenant ses regards sur Thomas Cromwell et les faux soldats, à la nature de la parodie moderne. Elle lui apparaissait, à lui qui ne la comprenait ni ne l'aimait, sans davantage d'ordre que de dessein. On imitait tout et n'importe quoi sous l'influence d'un mélange incontrôlable de curiosité esthétique, vandalisme narquois et nostalgie affectueuse, le désir d'être n'importe quoi et n'importe où ailleurs que dans le temps présent. Ces soldats exécraient-ils ou désiraient-ils secrètement la guerre ? Ou ne le savaient-ils pas ? Tout cela était-il un

« manifeste » délibéré, comme l'aurait dit le peintre, sur l'homme adapté ou inadapté ? Ou bien était-ce la continuation hystérique des déguisements de l'enfance ? Alexander avait lui-même une connaissance approfondie de l'histoire du vêtement, il était capable de situer un changement de couture ou une modification de coupe par rapport à la tradition et au talent personnel, aussi bien qu'une forme poétique ou un corpus lexical. Il était attentif à sa mise et à sa poésie suivant les délicates mutations d'une discrète nouveauté. Mais il craignait qu'il n'y eût plus à présent de vie réelle ni dans l'une ni dans l'autre.

Il était néanmoins, à cinquante ans, vêtu de gabardine vert olive bien coupée, chemise de soie crème, cravate chrysanthème doré, un bel homme.

Il ressortit, en sachant qu'il avait tort de le faire, à la recherche de Frederica. Il se pencha à la balustrade au-dessus de la cage d'escalier. Immédiatement au-dessous de lui, en face d'un portrait du feu roi, de sa reine et des deux princesses aux lèvres peintes de vermillon, jupes pendantes et souliers à talon découvert, tous quatre entièrement rapetissés par l'énorme étalage, aussi grand que la toile, de bon goût vert pâle et de miroitements de lustres et de théières en argent dans un salon à Windsor, Frederica se livrait à une danse circulaire d'esquive, autour d'un tabouret capitonné triangulaire, avec un inconnu. L'homme était robuste et, raccourci par la perspective, se résumait à une vaste étendue d'imperméable en vinyle noir qui plissait autour d'un corps volumineux, et à une lourde masse de cheveux blonds et raides aux reflets de beurre frais.

Cet homme tendit la main par-dessus le tabouret et saisit Frederica par le poignet. Elle se haussa, lui murmura quelque chose, l'embrassa sous l'oreille et se dégagea en virevoltant. Il se pencha vers elle pendant qu'elle s'écartait et lui passa la paume de sa grande main tout le long du dos, et des fesses, arrondissant alors la main et la laissant reposer là. C'était un geste de parfaite, et publique, intimité. Puis il joua de l'épaule dans la foule et s'éloigna sans un regard en arrière. Frederica rit et se mit à monter l'escalier. Alexander se recula.

« Ah, te voilà. Tu as vu Daniel ? Je n'en reviens pas qu'il ait jugé bon de venir. »

Alexander ne répondit rien car il voyait Daniel s'avancer sur le palier, homme corpulent en pantalon de velours et col roulé noirs. Il s'approcha pesamment d'eux et les salua d'un signe de tête.

« Nous y voilà, dit-elle. Tous les trois. Vous a-t-on fait des cadeaux à l'entrée ?

— Non », dit Daniel.

Elle tendit les mains. Dans l'une se trouvait un carré verdâtre de verre étamé, peut-être un carreau de salle de bains. Dans l'autre, un ticket de vestiaire tout froissé, de couleur fraise, avec 69 d'un côté et AMOUR tamponné de l'autre, à l'encre mauve.

« Ça m'a été offert par une Pocahontas platinée et un cow-boy au Rimmel vert. Est-ce une blague ou un message sérieux ?

— Les deux, dit Alexander. Tous nos messages sérieux sont rédigés comme des blagues et nous traitons nos blagues avec un sérieux absolu. Nous les encadrons et en couvrons les murs de nos musées. Le fameux sens de l'humour britannique, métissé du respect humain américain, de l'absurde latin et du claquement de doigts ou de la taloche pédagogique des Orientaux. Tes messages disent ce qu'ils disent – et ils indiquent que ce qu'ils disent est absurde – et ils ajoutent, en prime, que l'absurdité est due à un surplus de profondeur. Et ainsi de suite *ad infinitum*.

— Mon cher, dit Frederica, ça me rappelle – sais-tu que tu es maintenant au programme du baccalauréat ? T'a-t-on demandé la permission ?

— Arrête », dit Alexander en faisant la grimace.

Elle tendit le carreau de verre. « Que vais-je en faire ?

— Le garder. Comme une espèce de vanité. Ou un autre motif juste possible – un type de connaissance de soi. »

Elle le porta à son œil. « On ne voit pas grand-chose dedans.

— Mets-le dans ta poche, dit Daniel, puisque tu l'as pris.

— Par politesse, par pure politesse anglaise.

« — La politesse veut que tu le gardes de bonne grâce.
— Oui », dit Frederica.

La longue salle où ils prirent place pour le récital était remplie d'une autre sorte de gens. Alexander s'amusa à compter les femmes de pouvoir. Il y avait Dame Sybil Thorndyke, acceptant affablement le fauteuil en forme de trône que lui proposait le Dr Roy Strong, alors conservateur en chef du musée et iconographe, peut-être idolâtre, de la Reine Vierge. Il y avait Dame Helen Gardner, la tête haute, le visage benoîtement sévère, titulaire de la chaire Merton de littérature de la Renaissance à l'université d'Oxford. Il y avait Lady Longford, biographe de la reine Victoria et, à l'arrière-plan, il crut, il espéra discerner le grand visage contemplatif et vague du Dr Frances Yates, dont les travaux sur l'image d'Elisabeth Tudor en tant que Virgo-Astraea se trouvaient avoir considérablement modifié le cours de sa propre existence. Il y avait aussi Lady Antonia Fraser, accompagnée d'une petite femme boulotte en manteau de pluie et qui portait une jupe Saint Laurent, de grandes bottes en daim souple, un justaucorps et un chapeau, lesquels, à travers des changements infinis dans l'élégance citadine, étaient de lointains descendants des vêtements de peau des cow-boys, des Indiens et des trappeurs. Elle contemplait le portrait Darnley accroché au-dessus du dais d'un regard fermement courtois, encore que critique. Ses sympathies étaient probablement ailleurs, et pourtant elle avait l'air, pensa-t-il d'une manière fantasque, d'une moderne Belphoebe, avec ces vêtements, ces cheveux dorés et cet équipement de chasseresse. Si elle était Belphoebe, alors Frederica, vêtue d'une sorte de corselet court en tricot de laine gris sombre et chatoyant et de bottes aux reflets métalliques, était Britomart, les cheveux coupés en une sorte de casque de bronze plus évocateur de la conquête de l'espace que, sans doute, de *La Reine des fées* et de la Renaissance. Il dirigea son attention sur le portrait Darnley, son préféré.

Elle se tenait là, claire et puissante image, dans sa vaporeuse robe de soie crème rigide, brodée de frondes d'or, garnie de houppes de corail, légèrement gansée de perles. Elle se tenait là et regardait avec le calme et l'énergie d'une jeune fille. La lassitude pétrifiée des longues mains blanches révélait leur finesse ; elles tenaient mollement, ou bien serraient, ce n'était pas facile à dire, un éventail circulaire en plumes dont les violentes spirales de couleurs plus sombres suggéraient une passion, une furie de mouvement effacée dans la silhouette. D'autres ambiguïtés apparaissaient dans le portrait, à mesure qu'on le regardait, une dualité qui dépassait celle, évidente, de la femme et de la souveraine. Le visage sous l'éclat du blanc de céruse était jeune et arrogant. Ou bien il était crayeux, morne, osseux, de n'importe quel âge, les yeux noirs, sous les lourdes paupières, sagaces et distants.

Ses portraits avaient été traités comme des icônes et comme des poupées de sorcière ; des hommes étaient morts de s'y être intéressés de diverses manières, en les lardant de coups de poignard, en les brûlant, en les transperçant de soies de porc ou en leur instillant du poison.

Elle-même avait eu peur mais n'avait pas perdu la tête.

Il était clair, pensa Alexander, qu'il y avait eu là quelqu'un de réel à peindre. Mais elle était, comme Shakespeare, un de ces personnages dont la surabondante énergie attire de complexes et douteuses émotions, idolâtrie et iconoclasme, amour et peur, et le besoin simultané d'amoindrir et de réduire leur étrangeté ou leur banalité au moyen de mythes réducteurs et d'»explications» incongrues. Shakespeare n'avait pas écrit Shakespeare ; Shakespeare n'était pas Shakespeare ; il était Marlowe, ou Bacon, ou de Vere, ou la reine Elisabeth en personne ; elle était la gueuse de Babylone ou de Londres, une mère clandestine, un homme, Shakespeare. Une fois il avait lu avec délectation un livre, enrichi d'une préface élogieuse d'Erle Stanley Gardner, qui « prouvait » que le théâtre de Shakespeare était le fruit clandestin du mariage de la reine avec l'Angleterre, le résultat du double vœu de se consacrer à la chasteté (à quinze ans) et à la littérature (à

13

quarante-cinq ans). Les arguments avancés en faveur de la thèse qui faisait de la reine l'auteur des pièces de Shakespeare étaient qu'elle avait vraisemblablement reçu une éducation assez soignée pour posséder le très vaste vocabulaire nécessaire (estimé diversement à quinze mille ou à vingt et un mille mots) et la nécessaire faculté de dire non. La faculté de dire non était attestée par sa capacité à tenir en suspens et à différer interminablement des décisions militaires, maritales et économiques. Elle avait, bien sûr, dissimulé qu'elle était l'auteur de ces pièces pour s'assurer une critique impartiale de son œuvre, et aussi parce qu'elle redoutait d'être accusée de négliger ses devoirs de souveraine.

Alexander sourit dans sa barbe. S'il fallait absolument prouver que Shakespeare, comme Homère, était une femme, bien des gens, y compris nombre de ses propres contemporains, avaient toujours trouvé nécessaire de prouver que la reine Elisabeth était en réalité un homme. Petit garçon, cette idée l'excitait. Davantage, bien davantage, que l'escamotage du bâtard putatif de Leicester. Des muscles et des nerfs s'arquaient sous le baleinage, des muscles virils et d'autres choses encore, enfouis et dissimulés sous la soie froufroutante. Plus tard il s'était mis à associer ce plaisir mystérieux à la Dame Nature de Spenser qui « a les deux genres en un », « et nul besoin de personne ». Un état de fait satisfaisant. À imaginer.

Les acteurs entrèrent en scène, récitèrent et furent applaudis. Dame Flora, sobrement vêtue de noir sobre, récita le poème écrit par la reine :

> Mon souci est pareil à mon ombre au Soleil
> il s'attache à mes pas, fuit si je le poursuis…

Il y eut de riches descriptions de son couronnement et de sa générosité envers les gens du peuple. Il y eut le discours de Tilbury. Alexander était discrètement ému.

Frederica ne l'était pas. Elle trouvait l'interprétation de Dame Flora trop suavement féminine ; elle était peut-être prédisposée à se montrer critique. La rigidité des antithèses pétrarquiennes était rendue avec une limpide souffrance victorienne et la voix sincère, riche et plaintive trébucha sur la plus féroce comme la plus célèbre des affirmations, « Je sais que j'ai le corps d'une faible et chétive femme mais j'ai le cœur et l'estomac d'un roi ». Que c'est tout femme, pensa Frederica courroucée, femme ordinaire, comme jeter un coup d'œil sur la kitchenette royale du palais de Buckingham pour s'assurer que les atours et les robes d'apparat cachent une épouse et mère de famille. Boutez cette reine hors de son royaume en jupon et passez muscade, qui est l'actrice, qui est la reine ? Et les farouches et formidables cadences de cette formidable prose affublées d'hésitations humaines et de débit « naturel ». « Je n'y prends pas si grand plaisir que j'en éprouve grand désir, et pourtant ne dis pas que si d'aventure le coup était porté chair et sang n'en seraient pas émus et ne chercheraient pas l'esquive… » Frederica se demanda quels effets ils avaient eu, ces discours, s'ils avaient eu la perfection sonore qu'elle leur imaginait, ou avaient été plus heurtés, hésitants, nerveux, rédigés peut-être et polis pour la postérité, cette postérité dont elle-même faisait partie.

Acteur et actrice récitèrent un poème qu'elle, Frederica, ne connaissait pas, *Chant entre Sa Majesté la reine et le royaume d'Angleterre.*

> *Franchis donc le ruisseau Bessy*
> *Franchis donc le ruisseau Bessy*
> *Douce Bessy franchis-le jusqu'à moy ;*
> *Et lors je te prendrai*
> *Ma tendre Dame te ferai*
> *Avant toute autre vue jamais…*
> *Ton bel amant je suis*
> *Pour héritière te choisis*
> *Et je suis le joyeux royaume d'Angleterre…*

La mémoire la tiraïlla. Franchis donc le ruisseau, Bessy. Frederica s'excita. La récitation achevée, elle tiraïlla à son tour Alexander par la manche.

15

« Ce poème, c'est du *Lear*. Regarde, il est là et te fixe. Veux-tu des yeux au jugement, madame ? Franchis donc le ruisseau, Bessy. C'est Edgar. Et le fou : il y a une fuite à sa barque. Elle n'ose dire pourquoi elle ne peut le franchir jusqu'à toi. Mes notes en bas de page disaient toujours que c'est une allusion à la syphilis. C'était sûrement risqué, sûrement sacrilège ou quelque chose comme ça.

« *Lear* date de la fin de son règne, quand on craignait que le royaume ne fût divisé. Décadence du pouvoir. Et du joyeux royaume d'Angleterre.

« Elle a dit, quand elle a parlé à l'archiviste dans la Tour, elle a dit : Je suis Richard II, ne le sais-tu pas ?

— Je sais, dit Alexander. Je sais.

— Bien sûr, c'était dans ta pièce. C'est probablement là que je l'ai appris.

— Probablement », dit Alexander en proie à une terrible tristesse.

Il aurait voulu, pensa-t-il, n'avoir jamais écrit cette pièce. Être, en cet instant, en présence du portrait Darnley, c'était comme se retrouver entre les mêmes murs qu'une femme qu'on a autrefois été poussé à violenter, sans succès, et avec qui aucune autre relation n'est désormais possible.

« Si l'occasion m'était donnée de la refaire maintenant, je ferais quelque chose de très différent, très différent.

— Tu pourrais toujours la récrire.

— Ah non. »

Alexander avait un sentiment du temps fortement linéaire. Les occasions ne se représentaient jamais une seconde fois, elles passaient et restaient passées. Il avait parfois songé à des façons plus modernes, plus artificielles de traiter le sujet, la vierge et le jardin, le temps présent et l'Angleterre, sans émotion indue ni ironie appuyée. Mais il n'avait pas l'intention d'essayer.

« Elle était bonne la première fois, pourtant, disait Frederica. En premier lieu. Tous ces chants et ces danses. C'est drôle, les années cinquante. Tout le monde croit que c'était une espèce de non-temps, de temps irréel, juste maintenant. Mais nous y étions, c'était plutôt beau, la pièce, le couronnement et tout ça.

— Un faux début, dit Alexander.

— Le seul début disponible, dit-elle. Mon début, quoi qu'il en soit. C'était ce qui se passait.

— Il faut que je m'en aille, dit Daniel. Il faut que je m'en aille. »

Ils se tournèrent vers lui, navrés. Il n'avait rien dit, cela lui avait-il plu ? Qu'en pensait-il ?

Rien en réalité, dit Daniel. Pour dire la vérité, il était si fatigué qu'il avait sombré dans une espèce de coma paisible, il n'avait presque rien entendu, il était désolé. Il fallait qu'il s'en aille maintenant. Il avait quelqu'un à voir.

Ce quelqu'un était une femme dont le fils avait été accidenté dans une collision. C'était alors un beau garçon, ce l'était encore, l'image irréelle et ambulante d'un beau garçon, une poupée de cire habitée tour à tour par un démon hurlant et par un organisme primitif qui mangeait, enflait, dormait, comme une amibe. Son père n'avait pas été capable de le supporter et il était parti. La femme avait été une bonne enseignante, et elle ne l'était plus à présent ; elle avait eu des amis, et elle n'en avait plus à présent. Elle vivait dans la peur, la colère, l'épuisement, et refusait de quitter une seule seconde ce qui était et n'était plus son fils. Elle voulait que Daniel l'accompagne au tribunal pour les dommages et intérêts. La raison qu'elle donnait était que quelqu'un pourrait se moquer de son fils et qu'elle serait prise de folie furieuse. Daniel avait dit qu'il viendrait. C'était fatigant d'attendre dans les couloirs du palais de justice que l'affaire soit appelée. Il était venu aujourd'hui pour entendre d'autres voix que les glapissements aigus, désespérés et incessants de la mère et les reniflements intermittents du garçon. Mais il n'avait pas réussi à écouter. Il secoua la tête et répéta qu'il fallait qu'il s'en aille.

Ils sortirent amicalement de compagnie, tous les trois. Daniel dit avec un effort, « Je préférais votre pièce », et Alexander fit, « Non, non », encore à ses réflexions sur l'irréversibilité de l'art et du temps. Ils partirent vers Piccadilly Circus et Éros perché au-dessus des drogués recroquevillés, vautrés ou titubants. Daniel annonça brusquement qu'il allait prendre le métro, qu'il fallait qu'il aille quelque part. Frederica dit, « Reste boire un thé avec nous », et Daniel se mit à descendre lentement, d'un pas lourd, vers les chaudes et odorantes ténèbres. « Allons prendre le thé chez Fortnum, ça serait amusant », proposa Frederica à Alexander. Il eut l'intention de dire non, mais il dit oui.

PREMIÈRE PARTIE

UNE VERTU FUGITIVE

1

Le Bout de Là-bas

En 1952 l'Histoire s'empara du monde d'Alexander Wedderburn. Quand le roi mourut la pièce d'Alexander était en fait achevée dans une large mesure, et pourtant il éprouva par la suite des difficultés perpétuelles à établir, dans l'esprit d'autrui, l'ordre chronologique véritable entre son propre choix de thèmes et l'accident de cette mort. Sa pièce fut fréquemment présentée à tort comme une reconstitution historique, commandée pour le festival qui célébra la remise du château de Long Royston à l'encore immatérielle université du Nord-Yorkshire. Le festival, quant à lui, fut assurément programmé pour coïncider avec les explosions spontanées de ferveur culturelle nationale dans tous les parcs et jardins du royaume en célébration du couronnement. Si la pièce d'Alexander n'avait pas existé, il eût fallu l'inventer. Heureusement, elle était là.

Au début, il avait été innocemment obsédé par le renouveau du langage et, en particulier, du théâtre en vers. Il y avait Eliot, et Fry. Pendant ses premières années d'études à Oxford Alexander avait décidé que le problème était Shakespeare, qui avait, en un sens, été trop puissant, tellement puissant qu'il avait rendu presque impossible d'écrire du bon théâtre en vers après lui. Soit le dramaturge était éperdument obsédé par le désir d'innover pour innover, soit il écrivait de l'imitation insipide de Shakespeare, malgré lui. Il était apparu à Alexander que la chose à faire était peut-être de foncer, pour ainsi dire, sur Shakespeare, tête baissée. D'écrire un drame historique, comme ceux de Shakespeare, mais en vers modernes, et de se mesurer au temps, au lieu, et à l'homme. Plus tard, pour des raisons personnelles autant qu'esthétiques, il avait fini par laisser Shakespeare de côté pour se concentrer sur la reine. Il visait à un réalisme puissant, et se retrouvait aux prises avec une tendance naturelle de l'œuvre à virer au pastiche et à la parodie. La rédaction lui prit plusieurs années, par intermittence, des années de recherche fervente, d'expérimentation formelle, de désespoir et de visions. Il était alors professeur, adjoint au directeur des études d'anglais au collège de Blesford Ride, dans le North Riding, et il comprit, presque malgré lui, en retouchant ses vers pendant la surveillance d'une composition de biologie, que la chose était achevée, qu'elle était arrivée à son terme. Il ne pouvait faire plus. Il ne savait que faire sans l'espérance, l'obsession, la cage en verre des rythmes chantants et des formes changeantes à l'intérieur de quoi il avait cheminé. Il mit le texte de la pièce dans un tiroir, l'y laissa un mois, mois pendant lequel le roi mourut, et puis l'apporta à Matthew Crowe.

En partie parce qu'il avait achevé sa pièce, il éprouva un vif sentiment de perte et de désœuvrement lorsque le roi mourut. Il emmena un groupe de garçons des petites classes entendre le crieur proclamer l'accession sur les marches de la cathédrale de Calverley. «Le roi est mort, vive la reine!» Et la trompette sonna, grêle et claire. Les garçons avançaient en traînant les pieds avec une lenteur solennelle, s'attendant à éprouver quelque chose. Cette mort faisait date dans la brève première partie de leur existence, qui avait dû leur paraître éternelle : le rationnement, la fin d'une guerre, les produits standard. Alexander se souvenait du roi en train de tâter les décombres des bombardements, aux actualités. Une voix désincarnée, à la TSF, annonçant la guerre. Une voix nerveuse et pastorale. Il imagina une nation essayant d'imaginer ce personnage connu, mort solitaire dans son lit, et échoua dans cette tentative. C'était à cela que les rois servaient. Son chagrin personnel fut ridicule et naturel.

Ce fut Matthew Crowe qui donna à la pièce d'Alexander, littéralement, un domicile local, ainsi qu'une réalité culturelle et financière. Crowe possédait et habitait Long Royston, cousin septentrional, architecturalement parlant, du château de Hardwick, mais sans l'étendue de sa verrière ni le poids de ses tours ; c'était un grand bâtiment construit pour la résidence et pour la parade, mais avec une légère prééminence accordée à la résidence. Alexander avait déjà une dette vis-à-vis de Crowe, promoteur et protecteur naturel des arts. C'était Crowe qui avait organisé une courte série de représentations, au Théâtre des Arts, de la première pièce d'Alexander, *Les Ménestrels*, dont celui-ci avait légèrement honte à présent, dans la mesure où ses nouvelles espérances en matière de réalisme audacieux renforçaient sa conviction que les pièces sur les pièces et les pièces sur les acteurs étaient l'un des signes de débilité généralisée du théâtre. Crowe fournissait la part la plus grandiose comme la plus vivante de la vie sociale d'Alexander, hors de Blesford Ride. Il avait une foi à toute épreuve dans la culture locale, le dévouement local, le talent local et, malgré une brève carrière, dans sa jeunesse, de metteur en scène dans la capitale, il passait à présent son temps à organiser des festivals et des cycles dramatiques dans les églises, les music-halls et les granges villageoises. Il était, disait-il, un gros poisson dans un bassin raisonnablement petit. Il était riche. Il allait rarement dans le Sud.

Après avoir lu la pièce il invita Alexander à dîner, se déclara très enthousiasmé par l'œuvre et, en buvant café et cognac dans la bibliothèque, conta à Alexander certains secrets politiques et lui fit certaines révélations. Enfoncé dans les profondeurs enveloppantes de son fauteuil de cuir, il se pencha vers le feu et décrivit avec une allègre vivacité à Alexander les machinations et le fonctionnement interne des puissantes institutions qui œuvraient à la fondation de la nouvelle université. Il y avait le très actif Mouvement pour l'éducation des adultes, qui avait été le premier à en proposer la création, l'école normale de jeunes filles – Sainte-Hilda – et le collège théologique – Saint-Chad – qui devaient y être incorporés, et l'université de Cambridge, initialement en charge des cours du soir pour adultes. Crowe fit des confidences à Alexander sur l'évêque, le ministre, le représentant de la Trésorerie générale, les cupidités et les compromis, et Alexander, qui avait peu de sens politique, fut à maintes reprises incapable d'admirer le véritable génie de telle concession, telle manœuvre ou tel exemple d'à-propos. Crowe parla de la tâche de longue haleine de l'établissement des programmes, des tentatives pour leur conférer un caractère particulièrement local, particulièrement destiné à des adultes, ou bien, à l'image de Keele, unique modèle alors existant depuis sa création quelques années auparavant, pour offrir aux étudiants la possibilité d'acquérir des connaissances de toute sorte avant de se spécialiser, pour faire d'eux, selon les exigences de l'idéal de la Renaissance, des êtres complets. Crowe parla de son propre rôle dans l'affaire, la révélation tactique, au moment opportun de l'impasse, de son intention de faire don de Long Royston, bâtiments et domaine, à condition de pouvoir y vivre dans son coin, à perpétuité.

Le plus beau, Alexander devait s'en rendre compte, était que tout arrivait à point : le lancement d'une souscription, l'annonce de la donation, la charte royale pendant l'année du couronnement, – tout pouvait concorder et être célébré, entre autres manifestations, par la représentation de la pièce parfaitement appropriée d'Alexander, pendant les soirées estivales, sur la terrasse de Long Royston précisément. C'était une pièce idéalement propre à mobiliser la région, au sens où elle fournirait du travail, un emploi culturel, à des armées de gens du pays. Une troupe de milliers de personnes – en y mettant un peu son nez – musiciens, charpentiers, costumiers et couturières – absolument tous les gens du cru. Alexander dit que ce n'était pas une reconstitution historique. Certes non, répondit Crowe, c'était une œuvre d'art qui, la chance aidant, aurait la bonne fortune de se voir rendre justice. Lui-même serait dans son élément, comme organisateur, Alexander le verrait bien.

La promptitude de l'organisation laissa Alexander un peu pantois. Il fut rapidement invité à rencontrer le comité du festival, de nouveau à Long Royston. Celui-ci était constitué par le chapelain de l'évêque, l'homme de la Trésorerie générale, Mlle Mott des cours du soir, M. Barker, conseiller municipal de Calverley, Crowe, évidemment, et Benjamin Lodge, le metteur en scène londonien. La pièce d'Alexander s'était encore solidifiée et multipliée : toutes les personnes présentes en avaient un exemplaire polycopié. Et toutes félicitèrent Alexander de l'intelligence et de l'actualité de son œuvre. Crowe présidait benoîtement. Le comité discuta dates, coûts, actions de soutien, distribution éventuelle et dispositifs sanitaires. Alexander ne sut jamais à quel moment, ni par qui, il avait été formellement décidé que sa pièce serait montée ; il fut légèrement troublé par Lodge, qui parla une fois ou deux de « cette reconstitution » et dit qu'il faudrait y pratiquer des coupures. Crowe, assez fin pour remarquer ces doutes, retint Lodge et Alexander pour boire quelque chose, arracha à Lodge des compliments sur les vers d'Alexander, et à Alexander des compliments sur la mise en scène excellemment dépouillée que Lodge avait faite des mystères de Wakefield qu'Alexander avait vue et effectivement beaucoup admirée. Lodge était un homme taciturne, de forte carrure, vêtu d'un monstrueux chandail moutarde, et dont la chevelure noire commençait à s'éclaircir, mais avec la compensation d'une énorme et soyeuse barbe broussailleuse. Crowe, sexagénaire, avait un visage d'angelot cramoisi, et quelque chose d'encore inachevé dans son air de garçonnet. Il avait de grands yeux bleu clair, une petite bouche sensuelle en cerise, une tonsure dans de fins cheveux d'argent flottants. Il était un peu arrondi par l'âge, mais sans atteindre à la corpulence. Alors que Lodge et Alexander rayonnaient encore sous l'effet, sans doute, d'un bon whisky pur malt et de l'impression d'avoir accompli quelque chose, Crowe entraîna Alexander, déclarant qu'il allait le raccompagner chez lui, à Blesford Ride.

Crowe conduisait, plutôt vite, une Bentley d'un certain âge. Il ramena Alexander par la campagne, entre les murets de pierres sèches et les champs accidentés bordant la lande, descendant le vallon de Blesford et remontant l'allée du collège bordée de tilleuls. Il arrêta la voiture juste devant le porche gothique rouge.

« Vous devriez être content du travail de la journée – et de vous.

— Je le suis, certainement, je le suis. J'espère que vous l'êtes aussi. Jamais je ne pourrai vous remercier…

— Ben vous tracasse, je le vois bien. Ça n'en vaut pas la peine. Il n'en fera pas une reconstitution historique. D'abord je ne le laisserai pas faire, et ensuite ce n'est pas un imbécile. Il veut juste être sûr de faire son propre travail de création. Il veut juste malaxer un peu votre texte, pour s'assurer d'y imprimer sa marque. Vous l'avez remarqué, naturellement. Mais vous pouvez vous fier à moi pour garder l'œil ouvert. Soyez-en sûr. Et gardez vous aussi l'œil ouvert. Vous laisseront-ils un peu de temps libre dans cet abominable endroit ? »

Il désigna de la tête le porche inélégant et maussade.

« L'horrible folie de mon aïeul. Combien de temps comptez-vous rester là ?

— Oh, je ne sais pas. J'aime l'enseignement. Je suppose que j'aimerais écrire à plein temps.

— Eh bien, trouvez-vous un établissement de premier ordre. Avec un directeur d'études de premier ordre. Votre bonhomme est remarquable, mais c'est un véritable poison.

— Oh, je prends les choses comme elles sont. Et il est de premier ordre à sa manière. Nous nous entendons très bien.

— Vous m'estomaquez, dit Crowe. Et que va-t-il dire de cette initiative ?

— Je frémis rien que d'y penser. Il n'apprécie guère le théâtre en vers.

— Et ne m'apprécie guère non plus, dit Crowe. Guère, je vous assure. Ni l'université, dit-on, du moins sous la forme du projet actuel.

— Je vais lui parler.

— Quelle bravoure !

— Il le faut bien, non ?

— Je ne m'y risquerais pas, dit Crowe. Je baisserais pavillon. Mais je sais que vous ne le ferez pas. Bonne discussion ! »

La Bentley s'éloigna en faisant gicler le gravier. Alexander, toujours pantois, pénétra dans le collège.

Le cloître du collège, de l'autre côté de la pelouse après le porche, était massif et rouge, avec des arches de style perpendiculaire qui avaient d'une certaine façon l'air trapu. Il était peuplé de grossières statues néogothiques, impartialement choisies dans un panthéon universel : Apollon, Dionysos et Pallas Athéna, Isis et Osiris, Baldr et Thor, Moïse et ses cornes, Arthur d'Angleterre, saint Cuthbert, Amita Bouddha et William Shakespeare. Le collège de Blesford Ride était un établissement privé, progressiste et non discriminatoire. Il avait été fondé en 1880 par Matthew Crowe, bisaïeul de l'actuel Crowe, qui avait fait fortune dans la tiretaine et avait été un amateur éclairé dans le domaine de la mythologie comparée. Il avait, dans une large mesure, construit le collège pour s'assurer que l'éducation de ses six fils se ferait hors de chez lui et de tout contact avec le christianisme révélé. L'agnosticisme était établi dans la charte de fondation, qui interdisait expressément l'érection de toute « chapelle, oratoire, retraite ou autre prétexte à une institution ecclésiastique ». Cloître et panthéon ne comptaient pas, étant du domaine de l'art. Durant la vie de ce Crowe-là le collège avait passagèrement brillé des feux de l'excentricité la plus pure, ce qui expliquait peut-être pourquoi deux des six fils étaient devenus prêcheurs itinérants et un autre, directeur de prison. Des trois autres, l'un avait hérité la filature, et le second avait enseigné les humanités au collège avant de devenir archiviste et président de la Société historique et topographique de Blesford. Le dernier était mort jeune. Matthew Crowe, qui avait été envoyé à Eton et à Oxford, descendait de l'archiviste, dont le frère aîné était mort sans postérité.

Blesford Ride n'avait jamais connu mieux qu'un modeste succès. Géographiquement, sa situation était quelque peu désolée, perdue dans les landes du Yorkshire à des kilomètres de tout, sauf de la petite ville cathédrale de Calverley qui, n'étant ni aussi civilisée que York ni aussi splendidement indépendante que Durham, était écrasée par elles deux. Historiquement, le collège avait mal manœuvré. Excentrique au temps où le conformisme était une force puissante, il était devenu plus conformiste et prudent, en raison de difficultés financières et d'une direction plus modérée, à une époque où sa bizarrerie originelle aurait pu lui conférer un certain cachet. À présent il était recommandé aux parents qui ne souhaitaient pas que leurs fils fussent tenus de suivre une préparation militaire; qui étaient contre le système des jeunes élèves faisant le service des grands; qui avaient été effrayés dans leur enfance sensible par la chair humaine rôtie dans *Tom Brown au collège;* qui ne répugnaient pas à une aimable raillerie du Drapeau et de l'Empire; qui habitaient la région. Il était également recommandé aux parents qui réprouvaient la crasse, les cigarettes, l'alcool, la liberté sexuelle ou l'éducation sexuelle à tout crin, le laisser-aller, l'«école de la vie» et l'intellectualisme. Il était dans une large mesure peuplé d'enfants de la bourgeoisie dont les parents économes et consciencieux avaient espéré et cru qu'ils réussiraient leur examen d'entrée en sixième et ne s'étaient pas sentis capables, finalement, de les exposer aux hordes hurlantes des collèges d'enseignement secondaire publics du coin. Il existait des bourses de fondation pour les minorités non liées au protestantisme: juifs, épileptiques, orphelins, fils d'ouvriers lainiers, enfants doués issus de familles pléthoriques. Le collège était théoriquement dirigé par un parlement d'élèves et de professeurs choisis selon un système complexe de représentation proportionnelle inventé par un principal de fraîche date. Le personnel enseignant était de trois sortes : des jeunes gens brillants qui arrivaient en quête de liberté intellectuelle et morale, restaient peu de temps, puis s'en allaient à Dartington, à Charterhouse, ou dans le journalisme ; des jeunes gens brillants qui arrivaient, et qui pour une raison ou une autre ne s'en allaient pas et vieillissaient imperceptiblement ; et Bill Potter, qui était là depuis bientôt vingt ans. Le collège était un établissement raisonnablement libéral et banal – convenant à tous, suivant la voie moyenne, et d'importance mineure.

Bill Potter était le directeur d'études d'Alexander. Il était généralement tenu pour un enseignant de premier ordre, inspiré, opiniâtre et féroce. Il était respecté par les jurys de sélection universitaire et redouté par le principal. Bien que la direction de l'un des pensionnats du collège lui eût été offerte, il refusait de faire autre chose que d'enseigner, et vivait toujours dans la maison jumelée en briques rouges, où il avait installé sa femme à son arrivée, une maison de la rangée isolée de petites maisons construites pour les professeurs mariés au bord du terrain de rugby le plus éloigné du collège, le Bout de Là-bas. On l'appelait l'allée des Maîtres. Alexander se mit alors en route pour aller voir Bill Potter, non sans appréhension.

Bill était à maints égards une réincarnation de l'esprit originel de Blesford Ride. Il professait la pesante morale agnostique de Sidgwick, de George Eliot, et du premier Matthew Crowe. Il œuvrait férocement à sa propre version de la culture populaire selon Ruskin et Morris, avec un respect austère envers les véritables ouvriers, leur vie et leurs intérêts, qui s'apparentait plus à l'œuvre de Tawney dans la région des Poteries. L'énergie qui animait ce qui existait de vie culturelle locale en 1953 était essentiellement la sienne. Il donnait des cours du soir auxquels les gens venaient depuis des kilomètres à la ronde, par tous les temps, en camionnette et en autocar, depuis les villages sur la lande, les stations balnéaires, les villes minières et les aciéries. Il tenait un centre social dans la salle paroissiale de Blesford et il était l'énergie à l'œuvre derrière la continuation de la Société littéraire et philosophique de Calverley. Il savait faire accomplir aux gens, par eux-mêmes, des choses durables et dignes d'être accomplies. Le Centre avait adapté et monté une série de contes de Lawrence avec un perfectionnisme acharné et maniaque qui était évidemment le sien. La Société littéraire et philosophique avait accumulé et catalogué une série d'« exposés » dont elle avait pris l'initiative, sur la littérature et la culture locales, depuis une étude des jeux rimés par un professeur de chant, en passant par une étude du symbolisme des dessins de malades de l'hôpital psychiatrique de Mount Pleasant, due à une artiste-peintre amateur et ménopausée qui y avait séjourné quelque temps, jusqu'à des études érudites des sources utilisées par Mrs Gaskell dans *Les Amants de Sylvia*. Il y avait des études documentées d'amateurs sur les structures du langage, et des entretiens scientifiques avec des écrivains qui vivaient et travaillaient dans le Nord, conduits par des commerçants, des enseignants, des épouses d'hommes d'affaires. Le trait distinctif de Bill était de ne pas donner à ces travaux l'estampille de devoir scolaire mais d'Œuvre digne d'être accomplie, et de conférer à ces enquêtes, et à la communauté des enquêteurs, un sentiment d'identité. Il les tenait en esclavage, mais il écoutait aussi. Il savait faire à une femme qui s'exprimait difficilement des suggestions propres à lui apprendre à redresser ses phrases maladroites et acquérir un style agréable et personnel. Tout cela sans négliger les élèves de Blesford Ride, qu'il menait à la réussite de leurs examens à force de les harasser, les harceler, et exiger d'eux le maximum d'effort.

Il avait fait une tentative, pas très vigoureuse, à l'arrivée d'Alexander, pour l'attirer dans ce travail de terrain. Mais Alexander, qui réussissait raisonnablement bien avec les enfants, avait la main moins heureuse avec les adultes. Et déjà il se considérait comme un embryon d'homme de lettres professionnel de la capitale, et reconnaissait avec un mélange d'arrogance et d'humilité qu'il était incapable de contribuer en rien aux multiples énergies de cet effort communautaire et provincial d'amateurs. L'eût-il voulu, qu'il eût rencontré de sérieuses difficultés, car ses priorités littéraires n'avaient pas grand-chose à voir avec celles de Bill. Bill accepta son apparent manque d'enthousiasme avec une surprenante équanimité. Il savait mal déléguer ses pouvoirs et son autorité, et Alexander, qui se voyait d'abord comme un poète et ensuite comme un enseignant, ne voulait ni des uns ni de l'autre. Bill inspirait une dévotion fanatique à la plupart des bons élèves et à quelques-uns des mauvais. Alexander, malgré sa beauté impressionnante et son enthousiasme pour ce qu'il enseignait, n'en inspirait pas. Il était authentiquement timide et modeste, et c'est peut-être pourquoi, au bout du compte, Bill semblait l'aimer bien.

Néanmoins Alexander n'envisageait pas avec optimisme la réaction probable de Bill à l'annonce de sa pièce et du festival. Bill serait particulièrement contrarié par les initiatives de Crowe en la matière. Crowe, au charme facile, avait essayé d'attirer Bill, dont il reconnaissait l'énergie, dans son propre cercle, non sans un succès stupéfiant. Ils avaient collaboré à la production de *L'Opéra des gueux* par la Société littéraire et philosophique en 1951, où tous deux avaient observé que leurs talents se complétaient, et Crowe avait ajouté brillant, rythme, couleur et musique somptueuse à la fureur sociale, l'exactitude textuelle et l'habile direction d'acteurs de Bill. Malgré cela, Alexander l'avait senti à l'époque, Bill aurait à maints égards préféré monter une version plus grêle, plus gauche et plus personnelle dans la salle paroissiale de Blesford. C'était en bien et en mal un puriste, et il éprouvait de surcroît envers la personne de Matthew une aversion radicale, quasi animale, dont Alexander ne s'avisa que lentement. L'éducation de Crowe, l'argent de Crowe, le whisky et le cuir qui attiraient Alexander pour sa part, empêchaient presque automatiquement Crowe d'être pris sérieusement en considération dans le monde de Bill, comme une peau noire ou un fort accent en auraient empêché d'autres hommes dans d'autres mondes. Bill ne

31

pouvait pas prendre en bonne part l'insurrection culturelle de Crowe.

Néanmoins, tandis qu'Alexander traversait l'enceinte du collège dans le crépuscule, la joie solitaire qui était restée en attente toute la journée l'envahit. De l'autre côté des jardins devant le collège, passé de longues serres plus tard remplies de délicieuses et économiques tomates, une lourde porte cloutée donnait sur un long sentier moussu entre de hauts murs. Ce sentier menait à une passerelle qui enjambait la voie ferrée ; après quoi se trouvait le Bout de Là-bas. Derrière le mur de gauche était le jardin des Maîtres, protégé par une bande de triangles brillants fixés dans le ciment, des triangles de verre délavé, vert bouteille, glacial. À l'intérieur, ce lieu interdit était soigné, carré et monotone, avec un assez petit cèdre et un tertre pavé tout au fond, qui servait de support à un cadran solaire. Il faisait penser à ces monuments aux morts où les vieilles gens viennent se chauffer au soleil. C'était là que, l'année précédente, Alexander avait tenu le premier rôle lors d'une représentation scolaire de *La dame ne brûlera pas*, occasion d'une bénigne bacchanale. Cela paraissait à présent très éloigné dans le temps.

Il déboucha du sentier sur la passerelle en fonte. En contrebas, entre de hauts talus, la voie ferrée serpentait en suivant le Bout de Là-bas et en dessinant, en une longue boucle également, la courbe de l'horizon. Au bord du talus courait une épaisse clôture grillagée derrière laquelle les trains filaient du nord au sud, en arrosant de flots de vapeur le Bout de Là-bas et les quelques rhododendrons du talus, et de nuages de fine poussière, chaude et piquante, les garçons qui s'entraînaient au saut dans les fosses en bordure du chemin, laissant des traînées noires sur les feuilles et sur la peau.

Alexander s'arrêta et posa la main sur le garde-fou de la passerelle. Il se sentait parfaitement heureux. Il se sentait complet. Il eut l'étrange pensée qu'il était aussi intelligent qu'il avait besoin de l'être : il comprenait tout ce qui se présentait. Cela avait un rapport avec le fait que la pièce était désormais une chose et lui une autre, qu'il était dépossédé de la pièce mais libre. Il avait longtemps considéré ces terrains de sport clôturés, et même le collège, comme des prisons. Les premiers temps il avait écrit à ses anciens camarades d'Oxford en se moquant de sa laideur nordique et étriquée. Puis il avait cessé de railler, craignant que le seul fait d'en parler fût une manière d'admettre que l'endroit le tenait sous sa contrainte, lui aussi. À l'occasion il avait dit aux gens de Blesford Ride : J'écris une pièce – et ils avaient répondu : Ah oui ! – ou encore : Sur quoi ? Mais en de telles occasions sa pièce lui avait paru mince et fébrile, une fièvre de la pensée. Aujourd'hui elle était en circulation, reproduite, lue. Et à présent qu'il était détaché de son œuvre, il était détaché aussi de Blesford Ride. Et, ainsi détaché, il pouvait y prendre un intérêt curieux, bénin. Il jeta sur le terrain encrassé un regard de plaisir arrogant, du fait qu'il était comme il était et que lui-même le voyait.

La lumière décroissante du soir épaississait les ombres et les contours, noircissait le grillage de la clôture, éteignait les restes de couleur dans l'herbe boueuse. Il sentit sous lui le tremblement et le bourdonnement de la passerelle qui annonçaient le passage d'un train. Il regarda avec une curiosité joyeuse. Le train arriva, noir et sinueux, puis tonnant et plongeant vers lui, puis sous lui, les pistons montant et descendant, les roues martelant, l'enveloppant d'un crachat d'étincelles et d'une vapeur âcre, bringuebalant en s'éloignant. Il revint sur terre. La terre était encore toute frémissante, comme si le train avait creusé un sillage dans le sol ainsi que le font les navires dans l'eau. De longues bandes de vapeur déchiquetées se déroulèrent puis se dissipèrent, sur les bords, dans l'arrivée grise des ténèbres. Quelqu'un se tenait au bord de la Mare Croupie.

Le bassin de biologie avait toujours été appelé la Mare Croupie. Il avait été creusé à l'époque de la fondation du collège et était à présent pourri par manque d'entretien. C'était un bassin circulaire, bordé de pierres, situé dans l'herbe sous le remblai. Il y avait un ou deux nénuphars, des lenticules, une dalle branlante où pouvaient se percher les grenouilles nouvellement métamorphosées. La surface était soyeuse et noire et la profondeur difficile à déterminer, car le fond était recouvert d'un sédiment de fine boue noire. Les élèves y avaient autrefois élevé animaux et plantes aquatiques mais utilisaient à présent la station de recherche biologique, richement dotée, là-haut sur la lande. Une rumeur non confirmée selon laquelle la Mare Croupie grouillait de sangsues s'était propagée dès l'origine. Nul n'y trempait le pied, au cas où ces éventuelles bêtes mythiques se seraient attachées à ses chevilles.

La silhouette au bord du bassin se penchait maladroitement et y remuait un long bâton. En approchant, Alexander vit qu'il s'agissait de Marcus Potter.

Marcus était le plus jeune des enfants de Bill et son seul fils. Il était élevé gratuitement au collège et devait officiellement passer son bachot dans deux ans. Personne ne savait grand-chose de lui. On désirait en général le traiter «normalement», ce qui signifiait dans la pratique ne jamais le distinguer de ses camarades et le laisser autant que possible livré à lui-même. Alexander se surprenait parfois à parler à l'enfant d'une voix anormalement atone, et il savait qu'il n'était pas le seul à agir ainsi. Mais c'était peut-être dû à ce que Marcus, à la différence de Bill, était un être anormalement incolore.

Bill croyait de toute évidence que Marcus était exceptionnellement doué. Il existait peu de preuves usuelles de ce fait. Il étudiait la géographie, l'histoire et les sciences économiques, et son travail était jugé satisfaisant et sans éclat. «Satisfaisant» recouvre toute une gamme de résultats, de l'excellent au presque médiocre. Au cours d'Alexander, par exemple, souvent Potter ne finissait pas ses phrases et se montrait surpris lorsqu'on le lui disait. En classe il semblait silencieux et contraint, et Alexander s'était formé l'idée qu'il était de ceux qui doivent initialement faire tant d'efforts pour fixer leur attention qu'ils n'entendent plus rien du tout en pratique, paralysés dans une attitude de concentration.

Petit garçon, cependant, il avait eu le don inquiétant de l'intuition mathématique. On lui avait également découvert l'oreille absolue. Il avait quatorze ans quand son talent pour les mathématiques disparut mystérieusement. L'oreille absolue était restée, mais l'enfant ne montrait pas grand intérêt pour la musique. Il chantait à la chorale et jouait de l'alto avec une exactitude inexpressive. Les collègues de Bill étaient conscients du fait que le père, presque entièrement dépourvu d'aptitudes musicales, tirait une fierté touchante des dons de son fils, et persistait à les considérer comme la preuve de facultés qui, le moment venu, lui vaudraient des succès scolaires encore plus phénoménaux que ceux déjà obtenus, de manière plus conventionnelle, par ses deux sœurs aînées.

Alexander était passé par une brève période d'intense intérêt pour Marcus. L'année précédente, il avait monté *Hamlet* au collège et Marcus y avait été une extraordinaire et angoissante Ophélie. Le jeu du garçon avait quelque chose de la qualité de ses mathématiques et de sa musique, quelque chose de simplement transmis, comme la faculté de communiquer du médium. Son Ophélie était docile, lointaine, presque automatiquement gracieuse ; les chansons et le monologue de la folie étaient une parodie hésitante et délitée de ces qualités. Il n'avait pas campé une jeune fille charnellement attirante, mais une créature vulnérable, et cependant physiquement crédible. Il avait donné aux scènes de flirt et de paillardise la gaucherie d'une extrême incertitude sur la façon de mener de pareilles formes d'entretien, ce qui correspondait exactement à la conception qu'Alexander se faisait de la manière dont le rôle devait, ou du moins pouvait, être joué. Il avait livré cette humeur, ces manières, sur les indications les plus minces d'Alexander, mais avait toujours attendu des explications d'une sorte ou d'une autre, n'ajoutant jamais rien de son propre chef, sinon un instinct apparemment impeccable pour le rythme du langage, la chute des vers. Les garçons qui n'ont pas encore atteint l'âge de la fausse honte sont merveilleux à diriger et capables de donner, Alexander le savait bien, une profondeur dont ils n'ont pas conscience à des vers qu'ils ne comprennent pas. Mais Marcus avait accompli quelque chose d'extraordinaire qui avait ému Alexander, l'avait en vérité effrayé, encore qu'il eût apparemment été le seul à réagir ainsi. Aucune autre interprétation d'Ophélie n'avait rendu aussi clair le fait que les événements de la pièce brisent et fracassent purement et simplement une conscience innocente.

Bill avait assisté à cette représentation, trois soirs de suite, avec un sourire de fierté et le sentiment d'un triomphe. Alexander espérait utiliser Marcus dans sa nouvelle pièce – il avait un projet pour lui – et espérait au surplus que, si ce projet se réalisait, il réussirait à capter l'intérêt de Bill pour la pièce en général.

Pendant qu'Alexander traversait la pelouse, Marcus tomba à quatre pattes et posa son visage sur le rebord pavé de la Mare Croupie. Alexander changea de direction et fit entendre divers bruits de toussotement et de piétinement pour indiquer sa présence. Le garçon se releva et demeura immobile et tremblant. Il avait de la boue sur la figure.

Il remit en place ses lunettes rondes de la Sécurité sociale, qui avaient été poussées de côté par son extravagante manœuvre. Il était petit pour son âge, mince, avec un long visage pâle et une masse tombante de fins cheveux blonds, fades et sans éclat. Il portait un pantalon de flanelle grise et une veste de tweed bleu délavé, trop étroite pour lui.

« Est-ce que ça va ? » dit Alexander.

Marcus le regarda fixement.

« J'allais voir votre père. Vous rentrez chez vous ? Est-ce que ça va ?

— Non. »

Alexander ne réussit pas à trouver une autre question.

« Tout tremblait. La terre.

— C'était le train. Ça arrive tout le temps.

— Pas comme ça. Ça ne fait rien. Ça va maintenant. »

Il y avait quelque chose de déplaisant en Marcus Potter. Alexander savait qu'il ne devait pas poursuivre l'interrogatoire et n'en avait aucune envie.

« Ça va », répéta le garçon d'une voix plus soumise, de robot. Alexander était assez intelligent pour comprendre que le garçon voulait que cette déclaration ne fût pas prise au sérieux. Mais il se contenta de dire, « Je peux vous accompagner ? »

Marcus acquiesça de la tête. Ils partirent en silence vers la petite rangée de lumières des maisons en bordure du Bout de Là-bas.

Marcus Potter avait grandi sur ces terrains de sport. Pendant les vacances il en était souvent le seul hôte. Ils s'étendaient autour de lui dans sa petite enfance et il s'était allongé dans leur boue, leurs touffes d'herbe, les transformant en Passchendaele, Ypres, la Somme, tranchées, abris, no man's land.

Il avait joué à un jeu appelé Se Déployer. Cela débutait par l'extension délibérée de son champ de vision, jusqu'au moment où, par un tour de passe-passe de ses facultés de perception, il était capable de voir en même temps les quatre coins du terrain, les hautes extrémités des poteaux de but, le fil de fer qui surmontait la barrière. Ce n'était en rien une impression de contenir les choses qu'il voyait. Pour mieux dire, il les percevait à partir de nulle part, ou de partout à la fois. Il localisait avec une impossible simultanéité une *Berberis stenophylla* tout en bas à gauche, le centre boueux du terrain, la Mare Croupie là-bas à droite.

Il était tout petit quand il acquit la maîtrise de ce jeu, et tout petit quand celui-ci échappa à son contrôle. Parfois, pendant des instants incommensurables, il perdait toute notion de l'endroit où il était réellement, de l'endroit où son esprit déployé avait sa source. Il dut apprendre à retrouver son corps en fixant son esprit sur des choses précises, en rétrécissant son attention jusqu'à ce qu'elle soit momentanément localisée dans un objet solide, une demi-lune de peinture blanche adhérant à l'herbe blême, les chaînes luisant doucement en rectangle autour du terrain de cricket, la douce eau noire du bassin. À partir de tels points il lui était possible, comme avec une lunette d'approche, de repérer son propre corps glacé et accroupi et, avec de la chance, de faire bondir son esprit jusqu'à lui.

Il avait appris de bonne heure à rendre grâce à la géométrie, qui permettait d'avoir prise et de passer là où des nœuds d'herbe et des mottes de boue s'y opposaient. Les lignes brisées peintes à la chaux, tracé des jeux d'hiver croisant celui des jeux d'été, cercles, couloirs, points fixes, dressant la carte de cet océan de boue déchaîné et le jugulant, étaient des lignes le long desquelles ramper, un réseau salvateur.

Plusieurs années avaient passé pendant lesquelles il n'avait pas joué à ce jeu et n'y avait même pas pensé. Dernièrement, il s'y était remis avec une nouvelle force compulsive, mais pourtant sans aimer cela. C'était comme la masturbation, une chose qui s'emparait subitement de lui, d'une façon d'autant plus pressante qu'il avait juste décidé de s'en abstenir et s'était donc relâché. Et puis il pensait qu'il allait le faire, juste le faire, rapidement, et puis se remettre à vivre immédiatement après.

Cette fois-ci il avait cru pouvoir traverser le Bout de Là-bas sans que cela se produise. Il marcherait sur les lignes et traverserait de cette manière, sur elles. L'irruption du train l'avait secoué, l'avait fait sortir de lui-même sans aucune des manœuvres visuelles et corporelles préliminaires nécessaires à son soulagement et peut-être à sa survie.

Il avait à présent atrocement froid. Il n'arrivait pas à se rappeler avec exactitude ce qui s'était passé. L'expérience le laissait toujours dans un état de froid atroce.

Il traînait les pieds dans l'herbe, en essayant toujours de rester en sécurité sur les lignes blanches.

Ils passèrent sous les grands poteaux blancs de rugby dont il croyait, quand il était petit, qu'ils servaient pour le saut en hauteur à des êtres supérieurs. Ils ouvrirent le portillon et remontèrent l'allée du jardin.

2

Dans l'antre du lion

Alexander s'était souvent entendu dire qu'il avait une invitation permanente chez les Potter. Ils le mettraient à la porte sans aucun scrupule, disaient-ils, s'il n'était pas le bienvenu. Ils ne l'avaient jamais mis à la porte, et il n'avait jamais eu l'impression d'être vraiment le bienvenu, mais d'interrompre un huis-clos familial péremptoire. Il craignait foyers et familles et les traitait avec un respect exagéré. Ses propres parents tenaient un petit hôtel à Weymouth où, enfant unique, il séjournait comme bon lui semblait, ne se faisant à tout le moins jamais accuser de traiter son foyer comme un hôtel, puisque c'était exactement ce qu'il était.

La porte de derrière ouvrait sur la cuisine, où Winifred se tenait devant l'évier. Elle tendit les bras à Marcus, qui les évita, et invita Alexander à dîner. Ils allaient juste passer à table, dit-elle, et il y en aurait facilement pour une personne de plus. Alexander trouverait tous les autres dans le salon.

Elle s'élevait, raide comme un piquet, en couches successives, bas de fils d'Écosse, jupe grise, blouse de ménage informe imprimée de fleurs, jusqu'à une lourde couronne de tresses blondes grisonnantes dont les bouts détachés bouffaient en une brume de lumière qui atténuait la sévérité de cette architecture. Elle ressemblait à l'image victorienne d'une déesse scandinave épuisée, et avait le nez droit danois et les yeux rapprochés qu'on retrouve chez beaucoup de gens originaires du Nord-Yorkshire. Elle avait également une expression sentencieuse, mais Alexander ne se souvenait pas de l'avoir entendue faire une remarque qui ne fût pas essentiellement conciliante. Elle disait, en fait, très peu de choses. Elle avait un accent du Yorkshire prononcé. Alexander l'avait fréquentée pendant au moins un an avant de découvrir qu'elle avait une licence d'anglais de l'université de Leeds.

Bill et ses filles étaient assis en silence. Leur salon était le genre de pièce où, imaginait Alexander, la plupart des Anglais vivent, bien qu'il n'en eût pas fréquenté beaucoup de ce style. C'était une petite pièce archicomble: un canapé et deux fauteuils recouverts de moquette bouclée de couleur rouille, un grand meuble radio et électrophone curviligne, un devant de cheminée aux pavés sang de bœuf et aux coins arrondis, un secrétaire en noyer à pieds griffus très vaguement Directoire, deux poufs, deux lampadaires, deux jeux de tables gigognes. Des portes-fenêtres ouvraient sur le jardin de derrière, entre des rideaux de toile à motifs jacobéens dans des tons rouille, vert sauge et sang de bœuf. Le tapis un peu élimé s'ornait d'une sorte d'arbre oriental, avec de vagues formes d'oiseaux perchés dans ses branches bouclées, le tout obscurci par l'âge.

Dans des cadres d'argent sur l'électrophone trônaient les portraits photographiques de tous les enfants, plus ou moins à l'âge de cinq ans. Les deux filles se tenaient par la main, en robe de velours et col de dentelle, la mine renfrognée. Marcus était seul dans son cadre, rapetissé par un énorme ours en peluche aux yeux en boutons de bottine qui n'avait aucun rapport avec lui.

«Alexander, dit Bill. Ô surprise. Prenez une chaise.

— Prenez la moitié du canapé», dit Frederica qui y était allongée. Elle était vêtue de l'uniforme chiffonné, bordeaux et blanc, du lycée de jeunes filles de Blesford. Ses doigts étaient couverts d'encre jusqu'aux jointures. Ses socquettes n'étaient pas propres.

Alexander prit une chaise.

Bill dit à son fils, «Combien as-tu eu à ta composition d'histoire?

— Dix un quart.

— Et ta place?

— Je ne sais pas. Huitième ou neuvième.

— Ce n'est pas ta matière principale, évidemment.

— Non.

— Montre les chats à Alexander », dit Frederica à Stephanie d'un ton coupant.

Stephanie était penchée sur une petite table où était posée une pile de cahiers. Elle se déplia et s'étira. C'était une jeune fille blonde, douce et calme, à la poitrine forte et aux jambes élégantes, dont la coiffure à la Jeanne d'Arc était un peu trop plaquée. Elle venait de terminer ses études à Cambridge avec une double mention Très Bien, et enseignait à présent à Blesford, dans son ancien lycée.

« Ma fille Stephanie, dit Bill, a une vocation de Samaritaine. On pourrait soutenir que nous en pâtissons tous. Elle aime à sauver les choses. Vivantes, à demi mortes, de préférence quand les chances sont faibles. Elles sont particulièrement faibles dans le cas présent, à mon sens. Sont-ils déjà morts, Stephanie ?

— Non. S'ils arrivent à passer le cap de la soirée, ils ont une assez bonne chance.

— Tu as l'intention de veiller toute la nuit ?

— Je pense que oui.

— Puis-je voir ? » dit Alexander, très poliment.

Il eût de beaucoup préféré ne pas voir. Stephanie poussa le grand carton à côté de sa chaise de quelques centimètres vers lui. Il se pencha, rapidement, ses cheveux frôlant ceux de Stephanie, qui avaient une odeur de propre et de bonne santé. Elle était toujours égale à elle-même, semblait-il, saine, bougeant et parlant avec mesure, créant une atmosphère de légère paresse physique et mentale alternativement réconfortante ou exaspérante pour autrui.

Dans le carton se trouvaient trois chatons prématurés, dont les têtes protubérantes se cognaient ou se blottissaient faiblement les unes contre les autres. Leurs yeux étaient couturés de croûtes jaunes et dures. De temps en temps l'un d'eux ouvrait une gueule rose, révélant de fines dents en arêtes. Ils étaient luisants, humides, reptiliens, avec de petites pattes pelées à la traîne.

Stephanie en pêcha un ; il resta recroquevillé dans sa main comme un fœtus.

« Je les frictionne avec une serviette pour les réchauffer, dit-elle d'une voix douce. Et les nourris très souvent, avec une pipette. »

Elle prit la pipette dans une soucoupe devant la cheminée, repoussa la peau douce de la mâchoire impuissante, et, d'un petit doigt qui parut presque brutal, introduisit la pipette et pressa.

« Il est facile de les étouffer ainsi, c'est ça l'ennui. » L'animal crachota, eut un haut-le-cœur microscopique, et retomba dans son inertie. « C'est passé, en tout cas.

— Où les avez-vous trouvés ?

— Au presbytère. La chatte est morte. C'était horrible, pour dire la vérité. » Sa voix ne changea pas mais poursuivit doucement. « Je prenais le thé avec Mlle Wells et le vicaire a cogné à la porte et dit que la petite fille de la femme de ménage hurlait sans s'arrêter dans la cuisine. Alors je suis descendue, et la chatte était là… il n'y avait plus rien à faire… elle râlait, se tordait, râlait, se tordait, et puis elle est morte.

— Ces détails sont-ils indispensables ? » dit Bill.

Marcus, aussi éloigné des chatons que possible, mit les mains entre les genoux et commença à imaginer une sorte de motif mathématique avec les jointures et le bout de ses doigts.

« Il y avait ces trois-là, plus trois mort-nés. La petite fille était dans un état affreux. Je soupçonne qu'elle a tout déclenché – qu'elle a empoigné la pauvre bête de travers. Elle était en pleine crise d'hystérie. Alors j'ai dit que je sauverais ceux-là, si possible. Se lever toute la nuit est une calamité. »

La bestiole dans sa main émit un infime murmure aigu qui n'avait pas la force d'être un cri.

Frederica dit de sa voix stridente. « Je ne savais pas que les chattes mouraient en couches. Je croyais qu'elles se contentaient de pondre. Je croyais que c'était réservé aux héroïnes de roman.

— Quelque chose s'est entortillé à l'intérieur de la chatte.

— Pauvre bête. Que vas-tu faire des petits ?

— Leur trouver un foyer, je suppose. S'ils vivent.

— Un foyer, dit Frederica en chargeant le mot d'ironie. Un foyer ! S'ils survivent !

— S'ils le font » acquiesça calmement Stephanie.

Alexander se redressa, légèrement écœuré par toute cette petite nichée et son odeur de nouveau-nés, et ouvrit la bouche pour expliquer la raison de sa visite. Bill, qui avait rassemblé ses forces pour dire quelque chose, se mit à parler au même moment. C'était une habitude chez lui. Alexander, néanmoins déconcerté, comme il l'était toujours, ferma la bouche et observa Bill. C'était un petit homme mince, au visage allongé, dont les mains et les pieds étaient ceux d'un homme destiné à être plus grand. Il portait un pantalon de flanelle, une chemise à carreaux blanc et bleu, col ouvert, et une veste en Harris Tweed roussâtre avec des pièces de cuir aux coudes. Ses cheveux, qui s'éclaircissaient, avaient eu autrefois, selon toute apparence, la même teinte marron d'Inde que ceux de Frederica, et se fanaient à présent, parsemés de flocons d'argent comme de la cendre sur un feu qui s'éteint. Quelques longues mèches flottaient sur le sommet de sa calvitie. Son nez était pointu et ses yeux d'un bleu très pâle. Dans leur enfance, les deux sœurs Potter avaient prêté à l'irascible joueur de flûte de Hamelin le visage de leur père, les yeux scintillant « comme la flamme d'une bougie saupoudrée de sel ». Il régnait habituellement une atmosphère d'incendie étouffé autour de la personne de Bill – pas de flamme visible, mais l'impression inquiétante d'un feu qui couve au cœur d'une meule de paille, le craquement à la base d'un feu de joie qui peut subitement flamboyer, flamboyer et s'écrouler.

« Vous pouvez me dire... dit-il en étouffant l'entrée en matière d'Alexander et en montrant son fils d'un geste brusque de la tête. Quelle opinion a-t-on de son travail ?

— Tout à fait bonne, répondit Alexander gêné. Du moins, pour autant que je le sache. Il est très appliqué, vous savez.

— Je sais. Je sais. Ou plutôt, non, je ne sais pas. Personne ne me dit rien. Personne ne me raconte rien. Et lui moins que personne. »

Alexander jeta un regard à la dérobée vers Marcus, qui avait l'air de ne simplement rien entendre. Il décida que c'était vrai, si peu vraisemblable que cela fût.

« Si je demande, dit Bill, si je demande, comme en qualité de père il y a des chances pour que je le fasse, je ne reçois, en règle générale, que des réponses évasives. Personne ne veut jurer qu'il réussit aussi bien qu'il le devrait. Personne ne veut émettre la moindre appréciation utile. Rien. À croire que ce garçon n'existe pas. À croire qu'il est invisible.

— Je ne l'ai qu'en anglais, matière secondaire pour lui, et je suis tout à fait satisfait… » commença Alexander en se demandant, tout en parlant, la signification de « tout à fait satisfait » dans ce contexte. L'horrible était que pour une part le garçon était – volontairement, Alexander en était convaincu – effectivement invisible.

« Satisfait. Tout à fait satisfait. Et maintenant dites-moi, en tant qu'enseignant, spécialiste d'anglais et homme de lettres, quelle signification vous donnez exactement à "tout à fait satisfait"…

— À table », dit magistralement Winifred dans l'embrasure de la porte, comme électriquement appelée à leur secours à tous. Les filles se levèrent. Marcus s'esquiva.

La salle à manger était tout à la fois exiguë et pseudo-seigneuriale. Elle était presque entièrement remplie de meubles de chêne et de cuir : table à abattants aux pieds protubérants, pesants et goutteux, chaises à haut dossier ornées de clous en cuivre. Les murs étaient tapissés d'un papier imitant le plâtre brut. Au-dessus de la table, au haut bout, était suspendue une très petite reproduction enca- drée de *La Chasse de nuit* d'Uccello. La taille même de cette reproduction conduisit Frederica à supposer jusqu'à la moitié de sa vie que le tableau était immense, recou- vrant tout un mur ; la véritable modestie de ses dimen- sions l'outragea et l'enchanta bizarrement.

La table était recouverte d'une nappe en plastique qui imitait, artifice astucieux, du damas rose et blanc d'un côté et du vichy rose de l'autre. Winifred appartenait à cette génération de ménagères de la guerre pour qui le plastique, n'importe quel plastique, représentait un allégement de travail miraculeux, et la couleur, n'importe quelle couleur, une libération et un égaiement incontestables. Ce soir-là le côté damassé était couvert de la lourde argenterie ornée que les Potter avaient reçue pour leur mariage, de napperons en plastique imitant des nattes de jonc, de serviettes en crépon avachi, vaguement écossais, enfilées dans des ronds beaucoup trop grands pour elles, reliques des fastes d'un mode de vie plus substantiel – mariages, baptêmes – auquel les Potter avaient partiellement renoncé sans aspirer à quoi que ce fût de plus gracieux. Au centre de la table un faisceau de flacons : Piccalilli, sauce HP, pickles, chutney, ketchup.

Frederica et Stephanie, toutes deux amoureuses d'Alexander, s'inquiétaient de l'impression qu'il devait s'être formée de tout cela. Alexander était sans façon, mais d'une manière toute personnelle, pantalon en twill, veste d'équitation, chaussures en daim, chemise Viyella jaune d'or. Sa beauté était sans apprêt, ses cheveux châtains longs et fins tombaient légèrement sur un front pensif, tout en lui était long et fin, net et soigné, mais avec délicatesse, sans rien de jovial ni d'affecté. Elles craignaient qu'il ne les trouve presque à coup sûr vulgaires. Elles auraient aimé lui apparaître différemment. Leur gêne était cependant compliquée par la conviction morale qu'il serait vulgaire, qu'il serait mal de la part d'Alexander de juger les Potter sur les apparences. Il serait également vulgaire et mal de la part des Potter de se soucier d'un tel jugement. Finalement, la vie intérieure et la rectitude morale primaient, et ne pas le savoir était le plus vulgaire de tout – pensaient-elles –, aberration gravée dans le caractère des Potter et les unissant tous.

Bill, les manches de chemise remontées sur ses bras aux veines pâles, découpa le gigot froid, distribua du chou-fleur et des pommes de terre à l'eau, et continua à persécuter Alexander de questions sur les habitudes intellectuelles de son fils. L'entêtement obsessionnel était un autre trait de caractère des Potter. Selon Bill, Marcus n'avait rien lu à part les Biggles. Il exigeait de savoir à quel point cette situation était anormale. À l'âge de Marcus, Bill avait déjà tout lu, Kipling, Dickens, Scott, Morris, Macaulay, Carlyle et tout et tout. De fait, le ministre congrégationaliste lui avait confisqué *Jude l'obscur* à l'âge de Marcus précisément, et avait invité sa famille et ses amis à un sacrifice par le feu.

« Dans la chaudière de la chapelle. Il a ouvert le petit hublot sur l'ardente fournaise embrasée et il y a enfourné le pauvre *Jude* avec des pincettes. À bout de bras. Sermon sur les mauvaises pensées et l'arrogance des demi-savants. Ce qui me visait.

— Qu'avez-vous fait ?

— Je me suis vengé en lui rendant la monnaie de sa pièce. Un véritable holocauste. J'ai ramassé toutes les brochures missionnaires, les petits sous des petits enfants qui apportent la félicité éternelle aux païens misérables et mourant de faim, la gratitude des lépreux envers la parole de Dieu et autres gangrènes, alors que leur problème était une gangrène bien réelle et non pas le besoin de pantalons, de monogamie et de "bienheureux les débonnaires", lesquels ne sont pas le moins du monde bienheureux. Je n'ai pas eu le culot de prêcher un sermon, mais j'en ai écrit un, Dieu me garde, de ma plus belle plume, et je l'ai apposé sur le panneau d'affichage, disant que autodafé signifie "acte de foi", ce que je savais parfaitement, si peu savant que je fusse, et que c'était là le mien, et que selon moi ils étaient damnés pour avoir péché par fausse logique, fausses valeurs, et style sirupeux. Et pour avoir brûlé *Jude* avant que je sois arrivé au bout. »

Alexander eut un petit rire gêné. « Je m'étonne que vos parents ne vous aient pas rejeté.

— Oh mais ils l'ont fait, ils l'ont fait. Bien sûr qu'ils l'ont fait. J'ai vidé les lieux avec une malle de métal noir remplie de livres et de quelques effets dès le lendemain, et je ne les ai jamais revus. Win leur a mené les filles, une fois, mais il n'est pas question que je remette jamais les pieds chez eux, même si je voulais y aller, ce qui n'est pas le cas. Non, je suis devenu représentant de commerce. Linge de corps et bandages herniaires pour messieurs. Je suis entré à Cambridge grâce aux instituts ouvriers et aux cours du soir. J'ai terminé *Jude*. Ça m'a servi de leçon. C'est ce pour quoi vous avez peiné et combattu qui a de la valeur pour vous. »

Alexander, impressionné par ce récit, allait en faire la remarque, lorsque Frederica dit :

« C'est drôle alors que tu brûles nos livres.

— Je ne brûle pas les livres.

— Si, tu brûles les œuvres qui ne te plaisent pas. Tu censures nos lectures. »

Bill émit une espèce de gloussement.

« Moi, je censure ! Qui donc a écrit à cette vieille fille desséchée quand tu as été assez sotte pour te faire confisquer *L'Amant de Lady Chatterley* au lycée ? Et qui lui a dit, pour faire bonne mesure, qu'il était inique de ne pas faire figurer *L'Arc-en-Ciel* et *Femmes amoureuses* dans la bibliothèque du lycée ?

— Je ne t'ai pas demandé de le faire. En fait, je voudrais bien que tu n'écrives pas.

— Cette idiote de bonne femme a répondu, je crois, qu'elle avait acheté six exemplaires d'un ouvrage intitulé *L'Instant radieux, ou comment un bébé vient au monde*. Elle semblait considérer que c'était là une preuve compensatoire de sa largeur d'esprit.

— Elle est timide, dit Stephanie. Elle est pleine de bonnes intentions. »

Frederica semblait enragée. Elle jetait des regards furieux de part et d'autre, ne sachant apparemment pas si elle allait attaquer Bill ou *Comment un bébé vient au monde*.

« D'accord, c'est un livre pratiquement inutile. Bourré de diagrammes qu'on trouve dans n'importe quelle boîte de Tampax, n'importe comment. Et toute une litanie sur le bonheur suprême et la confiance profonde de l'amour, et l'ouverture du trésor de la virginité – honnêtement, quelle métaphore dingue, il n'y a rien au-dedans. Et je n'aime pas ses petits discours religieux non plus, je ne veux pas que ma biologie soit contaminée par des rhapsodies religieuses, non merci. Elle ne sait absolument rien.

— Mais tu objectes quand je me plains qu'elle juge bon de te priver de vrais livres et d'une expérience véritable. »

Frederica s'en prit à lui.

« C'est toi qui nous as collées dans cet horrible lycée et maintenant tu ne veux pas nous laisser nous en débrouiller toutes seules. Tu me rends la vie impossible, si tu veux le savoir, en n'arrêtant pas d'écrire à la Wells des lettres qui parlent de sexualité, de liberté, de littérature, et tout le saint-frusquin. Si tu veux vraiment savoir ce que je pense, eh bien je pense que *Femmes amoureuses* est un livre aussi corrupteur et aussi préjudiciable à l'épanouissement de notre tendre jeunesse que *L'Instant radieux, ou comment les bébés viennent au monde*. Si je croyais devoir réellement mener le genre d'existence que ce livre offre en exemple à mon admiration, j'irais de ce pas me noyer dans la Mare Croupie. Je n'ai rien à faire de l'immémoriale magnificence de la véritable et palpable altérité mystique, tu peux te la garder. À supposer que tu l'aies. J'espère de toute mon âme que Lawrence raconte des bobards, mais je ne sais pas comment tu peux imaginer que je suis à même d'en juger, quoique tu m'obliges à le lire. Et tu brûles bel et bien les livres.

— Je ne brûle pas les livres !

— Si, tu le fais. Tu as brûlé tous mes *Crystal* et tous les Georgette Heyer que j'avais empruntés à cette fille qui était presque mon amie autrefois, et ces livres-là n'étaient même pas à moi.

— Ah oui, dit Bill avec un vif plaisir rétrospectif. Je l'ai fait. Ce n'étaient pas des livres.

— Ils étaient inoffensifs. Ils me plaisaient.

— C'était de la divagation lascive. Et vulgaire. Et fallacieuse, si ce mot a un sens pour toi.

— Je crois que tu pourrais me faire confiance pour reconnaître la divagation lorsque je la croise. Un peu de divagation n'a jamais fait de mal à personne. Et cela me donnait un sujet de conversation avec les autres filles. »

Bill se mit à parler de la vérité en littérature. Alexander regarda sa montre à la dérobée. Winifred se demandait, comme elle le faisait souvent, pour quelle raison

Bill trouvait irrépressiblement nécessaire de se quereller d'une manière si désastreuse, de se disputer, d'une manière pour lui si crue, avec la seule de ses enfants à avoir hérité de son appétit omnivore et allègrement analytique pour la chose écrite.

Elle se rappelait l'épisode des *Crystal*. Bill – nul ne sut jamais quelle inspiration l'avait poussé à fureter – les avait découverts cachés dans une boîte sous le lit de Frederica. Il les avait emportés dans le jardin, flamboyant de colère et de plaisir, et les avait incinérés dans la poubelle percée, celle où il brûlait les détritus. L'un après l'autre, ils s'étaient désintégrés, ils avaient carbonisé, des lambeaux déchiquetés de pelure noire friable et des flammes pâles montaient en dansant dans le ciel d'été. Bill remuait le tout avec une tringle de fer, comme s'il officiait dans un rituel. Frederica dansait autour de lui sur la pelouse, en agitant les bras et en hurlant d'une fureur extrêmement bien formulée.

Frederica était la seule de ses enfants à inquiéter Winifred. Elle semblait parfois possédée par un démon ; ses bulletins trimestriels dépeignaient son comportement et même son écriture comme « agressifs ». Winifred le croyait. Stephanie, plus modérée et indolente, était tenue pour plus intelligente. Marcus était, Winifred aimait à le croire, paisible et indépendant. Elle admirait ces deux-là de réagir à la colère avec sa propre patience stoïque. Frederica était toujours tellement prête à batailler.

Pendant le café, Alexander réussit enfin à aborder le sujet de sa pièce. Il commença par une voie détournée, un préambule sur Crowe et ses projets pour la nouvelle université, auxquels Bill trouva immédiatement à redire. Bill était parfaitement au fait, dit-il à Alexander, des négociations qui avaient été menées. Il y avait pris part au début, quand il existait un réel espoir de quelque chose de nouveau, qui serait réellement issu des fondements de l'éducation pour adultes où il avait commencé. Mais il avait perdu patience, à cause des présidents d'université qui bousillaient son programme d'études au point d'en gommer toute différence avec les enseignements universitaires déjà existants, à cause de Crowe qui fourrait son nez là où l'on n'en avait pas besoin, et à cause de l'évêque, qui ajoutait des fanfreluches farfelues et des facultés de théologie. Tout ce à quoi ils allaient aboutir, ce serait un ersatz enjolivé d'Oxford et de Cambridge, avec un cérémonial pastiche et les vieilles maisons du pays remises à neuf, avec des heurtoirs en cuivre et cette horrible peinture bleu ciel du Festival de Grande-Bretagne, au bénéfice de profs de fac condescendants. Son travail à lui devrait se poursuivre loin de tous ces embarras et de tous ces chichis, comme il l'avait toujours fait. Quant à Crowe, il avait l'air d'une vieille araignée, il resterait assis dans sa tour à tendre sa toile où prendre les mouches culturelles, et se ferait nommer président, qu'Alexander se rappelle bien ces paroles. Quant à l'homme de la Nouvelle Renaissance, il n'y en avait nul besoin, merci bien – lecture, calcul, expérience directe et faculté d'expression feraient parfaitement l'affaire.

Alexander dit qu'il devait y avoir un festival et que lui-même, de fait, avait écrit une pièce sur laquelle il aimerait connaître l'opinion de Bill. Elle devait être montée pour le festival. Il avait de la chance. Il mentionna les projets de Crowe concernant l'animation culturelle de toute la région. Il dit, en s'avançant, qu'on aurait besoin de Bill. Il dit qu'il espérait pouvoir consacrer de son temps, pendant le troisième trimestre, à travailler à la pièce, mais que cela dépendrait de Bill. À ce moment de la soirée, le sentiment d'euphorie et d'indépendance qu'il avait éprouvé en présence de Crowe et sur la passerelle du chemin de fer l'avait abandonné. Il s'exprimait sobrement, et même en ayant l'air de s'excuser. Bill l'écouta jusqu'au bout, en se roulant une cigarette dans une machine en métal et en caoutchouc, tripotant les brins grossiers de tabac noir et visqueux, passant la langue sur ses lèvres, puis sur le bord délicat du papier à cigarette, avec précision.

« Qu'est-ce que c'est alors ? Une sorte de reconstitution culturelle ?

— Non.

— Un projet pour une Nouvelle Renaissance?

— Non. Une pièce. Une pièce historique. Un drame en vers. Sur la reine. » Il hésita. « Je voulais l'appeler *Une dame surprise par le temps*. D'après son portrait. Mais nous avons opté pour *Astraea*, parce que c'est facile à dire. Et j'ai emprunté beaucoup de rouages à l'ouvrage de Frances Yates sur la reine Elisabeth en tant que Virgo-Astraea. »

Il voyait Bill penser que tout cela était prétentieux et universitaire dans le mauvais sens du terme.

« Eh bien, dit Bill, vous feriez mieux de me donner cette œuvre à lire. Y en a-t-il un exemplaire de disponible? »

Alexander exhiba une des copies sur stencils de Crowe. Il se rendait compte, avec un léger choc, qu'il n'était purement et simplement pas venu à l'esprit de Bill qu'il puisse avoir écrit une bonne pièce. Le ton de Bill était celui du maître d'école, partisan de l'effort, mais réprimant honorablement l'enthousiasme qu'il n'allait pas être à même de manifester au bout du compte.

Frederica dit, « Allons-nous pouvoir jouer dedans? Faisons-nous nous-mêmes partie de la culture régionale? Je veux être actrice.

— Oh, dit Alexander. Il y aura naturellement des auditions. En grand nombre. Pour tout le monde. Y compris les établissements scolaires. Mais je voulais moi-même suggérer que Marcus – s'il y consent – pourrait être particulièrement envisagé pour un rôle. Je voudrais savoir ce que lui – et vous-même – en pensez.

— Je pense qu'il a fait montre d'un réel talent dans *Hamlet*, dit Bill.

— Moi aussi, dit Alexander. Moi aussi. Et il y a un rôle idéal pour lui.

— Edouard VI, je parie, dit l'irrépressible Frederica. Ça lui irait comme un gant. Espèce de veinard.

— Non, dit Marcus. Merci.

— Je pense vraiment, dit Bill, que tu pourrais y arriver, même avec ton travail…

— Non.

— Donne-nous au moins une raison.

— Je ne peux pas marcher à l'aveuglette sans mes lunettes.

— Tu l'as fait pour Ophélie.

— Je suis incapable de jouer. Je ne veux pas, je ne veux pas jouer. J'en suis incapable.

— Nous pourrions en discuter plus tard, dit Alexander en voulant dire : hors de la présence de Bill.

— Non » dit Marcus fermement mais en élevant la voix.

La sonnette retentit. Frederica bondit vers la porte et revint pour annoncer d'un ton solennel :

« Un vicaire en visite. Il désire voir Stephanie. »

Elle donna à cette annonce l'allure d'un anachronisme absurde, un épisode détaché d'une parodie de Charlotte Brontë, Elizabeth Gaskell ou Mrs Humphry Ward. Les vicaires ne venaient pas en visite chez les Potter. Personne n'y venait jamais en visite, à dire la stricte vérité. Et les vicaires, qui pouvaient tout de même faire des visites ailleurs, ne venaient certainement jamais dans cette maison-ci.

« Ne le fais pas attendre, c'est mal élevé, dit Winifred. Fais-le entrer. »

Le vicaire parut, et s'arrêta dans l'embrasure de la porte. C'était un homme robuste, grand, gros, hirsute, aux épais cheveux noirs en bataille, aux épais sourcils en broussaille, au lourd menton bleui par le duvet d'une barbe vivace. Ses vêtements noirs pendaient sur des épaules puissantes, son cou était lourd et musclé au-dessus de son col d'ecclésiastique.

Stephanie le présenta, avec nervosité. Daniel Orton, le vicaire de M. Ellenby, de Saint-Bartholomew de Blesford. Daniel Orton embrassa du regard la compagnie assemblée et demanda, d'une voix sonore qui aurait pu juste traduire une tentative de pure routine pastorale pour les mettre à l'aise, s'il pouvait s'asseoir. Il avait un accent prononcé du Yorkshire – du Yorkshire industriel du Sud, moins modulé et chantant que l'accent du Nord de Winifred.

« S'il s'agit d'une visite pastorale, dit Bill, autant vous prévenir immédiatement que vous vous êtes trompé d'adresse. Personne ne va à l'église ici. »

Le vicaire ne réagit pas à ce préambule. Il déclara

simplement qu'il était venu pour avoir quelques instants d'entretien avec Stephanie, avec Mlle Potter. Si cela était possible. Il avait promis à la petite Julie au presbytère qu'il passerait voir comment se portaient les petits chats. Il s'assit, sur l'autre moitié du canapé de Frederica, semblant avoir déjà instinctivement localisé le carton. Il y jeta un coup d'œil.

« Ils ne vont pas mal, dit Stephanie. Il est trop tôt pour savoir.

— Il est évident que la petite se fait des reproches, dit Daniel Orton. J'espère que vous arriverez à les élever.

— Ne lui donnez pas trop d'espoir – ne comptez pas trop sur moi, je vous en prie. Non seulement ils n'ont plus de mère, mais ils sont prématurés. C'est une entreprise insensée, en réalité.

— Non, vous avez raison, il faut toujours dire la vérité. Je tenais à passer – je n'ai pas eu le temps de vous le dire, pour mon propre compte –, vous avez fait merveille avec cette enfant. Je tenais à vous le dire. »

Une curieuse trace d'onction sacerdotale frémit dans les plates sonorités du Yorkshire. Bill dit, rapide et répressif, « Nous en avons déjà beaucoup entendu sur l'épisode des chats. Merci bien. »

La grosse tête noire de Daniel se tourna légèrement dans la direction de cette interjection, apparemment pour l'évaluer. Puis il se retourna vers Stephanie.

« Je me demande si je pourrais vous intéresser à une partie de mon travail. Vous avez eu la bonté d'exprimer de l'intérêt pour la façon dont j'accomplis ma tâche. Il me faut être importun dans ma besogne, sinon je n'arrive à rien, et il y a une chose pour laquelle j'ai l'impression que vous seriez la personne idoine si vous apportiez votre concours. C'est juste une petite idée. Je me demandais…

— Une autre fois, peut-être, dit Stephanie, cramoisie, en regardant ses genoux, presque inaudible.

— Peut-être ai-je interrompu quelque chose, dit Daniel. En ce cas, je vous demande pardon. »

Alexander regarda sa montre, les Potter, le vicaire.

« Vous avez de très belles peintures murales dans votre église, monsieur. Je n'ai rien vu de pareil en Angleterre.

La bouche de l'enfer au-dessus de la nef – et ce dragon repoussant ; tellement anglais – sont particulièrement beaux. Même estompée, c'est une vraie fournaise ardente et embrasée. C'est très beau. Il est dommage que vous n'ayez pas une brochure plus instructive et un peu moins dithyrambique. C'est l'œuvre de l'épouse d'un ancien pasteur, je crois.

— Je ne sais pas. Je n'ai pas lu la brochure. Et je ne sais pas juger de ce qui est particulièrement beau. Vous avez certainement raison.

— Vous vous êtes trompé d'adresse, dit Bill, si vous voulez que qui que ce soit dans cette maison vous aide dans votre travail. En ce qui me concerne, l'institution que vous représentez est une pourvoyeuse de mensonges et de fausses valeurs et je souhaite ne rien avoir à faire avec elle.

— Voilà qui est clair, dit Daniel.

— Je vis dans une culture dont les institutions et les réactions morales inconsidérées relèvent d'une idéologie fondée sur une légende historique dont l'exactitude ne se vérifie par absolument aucune preuve digne de respect, et sur les prédications d'un bigot de négateur de la vie nommé saint Paul. Mais nous nous y résignons tous. Nous sommes tous polis envers l'Église. Nous ne nous demandons jamais, si nous donnions un grand coup de balai, quelles vérités nous pourrions bien mettre au jour. » Bill lançait des regards noirs. Il disait là ce qu'il disait souvent, mais n'avait pas souvent l'occasion de dire à des hommes d'Église.

« Je ne vous demande pas de venir à l'église. Je suis venu demander à Mlle Potter de m'aider pour un projet que j'ai en vue.

— Vous devriez me demander de venir à l'église, c'est précisément la question. Si vous aviez véritablement des convictions. Non seulement tout cela est mort, mais en plus c'est inconsistant.

— J'ai des convictions, dit Daniel Orton en agrippant ses gros genoux de ses lourdes mains.

— Oh, je sais. Un seul Dieu, créateur du ciel et de la

terre, et ainsi de suite. Jusqu'à la communion des saints, la rémission des péchés, la résurrection des morts et la vie éternelle. Vous y croyez pour de bon ? Au ciel et à l'enfer ? Ce à quoi l'on croit importe.

— Je crois au ciel et à l'enfer.

— Cités d'or, chérubins et séraphins, trompettes retentissantes, rivières de perles, abîme de feu, griffes et ailes de cuir, chemin de velours qui mène au feu de joie éternel, et tutti quanti ? Ou quoi d'autre ? Une astucieuse version moderne dans laquelle vous êtes à vous-même votre propre enfer à perpétuité ? Je suis très intéressé par les hommes d'Église d'aujourd'hui.

— Plus que moi, à ce qu'il semble, dit Daniel. Pourquoi donc ?

— Parce que la vie de la communauté est mensonge, elle est hantée, sans que la plupart de ceux qui en souffrent en aient conscience, par les images malsaines et corrompues dont vous vous faites le pourvoyeur. Un cadavre cloué sur deux planches. Des images sensationnelles, et contraires à la vérité, de feu et de pommiers.

— Pourquoi vous en prenez-vous à moi ?

— Il y a plus de vérité dans *Le Roi Lear*, autant que je sache, que dans tous les évangiles mis bout à bout. Je veux que les gens aient la vie en abondance, monsieur. Vous barrez le passage.

— Je vois, dit Daniel. Je n'ai pas lu *Le Roi Lear*. Je n'étais pas destiné à l'université quand j'étais en classe. Je vais réparer cette omission. Maintenant je vais rentrer, si cela ne vous fait rien. Je ne suis pas le genre d'homme d'Église rompu aux joutes oratoires, et pas davantage un prédicateur. Et vous me mettez un peu en colère.

— Tu ne peux dire de pareilles choses, papa, dit Stephanie. Il pratique ce que tu prêches. J'ai vu ce qu'il fait – dans les hôpitaux et les endroits comme ça – où, quoi que tu dises – de l'expérience – tu ne vas pas. Il sait ce qu'il y a dans *Le Roi Lear*, il le sait parfaitement, même s'il ne l'a pas lu.

— Je parie que je connais mieux ma Bible que lui.

— Je le parie aussi, dit Stephanie. Mais quant à savoir si c'est un argument en ta faveur ou la sienne, je le laisserai répondre sur ce point. Je vous prie de nous pardonner, monsieur.

— Alors vous me parlerez à un moment plus propice », dit Daniel à Stephanie. Comme les Potter, c'était un homme entêté jusqu'à l'obsession.

« Je ne promets rien.

— Mais vous me parlerez.

— J'admire beaucoup ce que vous faites, monsieur. » Avec raideur.

« Bon. Maintenant je vais m'en aller. »

Alexander regarda à nouveau sa montre et annonça qu'il s'en allait aussi. Ils sortirent ensemble dans la rue déserte et demeurèrent quelques instants dans un silence plus ou moins sympathique.

« Cet homme doit être fou, dit Daniel Orton. Je n'avais rien fait.

— Le plus drôle, c'est que c'est un croyant et un prédicateur populaire né hors de son siècle. En rébellion contre sa propre éducation.

— Ouais. Eh bien moi aussi, en sens inverse. Je devrais sympathiser avec lui. Mais je ne peux pas dire que ça soit le cas. Ça n'a pas beaucoup d'importance. Je ne suis pas un grand prédicateur en ce qui me concerne. Des mots, et encore des mots.

— Les mots sont son travail.

— Qu'il s'y tienne alors. Il est dépourvu de grâce. » Rien dans le ton ne permettait de distinguer si cette critique se voulait théologique, esthétique, ou d'un tout autre ordre. Il tendit à Alexander sa grande main et s'éloigna, non sans grâce, d'un pas vigoureux et chaloupé dans la direction de la ville. Alexander partit en grande hâte dans la direction opposée. Comme tous les gens par trop anxieux de se rendre à leurs rendez-vous sans avoir à souffrir le supplice d'être en avance, il s'était mis en retard. Il commença à courir.

3

La Butte du Château

Dans les faubourgs de Blesford, où préfabriqués et lotissements miséreux empiétaient sur les vrais champs, Alexander, toujours courant, atteignit la Butte du Château. Le château, qui avait offert un bref asile à Richard II vaincu, était à présent une carcasse de pierres entourant des mamelons et des tertres d'herbe fauchée à l'apparence boursouflée et ambiguë de tumulus funéraires. Des pancartes en fer signalaient l'emplacement de puits asséchés, d'ouvrages de défense disparus, de fondations de chambres.

Passé cet anonymat propret s'étendait un terrain vague, qui avait autrefois servi de camp d'entraînement militaire, et où des baraques Nissen délabrées se dressaient en demi-cercle sur un macadam fendillé ; dans les longues craquelures de cette surface épilobe et séneçon poussaient faiblement, végétaux tenaces. Il n'y avait plus de mât pour le drapeau dans son trou bétonné, plus de voitures dans le parc de stationnement prévu à cet effet ; l'endroit semblait avoir subi, à une époque déjà ancienne, un siège victorieux. Les baraques répandaient par leurs portes ballantes une forte odeur de vieille urine. Dans l'une d'elles une longue batterie de lavabos et d'urinoirs avait été délibérément fracassés et souillés. Les habitués, nota Alexander, étaient là. Sur son passage il vit une bande de garçons crasseux lever la tête au-dessus de leurs mains arrondies sur la flamme d'une allumette. Devant une porte il entendit un petit troupeau de filles chuchoter et pousser des cris aigus, appuyées les unes sur les autres, bras dessus, bras dessous. La plus grande, une gamine maigrichonne et provocante de treize ans peut-être, le regarda avec audace. Elle portait une robe à fleurs en soie artificielle qui pendouillait et une ahurissante résille rouge. Un mégot rougeoyait et pâlissait alternativement au coin de ses lèvres tranchantes. Alexander fit un geste hâtif et gauche de salut. Il imaginait qu'ils savaient très bien pour quelle raison lui-même ou toute autre personne venait dans les parages.

Il la vit de l'autre côté du grillage, qui s'éloignait de lui d'un pas alerte à travers l'unique champ, dans les chardons et les bouses de vache. Elle avait les mains profondément enfoncées dans les poches d'un imperméable bleu dont les plis raides battaient sur ses fines chevilles et ses menus pieds. Sa tête, crânement couverte d'un carré de coton rouge, était penchée. Il fut terriblement ému ; il la suivit ; sous les arbres du petit bois, à un échalier, il la rattrapa et l'embrassa.

« Mon amour, dit Alexander. Mon amour.

— Écoute, dit-elle tout d'un trait, je ne peux vraiment pas rester, j'ai laissé Thomas en train de dormir, je ne devrais pas prendre de tels risques, il faut que je rentre...

— Chérie, dit Alexander. Je suis en retard. J'ai tellement peur d'être en avance et de flancher, que je me mets en retard...

— Oui, eh bien mieux vaut que l'un de nous deux ne le fasse pas. Je veux dire flancher. »

Elle lui prit la main, pourtant. Ils tremblaient tous deux. L'euphorie du début de la soirée était revenue.

« Une bonne journée, demanda-t-elle, sèche et nerveuse.

— Merveilleuse. Jenny, écoute, Jenny... » Il lui raconta pour la pièce.

« Je suis très contente. C'est vrai, je suis très contente. »

Elle essaya de retirer sa main. Alexander était subjugué par cette petite résistance. Le problème, ou le charme, était qu'elle le subjuguait. Si elle était de mauvaise humeur, ce qui lui arrivait souvent, ses mouvements refrénés de colère l'emplissaient d'un plaisir intense. Si elle détournait les yeux de fureur, il contemplait avec un intense plaisir son oreille et les muscles de son cou. Ses sentiments étaient follement simples et persistants. Une fois où il avait essayé de les expliquer, elle s'était mise vraiment très en colère.

Ce soir-là, il comprit qu'il devait faire quelque chose. Il lui tira sur le poignet, car elle avait remis la main dans sa poche.

« Tu es fâchée. Pardon d'être en retard.

— Cela n'a aucune importance. Je savais que tu serais en retard. Je suppose que je suis égoïste. Si la pièce est un succès – ce qu'elle ne manquera pas d'être – je te verrai de moins en moins. Si c'est un grand succès, tu t'en iras pour de bon. Je le ferais, si j'étais à ta place, je…

— Ne dis pas de bêtises. Je pourrais peut-être gagner un peu d'argent. Si j'avais un peu d'argent, j'achèterais une voiture.

— Tu parles toujours comme si une voiture allait tout métamorphoser.

— Cela changerait les choses.

— Pas beaucoup.

— Nous pourrions nous échapper –

— Où ça ? Pour combien de temps ? Ça n'a ni queue ni tête.

— Jenny – tu pourrais avoir un rôle dans ma pièce. » Ils avaient si souvent eu cette conversation à propos de la voiture. « Alors nous nous verrions tous les jours. Ce serait comme un début.

— Ah oui ! » dit-elle en s'arrêtant pourtant, et en s'appuyant contre lui, ce qui lui donna le vertige. « Nous vivons dans un perpétuel début. Nous ferions aussi bien d'arrêter.

— Nous nous aimons. Nous étions d'accord pour profiter du peu qui nous est possible… »

C'était toujours à cela qu'ils en venaient.

C'était son mari, Geoffrey Parry, le professeur d'allemand, qui avait timidement demandé si Alexander pouvait lui trouver un rôle dans *La dame ne brûlera pas*. Il espérait, dit-il, que cela pourrait avoir un effet thérapeutique sur sa dépression post-partum. Alexander n'avait entraperçu Mme Parry que très vaguement, traversant d'un pas lent les pelouses du collège, un pot à tabac disgracieux, ainsi que la plupart des petits modèles, d'après son expérience, avaient tendance à l'être. Il l'avait courtoisement entendue lire, dans son bureau, en lui offrant un verre de xérès, une Cléopâtre emportée dans la tornade, une Jennet lyrique et mélodique, presque accablante dans un espace si réduit. Il lui avait donné le rôle de Jennet, naturellement. Le talent était une denrée rare à Blesford. Geoffrey l'avait remercié.

Pendant les répétitions il s'était pris d'aversion pour elle. Elle sut son rôle, le tableau des répétitions et tous les autres rôles au bout de deux jours. Elle suggéra des coupures, des changements de position, des morceaux de musique pouvant convenir aux intermèdes. Elle s'institua souffleur de sa propre initiative et donna aux autres acteurs des conseils sur la manière de dire leurs répliques. Elle rendit Alexander nerveux et aggrava le manque de coordination et d'assurance du reste de la troupe. Un jour, en répétant avec Alexander dans la fosse d'orchestre, réduit privé d'air sous la scène, elle lui corrigea sa grammaire, critiqua sa distribution et rectifia ses citations, en une seule phrase. Il lui dit, avec douceur, de ne pas tout traiter comme si c'était une question de vie ou de mort.

Elle recula, oscilla, bondit et lui lança un coup violent dans la figure. Il fit un pas en arrière, tomba sur le pupitre doré, se cogna la tête contre le piano et s'écrasa sur le sol. Un mince filet de sang coulait à l'endroit où le piano l'avait blessé à la base du crâne, et où les ongles de Jenny l'avaient égratigné à la joue. Elle, dans son élan furieux, s'écroula sur lui, balbutiant que c'était effectivement une question de vie ou de mort, que c'était exactement cela qui était en question pour elle, sa vie ou sa mort, le bébé sentait mauvais et l'assommait, les élèves sentaient encore plus mauvais et l'assommaient encore plus, et tout le monde dans cet endroit assommant était obsédé par ces épouvantables gamins. Elle se redressa et se retrouva à genoux entre les jambes écartées d'Alexander dans la poussière, en train de remettre rageusement en place les boucles pendantes de ses longs cheveux noirs.

« Je vois la vie uniquement comme une reculade. Le plus près que nous nous rapprochions dans cet endroit de ce que je croyais jadis être une véritable conversation, c'est quand nous jouons à être des étudiants qui jouent à être des acteurs qui jouent à être des sorcières et des soldats du Moyen Âge. Fariboles. Alors je me mets à faire la loi et je deviens insupportable, et vous prenez un air condescendant et vous me le faites courtoisement remarquer. »

Elle lui décocha un autre coup, qu'il esquiva, simplement en se protégeant le visage avec son bras, tout en lui souriant.

« Quand j'étais étudiante j'étais assez sotte pour croire que la vie s'ouvrait à vous une fois que vous aviez quitté l'université. Mais ce que j'ai trouvé, c'est une clôture hermétique. Sans conversation, sans pensée, sans espoir. Vous ne pouvez pas vous imaginer ce que c'est. »

Alexander était devenu, inévitablement sans doute, le principal confident d'une série de jeunes épouses énergiques, assommées par leur existence solitaire et désœuvrée au sein d'une petite communauté masculine. Il croyait savoir très bien s'imaginer ce que c'était, mais n'avait nullement l'intention de le lui dire. À la place, il l'attira vers lui, l'étreignit et l'embrassa.

Les pièces jouées par les professeurs n'avaient lieu que tous les deux ou trois ans, parce qu'il fallait à la communauté le temps de se remettre des bouleversements provoqués par la combinaison inhabituelle de la boisson, du drame et des petites tenues. Alexander, habituellement un observateur amusé, se sentit tout d'abord flétri par le développement conventionnel du flirt qui s'ensuivit, avec les visites dans la loge des dames et son atmosphère de timide et burlesque licence. Il n'aimait pas décevoir. Il agrafa les robes de sa vedette, ajusta ses décolletés, posa la joue, les lèvres, sur ses menus seins ronds quand personne, apparemment, ne regardait. Mais son embarras dut céder devant l'éclatante audace de sa partenaire. Il réagit comme le fait un bon acteur devant la grande interprétation généreuse d'un autre acteur. Il dit, alors qu'ils attendaient le moment d'entrer en scène le soir de la première, « Vous savez que je vous aime », et observa sa confusion, sa chaleur, son espérance, améliorer son jeu, ainsi qu'il l'avait supposé. Il voulait, il en avait fermement l'intention, coucher avec elle quand ce serait fini.

Il y avait presque un an de cela. Un an de brèves rencontres saisies au vol, de conversations téléphoniques programmées à l'avance, de dissimulation et de précipitation, de missives et de mensonges. Les lettres avaient été écrites à côté de sa pièce et certaines de leurs formules avaient été écrites dans sa pièce. Elles avaient décrit, avec esprit, avec courtoisie, avec grivoiserie, avec impatience, avec des citations, avec des mots crus et des détails de plus en plus fouillés, le moment où un lit serait disponible et où ils pourraient s'y coucher. C'était presque, pensait-il, à présent, comme si les lettres étaient la vérité. Tant d'imagination conjointe avait été dépensée sur le sujet de l'acte d'amour que c'était comme s'ils se connaissaient bel et bien, et en toute innocence, charnellement.

Le bois du Château, au pied de la Butte, était envahi de nouvelles constructions et manquait de place. Ils avaient vite découvert qu'ils ne pouvaient pas s'y asseoir sans s'exposer à être vus. Leurs cachettes comportaient presque toujours des indices d'une occupation récente. Il y eut une époque, quand leur audace première durait encore, où ils trouvaient ces indices amusants, quand leur amour métamorphosait des feuilles écrasées et des mouchoirs en papier zébrés de rouge à lèvres en objets dignes d'intérêt. Une fois, Jenny dénicha une capote usagée dans une boîte à moitié vide de haricots cuisinés. « Ersatz de félicité conjugale », remarqua-t-elle d'un petit air compassé tandis qu'Alexander la lançait de l'autre côté du buisson voisin, et Alexander répondit, « Un rite de non-fertilité, tout bien considéré, cette alliance de haricots cuits et de semence interceptée », et tous deux avaient ri à gorge déployée.

Il escamota prestement un journal déchiré et installa Jenny dans un creux, le dos contre un arbre. Passant le bras gauche autour d'elle, il se mit à déboutonner ses vêtements de la main droite. Elle posa la main sur sa cuisse.

« J'imagine toujours que des garçons ricanants vont surgir des fourrés en rangs serrés. Ce bois paraît toujours rempli de garçons.

— Tu es obsédée par les garçons.

— Je sais. C'est affreux. Je n'aurais jamais cru que je me mettrais à les détester. Thomas en deviendra un, pauvre petit mioche. Il n'est pas question qu'il reçoive une bourse du collège et soit ostracisé comme le petit Potter...

— C'est ce qui se passe ? »

Il avait défait l'imperméable et le cardigan. Il les ouvrit et s'attaqua à la jupe.

« Oui, c'est ce qui se passe. Il n'est jamais avec personne. Je crois qu'il a quelque chose qui ne va pas. Je l'ai vu l'autre jour qui courait de long en large comme un lapin, dans toutes les directions, sans raison, tout seul dans le Bout de Là-bas. Puis il s'est allongé par terre. »

Alexander dénuda le cou et la poitrine de Jenny. Il rabattit ses vêtements autour d'elle ; elle resta assise, immobile comme une statue ; il soupira et posa le visage sur le sien. Elle frissonna.

« Alexander – aimes-tu les garçons ?

— Chut.

— Non, mais pour de vrai ?

— Est-ce que tu me soupçonnes d'être pédéraste ? Toutes les femmes mariées soupçonnent tous les professeurs célibataires d'être pédérastes. » Il frotta son visage avec satisfaction contre la peau qu'il avait dénudée. « Non, j'aime enseigner aux garçons, pas les toucher. Je n'ai jamais eu envie de me jeter sur eux, ni quoi que ce soit d'autre. »

Il pensa, la tête confortablement installée sur les seins de Jenny, qu'il n'avait jamais été vraiment emporté par le désir de se jeter sur quelqu'un. Il n'y avait jamais eu d'occasion où il n'aurait pu tout aussi bien s'abstenir de contact physique. Ce qu'il désirait, ce qu'il désirait vraiment... ne pouvait se dire. Il dit à la place, « Pourquoi suis-je si heureux ? Quand je devrais me sentir dans un état de frustration insupportable.

— Oui. C'est bien ça. Pourquoi alors ?

— Si je disposais d'un endroit, d'un lit, tu ne penses pas que j'hésiterais.

— J'ignore si tu le ferais ou non. Et je n'ai pas l'impression que je le saurai jamais. »

Ces manifestations d'agressivité et d'insatisfaction étaient aussi une modalité rituelle de leur dialogue. Elle demeura assise, parfaitement immobile. Alexander dirigea son attention sur ses cuisses. Il toucha la chair ferme et fraîche entre les bas tendus et glissants et le bord moulant de la gaine. Il passa délicatement le bout des doigts sur les bosses des jarretelles, les côtes des élastiques. Il glissa ses doigts écartés sous le bord coupant de la culotte et atteignit les chauds replis, les poils rêches, la suavité. Elle soupira, se radossa, posa la main sur la sienne. Ne bouge pas, ne bouge pas d'un seul muscle, implora-t-il dans sa tête, en faisant frémir ses doigts silencieux. Les corps vêtus l'étonnaient, les épaisseurs entrecroisées, les variétés de douceur, fermeté, traction, fluidité... Il devait y avoir autant de manières de faire l'amour qu'il y avait des gens. Ce que lui aimait, c'était une lente intensification aussi proche que possible de l'immobilité. Il eût été parfaitement possible de la prendre ici, dans ce bois. Sous un manteau ou une couverture, les risques encourus, du point de vue de la découverte, étaient à peine plus grands que ceux auxquels ils s'exposaient actuellement. Il croyait que sa répugnance était esthétique. La forcer, dans ses vêtements entortillés et roulés en tapon, parmi les brindilles écrasées, le tronc adhésif du bouleau, diverses sortes d'humidité. Si rudement forcée. C'était bizarre que, tout en soupçonnant que la dame serait consentante, il persistât à user du mot forcer. Lui-même était certainement un peu bizarre. Il fallait s'accommoder de soi. Il continua à la faire frémir sous la caresse de ses mains afin de la maintenir immobile et ouverte, et il pensa, comme souvent en pareille circonstance, à T.S. Eliot. La voix inviolable. Philomèle par le roi barbare si rudement forcée. Et elle continua ses cris et le monde poursuit son cours. Le temps des verbes. C'était bien joli de se battre avec Shakespeare, mais l'autre voix était plus proche et plus insidieuse. Il eut un moment de panique. Il ne posséderait jamais une voix à lui. Il y avait un vers qu'il avait cru sien, ou du moins sien avec un subtil écho d'Ovide mâtiné de Renaissance et de modernisme, un vers qu'il devrait modifier, qu'il devrait se rappeler de modifier, sa fichue cadence était assurément de l'Eliot...

Jenny déversa un flot de paroles dans ses pensées.

« Alexander chéri, il faut que je m'en aille, il faut absolument que j'aille retrouver Thomas, et j'ai les fesses tout engourdies aussi. »

Il fit la remarque que sa hanche était ankylosée, ou sur le point de l'être, et que le poignet qui lui servait d'appui lui faisait très mal. Il regarda Jenny. Elle avait de grosses larmes dans les yeux. Silencieusement, il sortit son mouchoir et les essuya doucement.

« Quelque chose ne va pas ?

— Non. Seulement tout. Je t'aime. »

Il la rajusta, enfermant les seins blancs, boutonnant sagement chemisier, cardigan, imperméable, redressant la couture d'un bas, époussetant la jupe. Ils sortirent leurs agendas, convinrent d'une nouvelle rencontre, promirent de s'écrire. Puis, comme elle le faisait toujours, elle partit en courant presque, sans jeter un regard en arrière. Il la laissait toujours prendre un quart d'heure d'avance.

Il se rassit dans les feuilles mortes tout en composant une phrase d'une lettre encore à écrire qui mêlerait à sa manière la fragilité des corps engourdis par l'incommodité à la sensation qu'il avait d'un temps et d'un espace infinis et dorés. Elle laissait tant de chaleur derrière elle. Il se sentit possédé par elle. Il sourit.

Quand il était petit garçon, seul sur la plage de Weymouth, il avait toujours eu (ou peut-être même été – tant sa présence écumeuse était intense) une petite compagne imaginaire née de la mer, blanche, dorée, propre, brillante, comme Ellie dans *Les Bébés d'eau*. Un souvenir de cette présence se profilait derrière son personnage d'Elisabeth. Peut-être aurait-il voulu être une femme. Cela lui fit l'effet d'une observation assez lointaine concernant quelqu'un d'autre. Si c'était vrai, alors cela aurait dû ajouter une sorte d'énergie, de force, à sa pièce. Ce qui était la seule chose qui comptait. Il faudrait vérifier ce vers pseudo-Eliot pseudo-Ovide.

Après le laps de temps convenable, il se leva et repartit délibérément vers la Butte. Les deux bandes de garçons et de filles s'étaient à présent amalgamées et faisaient cuire quelque chose dans des boîtes de conserve sur un feu de brindilles. La fille à la résille écarlate était renversée sur les genoux du garçon le plus grand comme le plus crasseux, la robe retroussée sur les cuisses. Les trois plus petites filles étaient assises, les jambes croisées, et regardaient fixement, leur contemplation jouant évidemment un rôle essentiel dans ce qui était en train de se passer. Quand Alexander sortit de l'ombre, elles dirigèrent leurs regards sur lui. La fille à la résille, en se tortillant avec un mouvement aussi délibéré que celui d'une fillette de trois ans qui exhibe automatiquement son petit ventre rond et sa culotte tombante en présence de n'importe quel homme, arqua vers lui un petit entre-jambe palpitant, fit un geste languissant de la main et émit un bruit vulgaire et sonore. Alexander sentit le sang lui monter au visage et fuser sous ses cheveux. Battu dans un test primitif d'audace, il détourna la tête et pressa le pas...

4

Femmes amoureuses

Les sœurs étaient assises auprès du chauffage électrique de Stephanie. Stephanie injectait du lait, goutte à goutte, dans le gosier des chatons de plus en plus en piteux état mais toujours en vie. Elle portait un pyjama rayé de garçon de chez Marks & Spencer, plutôt grand, dans lequel son corps rebondi paraissait informe et insaisissablement volumineux. Frederica arborait une longue chemise de nuit blanche à grandes manches avec un empiècement de broderie anglaise faufilé d'un ruban noir. Elle se plaisait à imaginer ce vêtement tombant autour d'elle en plis de fin linon blanc. C'était, en fait, du Nylon, le seul modèle de chemise de nuit disponible, exception faite de la vulgaire rayonne brillante, à Blesford et à Calverley. Celle-là ne tombait pas, elle collait aux formes tubulaires et bosselées de Frederica, qui en détestait le contact savonneux. Elle se laissait trop facilement séduire, en achetant ses vêtements, par un certain idéal platonicien de parure qui était peut-être, mais pas nécessairement, envisagé par les fabricants des imitations bon marché dans ses moyens. Elle aurait eu le sens de la qualité du tissu, fréquent chez les gens du Yorkshire, si elle avait disposé de l'argent qui va avec. Manquant d'argent, elle refusait d'être judicieuse en matière de médiocrité.

Elles parlaient d'Alexander, et de leur vie. Il n'existait pas de rivalité, mais une curieuse complicité, dans leur amour pour lui, probablement parce que chacune à sa manière était convaincue que c'était un amour sans espoir. Dans le cas de Frederica, ce manque d'espoir était jugé strictement temporaire : elle ne pouvait espérer qu'il remarque pour l'instant les splendeurs de son esprit et de son corps, l'un comme l'autre occultés par la repoussante constriction de l'uniforme, des conventions et des horizons intellectuels du lycée de filles de Blesford. Il est plus difficile de savoir pourquoi Stephanie était si sûre que son amour était sans espoir. Alexander l'avait regardée passer de l'état de petite fille à celui de femme en cinq ans et ne l'avait jamais réellement vue, ce qui s'appelle vue, aussi n'y avait-il aucune raison de supposer qu'il puisse se mettre subitement à le faire. L'idée qu'elle se formait de lui, et dont elle tirait plaisir, était celle d'un homme jamais touché, lointain et pur. Cette idée relevait d'une vision symbolique d'Alexander commune aux deux sœurs, élaborée dans leurs propos, ce qui était en soi une raison supplémentaire à l'équanimité de leur passion partagée. Il représentait des choses qu'elles n'avaient pas, désiraient, et craignaient de ne jamais posséder : l'art, de préférence à sa critique, la mobilité masculine, de préférence à l'enracinement provincial féminin, le savoir-faire, la possibilité d'un avenir prestigieux dans la capitale. Il passait ses vacances, de longues vacances, à l'étranger ; il avait pour amis des acteurs et des universitaires à Londres et à Oxford ; à la différence des autres enseignants, il s'envolait vers la civilisation à chaque fin de trimestre. Le mariage était visiblement mauvais pour les enseignants, et pire encore pour leur femme. Si elles l'aimaient, elles redoutaient l'horrible effet qu'aurait sur lui l'amour qu'il pourrait éprouver pour elles, ou pour n'importe qui d'autre. Leur conversation était une version intensifiée de conversations antérieures.

« Il était merveilleux ce soir.

— Il a traité tous ces hurlements avec une telle grâce. Il le fait toujours.

— Il n'aura plus longtemps à le faire. Il va s'en aller. Il va s'en aller, Steph, et nous laisser à nos ténèbres.

— Je pense que oui. Je pense qu'il est resté aussi long-temps pour être au calme et terminer son œuvre.

— Il te parle de son œuvre, à toi. Mais pas à moi. Je l'agace. Je ne le fais pas exprès. Je voudrais qu'il n'en fût rien.

— Peut-être que sa pièce est vraiment bonne.

— Arrives-tu à imaginer ce qu'on peut ressentir quand on est vraiment bon, et qu'on le sait ?

— Non. Bien sûr que non. C'est terrifiant.

— Je veux dire, Steph, Shakespeare devait savoir qu'il était différent de tous les autres hommes…

— Ce n'est pas Shakespeare.

— Tu n'en sais rien.

— Je te donne seulement mon avis. Peut-être Shakes-peare n'en savait-il rien.

— Mais si, il devait le savoir. » Dans son for intérieur Frederica estimait terriblement difficile de vivre en se sachant en possession de la force et de l'envergure de Frederica Potter, surtout avant d'avoir décidé exactement à quoi consacrer ladite force. L'incontestable supériorité d'Alexander ne semblait pas relever essentiellement de la force. D'un autre côté…

« Ton vicaire a été très brutal, Steph.

— Ce n'est pas mon vicaire. Mais brutal à faire peur, c'est vrai. Tu devrais le voir à la tâche.

— Je ne comprends pas pourquoi la plupart des gens se contentent de rester assis sur leur derrière. Je ne le ferai pas.

— Non, assurément.

— Pourquoi tu ne pars pas d'ici, Steph ? Tu le pour-rais, toi.

— Je pense que je vais le faire. Je prends juste un peu de temps pour m'éclaircir les idées. »

Elle pencha à nouveau la tête sur les chatons, peu désireuse de songer à la question.

« Va te coucher, Frederica. Il faut que je reste debout toute la nuit, j'ai besoin de m'assoupir un peu, va te cou-cher, allons. »

5

Daniel

Quand Daniel pénétra dans le presbytère, il faisait nuit dehors et il n'y avait aucune lumière à l'intérieur de la maison. Il n'était pas tard, mais la femme du pasteur économisait le chauffage et l'éclairage, et la cage carrée de l'escalier victorien était une colonne montante d'ombre glacée. Daniel, qui connaissait les lieux, se glissa à pas feutrés entre les écueils du portemanteau et du coffre en chêne noir, évita les dangers des îlots élimés et effrangés des chemins de couloir turcs, et se dirigea vers le bureau du pasteur.

Là se trouvaient les spectres de la richesse. Un très massif bureau à dessus de cuir, une paire d'encriers en cristal taillé à couvercle d'argent, un fauteuil à oreillettes en cuir sombre, des murs tapissés de volumes reliés derrière des panneaux vitrés. Le tapis afghan était élimé par endroits, son chatoiement noir et or usé jusqu'à la corde là où les gens marchaient, usé jusqu'à n'être plus qu'une toile à sac sans reflet. Le ménage était fait avec passion, mais il régnait dans la pièce une odeur pénétrante de narcisses, le parfum délicatement entêtant de freesias. Dans une coupe en porcelaine noire, dont le lustre brillait d'un faible miroitement argenté, flottait, pâle, une composition artistique de têtes de fleurs coupées, corolles d'anémones cramoisies et violettes, perce-neige à pointes vertes, ainsi que narcisses vaporeux et freesias d'or pâle, ombres de couleurs reflétées dans l'eau.

Ces fleurs étaient disposées là, chaque jour, par

Mlle Wells, locataire dévouée du pasteur, collègue de Stephanie et son ancienne au lycée. Daniel dérangea son offrande en avançant la main pour allumer la lampe de bureau. Il se souvint que sa mère disait qu'il était dangereux de garder des fleurs dans une chambre la nuit. À la mort de son père elle avait transporté chaque soir tous les vases de fleurs dans l'arrière-cuisine, les avait entassés dans l'évier ébréché en faïence sang de bœuf. Elles émettaient un gaz empoisonné, disait-elle, les infirmières à l'hôpital le lui avaient dit. Daniel écarta ce souvenir. Il saisit le marchepied du pasteur et promena ses regards sur les rayonnages.

Le Shakespeare complet, en cuir repoussé noir et or, était sur le plus haut rayon. La porte vitrée était fermée à clef. Daniel parcourut des yeux les autres portes. Pas de clef. Il descendit pesamment du marchepied, fouilla sur le bureau dans le faible halo de la lampe, ouvrit une boîte en argent qui sentait le tabac, un petit coffret en bois rempli de trombones et d'étiquettes. Il entreprit, comme un voleur, de visiter les tiroirs, retournant de petites caches de menue monnaie, des élastiques, de vieilles croix de buis tressé. Dans un tiroir emboîté dans un autre tiroir et actionné par un mécanisme secret dissimulé dans un casier sur le dessus, il dénicha ce qu'il cherchait, le trousseau de clefs accrochées à un anneau doré qui ouvraient divers arcanes de la maison, du coffre-fort à la machine à coudre. Il remonta sur son petit marchepied, en soufflant comme un phoque, fit glisser le panneau et, après avoir scruté les titres dorés dans la pénombre, s'empara du *Roi Lear*. La tranche concave du volume était remplie de poussière. Daniel, en soufflant dessus, en souleva un fin nuage, le regarda s'éparpiller et tomber, salit son mouchoir de traînées noires. Il ferma casier, tiroir, meuble et pièce doucement derrière lui, et monta à l'étage.

Sa chambre était au premier. Elle était vaste et caverneuse, et son haut plafond à moulures regorgeait de bandelettes de roses noires de poussière et de pommes en plâtre blanc auxquelles l'humidité, en se disséminant, donnait une teinte dorée de pelure d'oignon. Il y avait deux hautes fenêtres encore garnies des rideaux des Ellenby pour la défense passive pendant la guerre, en rayonne de coton torsadé noir et or, avec un motif en relief de gros anneaux dorés. Cette chambre, occupée par tous les vicaires de M. Ellenby, était baptisée studio ; elle avait un petit divan dur dans un coin et une alcôve derrière un rideau avec un lavabo et un Baby Belling, réchaud sur lequel Daniel était supposé se préparer des tasses de Nescafé et cuire son dîner (petit déjeuner et déjeuner étaient censés se prendre avec les Ellenby). La chambre était à la fois trop et pas assez meublée, archi-comble et désolée, comme un garde-meuble. La pente naturelle de Mme Ellenby était de reléguer dans le studio les meubles sans utilité présente, mais trop bons pour être jetés au rebut. Daniel était entouré de trois armoires, trois commodes, une ottomane, une toilette, deux tables de salon, trois fauteuils, un secrétaire, un bureau à cylindre, trois lampadaires, une bibliothèque vitrée, un pouf et trois petites étagères. Il y avait aussi un empilement de chaises superposables en tubulure métallique et simili cuir. Certains meubles étaient en chêne, d'autres en noyer, ou encore en acajou, ou en bois blanc. La tapisserie des sièges était sang de bœuf ou d'un brun foncé indéfinissable. Aux murs étaient accrochés les *Mains en prière* de Dürer, les *Tournesols* de Van Gogh et une immense photographie de deux enfants de chœur vêtus de dentelle et un vase en cuivre rempli de lis dans un très long rayon de soleil. Le sol était recouvert d'un linoléum tacheté, de teinte gris fumé, et parsemé de bouts de tapis, un morceau cramoisi du dix-septième siècle, une carpette à points noués ornée d'un bateau blanc sur des vagues bleu outremer, un Wilton fleuri dont le motif impressionniste était éclaboussé de marguerites évasées et d'épis de blé affaissés.

Daniel glissa un shilling dans le compteur à gaz et alluma l'appareil de chauffage, un vieux Sunbeam qui ronflait et crachait en pétarades incertaines ; deux de ses éléments étaient abîmés. Il passa derrière son petit rideau et se lava rapidement jusqu'à la taille, en fronçant les sourcils. Il plia ses vêtements noirs, enfila son pyjama et un chandail moucheté informe, et se coucha.

La lampe de chevet avait un abat-jour en rubans de plastique rouge nattés ; l'ampoule, par économie, était faible ; le résultat était sinistre et empourpré. Daniel se pencha sur le côté pour que la lumière rouge puisse se déployer sur les pages et commença, incommodément, à lire *Le Roi Lear*.

Il lisait lentement, soigneusement, en se concentrant. Il n'aimait pas sa chambre mais n'avait fait aucune tentative pour la modifier, ou en atténuer la tristesse. C'eût été gaspiller de l'énergie, et il savait de mieux en mieux se contrôler et faire automatiquement preuve de sagacité quand il s'agissait de dépenser de l'énergie, la sienne ou celle d'autrui. S'il n'avait pas eu de bons yeux et la capacité de ne pas tenir compte de l'inconfort physique, il aurait changé la lampe, ou l'aurait déplacée. Ayant décidé sans y penser que la chose ne méritait pas d'attention, il ne lui en accordait aucune.

Ce n'était pas un grand lecteur. Il était lent, il l'avait toujours été. Il avait été un petit garçon pâle et lourd, qui avait la sensation que sa graisse le dominait, l'écrasait. Juste avant sa conversion, à l'âge de quinze ans, il avait lu que la graisse est un combustible qui produit de l'énergie en se consumant ; cette assertion l'avait ému ; elle avait modifié l'idée qu'il se faisait du rapport entre le Daniel intérieur et l'extérieur ; elle lui avait en vérité fait concevoir comme possible presque pour la première fois que les deux Daniel fussent intimement liés. À présent, il usait fréquemment de la notion de combustible, avec humour, contre lui-même, en chaire. Être gros amène, à un certain niveau, à se conduire en gros. Se conduire en gros, pour l'enfant comme pour l'homme, avait été une question d'attitude. Vous pouviez vous comporter en adoptant les façons d'un bon garçon placide ; ou alors le genre Billy Bunter faisant l'imbécile vous était parfois imposé, et c'était à présent l'un des risques du métier.

Du vivant de son père, il avait su l'existence d'une puissance sous la graisse. Son père était mécanicien de locomotive. Daniel avait grandi à Sheffield, dans une brochette de maisons enfumées qui possédaient chacune sa courette clôturée et ses latrines dans un cabanon à toit d'ardoises. Les mécaniciens de locomotive étaient respectés, un cran au-dessus des autres ouvriers de la rue. Les rideaux des Orton étaient mieux froncés, leur seuil chaulé plus blanc, leurs cuivres plus brillants que ceux des autres. Ted Orton était énorme et bruyant. Quand il rentrait, toujours par la porte de devant, il apportait avec lui dans la maison le ferraillement, la chaleur et la poussée de son engin. Il irritait sa chichiteuse de femme en se cognant aux objets, en déplaçant les bibelots, en mangeant bruyamment. Il aimait les grosses plaisanteries – retirer brusquement une petite cuiller brûlante d'une tasse fumante et en estamper la main de Daniel ; découvrir facétieusement une demi-couronne ou un florin dans sa part de pudding aux raisins secs, mimer longuement et douloureusement des dents cassées, et donner ladite pièce à Daniel. Chez lui, il crachait feu et flammes, intimant à Daniel l'ordre de se magner, de se dégrouiller, que ça saute et plus vite que ça ! La réaction de Daniel face à ces soubresauts de colère consistait à se mouvoir en affectant une majestueuse lenteur ; il croyait avoir peur de son père ; il baissait les yeux et son gros visage était massif et neutre ; mais en secret le maelström de violence, les exigences constantes l'excitaient.

Hors de chez lui, la vitalité maladroite de Ted Orton devenait une puissance mieux rodée, une locomotive qui avait quitté la gare et passait des halètements étouffés du démarrage au régime vorace et régulier d'une longue course. Il aimait emmener Daniel au dépôt, sur la voie, dans son poste de conduite. Il surveillait de près le travail de Daniel, le mitraillant brusquement de salves de mots à épeler, ou d'un long problème de calcul. Il lui promit un album de timbres et une excursion au bord de la mer s'il réussissait son entrée en sixième.

Daniel la réussit, sans rien de spectaculaire. Il avait toujours l'album de timbres. L'excursion au bord de la mer ne s'était jamais concrétisée. Ted fut renversé par une rame folle de wagons de minerai brut dévalant une pente, juste une semaine après. Il s'écoula une semaine de plus pendant laquelle il resta, monumentalement brisé, à l'hôpital. Puis il mourut. Daniel ne fut pas emmené le voir. D'abord on lui dit que dès que papa reprendrait connaissance il pourrait lui faire une visite, puis que c'était fini. Il en voulut curieusement à son père, il s'en rendait compte à présent, d'être parti de cette manière, à la dérobade, dans la confusion, en paraissant promettre, ce qu'il n'avait encore jamais fait, une chose qu'il ne pourrait pas tenir. Daniel ne fut pas emmené à l'enterrement, on le laissa « jouer » avec un autre garçon dans la rue. Sa mère ne lui raconta pas ce qui s'était passé.

Plus tard, il prit l'habitude de dire aux gens qu'il était incapable de se souvenir du moment de la mort de son père. C'était une demi-vérité délibérée. Son gros visage se ferma et il se comporta, à ce qu'il jugeait, « normalement », il survécut. Certains jours, en s'endormant, ou en restant assis sur une chaise à ne rien faire, un mécanisme le ramenait à la minute du premier coup de téléphone, comme s'il retombait perpétuellement dans la trappe de cette minute, comme si le temps ne faisait plus dorénavant que le ramener encore et encore à cet instant. Il sentait qu'il était exigé de lui de savoir, d'une manière inconcevable, ce qui s'était réellement passé, et qu'il ne pouvait pas, réellement, le savoir ; ainsi était-il à jamais condamné à essayer encore et encore. Il n'en parla jamais.

Il avait toujours l'album de timbres, pages vides de menus carrés, enveloppes translucides et intactes de charnières en papier gommé. Il ne l'avait pas jeté, mais ne l'avait jamais regardé depuis.

Il avait supposé que sa mère et lui deviendraient nécessairement plus proches. Sentimentalement, il s'était vu en petit homme de la maison, en orphelin prodiguant et recevant des consolations. En fait sa mère s'aigrit, sans délai et sans grâce, et passa beaucoup de temps à la barrière du jardin de derrière, à se plaindre de la maigreur de sa pension, de la difficulté à joindre les deux bouts, de ses douleurs. Daniel, dans ses propos, était toujours une charge.

Mme Orton était un petit bout de femme autrefois vive et fragile ; elle était à présent bourrée de cellulite, épaules, torse, hanches et joues ; son nez et son menton, ses doigts délicats et ses petits yeux offraient le souvenir estompé d'une minceur disparue. L'unique plaisir intense de sa vie avait été le flirt, sa grande époque celle de la coquetterie, de la valse-hésitation et du pouvoir avant son mariage. Ted l'avait subjuguée ; elle avait multiplié les babioles propitiatoires, petits gâteaux, napperons, têtières, cuillers reluisantes et clochettes de bronze, qu'elle tripotait, agençait, astiquait, pendant qu'il parlait, tout en détournant modestement ses regards de lui. Quand elle fut veuve, bon nombre de ces babioles disparurent ; les rideaux restèrent d'une propreté impeccable, mais Daniel en vint peu à peu à trouver sa maison miteuse. Mme Orton suppléa aux plaisirs du flirt par ceux du commérage ; de même qu'elle avait jadis pouffé de rire avec ses compagnes au spectacle de la déconfiture de ses soupirants et de ses rivales, de même participa-t-elle désormais au tissage d'une interminable toile de présomptions, critiques et rumeurs sur les faits et gestes du voisinage. Elle remplaça ses souliers par des chaussons et nourrit Daniel de conserves.

Daniel se sentait seul – tellement seul qu'il préférait ne pas y penser. À l'école, il devint silencieux et falot. Il s'appliquait à ses devoirs mais sans jamais avoir l'intelligence de ce qu'il faisait, ni percevoir la structure rationnelle sous-jacente à la géométrie ou à la grammaire. Comme il passait toujours ses examens de justesse, personne ne se demanda jamais s'il comprenait ce qu'il faisait. Lui-même n'escomptait pas le comprendre. S'il avait été un meilleur élève, un professeur aurait peut-être essayé de le stimuler. S'il avait été plus mauvais, il aurait peut-être attiré l'attention et reçu de l'aide. Les choses étant ce qu'elles étaient, il poursuivait son petit bonhomme de chemin. Il était assez bon, juste assez bon, pour passer inaperçu.

À quinze ans, noyé dans ses bourrelets de chair comme un bonhomme Bibendum, il fut envoyé, avec une troupe hétéroclite d'élèves délégués, à une semaine d'instruction civique à Sheffield, un festival inexorable de conférences et de spectacles, allant de la stratification des roches à la stérilisation à la vapeur des bouteilles de lait, de l'inscription du château d'Earl Waltheof au Domesday Book, le cadastre de Guillaume le Conquérant, à la fusion de l'acier, et des formalités procédurales du conseil municipal à la représentation rythmique par la compagnie de l'Isis du Mystère des pelletiers du cycle des Mystères d'York.

Parmi les orateurs, sans raison vérifiable, figurait un père d'une communauté anglicane des environs, Saint-Michel et tous les Anges. Cette communauté appartenait à la haute église et adhérait strictement aux vœux de pauvreté, chasteté et obéissance. Elle avait fait l'expérience des prêtres ouvriers et envoyé certains des siens travailler en usine et cohabiter dans les foyers d'accueil avec des groupes d'anciens détenus. Le programme annonçait que le père parlerait de «Perspectives pour les ambitieux».

Il parla, à la fin d'un après-midi oppressant, à un vaste auditoire captif et léthargique, irritable par désœuvrement, dans la sombre caverne étayée de colonnes qu'était la salle municipale de Sheffield. Il se leva d'un mouvement net, comme s'il surgissait de terre, et demeura dans une position précise, comme une très mince colonne dans sa soutane noire, encadré par les sphinx de bronze fascistes inanimés, symétriquement couchés de part et d'autre de la scène.

Le père était un orateur et communiquait, sans artifices ni effets de manche évidents, un impérieux sentiment physique d'urgence. Il demeura un instant immobile, sondant leur remuante indolence, puis, en termes sobres et incisifs, il entreprit de dissiper la grisaille de torpeur et de repliement accumulée dans la salle. Pour commencer, il leur raconta seulement ce qu'il faisait, sa besogne dans le monde; sobrement, il créa pour eux la mesquinerie, l'étroitesse, la souffrance, la confusion mentale, l'horreur. Il était digne, sans jouer sur la corde sensible, pénétrant, sans présenter de plaidoyer. Il ne regardait personne dans les yeux, n'imposait aucune obligation de réagir, et pourtant captivait son auditoire avec une autorité vigoureusement contrôlée. Il semblait seul, se parlait à lui-même d'une voix qui était clairement la sienne, sans aucune concession à la jeunesse, la fragilité ou la stupidité supposées de son auditoire. Et pourtant il avait une extraordinaire présence multiple. En parlant il habitait d'autres corps. De temps à autre le sien bougeait faiblement sous l'effet de ce qu'il évoquait, tandis que la voix sèche renseignait. Sa lèvre pendait, paralysée, pétrifiée de peur ou d'horreur, la douleur retenait momentanément ses mains, le vide de son regard contemplait confusément un monde informe, mais la voix rude ne se troublait jamais.

Il déclara qu'il semblait bizarre, quand tant de choses étaient claires, étaient admises, qu'il y eût si peu de gens pour réagir. Que, le Christ ayant dit comment les hommes doivent vivre, il y eût si peu de gens pour envisager de vivre ainsi. Il affirma sombrement, le visage en quelque sorte mis à nu, que ce qui était requis était que les gens fissent usage de leur vie. Très peu de gens, dit-il, savaient ce dont ils étaient réellement capables. La plupart craignaient de le découvrir. Et craignaient que les circonstances ne les forcent néanmoins à le savoir. Mieux valait – il étendit la main, les doigts frémissants et tendus à l'extrême – mieux valait aller de l'avant et faire face, résolument, pour une bonne raison. Il était difficile à un homme de comprendre qu'il n'a qu'une seule vie et ne peut accomplir que sa part et pas davantage. Mais une telle connaissance, comme toute connaissance, était en réalité un pouvoir. Connaître ses limites et puis agir, et agir encore, était un pouvoir, et engendrait un surcroît de pouvoir. Un homme devait faire usage de sa vie, devait penser à la façon d'en faire usage. Ses mains levées grandes ouvertes étaient en quelque sorte des mains qui saisissaient, qui captaient au bout de leurs doigts le silence électrique d'une écoute chargée d'énergie. Il retourna ses mains et les abaissa, en un geste de mage, et leur dit qu'ils étaient deux ou trois dans la salle, peut-être, qui ne s'accommoderaient de rien d'autre que d'un engagement total et exerceraient la totalité de leur pouvoir dans une seule voie, le travail pour Dieu, avec Dieu. Il ne voulait pas de pièces de monnaie, il voulait des vies. Le Christ était venu pour qu'ils puissent avoir la vie en plus grande abondance. Il n'était pas question de bonheur mais de vie.

Ce n'était pas ce qu'il disait, et pourtant, emporté par l'éloquence, il les enveloppait dans une incantation magnétique de sens commun et de pure raison. La vie était en lui, évidente, et non seulement Daniel mais tous les autres étaient émus et cherchaient à atteindre la connaissance qu'il offrait du bout de ses doigts ramifiés. Il regardait par-dessus leurs têtes les pâles globes électriques suspendus à leurs chaînes de bronze dans la pénombre, et eux, comme un seul être, suivaient son regard, captivés par son œil brillant; s'il était descendu de scène, ils se seraient pressés autour de lui pour qu'il leur impose les mains.

Prenez, leur dit-il, prenez ce qui est là, ce qui est réel, saisissez la chance d'accomplir une seule chose bien. Il est une Voie, une Vérité, une Vie. Le reste n'est que songe.

Il cita :

> *Les meilleurs manquent de conviction, et les pires*
> *Sont remplis d'intensité passionnée.*

Il dit : Nous pouvons changer cela. N'importe lequel d'entre nous le peut. Nous le pouvons tous.

Daniel n'était pas bon juge en matière de formules. Il y en eut beaucoup qu'il ne réussit pas, par la suite, à se rappeler, et celles dont il se souvint effectivement avaient perdu leur grâce et leur élan, semblaient, même, banales ou outrancières. Mais il conserva toujours en mémoire, après que dans un ultime geste de menace, d'incitation ou d'étreinte, l'homme eut laissé retomber ses bras virevoltants et son énergie enveloppante –, il conserva toujours en mémoire les remous de la passion dans la salle, le sentiment qu'il était possible d'exprimer l'inexprimé, le pouvoir libéré. Les garçons restèrent par petits groupes à discuter fiévreusement. Une sorte de jubilation dominait, du fait que tous avaient été remués, que l'étrangeté pouvait être partagée et perpétuée. Daniel se leva, lui aussi, et se mit à parler avec excitation, lui aussi, affranchi de la solitude de sa corpulence et de son silence. Le lendemain, il alla voir le pasteur de la paroisse et le principal du collège pour s'informer des qualifications nécessaires pour entrer dans les ordres. Il fut même content de découvrir qu'il devrait passer une année de plus au collège pour se mettre au niveau du brevet en latin – résistance et difficulté aiguisèrent son sentiment de pouvoir. Il avait un but et ses yeux en brillaient.

La faculté de théologie lui apprit beaucoup de choses sur la nature de ce qu'il avait vu en cet après-midi confus. Il était demeuré obstinément fidèle à l'exigence dont il avait su ce jour-là qu'elle lui était imposée. Mais au cours de sa formation il se la définit plus clairement. On avait besoin, finit-il par découvrir, de quelqu'un de pratique, de totalement voué à des solutions pratiques. Il utilisait personnellement ce mot en un sens qui lui était peut-être exclusivement personnel. Quand il se rendit compte qu'il n'était ni un penseur ni un érudit, qu'il ne portait intérêt ni à sa propre motivation ni à celle d'autrui, pas plus qu'aux premières hérésies et aux formes de la liturgie, il se répéta qu'on avait besoin de quelqu'un qui se vouerait entièrement à être pratique. Être pratique, c'était être en prise directe sur la souffrance, la pauvreté, l'horreur, en prise absolument directe. Ramener en un lieu où ils seraient jugés selon des critères humains ceux qui avaient été arrachés aux proportions humaines du corps, de la raison, des rapports sociaux, par les forces du mal. Il avait besoin de qualifications pour être employé à cette tâche. Le reste n'était simplement qu'obstacles, dont il fallait venir à bout.

Il avait assez de roublardise dans la pratique pour dissimuler aux autorités son manque d'intérêt envers les réunions de prière et l'examen de conscience en commun. Il croyait, mais ne se donnait pas le mal de le dire, que l'état de son âme et de celle de ses condisciples devait à bon droit être l'objet de moins de soins que la tâche qu'ils devaient accomplir. Il était à la fois innocent et subversif, mais il avait l'air gros et respectueux, et il était noté par ses supérieurs hiérarchiques comme un sujet plein de bonne volonté, mais lent. Sa nomination à Blesford, quand elle survint, convenait aussi bien qu'une autre à un homme pratique débutant. Il ne recherchait pas une cause mais une tâche, et personne en conséquence ne remarqua que c'était un fanatique. Si M. Ellenby commençait à s'en douter, Daniel n'en avait toujours pas le moindre soupçon pour sa part – il en était à essayer de se faire une idée de sa tâche, et de la meilleure façon de l'accomplir.

Il passait généralement des soirées solitaires à prendre des notes sur son travail, à classer des renseignements sur le travail à effectuer, les gens à voir dans la paroisse, en de longues colonnes rédigées d'une écriture carrée et noire, dans des classeurs de couleur. Il croyait nécessaire de tout consigner, pour le cas où il laisserait échapper ou oublierait quelque chose d'important. Il croyait nécessaire de constituer un réseau d'entraide – d'utiliser les esseulés pour aller voir les impotents, les endeuillés pour aller voir les grands malades. Les gens étaient incroyablement incités à se montrer pratiques, par sa ferme conviction qu'ils le pouvaient, qu'ils le devaient. Il lui fallait juste assez de discernement pour décider à qui demander de faire quoi. Une ou deux fois il avait fait fausse route. Mme Oakeshott avait offert de garder le fils autiste de Mme Haydock, s'était enfuie terrorisée de cette maison, et s'était plainte à M. Ellenby de chantage spirituel. Il lui avait été demandé de présenter des excuses. Il s'était exécuté. Il lui apparaissait à présent que Stephanie Potter manifestait la plupart des qualités requises pour savoir s'y prendre avec Malcolm Haydock. Elle s'était montrée admirablement calme, pratique, imperturbable et raisonnable au moment de la mort de la chatte. Elle n'était pas chrétienne, mais elle était consciencieuse. Il ne pouvait que demander, il le devait.

Il changea de position dans son petit lit dur et s'attaqua au *Roi Lear*. Il paraissait important de l'avoir lu. Il ne savait pas très bien pourquoi. Il y avait été poussé par une espèce de colère et un désir plus obscur de régler un compte avec les Potter, en particulier avec Stephanie. Il ne savait pas, en lisant, en vue de quoi il lisait, et donc il lut pour connaître l'histoire, pour voir ce qui arriverait à Edgar et à Cordelia, qu'il prit pour le héros et l'héroïne, admirant, sans effroi ni révérence, l'habileté de Shakespeare dans la création d'un vieillard si formidablement réel, si exaspérant, si meurtri, si inévitablement brisé et détraqué. Il ne vit pas, ce que Bill Potter, *anima naturaliter theologica*, voyait automatiquement, la noire et violente antithéologie de la pièce, non pas parce qu'il supposait qu'elle traitait de la Rédemption, mais parce qu'il savait, à un niveau où il ne posait pas de questions, que le monde était ainsi fait. *Le Roi Lear* était vrai. Il nota certaines formules pour ses sermons. La vieillesse est inutile. Ce sont là de vilains tours. Retournez donc chez ma sœur. C'était plus simple à lire, plus simple et plus puissant que son souvenir du Shakespeare du brevet. Il aurait aimé atteindre à semblable simplicité. Il y avait dans ce qu'il disait une espèce d'esquive ecclésiastique qu'il n'aimait pas, sachant que cela dressait une déplorable barrière, sans savoir comment résoudre ce problème.

En terminant, il se rendit compte qu'il avait appris quelque chose concernant la souffrance. Son corps était tendu et raide. Il se sentait ému et craintif – chose qui avait à voir avec sa lecture, et encore plus avec Stephanie Potter. Il se rappela comment elle avait tout fait disparaître, après la mort de la chatte, si méticuleuse et pratique, les mains tachées de sang, comment elle avait frictionné et enveloppé les chatons, avait tenu la fillette en pleurs légèrement pressée contre elle, pour la consoler. Une vieille dame férocement sentimentale avait dit à Daniel, cette semaine-là, en parlant du nouveau-né de sa fille, «Oh, je pourrais l'écraser, juste l'écraser». Il reconnut en lui-même le désir d'écraser Stephanie. Tandis que son père le sermonnait, il avait imaginé, avec une extraordinaire clarté, qu'il pourrait se pencher en avant, s'emparer de la cheville ronde et indolente de Stephanie, et serrer, serrer jusqu'à faire bouger les os.

6

Le Gaumont Palace

En fin de semaine Marcus recherchait le vide. Il disposait d'un lieu inviolable, où personne n'allait, le bar du Gaumont à Blesford. Aller voir un film était interdit au collège et désapprouvé par Bill, sauf en de rares occasions soigneusement sélectionnées. *Blanche-Neige* avait été jugé une expérience créative, quand il était petit, et l'avait précipité dans une immensité d'horreurs en perpétuelle mutation, comme les illusions qui assaillent l'âme nouvellement séparée du corps selon le Livre tibétain des morts – monstres qui enflent et engloutissent, profonds abîmes romantiques, cataractes blanches, blocs de pierre rugissants, lames de lumière tourbillonnantes, falaises et créatures qui s'effondrent en griffant, rouge sang, vert gluant, noir. Frederica dit que c'était stupéfiant, Marcus fut stupéfié. Si jeune qu'il fût alors, il avait essayé de rompre l'illusion en se dévissant le cou pour regarder le cône clair de lumière vacillante et continue que déversait le projecteur haut perché. Mais pour le petit garçon environné et écrasé par le vacarme, la raison n'était pas une protection. La fantasmagorie fusait sous son crâne quand il fermait les yeux le soir.

Bill ne le laissa pas voir *Bambi* et *Dumbo*, qui furent jugés sentimentaux.

Ce n'étaient pas des plaisirs défendus qui tentaient Marcus à présent. Dehors, il pressait l'allure devant les attraits des photos de film qui montraient en vitrine, dans des cadres chromés, d'onctueux amants aux corps imbriqués dans des angles impossibles, ou bien un tout jeune héros à la peau blanche délicatement barbouillée de sang écarlate, qui, sur la dunette d'un pirate, franchit les lames ivorines, dentelées et glacées d'une mer démontée, ou encore des chiens et des chevreuils anormalement brillants trottant aimablement à travers des forêts anormalement verdoyantes vers de vibrants horizons roses. Marcus n'allait jamais voir de films. Ce qu'il aimait, c'était le cœur de cette citadelle close, dont les murs d'enceinte étaient nus et aveugles, dont les portes étaient barrées de l'intérieur.

Pour l'atteindre, vous grimpiez l'escalier, obscur à l'heure de midi, qui tournait en montant toujours plus haut, en s'enfonçant toujours plus profond, vos pas ne faisaient aucun bruit, ne laissaient aucune trace sur les marches basses recouvertes d'un épais tapis cramoisi, autour desquelles courait une balustrade de vrilles de lierre doré couronnée d'une rampe renflée en peluche rose foncé. L'escalier baignait dans la douce lumière veloutée émanant de fleurettes en verre dépoli rose chair dans des coupes dorées, qui prêtait la chaleur de la vie aux visages lustrés sur le mur: sombres enchanteresses en dentelle noire armées d'ongles écarlates et de longs porte-cigarettes sertis de pierreries; suaves et pâles vedettes à la gorge rebondie nichée dans du duvet de cygne, à la bouche en cul-de-poule et à la chevelure argentée frisée en sillons également ondulés; fillettes à la toison ensoleillée de boucles d'or resserrées, couronnées de diadèmes de fleurs.

Au centre de la plaine cramoisie du palier trônait une fontaine qui clapotait doucement, laissant échapper d'une coupe plate que tenait à la main une nymphe de verre translucide verdâtre, très 1930 avec son visage inexpressif, sa robe au drapé régulier, ses orteils et ses doigts hiératiques et sa petite gorge pigeonnante, un mince filet d'eau qui se répandait dans un bassin en glace tout en éclaboussant des feuilles de nénuphar en bronze éclairées par en dessous, rose et vert bleuâtre. Vous poursuiviez votre ascension, vers une toujours plus profonde paix, et la porte du bar se trouvait sur le second palier.

Les portes étaient de bronze et de verre laminé, doublées à l'intérieur d'un rideau épais. Vous poussiez, et pénétriez dans le pâle clair-obscur d'un monde sublunaire où un demi-jour filtrait à travers d'épais rideaux ruchés crème, renforcé par des grappes d'ampoules électriques d'un rose bistré, de longs bourgeons organisés sur des tiges de cuivre incurvées, jaillissant de colonnes tapissées de glace mordorée. Le tapis regorgeait de roses, crème et rose, grosses comme des choux. Les petites chaises étaient dorées. Entre les colonnes vous aperceviez la buvette lambrissée de miroirs mordorés, avec des fontaines qui chuintaient faiblement et des rangées de gobelets. Deux filles en coiffe et tablier blancs, juchées sur de hauts tabourets, appuyées sur les coudes, bavardaient tranquillement. Leur clientèle était intermittente. Marcus était souvent seul pendant des heures de suite.

Il s'achetait des milk-shakes, rose sombre, saumon, brun, jaune d'or, couronnés de mousse qui crevait lentement. Un milk-shake prenait du temps à boire si vous l'économisiez, et pendant que vous l'aspiriez avec une paille, ou faisiez semblant, personne ne vous dérangeait, vous pouviez rester là, tranquille et en sécurité. Des profondeurs invisibles de l'étage inférieur des bruits montaient sporadiquement ; de faibles accords de musique, des détonations d'armes à feu, un tumulte lointain. Aux paroxysmes symphoniques l'endroit vibrait doucement et puis retombait doucement dans son épais silence. Marcus restait immobile et évitait de penser.

Il avait différentes techniques pour éviter de penser. L'une était un fredonnement silencieux, une série de variations sur un nombre délibérément restreint de notes du milieu de la gamme. Une autre était la construction analogue de séquences rythmiques produites en tapant et en serrant les articulations des doigts et les ongles des pouces. Une autre encore était une espèce de cartographie mathématique du bar et de la buvette. Il relevait la hauteur des colonnes et la distance qui les séparait, le nombre d'ampoules rosées et de roses crème sur le tapis, de rayons de lumière tissés de table en table en partant du scintillement réfracté par les glaces et les dorures, ce qui lentement homogénéisait la salle tout entière en un cube régulier de rubans et de fils de douce lumière croisée, mordorée, crème, rose foncé, rose pâle, avec quelque chose de la sinueuse complexité de carreaux arabes. Cette technique était plus vulnérable, quoique plus satisfaisante, que les autres, car le cocon lentement composé pouvait être brusquement éventré par un mouvement inopiné des serveuses, qui tendaient à être représentées dans cette composition par des espaces ovoïdes noirs.

Cela ne lui fit donc aucun plaisir d'entendre, en sirotant sa suave boisson rosée, une voix au-dessus de sa tête lui demander si cela l'ennuierait beaucoup qu'on se joigne à lui.

Il sursauta et avala de travers. L'autre empoigna une chaise.

«Je vois que nous avons eu la même idée. Paix et tranquillité. Pure coïncidence. J'aime les coïncidences, pas vous?»

Marcus fit un vague signe de tête. Il avait réussi à identifier l'intrus, qui était Lucas Simmonds, le jeune professeur de sciences du collège. Simmonds devait approcher de la trentaine mais paraissait quelques années de moins; il était propre, frais, rose, avec des boucles brunes et d'assez grands yeux bruns. Ses épaules, sous le tweed de teinte bruyère, étaient carrées, et son derrière un peu lourd pour son torse élégant. Sa chemise était vraiment très propre, et son pantalon de flanelle un peu moins. Il adressa un franc sourire à Marcus, qui détourna les yeux.

Marcus suivait un enseignement général de sciences donné par Simmonds pour augmenter le bagage culturel des candidats au baccalauréat. Ce cours était décousu dans le meilleur des cas, facilement détourné de son objet par les élèves les plus brillants, qui faisaient perdre le fil à Simmonds en lui posant des colles, ce qui était chose aisée, car il semblait un esprit lent, bien trop enclin à baisser pavillon si l'exposé qu'il avait préparé était interrompu. Il était toutefois curieusement insensible à cette mise en boîte et renonçait simplement à faire sa leçon pour essayer de répondre, de bon cœur mais de travers, à ce qui avait été demandé, si absurde que cela fût. Les garçons assez brillants croyaient lui river son clou. Les garçons très brillants croyaient qu'il n'était simplement pas assez malin pour voir de quoi il retournait. Marcus pensait que la véritable explication était à la fois trop simple et trop insultante pour être saisie par ces garçons. Simmonds se souciait comme d'une guigne qu'ils apprennent ou non quelque chose. Les gens devraient être capables de discerner l'indifférence, jugeait Marcus. Lui-même la respectait. Pendant le cours général de sciences il restait tranquillement assis au milieu du chahut, à dessiner. Il dessinait, sur des morceaux de papier millimétré, un diagramme de spirales dans des losanges concentriques. Le but de cet exercice était d'éviter et pourtant d'indiquer et d'étudier le point central vers où toutes les lignes convergeaient à l'infini. Une façon d'y parvenir consistait à dessiner des lignes si pâles qu'elles en étaient presque invisibles, de sorte que le quadrillage imprimé soutenait et retenait leur fuite. Une fois, Simmonds s'était approché par-derrière et avait regardé le diagramme en cours pendant un certain temps, hochant la tête et souriant en silence. Marcus s'en souvenait. Il n'aimait pas qu'on regarde par-dessus son épaule.

« Vous êtes sûr que je ne vous dérange pas ? Que me conseillez-vous ? Je vois que vous avez pris un milk-shake. J'ai un faible pour eux, moi aussi. Mademoiselle – un autre milk-shake – le même que mon ami, le rose. Et un beignet. Deux beignets ? Non. Un seul beignet alors, mais peut-être deux milk-shakes de plus, hein ? Merci. »

Marcus se retrouva avec un verre et demi de mousse rose devant lui. Ce n'étaient pas des choses qu'on pouvait avaler en vitesse.

« C'est drôle de se rencontrer. Je suis entré sur une impulsion, je ne suis jamais venu ici de ma vie, mais vous me trottiez par la tête, pour ainsi dire, alors je considère que c'était écrit, une de ces coïncidences qui sont voulues par le destin. Vous y croyez ? Ça ne fait rien. Vous me trottiez par la tête parce qu'il est tout le temps question de vous dans les conseils de professeurs. Pas heureux en classe, se demandent mes collègues. Pas heureux dans la vie. Ils y perdent leur latin, à ce qu'il semble. Wedderburn dit que vous ne voulez pas jouer dans sa pièce. Ne prenez pas un air si inquiet. Personne n'y voit vraiment une obligation. »

Marcus fit entendre un bruit étranglé.

« Ce n'est pas la peine de prendre l'air d'une poule qui a couvé un canard. Je suppose que je me mêle de ce qui ne me regarde pas. J'ai seulement cru que je pourrais vous aider.

— Merci.

— De rien.

— Ça va très bien, je vous remercie. C'est juste que je suis incapable de jouer. Si c'est de cela qu'ils parlent.

— Oh mais vous en êtes parfaitement capable. J'ai vu *Hamlet*, vous savez.

— Je ne veux pas. Je n'aime pas ça.

— J'ai bien vu que vous m'aimiez pas ça. Très émouvant, très malheureux. Oh oui. »

Simmonds aspira une longue goulée de son milk-shake, en projetant une ou deux minuscules bulles de framboise dans les airs. Le délicat Marcus en essuya une sur le dos de sa main gauche. Il se rappela Ophélie.

Tous ces fameux soirs, en ôtant son costume, en dépouillant de ses guirlandes défraîchies et de sa robe blanche chiffonnée ce corps qui n'était pas le bon, il avait éprouvé tant de tourments, ses mains n'étaient pas ses mains, les seules paroles dans sa tête étaient les effrayantes plaintes de la jeune fille, sa chevelure n'était pas sa chevelure, elle le piquait comme un vampire sous le paillon de longs cheveux blonds qu'il enlevait, soir après soir. Il entendait dans un coin perdu de lui-même la chanson bouleversante d'Ophélie gémir pour sortir, pour rentrer, il n'aurait su le dire. C'était comme être « déployé » sans l'impression d'air raréfié et d'espace dilaté – hors de lui-même, mais seulement pour être enfermé et confiné dans d'étranges habits, la peau grumeleuse du fard, les seins en caoutchouc, et le linceul enroulé et noué autour de ses membres. Il avait entendu chanter et hurler et n'avait jamais su par la suite s'il avait chanté ou hurlé.

« C'est troublant, de jouer, dit Simmonds. La culture excuse tout, aux yeux des modernes, mais les gens d'autrefois étaient mieux avisés. Les vieux puritains savaient très bien que vous pouviez être investi, le soma, je veux dire, le corps physico-chimique, ils savaient que ce pouvait être l'œuvre du diable. Il est dangereux de trafiquer avec la conscience à moins d'être tout à fait sûr de ce qu'on fait. Il y a des gens qui ont une conscience hermétique, bien sûr, et rien ne leur arrive. Il y en a qui se délectent de leur pouvoir sur autrui, les exhibitionnistes, les magnétiseurs et consorts. Pas vous. »

Marcus ne comprenait pas très bien la plupart de ces paroles, mais l'expression de Simmonds, « investi », exprimait avec une étrangeté inquiétante la sensation qu'il avait éprouvée en jouant Ophélie et était fermement décidé à ne plus jamais renouveler.

« J'ai été très impressionné par votre jeu, très impressionné, dit Simmonds. De médium plus que d'acteur. De véhicule d'une autre conscience. Je me pique, quant à moi, d'étudier la conscience – d'un point de vue scientifique. Je crois que nous manquons d'audace. Je ne parle pas de tout ce spiritualisme de pacotille, vous devez le comprendre, les boules de cristal et tout le bataclan, les séances et les momeries qui sont le reliquat, le rebut des vieux rites. Aussi bien, je ne parle pas non plus de tous ces trucs purement de laboratoire où vous ne dépassez jamais le stade du décompte des points marqués sur les cartes à jouer, les yeux bandés, ou de l'infléchissement de la loi des moyennes de quelques degrés. Non, il nous faut commencer avec des gens qui ont à l'évidence des dons de consciences spéciaux – susceptibles de faire reculer les limites des capacités humaines. C'est la raison pour laquelle je suis intéressé par vous, mon petit Potter, très intéressé à dire vrai.

« — Je n'ai pas de dons, dit Marcus. Des tas de gens pourraient jouer Ophélie.

— Je le sais bien. Mais vous avez d'autres dons, non ? L'oreille absolue ? La capacité de résoudre les problèmes mathématiques sans recourir aux contorsions habituelles de la ratiocination ? »

Marcus le regarda en silence. Il ne parlait jamais de ces choses-là.

« Ai-je commis une indiscrétion ? Vous avez raison d'être prudent avec de pareils dons. Entre de mauvaises mains ils peuvent se révéler terríbles. Comme la capacité de laisser d'autres forces habiter votre corps. Des puissances du bien ou du mal. Peut-être devrais-je expliquer quelle est ma position. »

L'une des caractéristiques déplaisantes de ce dialogue, dont la balance penchait fortement d'un côté, était qu'il semblait éveiller des émotions contradictoires en Simmonds. D'une part, il se montrait extraordinairement joyeux, rayonnant, tout sourires et clins d'œil de bonne volonté juvénile. De l'autre, il était à l'évidence excessivement agité, il transpirait et ne cessait de s'éponger le front, aussi rose que son milk-shake à la framboise, avec une serviette en papier chiffonnée. Marcus ne lui demanda ni ne l'empêcha d'« expliquer sa position ». À dire vrai, il était dans l'incapacité de faire l'un ou l'autre. Alors Simmonds continua.

« Je suis un homme religieux, je suppose qu'on pourrait le dire, sur le mode scientifique. Je m'intéresse aux lois de l'organisation de l'univers. Aux grandes organisations, aux grands organismes, les planètes, les galaxies, aux petits organismes, Lucas Simmonds, Marcus Potter, les souris et les microbes. Oui. Nous ne commençons ni ne finissons avec notre corps. À travers l'histoire, des hommes ont possédé des techniques pour aller au-delà du soma physicochimique. Bonnes et mauvaises. La prière et la danse, la science et la sexualité. Bien ou mal employées. Pour certains c'est plus facile que pour d'autres. Eh bien, au début, Dieu a formé, ou informé, voyez-vous – FORMER, IN FORMER – la masse inerte des choses. Si vous n'êtes pas informé par Dieu, vous pouvez l'être par des choses moindres ou pires, ou les deux.

— Je ne vois pas.

— Je sais. Je suis en train de vous l'expliquer.

— Je ne crois pas en Dieu.

— Je sais. C'est sans importance, mon vieux, si Dieu croit en vous. Cela fait un temps considérable que je vous observe et, tout bien réfléchi, je considère qu'il le fait. Comme orifice d'admission de la force ou de la forme.

— Non.

— Dites-moi comment vous procédiez pour vos mathématiques.

— Je n'y arrive plus.

— Depuis quand ?

— Depuis que j'ai – dit – à quelqu'un – comment cela se passait.

— Ah. Vous avez trahi votre vision. Les prophètes d'antan ont été punis pour cela.

— Écoutez. Cela n'avait vraiment rien à voir avec une vision. Cela n'avait rien à voir avec la religion. C'était une espèce de truc.

— Vous n'avez aucune notion de ce qui a à voir avec la religion. Peu importe cependant. Pourquoi n'y arrivez-vous plus ?

— Je ne veux rien dire.

— Vous ne voulez jamais rien. Je vous ai observé, je le sais. Avez-vous jamais pensé que cela pourrait avoir un rapport avec ça ? Un pouvoir, un don, auquel vous avez tourné le dos. »

Marcus n'y avait pas pensé. Il avait, comme cela a été dit, assidûment évité d'y penser. Il était peut-être vrai que son impression générale de n'avoir pas de place dans le monde, pas d'espoir, pas de solidité, ainsi que la récurrence de trucs bizarres et inquiétants dans sa constitution, comme le « déploiement », dataient de sa perte des maths. Simmonds prenait la double apparence d'un mage qui lisait dans ses pensées et d'un fou qui se mêlait de ce qui ne le regardait pas.

« S'il vous plaît – en tant qu'expérience scientifique – essayez de vous rappeler.

— Écoutez – c'était terrifiant. J'essaie d'oublier.

— Je ne vous ferai aucun mal. Je veux seulement savoir. Pas pour vous faire quoi que ce soit. »

Son père avait amené un professeur de mathématiques. Marcus avait dû faire une démonstration. Les deux autres – le père et le professeur – s'étaient montrés très excités. Il se mit à parler.

« J'ai cru pendant très longtemps que n'importe qui pouvait le faire. Que c'était la façon normale de voir, en fait. La façon normale de voir un problème, je veux dire. Je ne sais pas comment on peut voir ce qu'il y a dans la tête d'un autre. Je ne sais ni comment ni pourquoi on essayerait.

— Ne vous énervez pas. Racontez-moi seulement. C'est sans importance si je ne comprends pas complètement.

— Ça pourrait m'aider. »

Marcus commençait à partager la vision que Simmonds avait de lui comme de quelqu'un qui avait un besoin urgent d'être aidé.

« Eh bien – j'avais l'habitude de voir – d'imaginer – un endroit. Une espèce de jardin. Et les formes, les formes mathématiques, étaient dans le paysage, et vous lâchiez le problème dans le paysage et il se déplaçait parmi les formes – en laissant derrière lui des traînées de lumière. Et alors je voyais la réponse.

— Pouvez-vous me dire à quoi ressemblait le paysage de ce jardin ?

— Non, non. »

C'était à ce point qu'il s'était effondré, la dernière fois. Sous leurs yeux cupides et orgueilleux. C'était le point de fuite où tout avait disparu, un cône ou un triangle noir qui descendait, un cône ou un triangle noir qui montait, son esprit étant le point de compression à la jonction de ces solides ou de ces plans ambivalents. Il s'était effondré, le visage contre la table, sans connaissance. Il avait embarrassé son père. Il avait été mis au lit avec la recommandation de ne pas s'inquiéter. Après quoi il ne l'avait plus jamais refait ; il avait su d'une manière catégorique qu'il ne pouvait pas le refaire.

« Quand j'ai essayé d'expliquer, je me suis évanoui. Et après je n'ai jamais plus, jamais plus…

— Bien sûr. C'est courant, avec de pareils dons. Racontez-le-moi maintenant. Ça ne peut plus vous faire du mal.

— Vous voyez – l'important était de voir seulement en oblique – du coin de l'œil – dans la tête – le genre de chose, le type de chose que c'était, la zone où c'était, mais de ne jamais regarder en face, de détourner les yeux exprès, et d'attendre que surgisse une forme. Une fois que vous aviez attendu et que c'était là, bien là, en idée, vous pouviez tracer la figure ou même dire des mots pour aller avec. Mais il ne fallait pas que ça soit fixé, ou maintenu en place, ou bien alors… L'important était d'attendre et eux, ceux qui m'ont demandé, ils me brusquaient, comment attendre patiemment dans ces conditions-là, comment, alors j'ai essayé de fixer, de fixer, de fixer… et ça n'a pas marché.

— Je comprends. En partie. À quoi ressemblaient les formes ?

— À des formes », dit Marcus, incompréhensiblement, comme si c'était évident. « Elles changeaient d'aspect. Elles n'étaient ni exactement solides ni le contraire. Des figures planes, des surfaces flottantes en quelque sorte, des choses qui n'étaient pas exactement comme des arbres et des fleurs. Ou encore vous pouviez marcher dans un champ sans épaisseur parmi des séries et des séries successives de plans – de toutes dimensions – et changeants. Pas un paysage réel. Dans la tête. Mais pas comme d'autres choses dans la tête, pas comme si j'essaie de me rappeler Ramsgate ou la Baie de Robin des Bois. Il y avait des petits bouts qui étaient des paysages – n'importe quel champ ou bois – et d'autres bouts qui ne l'étaient pas du tout… Oh, je ne peux pas. »

Simmonds fronça les sourcils, intrigué, tendit les mains pour saisir d'autorité les poignets de Marcus et les retira brusquement. Il murmura, « Fascinant. Fascinant. »

Marcus se rappelait maintenant ces champs scintillants et perdus qu'il n'avait pas regrettés parce qu'il avait eu trop peur de les imaginer suffisamment pour penser à leur perte. Il se rappelait, pas avec des mots, mais comme une ombre flottante, à quel point le lieu ravissait les sens, combien il était clair et propre, combien il était éclatant, aéré, découvert.

«Je crois, était en train de dire Lucas Simmonds, je crois que mon ballon d'essai à l'aveuglette était le bon. Vous avez bien directement accès aux formes de la pensée, aux modèles qui nous informent et nous contrôlent. Ce qu'il vous faut, et que je peux vous procurer – c'est en vérité par une coïncidence providentielle que je suis entré ici vous offrir de vous la procurer – c'est la discipline spirituelle qui rendra tout cela sans risque et le fera évoluer. Depuis quelques années nous concentrons trop notre attention sur le soma aux dépens de la psyché. Le contrôle corporel et le contrôle physique, de nous-mêmes, notre monde, notre univers, tels sont nos gains dans une large mesure. Pensez au microscope, au télescope, au radiotélescope, au cyclotron, au bévatron. Hauteur et fréquence, couleur et lumière. Des machines pensantes que l'homme ne peut tenter d'égaler bien qu'il soit capable de les concevoir. Et nous, où sommes-nous? Nous avons perdu les techniques primitives que nous possédions autrefois pour communiquer avec la conscience qui nous informe. Vous êtes particulièrement doué. Vous pourriez – avec un soutien, avec un programme expérimental intelligent – mettre au point des nouvelles techniques. Qu'en dites-vous?»

Marcus avait profondément horreur des sons bruyants et des lumières fortes. On ne lui avait pas encore dit à cette époque que les asthmatiques captent de plus hautes fréquences sonores que la moyenne des hommes, mais il devait l'apprendre par la suite et y ajouter foi. Au moment dont il est question, il avait l'impression que sa tête était posée en équilibre sur des fils de fer, et que de fines, de très fines tiges métalliques la transperçaient douloureusement par ses orifices, la traversaient et la broyaient avec une musique cruelle dans son crâne, s'étendant à l'infini. Il remua la tête pour se débarrasser de ces visions et les longues tiges bougèrent avec elle, comprimant vivement la matière molle et les cavités de son esprit.

Il ne voulait pas de Simmonds. Simmonds ne rétablirait pas les beaux champs.

« Bien sûr, vous vous rendez compte qu'il est difficile de ne pas tomber dans le charabia, corps astral, aura, ectoplasme – je ne veux pas parler de tous ces trucs-là – je veux parler de vos façons d'absorber l'univers, Potter.

— Monsieur, je ne peux pas. Je veux qu'on me laisse tranquille.

— Mais vous m'avez parlé et vous ne vous êtes pas évanoui, juste maintenant.

— Non.

— Vous vous sentez mieux.

— Non. Non. Non.

— Je crois que vous finirez par vous rendre compte que cela a un sens. Je crois que la coïncidence nous réunira encore. En attendant, j'ai dit ce que j'avais à dire. L'addition est pour moi, ne bougez pas. » Simmonds se leva. Il sourit avec entrain. « Il n'existe pas de véritables accidents, dans l'univers de Dieu, souvenez-vous-en.

— Je ne crois pas en Dieu. Tous ces trucs-là n'ont aucun sens pour moi. »

Le visage rose de Simmonds se plissa de douleur et puis se détendit, comme de l'élastique expansé, en un sourire affable.

« Quand il arrivera quelque chose qui donnera un sens à ce que j'ai dit – et je n'ai aucun doute, absolument aucun, que cela arrivera – venez me voir. C'est tout ce que je demande. Rappelez-vous que je suis là. Quant au reste, il y sera pourvu. »

7

Prospero

Au noir et venteux mois de mars, Matthew Crowe entreprit d'informer et de stimuler la communauté régionale. Le festival devait être son *magnum opus*. Il avait l'intention de faire éclore de la musique et des fleurs, des ébats et des réjouissances nocturnes, des danses enivrées et solennelles, la reconstitution d'une visite royale, accompagnée d'un tournoi pseudo-chevaleresque et d'une foire aux oies, en plus de la création de l'*Astraea* d'Alexander. Il sillonna le Nord-Yorkshire avec une incroyable vigueur – enclos de cathédrale et villages de pêcheurs, mess d'officiers et clubs ouvriers de villages de mineurs –, prodigue d'idées, de promesses et d'espèces sonnantes et trébuchantes. Alexander, quand on pouvait se passer de lui au collège, l'accompagnait, fasciné par ce qui équivalait au génie de l'organisation. Il montait sur l'estrade, aussi beau que réservé, tandis que Crowe déversait son éloquence sur les associations régionales grandes et petites, unions de mères de famille, guides citadines, cercles de couture, clubs de jardinage. Il avait dans ses façons quelque chose d'aussi absolu que Lord Beaverbrook demandant aux femmes pendant la guerre de jeter aluminium, baignoires en zinc et grilles en fer sur des montagnes de ferraille pour la fonte de munitions, ou que Savonarole appelant les dames de Florence à se repentir, sauver leur âme et lancer leurs faux cheveux et leurs bijoux dans des feux de joie. Crowe entraînait les associations du Yorkshire à des tâches prodigieuses, demandant l'énergie acharnée, déjà fabuleusement métamorphosée par la nostalgie, qu'elles avaient mise à tricoter des cache-nez avec des déchets de laine ou à retourner la terre pour la victoire. Lui aussi demandait des vêtements et des bijoux – n'importe quel petit bout de strass ou d'étoffe brillante ou lustrée, mis en commun, refait et rénové pour garnir reines et belles dames. Il demandait des talents particuliers – de la vraie broderie sur les cottes et les vertugadins qui, déclarait-il, seraient des œuvres d'art et entreraient ensuite dans des musées. Il voulait ratisser le pays à la recherche de vieilles recettes anglaises de toujours – fromentée, verjus, hure, salmigondis. Il voulait que tout le monde, en ce printemps, fasse en sorte que le pays se souvienne de sa douceur et de sa beauté d'antan, rende cette terre trop aimée plus belle encore grâce aux authentiques fleurs anciennes, les odorantes, lavande, violier, armoise, giroflée poivrée et tapis d'œillets.

Il sollicitait les hommes aussi, la territoriale, les jeunes agriculteurs, les entrepreneurs en bâtiment, les banquiers, les scouts, demandant des chevaux, des éventaires pour vendre des bonbons, des charrettes, des palanquins, des pavillons. Il incitait à restaurer les édifices religieux, redorer des rangées de bambins élisabéthains morts dans la cathédrale, acquérir des vitrines pare-balles pour exposer les vieux calices de trésors cachés. Il visitait les bourgades de la côte où les gens avaient été chassés de leur chaumière ou de leur villa par les tempêtes, les vents déchaînés et les marées diluviennes des terribles mois de janvier et de février. Il tâtait avec sympathie les tapis visqueux, les papiers peints moisis, et donnait de l'argent pour leur rénovation. Les couleurs du Festival de Grande-Bretagne fleurissaient alors d'une manière incongrue parmi l'ardoise ancienne, grise et blanche ; les murs des chaumières, les portes des garages, les barrières imitant les ranchs américains, jetaient de pâles éclats bleu ciel, primevère acide, et parfois héliotrope cru. Plus tard dans l'année, dit Crowe à Alexander, il verrait à ce que les fausses maisons Tudor des faubourgs de Calverley et de Blesford soient décorées de fausses haies odorantes Tudor, banderoles de fausses roses Tudor et toutes sortes de bribes et morceaux.

« De la couleur, de la lumière, du mouvement, des sons, des airs mélodieux, pourquoi pas, que diable ! dit-il à Alexander. Le pays en a été cruellement sevré et j'ai l'intention de tirer ma révérence dans une rafale de feux d'artifice et une écume de plaisir, laissant derrière moi un ou deux monuments durables, de petites choses pas entièrement de mon fait mais marquées de mon sceau, une université, mon cher, votre jolie pièce, et un jardin ou une place de marché égayés par-ci par-là. Puis je briserai ma verge, à défaut de noyer mes livres, et me reposerai de mes labeurs dans ma petite tourelle en regardant les étudiants tout neufs dans leur petite toge noire vaguer entre mes haies d'ifs d'ornementale façon. J'ai bien peur que ne se soit déjà déclenchée une controverse au sujet des toges – démodées dans une université nouvelle, une université démocratique –, mais je crois que la bonne grâce et une petite concession à mes ultimes caprices prévaudront. »

Il dit aussi, « Ce qu'il fallait, c'était un plan directeur. Pour mettre en jeu beaucoup de temps, beaucoup d'espace et beaucoup de gens. J'en appelle en parts égales aux nobles idéaux et aux villes passions. La véritable culture – la couture aussi bien que la glu, le sucre d'orge aussi bien que la barbe à papa, les mots anciens, les mots nouveaux, en une gracieuse harmonie. Et aussi la vulgaire compétition, mon vieux. La plus belle fête élisabéthaine, le plus beau jardin élisabéthain, la plus belle cavalcade villageoise. Et nous organiserons des auditions délibérément épuisantes et interminables pour toutes les manifestations musicales, tous les spectacles de danse et, par-dessus tout, pour votre pièce. À l'instar des pires magnats du cinéma nous ratisserons le pays à la recherche de talents cachés, nous loucherons dans la tunique de gymnastique de chaque écolière, nous ferons dire aux petits garçons qu'ils mettront des ceintures autour de la terre et nous ferons jouer

Caliban aux plus grands… Nous rassemblerons tout le monde… »

Assis comme un petit chérubin, rouge et luisant, ses cheveux argentés flottant délicatement au-dessus de ses oreilles pointues, il arrondissait tant que tant ses bras grassouillets pour mimer ce rassemblement général. Il reversa du whisky à Alexander qui, à cette époque, buvait sans cesse un peu trop de whisky pour se sentir à son aise, et proposa un toast.

« À l'âge d'or, Alexander. *Redeunt Saturnia Regna*. Tout bouillonne d'effervescence. J'espère, j'ai foi, je crois. »

Des comités d'organisation du festival furent établis dans les villes et les villages de la région. Alexander dépensa des trésors de charme méprisé pour convaincre Bill Potter de présider celui de Blesford, qui comprenait également Felicity Wells, du lycée, et le pasteur, M. Ellenby. Le mépris de Bill envers ces deux personnes et sa crainte courroucée que Crowe ne fût en train de faire main basse sur ses austères groupes culturels en promettant de somptueuses réjouissances, le tiraillaient en sens contraire. Finalement il consentit à participer, avec l'intention assez trotskiste de subvertir les valeurs frivoles de Crowe et de se servir de l'argent de Crowe de l'intérieur de l'organisation de Crowe. Il veillerait à ce que soit fournie une information sur l'état de la police et les barbaries judiciaires des Tudor, sur les armées qui mouraient d'inanition ou de la peste. Il monterait une exposition sur les tortures et les exécutions capitales à Blesford Ride, qui serait assurée d'un grand succès, et une très sérieuse conférence par un historien de la politique, qui ne le serait pas mais aurait un vaste auditoire, emporté par la vague d'intérêt déclenchée par Crowe et la curiosité morbide des élèves.

Les comités du festival visitaient collèges et lycées, suscitant un soutien solide et précis. Ce fut ainsi qu'Alexander prit place sur l'estrade du lycée de filles de Blesford, à la suite du pasteur, dans une procession qui incluait un Crowe tout sourires, une très affable directrice et une Mlle Wells angoissée, trop consciente de la présence à ses côtés d'un Bill à l'affût de tout indice de morale pusillanime. Felicity Wells devait prendre la parole. Elle était gênée par le pied de sa chaise et un pot d'hortensia. Elle commit l'erreur de faire précéder sa description de la Nouvelle Renaissance par une longue et complexe analyse de l'ancienne. La manière dont celle-ci avait affecté Calverley en particulier. Elle fut entraînée par un démon à une digression singulièrement longue sur les méfaits de la Nouvelle Armée Modèle, laquelle, cantonnée dans la cathédrale de Calverley, avait brûlé son incomparable jubé pour se chauffer. C'était une petite femme aux cheveux gris étain clairsemés, ramassés en un chignon ébouriffé autour d'une de ces boules en crin tissé que maintiennent en place de grosses épingles noires comme des arceaux de croquet miniature. Sous ses cheveux sa peau naturellement olivâtre ressemblait à du vieux bois poli, ses yeux étonnés et noirs surmontaient un nez fort et une grande bouche. Elle avait de petites mains que, dans un geste d'enthousiasme effaré, elle élevait souvent, les paumes en dehors, à la hauteur de ses oreilles. Ce geste lui donnait l'air d'un jouet mécanique victorien compliqué, un chien ou un singe.

Elle se rendait compte que Bill tendait ses muscles à côté d'elle, ceux de son visage en un joyeux sourire de mépris, et peut-être bien aussi ceux de son corps juste avant de se lever et se lancer dans un discours improvisé. Ses filles, présentes toutes deux, étaient raides de peur à cette idée. Stephanie, assise dans la bienséante rangée des jeunes professeurs et, par un accident du destin, exactement derrière Alexander, les genoux pressés contre ses fesses, savait que Mlle Wells allait être trop longue et se sentait protectrice à son égard. Mlle Wells, croyait Stephanie, était sans malice, et ne manifestait jamais de colère ou d'impatience. Selon Stephanie, cela lui donnait le droit à la réciproque. Mlle Wells était à présent en train de pallier bravement sa maladresse en expliquant combien il était heureux que le projet cromwellien de fondation d'une université à Calverley n'eût jamais abouti, dans la mesure où, en bonne monarchiste, anglicane et conservatrice comme T.S. Eliot, elle préférait la voir éclore dans cette nouvelle atmosphère de renouveau des vérités et des formes anciennes, sous les auspices... Bill fit entendre un ricanement sonore. Crowe souriait, souriait, avec tact, amusé par Bill, ravi de son propre pouvoir. Stephanie regardait Alexander et Alexander regardait avec inquiétude la salle d'honneur.

En face d'eux, assises par terre les jambes croisées, se trouvaient plusieurs rangées de filles – petites, moyennes et presque grandes. Au-dessus de leurs têtes, à travers la balustrade du balcon, premières et terminales examinaient les gens sur l'estrade, croisant et décroisant fébrilement des rangées variées de jambes revêtues de bas en fil d'Écosse, croisant gauchement ou suggestivement les bras sur leurs seins pointus, ou sur leurs seins généreusement mûrs, dont les globes distendaient les plis creux de leur tunique de gymnastique. Alexander les trouvait, ainsi massées, horrifiques. En entrant dans la salle il avait entendu les chuchotements et les «chut» tomber comme un rideau sur les pépiements et gazouillements aigus de toutes ces filles. Ces bruits l'alarmaient, alors que le fond sonore du tumulte et des gros rires des garçons le rassurait. Il croisa et décroisa les jambes, conscient des lignes sinueuses de petits yeux féminins sur ses chevilles visibles et ses genoux invisibles sous son pantalon. Quand il aperçut Frederica assise raide comme la justice dans l'ombre d'une colonne qui soutenait le balcon, il se sentit rougir de faiblesse, tel Artegall dans la demeure de Radegund, ou bien Hercule dévisagé par Omphale.

Stephanie, assise derrière lui, les mains posées avec bienséance sur ses genoux, essayait d'éliminer tout souci de l'imprudence de Felicity, d'éviter les remous de sentiments émanant des tourbillons d'émotion violente aux endroits où son père et sa sœur étaient assis, et pensait à Alexander, essayant de voir dans la salle par ses yeux : fenêtres trop hautes pour qu'on voie à travers et poussiéreuses de surcroît, longues boucles de cordelettes et de cliquets, balcon qui avait l'air d'être fait de pièces et de morceaux, tableaux d'honneur détaillant de courts palmarès en lettres d'or, bourses pour Oxford et Cambridge, où son nom, le plus récent, apparaissait en queue de liste. Un moulage de la *Vénus de Milo*, au milieu de la salle.

Une portion considérable de sa vie était là. Quand vous étiez petite, vous preniez place en face de la Vénus et son horrible regard vide se perdait derrière vous. Quand vous atteigniez l'âge de la puberté, plus ou moins, vous preniez place, plus ou moins, à côté ou derrière elle, et vous aviez en levant les yeux une vue par-derrière de sa taille volumineuse et de ses énormes hanches drapées au-dessus de votre tête, ainsi que des moignons de ses bras coupés. Quand vous étiez grande, vous la voyiez regarder au loin, loin de vous, pesante et fessue. Sa texture était du vieux fromage luisant, de la couleur du cheddar, avec une couche de vernis épais, qui depuis maintes années n'avait plus aucun rapport avec le marbre qu'elle imitait, et qui semblait alors, à un œil critique, d'une teinte cadavérique, opaque et boursouflée. De onze à dix-huit ans, les sentiments vagues de Stephanie s'étaient concentrés, chaque matin, sur ce bloc de plâtre aveugle. De là où elle était, à l'heure qu'il était, elle la regardait de haut, mais sa masse se dressait toujours aussi volumineuse.

Elle regarda les cheveux soigneusement peignés, si vivants, d'Alexander, et pensa faiblement qu'elle avait dû revenir de Cambridge parce qu'elle l'aimait et voulait être près de lui. Elle l'aimait pour cette sorte de grâce réservée, de timidité, qui lui faisait imaginer que si jamais il la remarquait il leur serait possible de partager une vie qui serait une vie privée, comprise, économe de mots. Elle ne savait pas ce qu'il voulait, et s'était demandé s'il était homosexuel. On se rendait généralement compte de qui l'était, ou en tout cas on le sentait avec son corps. Elle se demanda s'il pensait jamais à elle. D'autres hommes le faisaient. S'il ne le faisait pas, pourquoi donc alors? Pourquoi lui était-elle invisible? Peut-être l'aimait-elle parce qu'elle ne pouvait répondre à cette question.

Alexander se demandait lui aussi pourquoi il ne pensait pas à elle. Chaque fois qu'il la voyait, il se posait la question et ne l'approfondissait pas davantage. Chaque fois qu'il lui parlait, comme il l'avait fait, brièvement, de sa pièce, il avait l'intention de recommencer et ne s'en donnait jamais l'occasion. Elle était dorée et rassurante, rapide et compréhensive ; et peut-être avait-il peur de ces choses-là ; qui menaient à d'autres choses dont il avait certainement peur ; et pourtant elle n'était pas, pensa-t-il, menaçante, comme Frederica, qui surgit dans son champ de vision, l'était. Elle fixait toute son attention sur lui, à l'état brut et sans sourire. Cette fille, pensa-t-il, aurait dû recevoir de bonnes fessées dans son enfance. Quand Bill se leva pour prendre la parole – on ne pouvait dire si c'était spontané ou prévu – Alexander pensa que Frederica en avait très probablement reçues. Il baissa les yeux sous son regard résolu.

Bill disputait de questions controversées. Il parlait de l'occasion qui s'offrait de montrer la vraie, la véritable histoire de Calverley et de ses environs : les matelots enrôlés de force et les meules de foin incendiées, les métiers à filer et les marches de la faim. Impossible de ne pas souligner, juste en passant, que les réels dommages causés à la cathédrale de Calverley n'avaient pas été le fait de la Nouvelle Armée Modèle, laquelle s'était comportée d'une manière assez convenable, mais des excès iconoclastes des adeptes de la séculière Vierge et de son jeune puritain de frère. Stephanie essayait de ne pas écouter. Cela ne servait à rien, absolument à rien, d'écouter Bill. Pendant qu'il poursuivait de sa voix rauque, elle pensa que son idée fantasque d'entente silencieuse avec Alexander n'avait rien à voir avec Alexander, mais tout avec Bill, que sa décision de revenir enseigner dans ce lycée médiocre et étouffant avait à voir avec Bill, qu'elle avait claqué la porte des jardins de Cambridge derrière elle afin que le bruit résonne aux oreilles de Bill.

Sa présence ici était un acte de suprême défi passif. La chose entre toutes que Bill ne voulait pas était qu'elle «gâche ses chances» au lycée de filles de Blesford. Alors elle était là. Dans la maison de Bill, à affirmer son indépendance en refusant de la quitter, en refusant d'assumer l'ambition qu'il avait pour elle, ce qui serait une pire prison que sa maison. Il avait veillé sur ses études avec un soin extrême, elle-même possédait, par nature et par art, les dons qu'il désirait qu'elle eût, et parce que l'ambition brûlait en lui, pas en elle, elle ne voulait pas user de ces dons. Elle accomplissait ce qu'il prêchait et pratiquait, un travail consciencieux dans un établissement où le travail consciencieux était rarement et difficilement récompensé. Elle le rendait fou. Il voulait qu'elle soit chargée de cours à Somerville, rédactrice littéraire d'un hebdomadaire de bon aloi, professeur dans une faculté de province. S'il ne l'avait pas voulu, elle l'aurait peut-être fait. À présent, elle s'y refusait. Elle plaignait, pensa-t-elle, Frederica, qui était poussée autrement par ces vents contraires de moralité et d'ambition soufflant le chaud et le froid. Elle la plaignit encore davantage quand Mlle Wells en vint à la liste des élèves présélectionnées pour participer aux auditions pour *Astraea* à Blesford Ride. Le regard furibond de Frederica devint menaçant d'angoisse désespérée. Elle n'avait jamais rien tant désiré que de figurer sur cette liste.▪

Les listes sont une forme de pouvoir. Frederica passait beaucoup de son temps au lycée à étudier les formes de l'exercice du pouvoir. Contrôle de l'allure en marchant, contrôle du nombre de filles sur un rang, des chaussettes, des culottes, des bas, de la taille et de la couleur des carreaux de vichy. Inclusion, exclusion, excellence et échec étaient réglés et incarnés sur des listes officielles. Listes de prix de maintien, notes de conduite, équipes de tennis, groupes de débats, mentions au brevet, classement par matières et classement général. Frederica haïssait les listes et tirait de cette haine une énergie effrénée. Mais il lui fallait être la première, dans tous les cas où elle n'avait pas décidé qu'il ne fallait pas compter avec elle. Elle savait que les professeurs ne l'aimaient pas, mais la justice exigeait qu'elle fût la première sur n'importe quelle liste de résultats scolaires, et c'était le devoir de ceux qui établissaient lesdites listes de représenter, en les établissant, la justice abstraite, incarnée et sans tache.

Elle croyait devoir être la première sur toutes les listes d'aptitudes théâtrales, mais se rendait compte qu'il était plus ardu de les constituer selon des principes clairs de rectitude abstraite. Elle n'avait néanmoins aucune idée de l'horreur que cela représentait de l'avoir en classe d'art dramatique ou de lecture de pièces. Il était impossible à un professeur de distribuer les rôles sans être conscient de la concentration désespérée de Frederica, doigts, orteils, yeux et bouche crispés par l'angoisse. Si un rôle lui était attribué, elle lisait avec un brio trépidant, mettant mal à l'aise les autres filles, qui pensaient que la lecture en classe exige de la retenue, par bonne éducation. S'il ne lui était pas attribué de rôle, elle lançait des éclairs, se concentrait en marmonnant sur son pupitre, se livrant à part elle, d'une manière bien trop transparente, à une contre-lecture corrigée de tout ce qui se disait.

Un côté curieux de cette obsession était que les rôles qu'elle désirait avec ostentation étaient dictés davantage par le sexe que par la longueur du texte, Goneril de préférence à Lear, Miranda de préférence à Prospero. Elle lisait les femmes d'une voix craintive ou vibrante d'émotion. Les hommes, bien qu'il y ait plus d'hommes dans Shakespeare et qu'ils soient plus passionnés, étaient paradoxalement moins alarmants pour ses auditrices malgré elles.

Le pire fut *Sainte Jeanne*. Mlle Wells ne savait pas, disait-elle à Stephanie, comment elle avait survécu à *Sainte Jeanne*. Il y avait des jours où elle avait sérieusement eu peur que Frederica se lève et la frappe pour avoir donné le rôle de Jeanne à une autre élève dans la scène du tribunal ou l'épilogue. Il y avait des jours où, ayant donné le rôle à Frederica, elle aurait voulu sortir de la classe plutôt que d'endurer la tension et le malaise de la passion mise dans l'interprétation.

Mlle Wells se leva alors pour donner lecture de la liste cruciale, longue d'une vingtaine de noms, et Frederica se tordit d'angoisse sur sa chaise et lança un regard désespéré à Alexander, qui prétendit, de toute évidence, ne pas la voir. Stephanie était un peu irritée par Mlle Wells et par Frederica. Il y avait eu une tentative déterminée pour exclure Frederica de la liste, sous le prétexte, avancé par Mlle Wells, que c'était une candidate de haut vol pour l'université et qu'elle ne pouvait se permettre de distraire tant de temps de ses études, et sous le prétexte, avancé par la directrice, que Frederica se mettait trop en avant et que d'autres élèves devaient se voir offrir l'occasion de briller. Stephanie savait que le nom de Frederica figurait sur la liste parce qu'elle avait elle-même fait valoir avec une inhabituelle fermeté qu'il était injuste qu'il n'y soit pas, et elle avait su, tout en défendant cette idée, qu'elle demandait si peu de chose, et rendait de si grands services, que les autres feraient ce qu'elle demandait. Quand son nom fut lu, Frederica prit une longue inspiration, desserra les mains du rebord de sa chaise, lança un regard triomphant et possessif à Alexander, et se désintéressa de toute évidence de la suite des événements, comme si son nom était le seul et unique. Stephanie passa par une minute de pure et simple fureur. Et puis succomba à une crainte coupable. Car après ce petit succès que restait-il à espérer ? Et le visage de Frederica rayonnait d'un arrogant et vain espoir.

Les filles de Blesford furent conduites au collège de garçons dans un car de louage. Elles portaient des bérets brodés de roses et de herses dorées. Elles portaient des cravates à rayures. Elles se ressemblaient étonnamment entre elles. Elles demeurèrent agglutinées dans l'allée pendant que d'autres cars amenaient et déposaient d'autres petites troupes. Beaucoup portaient des socquettes, mais plus haut leur uniforme leur donnait un air imposant de matrones. Les filles, en ce temps-là, même quand elles n'étaient pas en uniforme, avaient tendance à avoir ce genre d'allure, en partie du moins parce que les types de beauté que les magazines de luxe leur offraient pour modèles étaient dans l'ensemble des femmes, pas des jeunes filles, des femmes chapeautées, gantées, mystérieusement parées de voilettes ou de fard par la maturité de l'expérience. Expérience, fard et voilettes leur étant inaccessibles, l'allure de matrone était tout ce qui leur restait. Elles se dévisagèrent toutes d'un air soupçonneux. Des garçons passèrent en courant, entre deux classes, et certains sifflèrent. Mlle Wells fit d'inutiles petits mouvements en direction de quelques-uns et fut arrêtée dans son élan par Frederica, qui dit qu'elle allait les conduire à la salle d'honneur, où la scène se trouvait et les auditions devaient avoir lieu. Une fois qu'elle se fut mise à traverser le cloître à grandes enjambées, les autres filles, les autres écoles, la suivirent à la queue leu leu, de sorte qu'elle fit une entrée fracassante, en faisant claquer la porte, tel un général à la tête de ses troupes. C'étaient des troupes qui traînaient la patte, s'attardaient, et se tassèrent à la porte de sortie.

À l'intérieur, l'atmosphère était différente, il régnait presque une odeur de liberté. Lodge était vautré dans un fauteuil, une jambe jetée par-dessus l'accoudoir, vêtu d'un énorme chandail crasseux. Il fumait. Alexander était classiquement appuyé contre le manteau d'arlequin, les jambes croisées dans une élégante posture qu'elle devait par la suite remarquer dans le bienséant amant de Hilliard derrière les pâles et délicates roses. Crowe circulait, guidant les filles à leurs places, criant des ordres à un être invisible à propos des lumières, de sorte que la scène, et Alexander, furent graduellement puis intensément illuminés d'or rose.

Elles avaient préparé des morceaux. Perdita, Helena, Imogen, la duchesse de Malfi. Frederica avait répété pendant des heures devant la glace, hésitant entre Helena et la duchesse. Stephanie, entendant ces épanchements, avait eu la bravoure de proposer de faire le public, et l'encore plus grande bravoure de conseiller à Frederica de mettre un peu moins d'expression, de laisser les vers parler d'eux-mêmes. Frederica avait injurié Stephanie – lui avait lancé à la tête qu'elle, Stephanie, était incapable de parler, incapable de comprendre, qu'elle mettait toujours la sourdine à tout ce qui la concernait, elle-même et le reste du monde.

Lodge répartit les filles par petits groupes et les prit au dépourvu en leur disant qu'il leur fallait maintenant courir et danser. Ôter leur chapeau, leur manteau, s'élancer à travers la salle, sur la scène, faire la ronde, gambader et bondir. Alexander s'assit au piano et se mit à jouer *Thomas Bull*. Les filles commencèrent à courir et Lodge cria, « Plus vite ! » De longues nattes rebondissaient sur les écussons des élèves-monitrices, de mignonnes couettes frottaient contre des joues empourprées. « Sautez, maintenant ! » cria Lodge en riant. Crowe et lui prenaient des notes abondantes. « Sautez plus haut, cabriolez, étirez-vous à fond ! »

Frederica était dénuée de grâce corporelle. Quand elle répétait devant la glace, sa voix avait beau se briser en trémolos et en sanglots, ses bras n'en pendaient pas moins rigides le long de son buste rigide. Elle ne savait qu'en faire. Elle tendait la main pendant la requête de la duchesse à son soupirant craintif et avait l'impression d'être le joueur de tambour mécanique que Stephanie et elle possédaient quand elles étaient petites. À présent, raide comme un piquet et retombant pesamment sur les planches, elle jaillissait avec fureur, toute droite, les jambes en plomb, au milieu du bouquet de bras balancés et de pieds agiles. Alexander, au piano, se soulevait comme la houle, les muscles de ses épaules ondulaient, ses cheveux et ses doigts voltigeaient. Le visage de Frederica s'assombrit sous l'effet de ses efforts inefficaces et de l'humiliation. Elle descendit de la scène dès qu'elle le put décemment, et s'assit, l'air menaçant, dans l'ombre.

Maintenant qu'elles s'étaient assouplies, déclara Lodge, il allait entendre leurs tirades. Il donna lecture des prénoms identiques de ces Gillian, Susan, Judith et Patricia, qui, sous l'effet de la danse, étaient à présent paradoxalement affranchies de leur similitude acquise, et qui revinrent, l'une après l'autre, clignant des yeux dans la lumière rosée en regardant vers la salle obscure, réciter la tirade fleurie de Perdita, l'amour d'Helena pour une certaine étoile brillante, les ennuis d'Imogen à Milford Haven, la demande en mariage de la duchesse à son régisseur. Les Perdita étaient les plus nombreuses. « Ô Proserpine ! que n'ai-je à présent les fleurs que, dans ton effroi, tu laissas tomber du chariot de Pluton. » Avec l'accent du Yorkshire, dans le timbre argentin des couvents dispendieux, avec des bredouillements et des débordements, c'était une incantation infiniment délicieuse, quoique souvent recommencée. Quand vint le tour de Frederica, ce fut Crowe qui lui demanda ce qu'elle allait donner, et Crowe qui dit à Alexander de lire pour elle, comme il l'avait fait pour les autres, les quelques vers indispensables du rôle d'Antonio. La voix de Frederica tremblait quand elle se présenta. Alexander, debout en face d'elle, fut poussé à une gentillesse inaccoutumée à son égard.

« Doucement, Frederica. Prenez votre temps. Ce n'est pas la fin du monde.

— Ah non ? dit-elle dans un éclair assourdi de sa vieille passion de la contradiction.

— Mais non », dit Alexander. Il sourit. C'était, pour elle, le premier sourire sincèrement cordial qu'elle eût jamais reçu de lui, professoral et prévenant. Elle fut irritée, en même temps qu'excitée, par cette pensée.

Alexander dit son entrée en matière.

> *Ne me croyez pas assez sot pour désirer*
> *Ce à quoi tendent vos faveurs ; il serait fou*
> *Qui, ayant froid, plongerait les mains dans le feu*
> *Pour les réchauffer.*

Comme une aveugle, Frederica entama la déclaration en réponse ; son intention était d'être gracieusement, quoique noblement, hésitante, mais la présence d'Alexander et la colère où l'avait plongée le fiasco de la danse avaient ajouté au texte des éléments qu'elle était incapable de maîtriser complètement, une touche d'agressivité impatiente, une touche de volonté d'obtenir purement et simplement ce qu'elle désirait, qui l'avait conduite jusquelà, qui l'avait soutenue. Elle demeura immobile, mais, parce qu'Alexander était Alexander, elle tremblait dans sa raideur.

Que le malheur est grand d'une haute naissance !
À nous de courtiser, personne ne l'osant ;
Et comme le tyran use de faux-fuyants
Et d'équivoques effrayantes, nous devons
Exprimer de force nos violentes passions
Par des énigmes et des songes, délaissant
La voie de la simple vertu, qui n'est taillée
Pour sembler ce qu'elle n'est pas. Vantez-vous donc
De m'avoir pris mon cœur, il est dans votre sein.
Puisse-t-il y faire croître l'amour ! Vous tremblez.
Me craignant plus que ne m'aimant. Monsieur,
                                        [courage !
Pourquoi vous troublez-vous ? Ce cœur est chair
                                        [et sang.
Ce n'est pas la statue sculptée dans de l'albâtre
Agenouillée près du tombeau de son époux...

Vers la fin de la tirade elle fit un pas involontaire dans sa direction, consciente de s'y prendre mal, de hurler trop fort, de demander son aide et de s'arrêter sur une fin embarrassée. « Merci », dit Crowe d'une voix dénuée d'expression, quand elle eut terminé, et elle descendit de scène sans savoir comment. Alexander repoussa ses cheveux en arrière et s'essuya le front avec un mouchoir très blanc.

Il y eut une pause, beaucoup d'allées et venues et de comparaisons de notes entre les trois hommes, puis Crowe annonça qu'ils souhaitaient entendre à nouveau dix de ces demoiselles lire un poème. Il donna lecture des noms qui formaient sans aucun doute l'avant-dernière liste. Celui de Frederica n'y figurait pas. Elle passa par une minute de pure et simple incrédulité. Ils devaient l'avoir oubliée. Les dix en question, nerveuses et radieuses, remontèrent sur scène et Lodge se déplia de son fauteuil et s'approcha de l'une d'elles, une fille très bien faite, du couvent, qui portait des nattes et se nommait Anthea Warburton. Ça ne lui ferait-il rien, demanda-t-il, s'il lui dénouait les cheveux. Et les autres, voudraient-elles ?... La religieuse qui servait de chaperon frémit mais ne protesta pas. Lodge décroisa de ses doigts experts un serpentin brillant de cheveux pâles. Mlle Warburton, plus rapide au total, les yeux modestement baissés, défit l'autre. Lodge lui ébouriffa les cheveux autour du visage. Elle le regarda, d'un air froidement interrogateur, à travers ce nuage, et Frederica se rendit compte avec douleur que les élues avaient toutes un point commun. Elles étaient toutes jolies. Très jolies. Frederica n'avait jamais encore été mise aussi nettement en face de ses propres limites, ou de la grande variété des aptitudes requises en ce monde. Il y aurait, comprit-elle, des chants et des danses sous les arbres des jardins de Long Royston, et des rires et des poèmes. Mais elle n'y participerait pas. Eh bien, elle n'avait aucune intention de servir de public à qui que ce soit. Elle allait se lever et s'en aller. Elle se leva, et s'en alla.

Matthew Crowe lui saisit le bras dans le Panthéon.

« Où allez-vous ?

— Chez moi.

— Pourquoi ?

— Ça ne servirait à rien de rester.

— Pourquoi donc ?

— C'était de toute évidence, dit venimeusement Frederica, un concours de beauté. » Elle eut brusquement une vision apaisante de maillots de bains échancrés, talons aiguilles et écharpes de satin barrant des poitrines saillantes. « Une pièce est un spectacle, dit Matthew Crowe.

— Je vois ça.

— Ce que nous recherchons principalement, c'est une escorte de nymphes et de grâces. Pour un masque joué devant la reine. Je ne vous vois pas dans cette catégorie.

— Non. » Puis : « Je ne vois pas pourquoi vous ne pouviez pas dire clairement que c'était ça – que – vous vouliez.

— Ce n'est pas tout. Des servantes, la foule.

— Je vois. Eh bien, maintenant, je vais rentrer chez moi. »

Elle essaya de passer. Ils se tenaient entre la statue de Baldr le Bel, les membres défaillant en une mort de granit, en une imitation consciente ou non de l'*Esclave mourant* de Michel-Ange, un brin de gui méticuleusement gothique sortant de son sein gauche, et la statue de Pallas Athéna, glacialement enroulée d'un chiton de granit, agrippant l'horrible tête de la Gorgone.

«Je ne m'en irais pas. Votre audition m'a donné une idée assez amusante. Elle était assez bonne en soi, à vrai dire. Qu'est-ce qui vous a donné l'idée de rendre la duchesse si agressive?

— Eh bien, il lui fallait l'être. Elle était la sœur de son méchant frère. Elle était un grand prince. Elle était avide. Elle empoignait les abricots. Elle était habituée à arriver à ses fins. À vrai dire, pour être franche avec vous, je voulais que ça soit plus – en fait moins – plus suppliant. La danse m'a mise en colère. Je ne sais pas danser. Je me suis sentie abominable. J'étais énervée. Je peux faire mieux. Et pourtant, en récitant, je me suis rendu compte qu'on pouvait le jouer à la lisière de – la coercition. Cela aurait un sens.

— C'est vrai. Très subtil.

— Merci.» Elle but le compliment comme une plante qui renaît. Crowe s'appuya contre les contorsions en pierre des serpents de la gorgone et dit, «Laissez-moi regarder votre visage». Il passa un doigt le long du nez pointu de Frederica. «Je crois vraiment que ça pourrait valoir la peine pour vous de revenir.

— Pourquoi?

— Eh bien, s'il s'agit de trouver des acteurs qui ressemblent à leur personnage… comme nous le faisions… nous pourrions peut-être pouvoir vous dégoter au moins une doublure pour le premier acte.»

C'était une bien pire démonstration du jeu de pouvoir que les listes. C'était l'heureux coup du sort des contes de fées, l'histoire de Noel Streatfield où les vilaines petites filles voient leurs prétentions s'évanouir et puis reçoivent en fin de compte la permission de passer la porte marquée ENTRÉE. Elle toucha ses cheveux fauves et considéra le petit impresario. C'était comme un conte de fées parce qu'il aimait manigancer des contes de fées.

Il vivait dans un monde où de telles manigances sont le modèle de l'art, de la vie, du pouvoir, et imitent l'art.

« Ah ! dit-elle, ah ! je vous remercie – je n'ai jamais rien autant désiré, jamais – Si seulement vous pouviez – je serais...

— Attention, je ne promets rien », dit-il. Puis : « Vous n'avez pas parlé avec votre père de la duchesse ?

— Je suis seule responsable. Parole d'honneur. »

Il rit. « Revenez. Revenez. »

Elle lui emboîta le pas avec empressement.

8

Ode sur une urne grecque

Stephanie était assise dans une salle de classe froide, peinte en brun et entièrement blanchie par la poussière de craie, et faisait cours sur l'*Ode sur une urne grecque* aux filles qui n'étaient pas allées à Blesford Ride. Un bon cours est un mystère et prend de nombreuses formes. L'idée que Stephanie se faisait d'un bon cours était simple et limitée : c'était l'observation provoquée et partagée d'une œuvre, d'un objet, d'une production humaine. Ce n'était pas un encouragement à la libre expression, l'analyse de soi, ou ce que l'on devait par la suite appeler les relations interpersonnelles. En vérité, elle considérait une bonne explication de l'*Ode sur une urne grecque* comme une occasion bienvenue d'éviter de telles pratiques.

Elle n'avait jamais eu d'ennuis de discipline et pourtant n'élevait jamais la voix. Elle exigeait le calme, biologiquement et moralement. Les filles entrèrent du dehors dans un bourdonnement, la bousculade et les rires. Barbara, Gillian, Zelda, Valerie, Susan, Juliet, Grace. Valerie avait un furoncle qui la défigurait et Barbara, des règles extrêmement douloureuses. Le père de Zelda allait mourir, ce mois-ci ou le suivant, et Juliet avait été traumatisée par un étrange garçon qui lui avait fourré la main sous les jupes et serré la gorge avec le bras dans un passage de Blesford. Gillian était très brillante et avait besoin d'un corrigé, un aide-mémoire et un plan analytique détaillé sur l'*Urne grecque* pour ses examens. Susan était amoureuse de Stephanie, à qui elle essayait de plaire en faisant un grand effort d'attention. Grace voulait seulement être fleuriste et, maintenue au lycée dans l'étau de l'ambition de ses parents, rongeait son frein.

L'esprit de Stephanie s'était vidé de toutes ces informations et elle exigeait des leurs d'en faire autant. Elle les faisait se tenir tranquilles en se tenant exceptionnellement tranquille elle aussi, comme le font les charmeurs d'oiseaux et les dompteurs de fauves, avait-elle lu dans son enfance, avec pour résultat que les bêtes sont fascinées ou intrépides, ou bien les deux, elle n'en était pas sûre.

Elle exigeait aussi que son esprit se vide du curieux fouillis de mémorisation qui représentait le poème en temps ordinaire, quand l'attention n'était pas concentrée sur lui. Dans son cas, c'était un souvenir visuel fragmentaire de son aspect sur la page, un souvenir composite en réalité, la superposition de mises en pages de plusieurs éditions différentes, de forme précise mais de tailles variées ; c'était aussi la sensation mobile du rythme du langage, sensation qui n'était ni verbale ni visuelle, mais biologique, et qui ne se retrouvait pas à moins de susciter le souvenir visuel et auditif de séries entières de mots, certains mots, les très abstraits, forme, pensée, vert, marbre, chaud, froid, désolé. Une suite de repères de grammaire et de ponctuation, l'élan des questions en suspens et sans réponse de la première strophe, le jaillissement apparemment désordonné des épithètes répétées dans la troisième. Des images visuelles qui n'étaient, dans sa vision intérieure, ni vues ni non vues. La forme blanche de mouvements arrêtés sous des ombrages noirs formellement réguliers. La difficulté de « voir » l'herbe foulée. John Keats sur son lit de mort, demandant que ses livres fussent ôtés, même Shakespeare. Elle-même à Cambridge, regardant à travers les murs en verre de la bibliothèque les ombrages verts, mémorisant… quoi ? Demandant quoi ? pourquoi ?

Elle donna lecture du poème, tranquillement, d'une voix aussi inexpressive que possible, une petite chanson sans musique. Puis elle recommença. L'idéal était de l'aborder l'esprit momentanément ouvert et vide, comme si c'était la première fois. Elles devaient toutes entendre les mots de la même manière, sans outrance, sans distorsion, sans manipulation. Elle leur demanda avec froideur, « Eh bien ? » – prolongeant le moment difficile où elles devaient juste regarder, trouvant difficile de parler et inévitable de juger.

Elle resta assise à regarder dans le vide intérieur, à attendre que la chose prenne forme, à ne rien voir, rien du tout, et puis, sans le vouloir, des formes voltigeantes de poussière et des grappes vaporeuses de mousse et d'écume sur une mer grise très mouvementée. Une écume qui n'était pas d'un blanc pur, mais brune, avec des taches d'or par endroits, façonnant la forme centripète d'un cocon de croûtes et de bandelettes de matière adhésive. Cela n'a rien à voir, lui dit son bon sens, c'est l'autre poème, nom d'un chien... l'écume des mers périlleuses. La chose avait un air connu, peu plaisant, et elle fit la grimace en la voyant. La *Vénus de Milo*. *Vénus anadyomène*. Née de l'écume, l'écume des organes génitaux de Cronos émasculé. Pas une mauvaise image, si l'on en voulait une, du passage de la forme à l'informe, mais pas celle qu'elle avait voulu évoquer.

« Eh bien, dit-elle aux filles, eh bien, que voyez-vous ? »

Elles se mirent à parler du moment où Keats requiert de son lecteur qu'il voie une urne, qu'il voie un paysage, des couleurs qu'il évoque, de ce qu'il laisse au libre choix, et passèrent ensuite à la nature de la difficulté de voir ce qui est formé pour être « vu » par le seul langage, hommes et vierges de marbre, la génisse et l'autel, un front brûlant et une langue parcheminée, la froide pastorale.

> *Les mélodies entendues sont suaves, les non-*
> *[entendues*
> *Plus suaves encore –*

dit Stephanie. La brillante Gillian commenta le mot « désolé », centre du poème, et qui permet presque de s'en soustraire, comme le mot « délaissé » dans le *Rossignol*. Elles parlèrent de beauté est vérité, vérité est beauté.

Elles parlèrent, comme Stephanie l'avait voulu, de la chose verbale, faite de mots si sensuels et de mots qui ne le sont pas du tout, tels que beauté et vérité. Elle-même parla de ce que peut signifier que l'urne « suspend nos pensées/Comme le fait l'éternité ». C'est une urne funéraire, dit Zelda. Le dire ne suffit pas, fit Susan sans quitter Stephanie des yeux.

Les choses bougeaient dans la classe, entre huit esprits clos, une urne, huit urnes, neuf urnes, à moitié réalisées, irréelles, blanches formes dont le visage et les membres peuvent se deviner mais non pas se décrire avec précision, la blancheur qui luit éclatante, les ténèbres, les mots, bougeant un par un, en groupes, en grappes, gagnant et quittant les cellules qui abritaient leurs souvenirs visuels, auditifs ou intellectuels, individuels ou collectifs. Stephanie les faisait renoncer au vocabulaire qu'elle était censée leur apprendre et les laissait démunies, dans la nuit. Gillian, qui appréciait le procédé, remarqua que les mots peuvent être assez rapidement recouvrés, si besoin est. Stephanie remarqua que ce poème était son préféré, ajoutant de manière ambiguë que vous ne pouvez ni faire ni même essayer de faire ce qu'il vous demande, voir l'invisible, réaliser l'irréel, énoncer ce qui n'est pas, et que néanmoins il fait en sorte que les mélodies non entendues paraissaient infiniment préférables à tout ce que l'on peut jamais espérer entendre. Les êtres humains, avait-elle toujours pensé, même quand elle était une toute petite fille confrontée à *La Dame de Shalott*, auraient pu si aisément ne pas avoir l'idée fortuite de créer des formes verbales irréelles, ils auraient pu juste continuer à vivre, à rêver, à essayer de dire le vrai. Elle avait maintes et maintes fois demandé à Bill pour quelle raison il l'avait écrit, et les réponses avaient été si volubiles et si étrangères au problème central qu'elle leur avait clos sa pensée, tout en les emmagasinant sans effort en vue d'un usage ultérieur, comme Gillian ne manquait certainement pas de le faire en ce moment.

La sonnerie retentit. Elles sortirent en clignant des yeux comme des hiboux au grand jour. Stephanie, en rassemblant ses livres, laissa vaguer sa pensée. Elle se demanda si l'image incongrue de l'écume qu'elle avait vue flotter provenait du *Rossignol*, ou de son propre intellect occupé à de bien trop soigneuses associations entre les vierges de marbre, la Vénus et la connaissance inconsciente qu'elle avait de la nature de cette écume. Ce n'était pas une écume très plaisante.

Ensuite elle essaya de quitter rapidement le lycée. Elle voulait penser. Elle traversa la salle des professeurs et pensa à l'enseignement. On pouvait dire : j'enseigne – et sentir l'encre, la serge humide et l'encaustique. Dans la salle des professeurs, trop de chaises standard sales et voyantes, bleu paon, citron, tomate, et une odeur persistante de thé. Des fenêtres trop hautes, ne donnant sur aucune vue. On pouvait dire : j'enseigne – et écouter des mélodies non entendues, voir des formes blanches courir sous de sombres ombrages. Mlle Wells, revenue de Blesford, se leva de sa chaise et lui offrit un petit bouquet de primevères. Un bouquet identique pendait sur son chandail violet tricoté. Stephanie pencha le nez sur le miel et le vin pâles des fleurs, les épingla à son manteau et mit celui-ci, gestes d'ornementation reconnaissante, prélude au départ.

« Que c'est joli, dit-elle. Il faut que je file. Comment les auditions ont-elle marché ? » Elle avait décidé de ne pas se laisser prendre au piège d'un récit circonstancié.

« Il les a toutes fait danser et leur a dénoué les cheveux.

— Pas Frederica !

— Elle n'a pas très bien dansé. Ils ont apprécié ma douce Mary. Il y avait une ou deux charmantes Perdita. Frederica a récité de façon très agressive, ma chère Stephanie. Et je crains qu'ils aient seulement voulu que des nymphes et des damoiselles. Mais ils l'ont gardée. Quand je suis partie, ils l'avaient fait remonter sur scène pour dire un poème d'Elisabeth en personne. Ils riaient. Et discutaient. « Une jeune lionne toute roidie », ai-je entendu M. Crowe dire. Elle avait l'air tellement en furie.

— Oh là là. » Stephanie n'en pouvait supporter davantage. « Il faut absolument que je file. J'ai ma bicyclette. Je vous remercie beaucoup pour les fleurs, vous les arrangez si joliment. »

Susan, éperdue, rôdait parmi les casiers, attendant le passage de Mlle Potter vers le hangar à vélos. Elle avait préparé une question très intelligente sur l'*Urne*, qui nécessitait selon elle une longue et consciencieuse réponse. Quand Mlle Potter monterait sur son vélo, elle se précipiterait et, avec un parfait naturel, enfourcherait le sien et la rattraperait à peu près à la hauteur du cratère ; alors, pendant dix ou quinze minutes, elles devraient pédaler côte à côte et parler, rien qu'elles deux, comme cela ne s'était encore jamais produit.

Le cratère était un creux à l'abandon qui mordait sur des courts de tennis et l'allée du lycée. L'unique bombe tombée sur Blesford avait, en explosant à moitié, fait rejaillir la terre de manière assez inoffensive, brisé quelques fenêtres et laissé une cavité circulaire dégoulinante de boue, fertile en mauvaises herbes et en épilobes, qui n'avait pas été reconquise. C'était devenu une espèce de monument commémoratif et les petites filles en faisaient le théâtre de drames imaginaires.

Stephanie Potter, sachant que Felicity Wells avait compté prendre le thé avec elle, partit à grandes enjambées, coupable mais décidée. Sur ses pâles et doux cheveux était noué un foulard vert gazon ; les primevères étaient maintenant épinglées à un manteau volumineux assez chic, vert lui aussi, en forme de blouse de peintre à manches amples resserrées aux poignets.

Susan fonça vers le hangar à vélos pour extraire sa bicyclette de sa rainure de ciment.

Mlle Potter passa à vive allure, pédalant énergiquement, dans une ondulation d'or et de vert.

Susan sauta en selle, donna un coup de jarret, oscilla et démarra.

Stephanie descendit la pente du chemin qui traversait le cratère, en bringuebalant sur les creux et les bosses et en serrant ses freins.

Une énorme silhouette masculine toute noire surgit en sens inverse, dans la direction du cratère, en manœuvrant pesamment une énorme bicyclette noire. Comme si, pensa Susan tout en freinant à son tour, il était juste sorti des lauriers couverts de suie de l'autre côté du cratère. Ce qu'il avait effectivement fait. Il approcha lourdement, fonça sur Mlle Potter dans une ornière, et leurs guidons se heurtèrent, comme des bêtes à cornes engageant le combat. Quel maladroit, pensa Susan, ce qui n'était pas exactement le cas.

Stephanie, empêtrée, fit quelques pas en sautillant, se prit douloureusement le mollet sur l'arête d'une pédale, stoppa pour se frotter. Susan aperçut une longue traînée de cambouis sur son bas fin. Elle se demanda si elle était maintenant obligée de passer sans s'arrêter, rebrousser chemin, ou faire manifestement le pied de grue.

Daniel, baissant la tête, manipula avec férocité les guidons et les mâchoires de freins encastrées. Il avait compté disposer d'une dizaine de minutes. Avec de la chance. Il faudrait que cela suffise. Il avait projeté la rencontre avec son soin habituel, calculant que Stephanie devait être plus ou moins à cet endroit-là à cette heure-là. Plutôt cet endroit-là que rater la tentative d'une rencontre apparemment plus fortuite dans Blesford. Mais, à présent, impossible de dire un mot. Alors il broyait métal et caoutchouc.

Elle le dévisagea en se battant avec le drap vert, le cambouis, la chaîne. Pelage noir partout, imperméable noir, pantalon noir, souliers noirs. Carrure et ventre énormes. Col d'ecclésiastique. Pinces de pantalon. Une présence tellement massive. Elle resta silencieuse.

Il dégagea sa monture, de force, et dit tout à trac, « Je vous attendais.

— C'est ce que je vois.

— Je veux vous parler. »

Elle se frottait la jambe ; il n'y prêta aucune attention.

« J'étais un peu pressée. Une autre fois peut-être.

— C'est important.

— Il y a quelque chose qui ne va pas ? » Son joli et doux front se plissa d'inquiétude.

« Non, non. C'est juste moi – personnellement – qui voulais vous parler. » Il répéta, avec quelque mauvaise humeur, comme si elle aurait dû le savoir, « C'est important ».

Il ne pouvait que répéter ce qu'il voulait dire. Il avait désiré si peu de choses dans sa vie. Ce qu'il avait désiré, il l'avait. S'il réussissait à la faire rester avec lui juste dix minutes, il était sûr qu'elle commencerait à en comprendre la nécessité. Il savait déjà, sans avoir besoin de raisonner, qu'elle avait beaucoup de mal à dire non.

« Vous pourriez m'accorder quelques minutes, dit-il.

— Ah, quelques minutes. » Comme s'il avait réclamé des heures. « Quelques minutes. Je pense que oui. Voulez-vous boire un café au nouveau *Petit Café* ? C'est tout près. »

Ce n'était pas ce qu'il aurait choisi, mais il savait faire preuve de bonne grâce.

« Oui, merci beaucoup. Je suis désolé d'avoir éraflé votre peinture.

— Elle n'est pas assez neuve pour que cela importe. Le carter est plus embêtant. Allons donc au *Petit Café*. »

La jeune littéraire aux aguets les vit s'éloigner de conserve en cahotant à travers les sombres buissons, la masse noire du dos et le lourd piston des jambes lui cachant la vue de l'or et du vert ainsi capturés. Elle était folle de déception et de rage, comme si la nuit s'était abattue. Elle pensa avec colère : allons ! n'y pense plus, c'est seulement le lycée de Blesford et le béguin pour une prof, c'est seulement le cratère de la bombe, et je suis seulement très jeune. Comme si elle savait que dans l'avenir elle rendrait une autre pelouse et d'autres gens plus réels et plus durables. Comme si d'autres couleurs non encore vues devaient obligatoirement être plus brillantes que l'or et le vert en train de disparaître.

Le nouveau *Petit Café* de Blesford, un des premiers modèles du genre dans le Nord, était souterrain, le résultat de la reconversion expérimentale du sous-sol du salon de thé du Rouet. Il avait un percolateur tout neuf, quelques alcôves séparées par des panneaux alvéolés, des bougies dans des bouteilles sur les tables, et des affiches représentant de hauts lieux touristiques italiens, la Sicile, Pompéi, les Marches de la place d'Espagne. L'éclairage était bleu gentiane, ce qui donnait à la mousse du cappuccino une apparence d'encre phosphorescente.

Daniel descendit lentement sa masse sombre par l'échelle de meunier en rentrant les épaules, rappelant un instant à Stephanie le conseiller Ptolémée Tortue dans Beatrix Potter. Ils s'assirent dans une alcôve d'angle sur des tabourets sanglés de rexine, et celui de Daniel craqua de façon menaçante sous son poids. Ils se faisaient face, les lèvres bleues, les dents brillant d'une teinte jacinthe, l'intérieur de la bouche pourpre comme du raisin. Les cheveux de Stephanie et les primevères étaient incolores et métalliques. La lumière mate se coulait dans les plis des sombres vêtements de Daniel, ruisselait sur ses cheveux, ses sourcils épais, son menton ombragé, lui donnant une apparence plus chaude, plus fluide, moins pesamment massive. Inconscient de ces effets, il observa qu'à son avis l'éclairage était sinistre et commanda le café.

Il se demandait s'il devait juste dire : Je crois que vous devriez m'épouser. Ou bien, ce qui était plus exact et plus modeste : Je crois que je devrais vous épouser. Il ne savait plus où il en était, ce qui lui arrivait rarement, parce qu'elle était toute scintillante et bleue. L'habitude de dire ce qu'on pense était un désavantage en la circonstance, où ce qu'il voulait dire était exceptionnel et inattendu, et pouvait même avoir l'air idiot. Il essaya :

« J'ai pensé que nous devrions parler.

— De quoi ?

— Eh bien, de beaucoup de choses. Mais ce n'est pas "de quoi" qui me préoccupe. Juste que nous – vous et moi – devrions nous parler – c'est ce qui m'a paru important. »

Elle observa un silence courtois, comme si elle attendait qu'il dise quelque chose qui demandait une réponse. Il poursuivit gauchement :

« Je voulais mieux vous connaître. Ça ne m'arrive pas souvent – je veux dire, sauf pour mon travail – mais là c'est pour moi. »

Elle dit, « Non, pas ça.

— Pas ça, quoi ?

— Je – je n'aime pas qu'on me dise des choses comme ça.

— Pourquoi ?

— Oh là là. Parce que tant de gens le font. C'est une chose que vous devriez comprendre. »

Il ne la comprenait pas. Il n'avait jamais jusque-là adressé la parole à une jeune fille en en ressentant personnellement le besoin. Mais il pensait vite. Il prit brusquement, désastreusement, conscience que c'était une femme dont on exigeait beaucoup, sa famille, son métier, les gens qu'elle rencontrait par hasard et, sans aucun doute, d'autres hommes. Ce qui était extraordinaire pour lui ne l'était pas pour elle. Ce fut à son tour de rester silencieux.

« Je ne vous connais pas, dit Stephanie.

— C'est ce que je vous demande de faire.

— Je sais. Mais vous semblez y accorder – tant d'importance. Et je pense, je pense que cela ne me concerne pas. Je vous en prie, essayez de comprendre. »

Il y avait quelque chose qui sonnait faux, une espèce de nervosité protectrice dans son aménité, une réaction machinale par la force de l'habitude. Cela le mit en rage. Il prit un air menaçant. Elle le regarda avec nervosité et s'en aperçut. Elle dit, « Oh là là.

— Eh bien, dit-il, l'affaire est entendue. On s'en va ?

— Oh là là, dit-elle encore.

— Oh là là », acquiesça-t-il férocement, et il fit signe à la serveuse. Il avait l'impression de suffoquer.

« Ne partez pas. J'aurai mauvaise conscience. J'ai juste voulu dire – »

Elle était incapable d'exprimer ce qu'elle voulait juste dire et il était incapable de déclarer que cela lui serait égal qu'elle ait mauvaise conscience. Alors ils ne bougèrent pas. À la fin, par un effort patent de politesse, elle l'interrogea sur son travail. Felicity Wells, qui habitait au presbytère, s'était prise d'une admiration craintive pour les méthodes pastorales de bulldozer de Daniel et son emploi du temps, tout en se posant des questions sur sa théologie. Stephanie avait écouté les propos de Mlle Wells, et avait été sensible à quelque chose d'entièrement raisonnable et cependant d'habituellement impraticable dans la conduite morale de Daniel.

« Le travail serait plus facile si les gens n'avaient pas aussi peur les uns des autres, dit sombrement Daniel. Ils sont happés et broyés par les conventions. Ne parlez pas si l'on ne vous adresse pas la parole, la charité est un mot obscène, ne vous imposez pas, ne vous en laissez pas imposer. Ils rendent tripes et boyaux à force de solitude et d'inanité, mais rien ne leur fera traverser la rue pour dire un mot à quelqu'un dans le même pétrin qu'eux. La plupart du temps mon boulot consiste juste à demander, poliment si possible, un peu rudement sans cela, en donnant un air officiel, comme un comité, à solliciter ceci ou cela. Ce que je fais, c'est inventer une série de rechange de conventions qui n'ont pas cours. Des conventions qui disent qu'il faut oser avouer comment ça va, dépister comment ça va.

— Les conventions, dit-elle, ont leur utilité. Elles empêchent les gens – d'être blessés, de se charger de choses qu'ils ne sont pas capables de supporter. Ou bien elles peuvent offrir un moyen graduel et supportable de se plonger dans des bouts d'existence. On ne peut pas toujours pousser les gens à l'extrême. Au cas où ils ne le supporteraient pas.

— L'extrême existe, dit Daniel furieux. Il existe. Prenez Mlle Phelps. Bassin en capilotade, aucune chance de jamais remarcher, elle passe ses jours dans son lit d'hôpital, à souffrir, à penser à la suite probable des événements, à essayer de ne pas le faire. Prenez Mlle Whicher. Elle vit deux maisons plus loin, ne connaît ni Mlle Phelps ni personne, me sert le thé dans des tasses à boutons de rose, tasse après tasse, elle est tellement raffinée : Ah! monsieur, j'ai l'impression que mon existence s'écoule sans but, personne n'a vraiment besoin de moi. Alors je lui dis : Allez donc voir Mlle Phelps. Et que j'te cause, et que j'te cause. »

Il imita, pour Stephanie, les objections superposées de Mlle Whicher. L'on pourrait être taxée d'indiscrétion ou accusée de jouer les âmes charitables, ou bien l'on pourrait découvrir que l'on n'a aucun point commun, ou trouver les choses trop pénibles et les rendre encore pires, ou dire ce qu'il ne fallait pas, et elles sauraient bien qu'elles ne sont pas vraiment des amies, pas naturellement des amies en quelque sorte... Stephanie était frappée d'étonnement par sa puissance d'imitation, ébahie et indignée dans la pénombre bleue. Elle se l'était figuré toujours et essentiellement le même, un homme tout d'une pièce qui va son droit chemin.

« Le pasteur, dit Daniel qui en temps normal ne se plaignait jamais, a la hantise d'être importun. Il sourit et dit : Quelles jolies roses on vous a apportées, mademoiselle. Le temps s'améliore, mademoiselle. Il ne dit pas : Vous ne remarcherez plus, mademoiselle, comment allez-vous vous débrouiller ? Ni non plus : Il y a encore en vous un être vivant, mademoiselle, vous pouvez parler, nous sommes l'un en face de l'autre et nous ne sommes pas encore morts et enterrés. Il ne dit rien de pareil.

— Il faut le dire de façon que cela sonne vrai, si vous le dites effectivement. Vous ne pouvez pas générer l'énergie de tout le monde à vous tout seul.

— Je ne vois pas ce que je peux essayer de faire d'autre. » Il sourit d'un air lugubre. « Le pasteur ne m'aime pas. Je dérange l'ordre des choses.

— Vous aimez déranger l'ordre des choses. Vous avez raison, bien sûr. » Cette admission la poussa à demander, avec une politesse involontaire et exceptionnelle, « Y a-t-il une chose que je pourrais faire ?

— J'ai bien eu une idée. » Il risqua une plaisanterie : « À part me faire la conversation. Il y a Mme Haydock.

— Mme Haydock ?

— Résidence Brontë. Cité Branwick. Sans doute la trentaine. Le mari est parti. Comme ça arrive. Deux gosses, une fille terrorisée, un garçon autiste, six et neuf ans. Le garçon fracasse tout. En silence, toujours en silence, sans un mot, il n'a jamais prononcé un seul mot, tout est systématiquement mis en pièces – écrabouillé, défoncé, pulvérisé, éventré. Jamais les gens. Rien que les choses. Quelquefois il bourdonne. On dit qu'il est capable de bourdonner des choses d'une grande complexité. Je ne saurais en juger, je ne suis pas musicien, je sais chanter les répons et c'est tout. Il reste souvent les yeux braqués, pas hébétés, sans les fixer sur vous, sans les détourner de vous, les yeux braqués sur une autre dimension. Elle ne veut pas le faire interner. Elle l'aime. Je dirais que ça ne serait pas une décision facile. Si vous observez attentivement l'autre gosse, la fille, elle n'a pas un trou de souris à elle où se réfugier. Mais il n'est pas question de décision, elle l'aime, elle lui consacre sa vie.

— Vous n'avez pas essayé de la décider à s'en séparer ?

— J'y ai pensé. Oui, j'y ai pensé. À cause de la gosse, la petite Pat. Mais je crois qu'il serait possible que Mme Haydock s'effondre tout bonnement sans lui. Parce qu'elle a fait de lui sa vie. C'est drôle comme les vies varient, vous ne pouvez pas savoir quelle sorte d'accident ne va pas précipiter la vôtre dans un gouffre profond, tout simplement terrible, pour le restant de vos jours. Un enfant comme lui, ou un parent gâteux. L'amour. Dieu. En tout cas j'ai décidé –

— Vous avez décidé –

— Si elle avait une journée de libre, ne serait-ce qu'une après-midi par semaine, pour sortir la petite Pat, pour ne plus l'avoir, lui, si elle avait une personne de confiance pour le garder, une personne qui viendrait régulièrement, de façon à ce qu'elle puisse y compter. Les choses changeraient pour eux tous. Jamais elle ne le demandera. Il faudra la persuader. Mais si cette personne se proposait. Pouvez-vous vous figurer que vous êtes cette personne ?

— Je serais terrorisée, dit Stephanie Potter.

— Croyez-vous que Mme Haydock ne le soit pas ? Et Pat ?

— Une telle responsabilité…

— Nous devons tous en prendre notre part.

— Daniel – monsieur – pourquoi moi ?

— C'est juste que j'ai toujours pensé que vous étiez celle qu'il fallait. Vous pourriez tenir le coup pour elle. Vous en seriez capable. Je crois que si vous y alliez, vous comprendriez que j'ai eu raison. »

Elle eut subitement peur de lui. Il s'occupait sans réserve de domaines où personne ne pensait ni ne vivait en règle générale, et où l'on espérait bien ne pas avoir à vivre personnellement. Il voyait le monde à sa dernière extrémité et il avait raison. Elle essaya de se figurer l'existence qu'il s'était forgée et n'y arriva pas. Elle ne voulait pas y être obligée. Il s'occupait de ce qui à proprement parler intimidait Keats, qui avait renoncé à la chirurgie pour la poésie mais qui savait que la poésie n'avait pas de réponse à offrir à la souffrance.

« Vous arracheriez des larmes de sang à une pierre, vous tireriez de l'huile d'un mur, dit-elle. S'il est bien clair entre vous et moi que c'est pour une ou deux fois – jusqu'à ce que je me rende compte si je m'en sors – je veux bien essayer. Je ne peux pas faire plus qu'essayer. »

Elle lui fit un bref sourire, plus animé qu'il ne lui en avait jamais vu faire. « Mais si j'accepte, je suis une personne de confiance. J'ose le dire.

— Ce n'est pas la peine. Il y a des choses que je sais sur les gens et d'autres que je ne sais pas. Et ça, je le sais. »

9

La viande

Marcus passait un temps démesuré dans la salle de bains. Chaque semaine, pensait Winifred, il augmentait d'une demi-heure ou plus. Il faisait couler l'eau, par doses inexplicables, entre de longs silences. Parfois elle voyait Bill rôder sur le palier en chaussettes, orteils bruns, genoux arqués, profil menaçant, pour constater le fait, inspecter, écouter. Une ou deux fois il frappait frénétiquement à la porte, exigeant réponse, sortie, explication, ce à quoi Marcus se gardait d'obtempérer. Winifred s'efforçait de ne pas réagir. Ni à l'un ni à l'autre. Dans le cas de Bill, parce qu'en présence de la rage endémique n'importe quelle forme de comportement est une provocation. Quant à Marcus, elle croyait superstitieusement que si elle détournait de lui son attention, ses yeux, son angoisse, son amour, il avait une chance de s'en tirer. De passer inaperçu, soit du destin, soit de son père. Alors elle le voyait, dans le miroir de sa coiffeuse, se glisser hors de la salle de bains pendant une accalmie de Bill, et ne donnait aucun signe de l'avoir vu. La paix et la tranquillité à n'importe quel prix. Pour son fils, avant tout.

Elle se rappelait clairement, non seulement sa naissance, mais ce qu'elle croyait avoir été le moment de sa conception. Il était né au moment de Munich, durant l'irréelle embellie avant l'inimaginable tempête. Il devait avoir été conçu dans cette maison, dans ce lit, un soir où Bill était revenu d'une classe sur Shakespeare à l'Association pour l'éducation ouvrière, un peu échauffé par la bière et d'humeur querelleuse, pour la haranguer sur les réconciliations acceptables et inacceptables dans les dernières pièces. Il n'aimait pas *Un conte d'hiver*. En partie parce qu'on s'accordait à y trouver un parfum de christianisme, avant tout parce que l'histoire était strictement invraisemblable, avait-il dit en arpentant la chambre, l'odeur de l'effort montant de ses pieds détendus dans ses chaussettes. Un homme ne perd pas sa femme pendant vingt ans pour retrouver une statue animée et clamer sa joie d'avoir été berné comme s'il s'agissait d'un miracle, ce n'était pas aussi facile. Tel était le véritable ratage de Shakespeare sur le plan essentiel de la vraisemblance de l'intrigue, dit Bill. Et Hermione alors, avait dit doucement Winifred. Toute sa vie de femme partie en fumée, et ses deux enfants, l'un mort, l'autre disparue, et aucun sentiment de mise, à part la gratitude et la joie. La classe, dit Bill, avait essayé de lui raconter que la statue représente la résolution des souffrances de l'existence dans l'art, et il leur avait dit qu'il y a des choses qui ne peuvent pas être résolues de la sorte. Prospero offrait une solution plus complexe, meilleure. Moins facile à rallier, le cercle de la réconciliation, plus cohérent dans son caractère artificiel. Il avait dû finir par aimer ses filles à l'époque des dernières pièces, dit Winifred, il en avait tant de pareilles, et Bill, en caleçon à ce moment-là, avait eu un sourire narquois et dit qu'il n'existait aucune preuve de l'existence de ses filles.

Ce n'était pas que ni lui ni elle eussent désiré un fils – et pourtant les prénoms recherchés de leurs filles, tous deux des versions féminines de prénoms pour un fils, avaient été choisis par lui. C'était parce que les filles qu'ils avaient étaient pour une fois miraculeusement tranquilles, et à cause de la bière des cours du soir, et parce qu'il lui parlait, ce qu'il était habituellement trop fatigué, trop occupé, ou trop obnubilé par les factures ou les mioches, pour faire. Ou trop en colère.

Elle l'avait épousé parce qu'il était l'homme qu'elle admirait le plus. Juste, passionné, prodigue d'effort, plein de discernement. Elle avait eu horriblement peur de mener la même existence que sa mère, trop d'enfants, pas assez d'argent, sous le joug d'une maison et d'un mari qui étaient au moral des impératifs absolus et au physique des dévastateurs permanents. Winifred avait reçu de sa mère des confidences détaillées sur les chapitres du sang, de l'encaustique et de l'indignation : elle était l'aînée. Elle savait tout sur les accouchements et l'« égoïsme » masculin après, la mine de plomb, le blanc de chaux des pierres du seuil, le bleu de lessive, l'amidon et le frottage des planchers. Sa mère avait fait des efforts ambivalents pour qu'elle s'émancipe : elle ne s'était pas opposée à son entrée au lycée, ce qui avait mené Winifred à croire possible, et même souhaitable, de se marier pour la passion et la conversation, et non pour les saignements et la mine de plomb. Bill lui avait prêté *L'Amant de Lady Chatterley* et avait discouru sur la liberté. Lui-même fuyait une version plus âprement définie de la maison, de l'homme et de la femme, qu'elle voulait dépasser.

Arrivée en 1938, elle avait appris qu'il n'est pas possible de créer le contraire de ce que l'on a toujours connu, simplement parce que l'on croit ce contraire désirable. Les êtres humains ont besoin de ce qu'ils connaissent déjà, même les horreurs. L'inconnu est difficile à atteindre, parce qu'il est inconnu. Paradoxalement, avait décidé Winifred, deux personnes sont plus proches avant d'avoir vécu ensemble, ou même couché ensemble ou parlé longuement – ce qu'elles disent a davantage de véracité, opère moins de concessions à l'habitude, aux bizarreries du tempérament, aux tentatives de se faire comprendre qui se sont déjà soldées par des échecs. Elle avait parlé à Bill en ce temps-là, le créant à sa propre image, il est vrai, mais elle avait parlé plus sincèrement et, si elle l'avait fait, il était possible que lui aussi l'eût fait. Il était à présent constamment mis en rage par la cuisine, le ménage, les filles qui pleuraient. Mais elle savait qu'il n'était pas comme cela dans son travail, il était patient, tenace, tolérant. Et elle découvrit en elle-même un besoin fatal et persistant de besognes et de réprobation. Peut-être la rage et la patience étaient-elles tout ce qui pouvait perdurer.

Au début elle avait été ardente au lit. Pas exigeante, non, ni insistante, mais impétueuse et énergique, prête à mordre, lécher, humer, toucher, savourer et batailler. Les conventions se refermèrent sur elle imperceptiblement, l'une après l'autre. Elle ne se donna plus le mal d'enlever sa chemise de nuit. Ou de passer de la position horizontale à la verticale. Ou de l'embrasser sur la bouche. Et il l'agaçait avec ses pieds. Une fois elle ouvrit les yeux dans le noir et se rendit compte que quelqu'un, pas exactement elle-même, venait juste, en elle, de ricaner de l'insensibilité de Bill à sa souffrance et à sa lassitude pendant l'accomplissement de ce qui, tout bien considéré, l'aurait transportée un an plus tôt. Elle pensa que cela se passait habituellement ainsi, mais n'avait pas d'amies à consulter. Et jamais elle ne parlerait à ses filles, se promit-elle, comme sa mère lui avait parlé, jamais. Elle se tiendrait tranquille. La tranquillité recouvrait de plus en plus de domaines où avait régné l'espérance.

Si bien que ce soir de 1938 où Bill, à cause de la bière, lui avait parlé de Shakespeare, et où Frederica, pour une fois, ne s'était pas réveillée en hurlant, elle fut, dans sa lassitude, mollement reconnaissante, pas davantage, qu'il lui adresse la parole, et demeura sur le dos, en murmurant des remarques sur Hermione. Et Bill se hissa sur elle et se livra résolument à son va-et-vient, et elle éprouva, comme elle le faisait désormais dans le meilleur des cas, un sentiment modéré de claustrophobie, ainsi que la possibilité d'un plaisir périphérique non moins modéré, qui ne valait pas la peine qu'on se donne du mal. Quand Bill soupira, qu'il s'ébroua, qu'il roula de son côté du lit, elle se sentit brusquement sombre et caverneuse en dedans, glacée et un peu étourdie, et elle tendit l'oreille comme si des changements étaient en train de se produire, tels des courants électriques qu'une perception assez fine pourrait noter. Elle crut avec persistance par la suite qu'elle avait bel et bien discerné le moment de la concep-

131

tion. Le commencement attiédi et en grande partie accidentel de Marcus, son fils.

L'enfant et la guerre grossirent inévitablement ensemble. Bill, prédisant Armageddon, l'annihilation culturelle et le mal en grandes bottes battant les sentiers de l'Angleterre, choisit d'imputer à une inadvertance non précisée de Winifred cette naissance intempestive. Les professeurs les plus jeunes quittèrent le collège pour s'engager. Bill, perturbé, fulmina et passa de plus en plus de temps hors de la maison. Winifred, alourdie et apeurée, poussait le landau dans les rues de Blesford, Frederica rousse, furieuse, impérieuse, sous la capote, Stephanie laissant baller des jambes dodues sous le guidon et promenant des regards trop solennels sous son chapeau de soleil. La peur est contagieuse. Stephanie faisait l'apprentissage de la peur. Winifred ne jouait pas assez bien la comédie, et n'avait pas non plus assez de force physique, pour communiquer de l'assurance ou pour rassurer. Elle regardait droit devant elle par-dessus la tête de ses filles, et s'armait de courage pour tout, pousser le landau, affronter Bill, la naissance du bébé, les bombes, les gaz de combat, l'occupation. Elle avait des visions de petits corps embrochés sur des baïonnettes, des berceaux et de chair humaine écrasés sous les décombres dans un fracas de tonnerre. Le bébé n'aurait pas dû être conçu, mais puisque maintenant il était là, il fallait le protéger. Si possible. C'était tout.

Il naquit, rapidement et sans la moindre douleur, par un bel après-midi de juillet, si vite que des jours durant elle éprouva la sensation d'être irréelle, comme s'il y avait encore une épreuve à affronter. « C'est un garçon », lui dit-on, et elle répondit poliment, « C'est ce que je voulais », et pourtant elle n'avait jamais sérieusement envisagé la possibilité que l'enfant ne fût pas une fille. Elle se souleva, avec sa force non dépensée, et le vit, encore attaché au cordon ombilical, tout palpitant, livide et bleu ardoise. Ses yeux sombres cillaient sans rien voir dans la lumière ruisselante du soleil. Il était minuscule, délicat, furibond, la réplique exacte de Bill dans un accès de fureur, agitant vainement ses poings cramoisis au-dessus de son crâne chauve et plissé, strié de petites mèches rousses et humides. Pas la moindre chose d'elle. Ce qui avait vécu en elle, bougé, gigoté, ce qu'elle avait renfermé et protégé, s'avérait être la rage de Bill, simplement. Un garçon. Elle se rallongea très calmement sur les oreillers et attendit qu'on emportât l'enfant.

Bill fit une visite fulgurante à l'hôpital, exubérant de joie imprévisible. Il força les infirmières à ôter les langes de l'enfant et à lui montrer sur la mousseline blanche les organes génitaux relativement opulents, rouge foncé. Il le nomma sans hésitation. Il voulait s'appeler Marcus quand il était petit, dit-il. Elle resta immobile et le regarda enfoncer le doigt dans le petit poing froid de son fils. Elle eut presque l'impression d'avoir perdu quelqu'un.

Trois nuits plus tard, dans le noir, quelque chose de terrible se produisit. On lui apporta le bébé à nourrir, sous une lampe à abat-jour vert, un brimborion virtuellement sans poids, traînant après lui le bout humide d'un drap en finette et d'une chemise de nuit d'hôpital toute raide. Elle cala la tête branlante, le visage hâve et déçu, dans le creux de son bras, et sut que son fils était fragile et qu'elle l'aimait. Elle sut qu'elle avait besoin de le serrer contre son cœur et, à contrecœur, elle sut qu'elle avait peur de l'écraser. Le corps des bébés est froid là où il n'est pas échauffé et moite à force de se débattre. Ce bébé-là était uniformément immobile, et froid. Elle se redressa sur son alèse, en proie à un terrible amour et, bien qu'on vînt juste de le lui apporter, à la peur du moment où on le lui enlèverait. Et de même qu'elle avait su l'instant de sa conception, elle sut alors que toute la trame de sa destinée était changée, qu'il était ce qu'il y avait de mieux, de prioritaire et de pire. Elle en était déjà à prendre ses dispositions. Il téta, expertement, tranquillement, et sombra dans le sommeil. Déjà elle présumait que la violence de ces sentiments nouveaux était dangereuse pour lui, ou du moins encombrante. Il fallait la dissimuler. On vint le chercher. Elle attendit toute la nuit, rigide de peur et immobile de plaisir, le moment où on le lui rapporterait. Et ainsi quelque chose commença.

Bill rugit dans la cuisine, « Sors de la salle de bains, mon garçon. Il y a d'autres gens qui ont des besoins naturels dans cette maison. » Les murs étaient minces, la voix perçante perçait. Bill avait commis des erreurs tellement classiques. Chaque jouet acheté six mois avant que l'enfant fût en âge de jouer avec. Chaque professeur averti – avec le malencontreux concours de la singularité mathématique –, chaque professeur avisé que le garçon était un génie. Par-dessus tout, Bill avait voulu partager les premières lectures de Marcus. Lui-même avait cherché une maigre pitance en grattant dans la poussière des prospectus évangéliques. Marcus devait disposer de mondes imaginaires où Bill pénétrerait avec lui. Que ressens-tu ? que vois-tu en imagination ? qu'est-ce qui t'émeut ? Le garçon indolent regardait dans le vide. Et faisait des opérations. Ce qui n'était pas dans son hérédité et, dans cette famille imperméable aux chiffres, n'était ni partagé, ni admiré.

Devant la véhémence de l'amour de Bill elle ne pouvait que se tenir coite. Convertir l'énergie en inertie. Défaire, démonter. Peut-être agissait-elle à tort. Ce n'était pas très satisfaisant à faire.

Elle entendit la porte de la salle de bains s'ouvrir avec un déclic prudent. Elle le suivit dans sa chambre, une chambre de garçon avec établi, engins de guerre, modèles, parfaitement alignés. Il regardait par la fenêtre. Il ne ressemblait plus beaucoup à son père depuis sa première apparition en l'air. Il lui ressemblait à elle, plus que ses filles. Flegmatique, tempéré, grand, ingrat. Elle eut envie de le toucher et s'en abstint.

« Tu fais quelque chose, Marcus ? »

Il secoua la tête en signe de dénégation.

« Je vais faire des courses à Bleisford. Veux-tu venir me porter mes paquets ?

— D'accord. Je vais chercher ma veste. »

Elle ne dit pas : Quand nous rentrerons il se sera peut-être calmé pour la salle de bains. Marcus ne trahit par aucun signe qu'il savait ce qui était sous-entendu. Ils communiquaient, pour autant qu'ils le fissent, sans parler. Parfois elle se demandait si elle ne devrait pas hurler: Marcus, tu es étrange, il y a quelque chose qui va vraiment de travers, Marcus, parle-moi. Mais elle ne disait rien de tel. Il comptait sur elle pour ne rien dire de tel. Ou du moins le croyait-elle.

L'allée des Maîtres, qui donnait par-derrière sur le Bout de Là-bas, était par-devant une rangée de maisons de banlieue isolées le long d'une route de campagne qui, du moins en 1953, serpentait entre des champs bordés de haies d'aubépine ou de murets de pierres sèches. En ce temps-là aussi l'allée des Maîtres avait son propre arrêt d'autocar: aire de stationnement macadamisée, abri galvanisé, plaque indicatrice en fer forgé. En 1970 la route fut aménagée, élargie et retracée, équipée de lampadaires en béton et verre orangé sur toute la longueur de sa luisante diaprure noire. Les haies arrachées et les champs nivelés furent densément plantés de maisonnettes sans étage, allées miniatures et clôtures en plastique microscopiques. Les maisons de l'allée des Maîtres parurent alors assiégées et appauvries. En 1953 il était encore possible aux Potter de considérer qu'ils vivaient à la campagne, d'une certaine manière. Ils allaient régulièrement se promener par les chemins charretiers, loin du collège, à travers les prés et les champs d'avoine et de seigle, jusqu'à une station d'épuration. Durant ces promenades Winifred disait aux enfants le nom des plantes, campanule, stellaire, muflier, millepertuis, linaire, vesce, trèfle. Les filles psalmodiaient ces noms après elle. Marcus, qui souffrait du rhume des foins, éternuait et grelottait, les paupières enflammées et gonflées autour des cils, les sinus perforés de douleur, le palais à vif et congestionné.

La station d'épuration ressemblait à une place forte avec sa grille de fer, ses cubes de béton sans fenêtres et ses monticules artificiels de pelouse. Aucun bruit humain. Seuls s'entendaient la vibration discrète des fils électriques et le raclement des bras rotatifs sur des fosses circulaires et désertes de gravier. Les filles avaient tendance à changer de direction, comme si le lieu était, ou devait être, malsain. Marcus l'aimait, jusqu'à un certain point. Il n'y avait pas d'herbes plumeuses et tout y était ordonné, comme dans un cimetière bien entretenu, le gazon soigneusement tondu, les tertres, l'absence de bruit. Il pensait qu'il fallait s'arrêter pour regarder, puisque c'était le but déclaré de la promenade. Mais ils ne le faisaient jamais. L'eau recyclée, les déchets liquides recyclés, avait dit une fois Lucas Simmonds en classe, étaient plus purs que de l'eau de source et parfaitement stériles. Marcus pensa, à ce moment-là, à la tranquille activité de leur propre station d'épuration.

Les visites à Blesford en autocar, comme les promenades à la station d'épuration, étaient pour Marcus de l'ordre de l'information et de la souffrance répétées. Il était allé en classe dans la direction opposée, à un bien plus grand nombre de kilomètres, à l'école privée attachée à la maîtrise de la cathédrale de Calverley. Blesford, c'étaient les magasins et les hôpitaux. Quand ils y allaient, Winifred lui parlait de sa maigre histoire, comme sur le chemin de la station d'épuration elle lui parlait de botanique. Blesford avait été au Moyen Âge une ville marché dont il restait quelques vestiges assiégés par des conglomérats de carreaux de verre et de crépi, tous sur le même modèle. La carcasse du vieux château se dressait encore sur un terre-plein gazonné de proportions extrêmement réduites, auquel menait un escalier à rampe de fer. Il y avait une place du marché avec des éventaires aux bâches rayées et, du côté de la voie ferrée, le mercredi, une foire aux bestiaux où pendant quelques heures les pavés sentaient la paille, la bouse, le pissat et la panique, avant que tout fût nettoyé au jet. Il y avait des noms anciens, le Champ-de-Foire, la rue des Oiseleurs, la rue du Puits-aux-Gueuses, la barrière des Rémouleurs. L'autocar contournait ces rues étroites et longeait des édifices publics en brique rouge et leurs cours bitumées, la grande poste de Blesford, l'hôpital de Blesford, la gare routière de Blesford.

Marcus avait passé de nombreuses semaines à l'hôpital, soit pendant ses pires crises d'asthme, soit pour des explorations fonctionnelles non concluantes sur la cause de son mal. « On » croyait qu'il avait peut-être un « foyer d'infection » dont l'asthme serait un effet secondaire. « On » lui avait fait des rayons X et des cuti-réactions, contrôlé son poids et sa taille, enlevé avec espoir les amygdales et les végétations. Lui, il avait appris des choses, surtout sur la nature de la vision.

Il avait une fois entendu Alexander et son père discuter des effets de la consomption sur l'art. Alexander parlait de la lucidité et de la rapidité d'esprit de la fièvre hectique. Bien des années plus tard Marcus devait lui-même s'interroger sur le rapport entre l'oxygène et l'intuition. À l'époque il fut assez excité pour se faire à part lui la réflexion que l'asthme n'était pas comme cela. Ce qu'il provoquait, c'était un étirement du temps et de la perception, de sorte que tout devenait lent, clair et net.

Quand il n'était pas malade, l'hôpital était un havre neutre. Caverneux, rouge sombre, sentant le désinfectant et les fleurs, les infirmières passant et repassant, l'amidon, des bouts de métal bouilli.

Quand il était malade, l'espace et le temps étaient à la fois biologiques et abstraits. Chacune de ses côtes était définie et localisée par la souffrance, chaque souffle froid, péniblement et bruyamment inspiré, péniblement et bruyamment expiré, imprimait sa durée sur la conscience. Il avait contracté l'habitude de se tenir recroquevillé, position typique des asthmatiques, le dos arrondi, les épaules voûtées, la cage thoracique en suspension, le poids du corps portant sur les bras rigides et les jointures tendues des doigts. Une cage anthropoïde de souffrance et de lutte. Dans cette immobilité rabougrie il percevait plus nettement des choses plus strictement limitées. Couleurs, contours, gens, chariots, vases. Une spirale interne d'air qui, dans des sifflements écorchants, actionnait les jeux d'un orgue intolérablement sensible. Tout en lui et autour de lui se découpait distinctement en noir sur un fond de brume envahissante.

Il existait un point extrême où la souffrance épurait la vision et la rendait mathématique. Il voyait une carte à deux dimensions, blanche, noire et grise, de relations linéaires : rideaux, coins de meubles, lit, chaise, doigts tirant sur des triangles de couverture. Elle avait un rapport avec la carte interne des voies obstruées et de plus en plus rétrécies qu'il imaginait empruntées par l'air. Deux fois, en perdant connaissance, il avait vu, juste avant, la même chose. Une fois, en luttant contre le tampon d'éther, le jour des amygdales ; une fois, au cours d'une crise si aiguë qu'il s'était évanoui (il s'évanouissait relativement souvent et en avait horreur).

Ce qu'il avait vu était une configuration géométrique en rotation, du papier millimétré qui tournoyait et dont les carrés rapetissaient en suivant un principe géométrique quasi indéfinissable et en rotation simultanée, de sorte que, quelque part au centre, à la périphérie de son champ de vision, se trouvait le point de fuite, l'infini.

Ainsi la géométrie était-elle proche de l'animal à la torture et cependant opposée à lui. Elle s'intensifiait avec la souffrance, et toutefois l'attention pouvait, avec effort, être divertie de la souffrance vers la géométrie. La géométrie était immuable, ordonnée, en rapport avec l'extrême. Il n'opposait pas, en esprit, la souffrance et la géométrie. Ce qui s'opposait à elles deux, c'était la « vie normale », où vous prenez les choses comme elles viennent, les choses brillantes, luisantes, douces, dures, changeantes, tangibles, qui n'ont besoin ni de carte ni d'ordre. Lorsque l'autocar de Blesford contourna l'hôpital, il nota le nombre des façades en haut et en bas, leurs proportions géométriques, et croisa les doigts. Sa mère, assise à côté de lui, serrait son sac, occupée de ses propres souvenirs. Ils ne se parlaient pas.

La boucherie n'était pas au Champ-de-Foire, où se trouvaient Marks & Spencer, Timothy White, Étam, ainsi que quelques petits magasins de laine. C'était une ancienne et florissante « Boucherie de Qualité », aux murs carrelés en vert et blanc et au sol couvert de sciure et de sang. Le propriétaire, W. Allenbury, était rubicond et vigoureux, un homme actif, comme les bouchers semblent l'être souvent, efficacement engagé dans la vie politique locale et toujours disposé, ou pour mieux dire résolu, à discuter de l'état de la nation et de la nature de l'univers avec les ménagères sur lesquelles, au temps du rationnement, il avait exercé une tyrannie bon enfant qui n'avait en quelque sorte jamais disparu. Il était secondé par trois jeunes gens en longs tabliers ensanglantés, tous excessivement, parfois outrageusement, pétulants. Marcus établissait une relation entre leur pétulance et le rôti dominical des Potter. À une certaine époque ils s'attablaient régulièrement devant un rôti d'aloyau précédé de gros carrés de Yorkshire pudding croustillant, doré, fumant, saupoudré de sel et de sauce brûlante. Bill et Winifred adjuraient souvent Marcus de se servir du bon jus rouge sous le rôti, pour prendre un peu de vie et de couleur.

La vitrine d'Allenbury était, à sa manière, une œuvre d'art. Il n'est pas possible avec la viande de créer la symétrie, la délicate variation de couleur et de forme, qu'un poissonnier arrive à obtenir sur le marbre ou la glace en composant une roue ou une rose abstraite avec ses marchandises offertes. Mais la vitrine d'Allenbury était d'une variété qui compensait. Elle mêlait les œuvres de la nature et celles de l'homme, l'anthropomorphisme et l'abstraction, avec un agréable éclectisme. Elle possédait sa propre richesse.

D'une barre en acier étincelant les poulets pendaient à des crochets élégamment incurvés, poitrine et membres nus et dodus, cou allongé paré de plumes douces. Les canards alignés avaient leurs pieds palmés repliés sous leur flanc, le bec doré, l'œil noir, les plumes du cou écarlates sur la chair blanche. En dessous, le présentoir était tapissé et frangé d'herbe artificielle vert émeraude. Dans cette prairie miniature gambadait un mélange de personnages folkloriques et de créatures mythologiques. Un cochon en carton, tout sourires, perché sur une patte, tenait un plat de saucisses fumantes. Il était recouvert, peut-être par décence, d'un tablier à rayures bleues et blanches, et coiffé d'une grande toque blanche en trois dimensions, inclinée avec désinvolture. Une tête de bœuf joviale et bon enfant, la force même et la pesanteur de la vie sous son pelage bouclé, tranchée au ras du coup, jouxtait une espèce de triptyque en carton brillant orné de divers cubes d'Oxo scintillants et de brocs remplis d'un liquide énergétique brun et fumant. Un très jeune veau noir et blanc comme dans les comptines, monté en silhouette, cabriolait sportivement dans un pré constellé de pâquerettes, sous un soleil radieux et un ciel d'azur. Au sommet d'une montagne de petits pâtés enveloppés dans de la Cellophane, un poulet, un veau et un porcelet dansaient la ronde, représentant la concorde et l'harmonie du pâté en croûte à la mode d'Angleterre.

Sur le rayon suivant, marbre blanc sous herbe verte, trônaient des plats émaillés, chargés de produits plus abscons, dans une alternance de couleurs et de textures. Une motte cireuse de graisse de bœuf, un plat de tripes blanches enchevêtrées, alvéolaires et plumeuses. Des organes essentiels : rognons à la fois rigides et flasques, certains encore entourés de leur gaine de graisse, la surface bleue et glissante de leur chair brillant à travers les fissures de leur membrane, leurs filaments pendant ; du foie iridescent ; un cœur de bœuf monumental, surmonté de tubes, avec une énorme entaille sur le côté et de la graisse jaune qui fonçait en séchant sur ses rondeurs. Une demi-tête de porc bouillie, blême et légèrement maculée de sang, une étiquette métallique agrafée à l'oreille, des soies blanches décolorées autour du groin, les cils blancs raides de sel, le cou tranché net à la base.

Sur le devant, les morceaux de choix. Un béquet, découpé et reconstitué en cône régulier, enrobé de chapelure dorée, scintillant sous son enveloppe de cellophane, bel assemblage impersonnel. Des côtelettes d'agneau bien alignées formant un motif répété, chair rose, graisse blanche, os opalescent, hampes parallèles, noix irrégulières identiques, atteignant à une sorte de régularité abstraite par la répétition. Une couronne de côtes de bœuf, arrondie, ficelée, ceinte d'un diadème de papillotes frisées décorant une à une les côtes qui saillaient. Croupe, flanc, épaule et ventre de bœuf, porc, agneau et veau, préparés en cylindres longs ou courts, épais ou minces, enserrés dans des filets de ficelle nouée, ponctués de minuscules pieux et broches de bois.

Si toute chair est comme l'herbe, toute chair est en vérité comme la géométrie à l'autre bout de la chaîne. L'homme dévorant, avec ses dents ambivalentes, sa bouche à nulle autre pareille, l'homme herbivore et carnivore est un artiste de la destruction et de la reconstitution de la chair, avec ses instruments pour percer, fouiller, préparer, pour l'analyse et le réagencement agréable au palais. L'homme, cet artiste, est capable de réconcilier sous des cieux dorés le cochon jovial et la tubulaire saucisse rebondie, ou de créer, avec de la graisse de bœuf blanchie, de la poitrine de veau broyée, du persil haché, du pain et des œufs battus, une sculpturale spirale s'incurvant en rose, blanc, vert et or délicats.

De chaque côté de la porte, suspendue à un crochet par un tendon, pendait une demi-carcasse de bœuf. Marcus pénétra avec sa mère dans la boucherie comme s'il passait à travers cette bête qui avait dû être exposée à l'entrée le matin même, la tête, ou plutôt le cou sans tête, en bas, puis lentement fendue en deux le long de la colonne vertébrale à coups de hachette. Il l'avait déjà vu faire. Il voyait à présent la chair saillir sous son enveloppe maculée et moulante de mousseline, et il voyait aussi la structure rigide, la chaîne des vertèbres, les faisceaux des côtes, la peau tendue et luisante entre les séries d'os voilés. Après quoi venait une rangée de carcasses de porc et d'agneau déployant leur rigidité.

La défense géométrique épousait le fil de la viande, ici. Plus fine était la découpe, plus grande la précision géométrique et, avec la précision, la possibilité de contempler la chose. Si l'on avait la faculté de voir, ou d'imaginer, ou de penser, en termes d'unités comme des molécules, alors des unités comme des côtelettes pourraient à leur tour s'avérer tolérables, en tant que parties d'autres organisations variées et intéressantes. Des unités comme les demi-têtes de porc n'étaient pas possibles. Mais la terre et l'air étaient remplis de matière qui pouvait avoir fait partie d'une demi-tête de porc. Il ne pouvait se soucier ni de tout ni de rien. À ses yeux une demi-tête de porc était une unité signifiante et supportable.

Derrière le comptoir de bois tailladé, bosselé, évidé par le hachoir, le fendoir et la scie, un jeune homme brun, le gai luron, leur souhaita vigoureusement le bonjour. Stephanie et Frederica lui avaient donné ce nom parce que son expression variait seulement de la plus grande à la moins grande jubilation. Une fois il avait invité Frederica à venir faire un tour sur sa moto, en se penchant sur le comptoir tout en s'essuyant les mains dans un torchon humide et ensanglanté. Frederica y serait allée mais Bill le lui avait interdit au motif que la moto, certainement, et le gai luron, probablement, étaient dangereux. « Que puis-je pour vous ? » demanda-t-il à Winifred. Sa main était enfouie dans une volaille distendue dont il retira en une longue délivre, avec un bruit de ventouse et de craquement, tous les viscères, entrailles molles et pâles, fermes abats collés à une grappe d'œufs luisants, chargée de graisse, veinée de rouge et gainée de peau dorée, ses manipulations gonflant la poule en une imitation maladroite de vie.

« Une livre de foie d'agneau et une épaule de veau », dit Winifred. Le gai luron hocha la tête, se saisit d'un récipient ressemblant à un seau de plage et en sortit un pain luisant de foies surgelés des antipodes, cassant et sombre. Il le tapota avec son coutelas.

« Comme du caillou. Y en a qui vient juste d'arriver de l'abattoir, m'ame Potter. J'sais que vous aimez les abats frais. Une seconde, j'vais voir. »

À Marcus le foie frais offrait le spectacle écœurant d'une forme chaude prête à éclater. Le gai luron l'aplatit de la main gauche pour le rendre compact et en tailla de la main droite une tranche fine comme une feuille de papier. Puis il désossa le veau, usant avec prestesse et précision de la dizaine de centimètres de reste d'un long couteau à découper aiguisé jusqu'à ne plus exister. Il trancha délicatement, nettement, et la chair tendre se détacha de la protubérance miroitante de l'os, blanc nacré, mauve bleuté, rosée, de plus en plus irréelle. Marcus regarda. Il agença. Il réagença. Il regarda de tous côtés. La viande s'enfla. Il pensa : les gens fréquentent cette boutique toute la journée sans problème, ils le font, ils le font.

« Voilà, dit Winifred. Cela nous fera un bon repas, Marcus. » Elle lui offrait, en évoquant la cuisson, la transformation en nourriture. Pour son plaisir peut-être. Puis elle vit sa tête. « Marcus !

— Maman, dit-il. Oh, maman. »

Ce n'était pas un mot que, sous sa forme anglaise, « *mummy* », elle eût jamais aimé, pour dire la vérité. Il lui rappelait des choses déplaisantes. Par homonymie, « *mummy* » était aussi la momie, le cadavre conservé dans des bandelettes cirées et poussiéreuses. En outre, il avait un son horrible de crachat, de vomi. Elle n'avait jamais dit à ses enfants de ne pas l'employer, et ne leur avait jamais demandé non plus d'utiliser son prénom. Ce n'était pas son genre. Ils l'avaient appris d'autres enfants, d'autres femmes, l'avaient employé pour essayer, et puis l'avaient désappris, le remplaçant par mère quand ils ne pouvaient éviter de s'adresser directement à elle, ou par rien la plupart du temps.

Elle le prit par la main et le conduisit sur le trottoir.

« Marcus, dis-moi. Marcus, il y a quelque chose… »

À leurs oreilles, noyant leurs paroles, un Klaxon retentit, péremptoire, aigu, anormalement prolongé. Tous deux regardèrent ; tout contre le trottoir, sans qu'ils l'aient vue arriver ou stationner auparavant, était arrêtée la voiture de sport noire et étincelante de Lucas Simmonds, une petite Triumph à laquelle on le voyait, dans les cours du collège, prodiguer des soins extraordinaire. Il abaissa une vitre et leur fit un large sourire, innocent et tout rose.

« Bonjour, madame. Bonjour, Marcus. Est-ce que par hasard vous alliez rentrer à Blesford Ride ? Pourrais-je vous déposer – si ça ne fait rien à Marcus d'être un peu tassé à l'arrière d'un véhicule qui est en réalité prévu pour deux personnes seulement ? »

Marcus s'écarta de deux pas, biaisant. Winifred pensa qu'il avait l'air plus mal que jamais, presque malade, prêt à s'évanouir comme cela lui arrivait parfois. Alors elle exprima sa gratitude à Lucas Simmonds, lui dit combien son apparition était opportune, ce à quoi il répondit qu'il essayait toujours de rendre service de cette façon-là, avec un léger ricanement embarrassé pour masquer ce qu'il pouvait y avoir de bizarre dans cette remarque. La voiture de Lucas Simmonds était bruyante, et prenait les virages de telle façon que Winifred, une fois montée, dut s'arc-bouter et ne fut en mesure de ressentir aucune émanation, amicale ou hostile, en provenance de Marcus ratatiné à l'arrière. Lucas parla, la plupart du temps de façon inaudible, et avec une totale banalité, de la circulation à Blesford. Quand ils arrivèrent, Marcus dit qu'il avait mal au cœur et alla se coucher.

10

Dans la tour

Frederica reçut une lettre

Chère Frederica,
Aucune décision n'a encore été prise concernant la distri-
bution d'Astraea. Le comité souhaiterait vous entendre
à nouveau. Je me demande donc si vous pourriez passer
chez moi au collège, mercredi, le plus tôt possible après
votre retour du lycée.
Bien à vous,
Alexander Wedderburn.

Frederica composa plusieurs réponses reconnaissantes, enthousiastes, intelligentes. Celle qu'elle expédia disait :

Cher Alexander,
Je serai très heureuse,

Frederica.

Elle espérait sans y croire qu'il remarquerait les nuances.

Alexander logeait dans la tourelle rouge, la tourelle ouest du collège, que l'on atteignait en passant sous un porche gothique et en gravissant un escalier de pierre en colimaçon. Sa porte était en chêne, doublée d'une porte intérieure feutrée matelassée, à la mode d'Oxford et de Cambridge. Ses fenêtres, de style vaguement perpendiculaire, donnaient dans deux directions ; au sud, sur les pelouses et les massifs, vers les jardins clos et le Bout de Là-bas ; à l'ouest, vers la Butte du Château et sa portion de campagne environnante (qui incluait la station d'épuration). Au-dessus de sa porte était fixé un genre de guichet à claire-voie dont le volet coulissant masquait, soit la possibilité qu'Alexander M.M. Wedderburn, M. A., B. Litt., fût PRÉSENT, soit la possibilité qu'il fût ABSENT. L'escalier était en pierre rouge et sentait le désinfectant.

Le mercredi venu, il regardait mélancoliquement par la fenêtre du sud quand il la vit progresser vers lui, criblant de ses talons aiguilles la pelouse interdite. Il s'était attendu à la voir en uniforme scolaire, mais elle était habillée comme une ballerine à la ville, en noir et gris strictement boutonné, les cheveux tirés en chignon, la tête haute et le nez au vent. Elle était en avance, ou du moins plus en avance que Lodge et Crowe. Il se sentit cerné. Il s'était rendu compte, pendant la discussion qui avait suivi son audition, qu'il éprouvait quelque chose comme une antipathie manifeste à l'égard de Frederica Potter. Cela n'était pas seulement parce qu'elle était embarrassante, ni même parce qu'il s'était demandé si elle n'éprouvait pas une espèce de béguin pour lui (de telles choses étaient naturelles et la meilleure façon de les traiter était de les ignorer gentiment). Mais le plaisir que Crowe avait pris à son jeu, l'insistance manifeste avec laquelle il avait parlé de ses capacités d'actrice, à quoi s'ajoutait le caractère belliqueux de son second essai, avaient donné à Alexander la certitude aussi déraisonnable que disproportionnée qu'elle était, au mieux, une peste et, au pire, un fléau. C'était comme essayer de ne pas prêter attention à un boa constricteur qui vous poursuit de ses assiduités. Ou, si ce ne l'était pas encore, ce le deviendrait.

Il entendit le claquement rapide de ses talons. Elle assena un grand coup sur la porte. Il maudit Crowe et ouvrit sa porte intérieure.

« Le panneau dit ABSENT, dit-elle d'un ton accusateur.
— J'oublie tout le temps. »

Il essaya de lui prendre son manteau, mais elle explorait déjà les lieux, inspectant les rayonnages de livres, passant d'un coin à l'autre de la pièce, reconnaissant la vue aux deux fenêtres. Il essayait toujours, autant que le lui permettaient ses obligations, qu'on n'entre pas chez lui. Elle n'était certainement encore jamais venue. Il fit preuve d'autorité.

« Asseyez-vous. Donnez-moi votre manteau. »

Elle fit ce qu'il lui disait. Elle portait une volumineuse jupe en laine noire et grise et un chandail noir à manches kimono ; un tortillon en acier inoxydable, d'un genre qu'il détestait particulièrement, pendait à un lacet de cuir autour de son cou. Elle croisa les jambes comme une secrétaire hollywoodienne et le dévisagea comme un inquisiteur. Il alla se mettre derrière son bureau.

« Les autres ne sont pas encore arrivés. Nous sommes un peu en avance.

— C'est moi qui suis en avance. Vous, vous habitez ici.

— Oui.

— Voudriez-vous me dire de quoi il s'agit, s'il vous plaît, Alexander ? »

Il feignit de ne pas remarquer le tremblement désespéré de sa voix. Il dit, « Peut-être vaut-il mieux que je le fasse. Le problème est qu'une difficulté est apparue en ce qui concerne l'interprétation de – du rôle principal. Lodge veut – et Matthew veut – que Marina Yeo joue la reine. En fait », dit-il en déguisant, espérait-il, un peu d'amertume, « ils lui en ont parlé – c'est une vieille amie de Matthew – et elle en a très envie, me dit-on ».

Elle le regarda sans mot dire.

« Elle est trop vieille, dit Alexander. Pour le... pour ma pièce, étant donné ce qu'est ma pièce, c'est ça l'ennuyeux.

— Je l'ai vue dans *Hedda Gabler* à Newcastle. Et dans le rôle de Cléopâtre une fois. On peut jouer Cléopâtre sans être jeune. J'ai vu cet horrible film, *La Lune mortelle*, aussi, où elle interprétait Elisabeth. Elle y était très bien.

— Cela fait déjà un certain temps. C'est une grande actrice. Crowe a eu une idée de génie – il veut scinder le

147

rôle en deux et – faire jouer Elisabeth par une jeune fille au premier acte – avant son avènement – après quoi Marina prendrait la suite et vieillirait avec grâce à partir de là. En ce qui me concerne, je n'y suis pas favorable. La simple honnêteté me pousse à le dire. J'ai écrit le rôle comme un tout.

— Si je l'avais écrit, dit-elle, je serais furieuse qu'on essaie de le couper en deux. C'est faire les choses complètement de travers...

— Ce n'est pas une reconstitution historique, dit imprudemment Alexander.

— Non.

— Quoi qu'il en soit, Crowe a été frappé par votre ressemblance avec – l'original – et il a pensé qu'il y avait juste une possibilité de vous confier les premières scènes.

— Je ne voudrais pas de ça, dit-elle, même s'ils voulaient de moi, je ne le voudrais pas si vous ne... Je veux dire que j'attache du prix à ce que vous pensez, vous, c'est votre pièce. C'est vous qui l'avez écrite.

— Cela ne suffit plus à en faire ma pièce maintenant, dit-il scrupuleusement. Elle est entre les mains de Lodge maintenant. Vous lui avez plu. »

Ce que Lodge avait attribué à Frederica était « un côté sexy étrangement austère », formule qui s'était gravée dans la mémoire d'Alexander parce qu'il ne l'avait jamais considérée du tout comme sexy. La gaucherie, et en sa présence elle était d'une gaucherie perpétuelle, excluait tout côté sexy à ses yeux.

« Crowe a dit que je pourrais espérer une doublure, dit-elle. J'étais effectivement pleine d'espérance. Mais je persiste à penser que vous ne devriez les laisser scinder en aucune manière votre pièce si ça ne vous plaît pas. C'est votre pièce, elle est à vous.

— Je ne veux pas briser vos espérances...

— Je voulais en être. Il n'y aura jamais rien de pareil. » Elle pensa aux visions qu'elle avait tour à tour caressées et abandonnées : sonnerie de trompettes, vertugadin, magnificence et chatoiement de la langue anglaise, hommes faits et jeunes filles se livrant aux plaisirs de la conversation et de Dieu sait quoi encore, et Alexander. Alexander… Alexander naturellement. « Il est prématuré de dire, dit-elle, que je ne le ferai pas, pour scinder le rôle, ils ne m'apprécieront probablement pas. Mais je ne le voudrais pas, honnêtement. »

Elle s'interrogea sur ce qu'elle était en train de dire. Elle pensait ce qu'elle disait. Elle voyait ce qu'elle pensait. À la place d'Alexander, elle penserait comme cela. C'était son œuvre. Mais le plus important était qu'elle, Frederica Potter, eût un rôle, ce rôle, le rôle. Alors pourquoi disait-elle tout cela ? Pas exactement pour qu'il dise, comme il le faisait à présent, « Non, non, vous devez faire de votre mieux, la décision appartient à Lodge… ». C'était juste qu'elle savait ce qui était de son intérêt à lui et y attachait du prix, et qu'elle savait ce qui était de son intérêt à elle et y attachait encore davantage de prix, ce que lui ne faisait pas, mais il faudrait qu'il y vienne.

Elle promena ses regards autour de la pièce. Elle avait toujours eu l'intention, un jour, de pénétrer dans la place. Celle-ci n'était que partiellement telle qu'elle l'avait imaginée. Elle était fraîche et simple, aussi moderne que possible à l'intérieur de sa coquille de style gothique victorien. Les murs, selon la mode des années d'après le Festival de Grande-Bretagne, étaient tous peints de différentes couleurs pastel, coquille d'œuf, bleu, vert gazon clair, rose saumon éteint, sable d'or pâle. Les fauteuils étaient en hêtre clair, garnis de corde olive. Sur le rebord de la fenêtre, des coupes de Wedgwood en basalte noir contenaient des jacinthes blanches et des crocus foncés.

Sur le mur bleu, derrière Alexander, était suspendue une grande reproduction des *Saltimbanques,* de Picasso, dans un cadre à fines baguettes de chêne clair. En face, sur le mur rose, le *Garçon à la pipe*, de Picasso, que Frederica ne reconnut pas. Sur le mur vert, au-dessus de la cheminée, une très grande photographie satinée, blanc sur noir, d'un nu sculpté dans le marbre, une femme couchée sur le flanc, vue de dos. Elle ne la reconnut pas non plus. En dessous, sur le manteau de la cheminée, une pile, ou un cairn, de pierres de toutes formes. Une ou deux étaient des œufs polis, en agate et en albâtre, d'autres étaient simplement des pierres. Celles qui ne pouvaient être empilées étaient alignées en ordre décroissant de part et d'autre de celles qui pouvaient l'être.

Sur le mur doré, un peu passée, une affiche encadrée annonçant *Les Ménestrels* d'Alexander Wedderburn. Les lettres du titre étaient constituées de brindilles ou de branches bourgeonnantes tenues par des personnages de la commedia dell'arte qui prenaient la pose ou faisaient la cabriole. Les lettres étaient brunes et vertes, les personnages, à carreaux blancs et noirs.

Frederica lut, par deux fois, le texte de l'affiche, jours et heures disparus du Théâtre des Arts en 1950. Puis elle lut le titre des livres sur les rayonnages les plus proches d'elle. Elle était hypnotisée par l'imprimerie, la typographie, elle prenait un plaisir sensuel à lire n'importe quoi, le mode d'emploi du Harpic ou les consignes d'incendie, les listes ou, comme maintenant, les titres de livre. *Notes pour une définition de la culture*, *À la recherche du temps perdu*, *Théâtre complet de Racine*.

Derrière la porte étaient accrochées une toge professorale vide et une veste de tweed.

Que manquait-il à cette pièce, qu'elle avait cru y trouver ? Quelque chose de plus théâtral, de plus riche, de plus sombre. Son aspect convenable et bien aéré était inattendu, même s'il était agréable.

« J'aime vos pierres. »

Il se leva avec nervosité et retourna dans ses mains ces cailloux froids, susurrants, résonnants.

« Je les rapporte de Chesil Bank, d'où je viens, mon pays natal, dans le Dorset. »

Une autre bribe de renseignement. Elle l'engrangea, avidement, mais ne trouva rien à dire, ni sur les pierres, ni sur le Dorset. C'était une fille exceptionnellement inapte aux banalités. Le silence qui se prolongeait fut brisé, presque à son soulagement, par Crowe et Lodge qui firent une entrée précipitée.

Ils avaient prévu de faire mystère de leurs intentions, ce qui embarrassa à la fois Alexander et Frederica, qui ne jugèrent bon, ni l'un ni l'autre, de faire état de la discussion qui avait déjà eu lieu. Crowe parla, avec des clins d'œil remplis de sous-entendus, d'une éventuelle doublure, et Lodge dit qu'ils avaient été assez impressionnés par sa précédente prestation pour envisager de lui confier un véritable rôle, avec du texte. Peut-être pourrait-elle leur réciter la tirade de Perdita, pour commencer.

Frederica dit qu'elle préférerait leur réciter autre chose. Elle s'était rendu compte, leur dit-elle d'un air sévère, qu'elle ne valait rien dans les rôles de jeune fille. Ne pouvait-elle donner Goneril ? Lodge éclata de rire à cette requête et dit que, malheureusement, ce qu'ils recherchaient n'était pas Goneril, mais des jeunes filles, et qu'il serait bien, si cela ne lui faisait rien, de voir jusqu'où elle pouvait aller dans l'emploi de jeune première. Quelque chose dans le manège de cette feinte courtoisie fit sentir à Frederica qu'elle bénéficiait d'un traitement de faveur, qu'elle était appréciée, qu'elle était désirée. Ils étaient prêts à faire assaut de paroles. Alors elle sourit, dit qu'ils savaient déjà qu'elle n'avait rien d'une nymphe et se lança docilement dans « Ô Proserpine ! que n'ai-je à présent les fleurs que, dans ton effroi, tu laissas tomber du chariot de Pluton ». Ce n'était pas inspiré, pensa Alexander, mais c'était un peu mieux que simplement consciencieux, les respirations et les pauses étaient convenablement placées, les vers n'avaient au moins pas un débit heurté, la poésie chantait presque, même si Frederica ne le faisait pas.

« Et maintenant, dit Lodge, si vous pouviez étudier un court passage de la pièce d'Alexander… Alexander, avez-vous idée d'un fragment qui ferait particulièrement bien l'affaire ? »

Alexander dit que peut-être la tirade de la Tour. Frederica essaya de jauger son expression quand il lui tendit une brochure. Mélancolie patiente. La tirade était un soliloque de la jeune princesse, jetée dans la Tour de Londres par Marie Tudor, un moment d'histoire et de fiction, que Frederica avait déjà assez souvent vécu, car elle avait grandi dans l'enivrante émotion romantique de *La Jeune Bess* de Margaret Irving. Elle supposait que ce n'était pas le cas d'Alexander, bien qu'il y eût de l'émotion romantique dans son texte, nettement.

Alexander l'observa. Il y a toujours quelque chose d'angoissant à observer quelqu'un prendre rapidement, et pour une raison précise, connaissance d'une chose que l'on a écrite. Il se mit à tourner en rond et, presque sans le vouloir, à lui donner des bribes d'indications utiles, lénifiantes ou importunes. Elle prit un air contrarié et son visage se ferma pour lire. Il ne voulait pas l'admettre, mais il redoutait son avis.

« Je pars du principe qu'elle parlait sérieusement. Je ne me marierai pas. La pièce prend pour hypothèse que les historiens qui croient qu'elle avait vraiment l'intention de rester fille sont dans le vrai...

— Oui, je vois.

— C'est à Anne Boleyn que les "elle" font constamment référence. Il n'existe bien sûr aucune preuve qu'elle ait jamais parlé d'Anne Boleyn.

— Je sais.

— Ah oui. Je peux peut-être signaler que la tirade est censée démarrer en trombe, en plein crise d'hystérie, comme dans les descriptions d'Anne Boleyn dans la Tour, entre les rires et les pleurs, et puis le ton se module...

— Oui, oui. » Presque impatiente. « Les phrases sont très longues. À dire.

— Ce n'est pas facile », dit Alexander. Matthew Crowe dit, « Laissez cette pauvre enfant se concentrer, allons ». Alexander alla regarder par la fenêtre.

Les vers étaient d'un style nerveux et scintillant, riche en adjectifs et hautement métaphorique. La princesse décrivait la pierre froide et humide de la tour, la Tamise noire, le petit bout étriqué de jardin avec ses rares fleurs non coupées. Puis elle tissait une longue période serpentine où se succédaient roses blanches et rouge, la rose Tudor, sang, chair, marbre, source fermée, fontaine scellée, *ego flos campi* que ne couperait pas le boucher. Puis se greffait une arabesque chamarrée et délicatement fantasque sur le thème de la princesse qui perd une balle en or dans une fontaine et repousse un crapaud visqueux. Le marbre et les pierres tombales dorées des princes. Les périodes faisaient place à des protestations monotones et inflexibles. Elisabeth ne saignerait pas. Elle ne se laisserait ni massacrer ni marier. Elle serait une pierre qui ne saignerait pas, une princesse, *semper eadem* dans le célibat. Sa vertu serait son bastion.

Frederica se plaça devant l'embrasure d'une fenêtre, lança un regard sur le jardin, maîtrisa son imagination, et lut. Les difficultés spécifiques étaient, comme elle l'avait annoncé, d'ordre grammatical, et elle était bonne en grammaire. Alexander, bien qu'il ne le lui eût pas dit, avait déjà entendu plusieurs Elisabeth potentielles, qui avaient toutes buté sur son langage. Frederica, contrairement à son attente, possédait de puissantes vertus négatives. Elle ne massacrait pas ses phrases. Elle en était venue, par bonheur, à la conclusion intellectuelle que le langage était si orné, flamboyant même, que le mieux était de le parler simplement et tranquillement, de le laisser se quintessencier de lui-même, comme il le devait. Alexander fut impressionné hors de toute proportion par cette façon d'aborder son texte. Il redoutait les actrices vibrantes qui « s'exprimaient » à la traverse de ses mots. Il avait cru qu'elle serait pire que la majorité d'entre elles. Elle ne l'était pas. Peut-être n'était-elle pas suffisamment vibrante, de fait, pour impressionner Lodge. Il se surprit à espérer que Lodge ne la jugerait pas trop sèche et monocorde.

Ce que Lodge jugeait n'était pas clair. Il lui fit effectivement reprendre la péroraison, lui demandant de se donner à fond, et exigea d'elle une espèce de férocité bourrue dont il parut satisfait. Il lui demanda si elle croyait pouvoir apprendre à se mouvoir avec plus de naturel, et Frederica l'assura que oui, bien sûr. Crowe dit qu'à son avis leur petit projet était indéniablement prometteur, et Frederica se retint de demander quel était leur petit projet. Crowe lui proposa alors de la reconduire chez elle. Il était manifeste pour Frederica qu'avec son goût des sous-entendus, des indiscrétions et des manigances, il lui parlerait du «petit projet» et sans doute de l'opposition d'Alexander à cet égard. Des trois hommes, Crowe était celui qui l'appréciait certainement le plus, qui était de son côté. Il était aussi le moins attirant; il n'avait que de l'argent et du pouvoir, tandis que Lodge et Alexander plus encore étaient des artistes, ce qui était évidemment plus impressionnant. Elle était en fait assez naïve pour supposer que ce qu'elle croyait être sa morale esthétique en l'occurrence coïncidait avec ce qu'elle nommait plus vaguement, et inexactement, son intérêt politique, à savoir que l'homme sur lequel il était nécessaire de faire impression était Alexander. La pièce était sa pièce et elle avait besoin qu'il approuve sa façon de lire autant que leur projet. Elle supposait, à tort, que les deux autres étaient déjà favorables à la fusion de Marina Yeo et d'elle-même en une seule reine, et qu'ils avaient organisé cette séance pour convertir Alexander à leurs vues. Alors elle dit à Crowe qu'elle n'avait pas besoin d'être reconduite, qu'elle était déjà rendue et n'avait qu'à suivre l'allée et traverser le Bout de Là-bas. Après quoi, en s'abstenant carrément de franchir la porte qu'on lui tenait ouverte, elle s'arrangea pour rester seule avec Alexander.

Alexander, magnanime, dit qu'il admirait la façon dont elle avait lu. Elle répondit que cela avait été un plaisir, malgré l'anxiété, parce que les vers étaient si excitánts, à cause des images. Alexander dit que la tirade était le centre métaphorique de la pièce. Elle aimait, répondit-elle, les couleurs. Le rouge et le blanc. Il dit qu'il avait toujours visualisé cette scène en rouge, blanc et gris, et Frederica demanda si ne s'y ajouterait pas du vert en plein air, et il répondit que non, pas si la soirée était assez avancée, il espérait qu'on pourrait créer des pierres avec la lumière artificielle. Voulait-elle un verre de xérès après son épreuve? Il avait, lui dit-il en versant le xérès, emprunté le rouge et le blanc à un petit poème sur Elisabeth qu'il avait incorporé dans son texte.

Sous un arbre j'ai vu une Vierge s'asseoir,
La rose blanche et rouge écartelait sa face.

Écartelait lui avait fait penser au supplice du condamné en même temps qu'à l'héraldique, et ainsi le rouge et le blanc, le sang et la pierre, s'étaient-ils formés. Voulait-elle s'asseoir sur le canapé? S'intéressait-elle à l'iconographie qui faisait d'Elisabeth une idole? Cela avait son intérêt. Elisabeth avait acquis un bon nombre d'attributs traditionnels de la reine des Cieux. *Rosa mundi*, tour d'ivoire. *Ego flos campi*, dit Frederica, et la formule sur la fontaine scellée qui figurait, dit-elle, sur leur veste d'uniforme. « Le savoir n'est plus une fontaine scellée. » D'où ça venait-il, alors?

Alexander partit d'un rire gras. Ça, lui apprit-il, ça venait de *La Princesse* de Tennyson, à propos de l'université féministe. Le poète se gaussait plus ou moins des aspirations virginales de sa Princesse, bas-bleus et consœurs. Avant cela, longtemps avant cela, bien sûr, la fontaine scellée venait du Cantique des Cantiques et était hautement érotique. Un jardin clos est ma sœur, mon épouse. Une source fermée, une fontaine scellée. En ce cas, observa Frederica avec sa vivacité d'esprit coutumière, tout en buvant son second verre de xérès, en ce cas Tennyson se montrait émancipé ou obscène, puisqu'il laissait entendre que le savoir partagé, loin d'être le péché originel, est une bonne chose. Alexander dit qu'il craignait que ce ne fût qu'une plaisanterie de la part du Poète Lauréat aux dépens des idéalistes virginales qui réclamaient le droit d'accéder aux sources du savoir, une plaisanterie reposant sur le fait que leurs jolis poèmes allaient à l'encontre du message déclaré, car ils étaient hautement érotiques ou chantaient les louanges des nouveau-nés. Tantôt dort le pétale cramoisi, tantôt le blanc, par exemple. L'un des poèmes les plus suggestifs de la langue anglaise. Frederica affirma qu'elle était contente que les vestes d'uniforme du lycée de jeunes filles de Blesford fussent non seulement hideuses mais encore secrètement obscènes, ça rendait les choses beaucoup plus supportables, et qu'elle lui était reconnaissante de le lui avoir appris. Il leur apparut à tous deux qu'ils étaient assis côte à côte sur un canapé, à parler de sexualité.

Ils s'écartèrent, mais pas de beaucoup. Alexander reversa inconsidérément du xérès. Il avait oublié – étrange, cette façon d'oublier – comment il avait travaillé les métaphores d'Elisabeth, tressé dans la tirade d'Elisabeth l'iconographie de son culte, le phénix, la rose, l'hermine, l'âge d'or, la reine de la moisson, Virgo-Astraea, la virginale protectrice de la justice et de la foison. Seul dans ce bureau il avait travaillé, longuement travaillé, et depuis qu'il avait achevé son travail, personne n'avait fait de remarques sur ces choses-là. Crowe et Lodge parlaient d'articulation dramatique, de pertinence contemporaine, de coupes pour accélérer le rythme, de tempo général, d'étude de caractère. Personne ne faisait mention de ces images qu'il avait, avec tant d'amour, avec un si indescriptible mélange d'élaboration volontaire et de vision involontaire, bâties. Cette gamine en flairait des bribes, comme une exceptionnellement brillante candidate au baccalauréat, ce que bien sûr elle était. Mais lui-même était aussi professeur. Il expliqua comment la devise d'Elisabeth, *Semper eadem*, avait fini par s'associer dans son esprit au caractère homogène de la pierre, d'une part, et aux traits sempiternels de l'âge d'or, de l'autre. Tandis que la devise de Marie Stuart, *Eadem mutata resurgam*, «Je renaîtrai semblable et transformée», lui donnait le sentiment d'être chrétienne et bien moins impavide que la confiance païenne d'Elisabeth en son éternelle identité. Il paraissait dommage, dit Frederica, qu'une pièce où l'identité impavide avait tant d'importance, courût le danger de se voir imposer un dédoublement de protagoniste. Alexander répondit imprudemment que cette perspective le contrariait moins qu'il ne l'avait imaginé. Il y avait au moins la moitié d'une chance que son texte ne fût pas estropié. L'espoir illumina Frederica. Elle dit que le langage était merveilleux, qu'il était vivifiant, que les gens finiraient par le comprendre…

Joli langage enchanteur, sucre de canne, miel de rose, vers quel lieu vas-tu t'envoler ?

Au cours des années cinquante s'écrivirent des études critiques sur «Images de sang et de pierre dans *Astraea* de Wedderburn».

156

Au début des années 1960 se publièrent dans «Les aide-mémoire du baccalauréat» des listes utilitaires de ces mêmes images pour venir en aide aux lycéens médiocres.

Au cours des années 1970 le tout fut banni comme étant l'ultime paroxysme pétrifié d'un modernisme individualiste décadent, le débordement d'une nostalgie culturelle inadéquate et délétère, un bric-à-brac parti en fumée. Une impasse, cette renaissance du théâtre poétique, comme on aurait dû le voir dès l'abord.

Ce jour-là, ayant mérité et extorqué l'admiration partielle d'Alexander, Frederica décida de changer de sujet. Elle désigna la photographie de la femme, transition facile, et lui demanda ce que c'était.

C'était, dit-il, la *Danaïde* de Rodin. Il alla se placer devant elle, examinant minutieusement ce dont Frederica avait balayé l'image satinée d'un regard distrait.

«Regardez, dit-il, quelle ligne! Regardez.»

Il décrivit de l'index la ligne indiquée de la colonne vertébrale marmoréenne déployée sous la peau de soie marmoréenne, le demi-cercle de la nuque abaissée à la croupe arrondie dont le miroitement s'évanouissait en s'unissant au fond noir. Geste ambigu, purement éducatif, purement érotique. Frederica regarda le doigt glisser et vit la statue.

Elle avait l'esprit assez délié pour se rendre compte, malgré l'état d'excitation dans lequel Alexander lui-même la plongeait, que jamais encore on ne lui avait montré comment regarder une œuvre d'art plastique. Cette sorte de contemplation sensuelle et silencieuse était habituelle pour lui, comprit-elle, et profondément neuve pour elle. Elle n'avait jamais, lui apparut-il, regardé un tableau, une sculpture, ou même un paysage, sans un accompagnement ou une traduction verbale immédiate. Le langage était enraciné en elle. C'était l'œuvre de Bill. Il lui avait décrit les premiers mots qu'elle avait prononcés, les lui avait chantés en écho, les avait admirativement répétés à des tiers en sa présence, les avait inconsciemment embellis. Il lui avait fait la lecture, et encore la lecture, sans jamais se lasser.

Mais il n'éprouvait pas le moindre intérêt pour les formes qui n'étaient pas faites de langage. Il ressemblait à n'importe lequel des philistins qui peuplaient la chapelle de son enfance, quand il s'agissait de couleur, de lumière et de son qui n'étaient pas faits de mots. Il n'aurait jamais rien dit de tel, mais il exprimait par chacun de ses gestes, chacune de ses opinions, le sentiment que c'étaient les fruits d'un luxe superflu, dénué de morale, au mieux les accessoires d'une civilisation essentielle dont les fondements étaient ailleurs.

Ainsi, rompue dès son plus jeune âge à la certitude que *Lear* est plus vrai et plus sage que n'importe quoi d'autre au monde, elle n'avait jamais été suffisamment surprise pour se demander pourquoi, pourquoi un homme peut préférer écrire une pièce au lieu de simplement affronter sans aucun truchement les tristes vérités de l'âge, la fièvre, les filles récalcitrantes, la déraison, la malveillance et la mort. Ou pourquoi un homme peut préférer écrire *Ô vent d'Ouest* au lieu de rester dans son lit avec sa belle ou avec les plaisirs et les tourments de l'absence. Ne sachant rien, elle imaginait que d'une certaine façon poème et pièce sont davantage ce qu'ils sont que les choses dont ils sont les images. Mais en regardant Alexander décrire familièrement la colonne vertébrale de la Danaïde, elle fut assez frappée par ce qu'il y avait là d'étrange, pour s'étonner qu'un homme puisse choisir de faire une femme en marbre, et qu'un autre homme, ou une autre femme, puisse préférer se lever et regarder cette pierre au lieu de... faire quoi que ce soit d'autre. Une fois rentrée chez elle, elle imaginerait en vérité d'autres scènes sur ce canapé, ce même doigt décrivant sa propre colonne vertébrale, mais elle était assez avisée, néanmoins, pour savoir que pour cette fois la délectation imaginaire était suffisante et plus que suffisante. Et donc elle prit congé avant qu'il ait eu le temps de regretter aucun des gestes qu'il avait faits, rare moment de grâce, pour elle.

Alexander s'affligea immédiatement de sa propre conduite. Il savait très bien ce que cela signifiait de montrer des objets, particulièrement ses propres objets, aux gens. Cela revenait presque à faire des offrandes. Il avait montré la *Danaïde* à Jennifer, avait parlé à Jennifer du mystère des pierres pendant qu'ils retournaient ensemble celles de son cairn. Jennifer, à la différence de Frederica, avait admiré avec volubilité, était parvenue à une familiarité presque immédiate avec ses objets, établissant des distinctions entre les pierres, trouvant des adjectifs pour définir le désespoir blanc de la femme. Elle savait qu'il s'agissait de désespoir. Elle avait ajouté à ses objets. Les bulbes dans les coupes de Wedgwood en basalte avaient été donnés par elle, et elle avait pleuré en les déballant des linceuls blancs du fleuriste, parce qu'ils avaient dû être achetés avec l'argent de Geoffrey. Elle n'avait rien de véritablement à elle à donner. Alexander passa le doigt sur ces hommes et ces jeunes filles de marbre et vint se placer sous le *Garçon à la pipe*, qui était sa mystification secrète et privée.

Le Garçon est couronné de roses rouge orangé, floues et décadentes. Il est assis contre un mur de couleur terre cuite sur lequel sont peints, pâles et enrubannés, des bouquets de fleurs épanouies. Son visage est dur, austère, dépravé, propre, critique. Il porte une veste bleue ajustée et un pantalon, et il est assis les jambes écartées. Entre ses cuisses ses habits froissés révèlent une parfaite ambiguïté sexuelle, plis profonds, renflement accentué. Il pourrait être n'importe quoi, ou plutôt il pourrait être tout. Il a une main entre les jambes et l'autre tient, maladroitement, une jolie petite pipe tournée vers son corps. Aucun visiteur n'avait jamais fait à Alexander de commentaire sur ces caractères assez évidents du Garçon, ni laissé entendre, comme cela avait été suggéré à d'autres professeurs à propos d'un nu de Gauguin ou d'une fille de joie de Lautrec, que mieux vaudrait l'ôter. C'était peut-être parce qu'il était assimilé par contiguïté à l'ambiance des *Saltimbanques*, taches de couleur entre ciel et terre, participant des deux, insubstantiel.

Alexander savait, croyait-il, ce qu'était ce Garçon. Il savait aussi, parfois, ce que lui-même était – un homme qui déployait la *Danaïde* de Rodin devant des filles farouches mais affichait sur son mur, comme mode de connaissance, ce Garçon. Ce n'était pas que le Garçon fût un garçon désirable : il ne l'était pas. Ce qu'Alexander éprouvait à son égard se rapprochait de très près d'une vicieuse envie.

11

La salle de jeux

Doucement, par bribes et morceaux, brillamment, à force de perles, de plumes et de clinquant, la pièce envahit le presbytère.

L'année précédente, les dames de Blesford avaient fait des coussins au petit point pour les agenouilloirs de Saint-Bartholomew, brodant des lis et des poissons crème et ocre sur un discret fond kaki. Pour que la crasse ne se voie pas.

Dix ans auparavant, elles avaient collecté des vieux vêtements pour les évacués, des livres de poche pour les soldats, et tricoté des carrés de laine pour faire des couvertures pour les victimes des bombardements.

Cette année, elles confectionnaient des vertugadins.

À Londres, des milliers de petites perles et de larmes de cristal se cousaient en application chatoyante sur la robe de couronnement en satin blanc mat de la reine. Les emblèmes du Commonwealth et de l'Empire se brodaient en soies colorées, chardons et roses, érables et glands, sur la bordure de ce vêtement.

Felicity Wells, coordinatrice des efforts artistiques de Blesford, se voyait au centre d'une toile tissée d'une infinité de fils culturels retricotés et renoués. Des paniers recueillaient dans le vestibule du presbytère et le porche de l'église n'importe quel petit bout d'étoffe, riche ou rare, dont on pouvait se passer. Des classes de broderie cousaient des rayons de petites perles en plastique sur la cape de velours noir de Sir Walter Ralegh, des lunes

161

d'argent, des poissons d'or et des roses cramoisies et blanches sur des jupes, des robes et des traînes, des nœuds de ruban paille ou œillet sur des jarretières brodées.

Nous avons été sevrés de couleurs, dit Mlle Wells en vidant sur son tapis un sac à provision de fusettes de simili neuves qui roulèrent en cliquetant, en étincelant, en luisant, de toutes nuances et gradations de couleurs. Magnifiques articles de mercerie, s'exclama-t-elle à l'intention de Stephanie, confessant qu'elle en avait toujours désiré un plein tiroir et n'avait jamais eu d'excuse suffisante.

Stephanie avait décidé de ne rien avoir affaire avec la pièce. Elle en avait assez comme cela avec Frederica. Dans la mesure où c'était l'œuvre d'Alexander, elle provoquait en elle un paresseux ou réticent manque d'empressement à se mettre en avant. Si, comme elle le faisait à ce moment, elle venait nouer de la ficelle dorée au presbytère le soir, ou portait des messages à bicyclette à travers la lande à propos de baleinages ou de tissu pour les fraises, c'était parce qu'elle ne pouvait pas le refuser à Felicity.

Il était à présent admis que Daniel, quand il ne travaillait pas, se joignait à elles. Les dames cousaient et l'industrieux Daniel faisait le thé et lavait les tasses. Daniel n'allait pas bien. Certes, il avait eu raison à propos de Stephanie Potter et Malcolm Haydock. Elle avait offert ses services une fois, deux fois, et régulièrement ensuite, promettant samedis et dimanches en alternance. Mme Haydock avait pleuré dans la chambre de Daniel, de soulagement, de peur aussi que cela ne dure pas, de mauvaise conscience, vis-à-vis de Malcolm, vis-à-vis de Stephanie, qui semblaient tous deux, quoique ni Daniel ni Mme Haydock ne les vissent le faire, avoir trouvé une manière de survivre aux heures qu'ils passaient ensemble. C'était un miracle, disait Mme Haydock, si l'on considérait les ravages dont Malcolm était capable, de voir comment Mlle Potter lui rendait une maison propre comme un sou neuf quand elle rentrait, elle en était toute honteuse, sincèrement, sachant que quand elle s'occupait de Malcolm il y avait toujours des traînées de farine, de boue, de vaisselle cassée, et pis encore, du haut en bas de la maison chaque fois que quelqu'un venait. Certes, Mlle Potter pouvait avoir eu à jeter un monceau de tasses ou de bouteilles de lait cassées à la poubelle, mais tout était tranquille et net, monsieur Orton, alors on pouvait rentrer sans appréhender le travail à faire, ou simplement craindre de réintégrer un tel raffut. Ça lui faisait honte, que Mlle Potter ait un tel contrôle sur les choses, une telle façon de s'y prendre. Daniel répondait que non, elle était la mère de Malcolm, il la connaissait, il se comportait autrement avec elle pour cette raison-là, et Mlle Potter n'avait à se débrouiller qu'une seule journée. Tout de même, c'était une merveille, il était content.

Une ou deux fois il était venu à la Résidence Brontë, comme c'était sûrement plus ou moins obligatoire, pour voir comment elle s'en tirait. Il les trouvait d'habitude, le garçon et elle, à distance l'un de l'autre, immobiles et silencieux, elle, assise sur une chaise, les mains sur les genoux, lui, suivant son habitude quand il n'était pas hyperactif, assis par terre dans un coin à se cogner la tête en cadence contre les deux murs d'angle alternativement. Il fut intimidé, à sa grande surprise, par la qualité du silence, et se sentit inhibé à l'idée de le troubler. Il avait une fois demandé, de sa voix joviale d'ecclésiastique, comment elle obtenait un tel calme de la part de l'enfant, et elle avait dit qu'elle le faisait en se tenant elle-même immobile et en ne fixant pas son attention sur lui. Quand vous faisiez cela, dit-elle, il avait tendance à vous imiter, alors tous deux s'enfermaient dans leurs pensées, pendant le temps imparti. Elle pensait qu'elle devrait peut-être tenter d'entrer en contact avec lui, ou de jouer avec lui, mais elle était sans compétence et ne savait comment s'y prendre. Du moins ne faisait-il rien de mal.

Non, acquiesça Daniel, rien de mal. Il en vint à penser, là-bas comme dans la petite chambre de Felicity Wells, que consciemment ou inconsciemment elle le traitait comme Malcolm Haydock, qu'elle lui imposait le silence en s'abstrayant dans ses pensées et en ne fixant pas son attention sur lui. Elle était bien là, mais ne lui offrait aucune occasion de lui parler, elle présentait une barrière lisse et insonorisée comme un mur de verre. Il ne savait pas, se disait-il, pourquoi il continuait à venir s'asseoir là.

Bien sûr, il savait pourquoi. Elle l'obsédait, et à cet état d'esprit déraisonnable il était mal préparé. Pendant des années c'est à peine s'il s'était pris en considération, sauf comme l'instrument de ses propres desseins. À présent il pensait constamment à elle; et si, par un acte de volonté véhément, il réussissait à chasser cette image de son église ou de sa chambre à coucher, il devenait à la place horriblement conscient de lui-même. Il essayait de se voir comme elle-même le pourrait, et n'y parvenait pas. Diverses certitudes se désintégraient. Il considérait sa propre histoire et se demandait s'il n'était pas profondément anormal, d'une certaine manière, de n'avoir jamais encore été troublé de la sorte. «Les pensées impures» ne lui avaient jamais posé de problème. La masturbation était un soulagement auquel, sage dans sa génération, il avait toujours considéré avoir droit, puisque c'était une solution rapide et pratique à certaines fermentations biologiques. Avant Stephanie, cet acte n'avait pas été accompagné, pas vraiment, de visions. Parfois il entendait un écho plaintif de sa propre voix rude exprimer le souhait qu'elle soit bonne avec lui. Cela le dégoûtait.

Il avait aussi des ennuis avec Dieu. Il n'avait jamais eu, jamais demandé, de relations personnelles avec Dieu. Il ne s'était jamais adressé à Dieu, quand il priait, avec des mots de son cru. Les mots de l'Église étaient comme les pierres de l'église, ils étaient là. Prier, c'était savoir qu'il y avait là bien davantage, bien plus fort que lui, et sentir les tiraillements et les assauts de forces derrière sa perception ou sa compréhension.

Le Christ qu'il aimait était le Christ conscient des forces qui soutiennent les moineaux et considèrent les lis des champs. Et aussi le Christ du sens commun dévastateur, qui ne joue pas sur les mots et ne s'en laisse pas conter, et qui met à nu le mécanisme de l'âme et de la justice divine dans des paraboles pleines de sel. Il ne s'adressait pas à ce Christ-là parce que, sans savoir exactement qu'il le faisait, il croyait de fait que ce Christ-là était mort.

Ses croyances n'avaient pas d'importance, en regard des certitudes de force et de solidité qu'il avait éprouvées seul avec Dieu. Désormais, Stephanie s'interposait entre Dieu et lui, de sorte que Dieu devenait problématique et que lui-même avait conscience, comme dans son enfance, d'être emprisonné dans sa graisse.

Il aurait pu la bourrer de coups. Ou la briser.

Il venait boire le thé parce que, s'il était dans la même pièce qu'elle, elle était au moins réduite à de justes proportions, emprisonnée sur la chaise où elle était assise. Ce n'était pas, bien sûr, la seule raison. S'il devait désirer son corps, il préférait que ce corps fût présent. Il n'était pas du genre à fuir la réalité. Alors il s'asseyait en sa compagnie, ardent sous son pantalon noir, et souffrait.

Felicity Wells prenait plaisir à leur compagnie. Elle les choyait, elle les haranguait, elle les observait de ses yeux noirs, vagues et tristes. Le fait que ce fût sa chambre, sa mise en scène pour ainsi dire, leur convenait à tous les trois.

Un soir, en arrivant, Stephanie trouva son amie perchée sur un pied, auréolée par les dernières lueurs du jour tombant de sa lucarne, au sommet d'un escalier composé d'un dictionnaire, un tabouret de pied, une table basse, le lit et une table plus haute. Elle portait d'amples jupon et jupe d'un brillant tissu d'ameublement vert-bleu qu'elle étreignait en deux gros bourrelets dans ses deux petits poings levés très haut devant elle. Sur sa tête était posée une calotte en satin treillissé de perles, ainsi que, de travers, un couvre-chef en organdi.

Elle devait figurer dans la foule loyale au couronnement d'Elisabeth Ire et la foule éplorée à sa mort. « Travaux pratiques de montée des marches avec grâce », dit-elle en souriant du haut de son perchoir à Stephanie. Derrière

Stephanie surgit Daniel. Mlle Wells vacilla, oscilla et s'écroula sur le lit, pouffant de rire au milieu de ses jupes ballonnées, cherchant d'une main aveugle à rattraper sa coiffure démantibulée. Daniel rugit de rire.

« Vous êtes un vilain garnement. Vous m'avez fait sursauter. J'espère ne pas être criblée d'épingles. Je savais qu'il fallait de l'entraînement pour monter des marches avec un faux cul. Aidez-moi, ma petite fille. »

Stephanie tira. Le torse de Mlle Wells surgit tout droit au milieu de ses jupes. Elle leva les mains pour tordre ensemble cheveux, armature, résille et faux cheveux.

« Traître d'habit », dit-elle en claquant la langue dans une joyeuse désapprobation, à croupetons dans l'armature du faux cul. Stephanie souffrit de voir cette petite femme plate et essoufflée dont le décolleté, dans le corselet, avait la finesse fripée et décadente qui précède les rides. Daniel tendit ses énormes bras et la remit facilement debout. Tous deux riaient. Stephanie se mit à son ourlet.

La chambre de Mlle Wells était une petite cage décorée et temporaire. Des bibliothèques victoriennes noires, moulurées de baguettes gothiques découpées à la machine, du genre de celles qui avaient ruiné le jeune Alfred Tennyson, renfermaient une collection d'objets hétéroclites. Des chandeliers en cristal taillé, une boîte à thé en métal peinte de Gloires de Dijon, une pelote d'épingles en soie japonaise, un vase en cuivre conique de Bénarès avec deux plumes de paon, trois boîtes à biscuits (verre rond, porcelaine à fleurs et osier, tonnelet en bois à boutons de cuivre), un sac à ouvrage en cuir florentin, des ciseaux à manches émaillés représentant une grue qui marche, une tasse de poupée en Spode, six tasses à thé rose bonbon teinté de gris de chez Woolworth, une pile de cuillers à figurine d'apôtre, une demi-miche de pain, un demi-pot de pâte de citron, une pile de factures sous une main en plâtre de Paris servant de presse-papier, un crucifix en ébène et argent, un béret au crochet, un peloton de bas en fil d'Écosse, une bouteille d'encre, un pot à confiture rempli de crayons rouges, du saule blanc, et une croix des Rameaux venant de Terre sainte…

Stephanie connaissait toutes ces choses. Elle avait une très bonne mémoire, d'une fidélité sans failles ni sélectivité. Enfant, elle n'avait jamais manqué de gagner, même contre Frederica, à ce jeu où des objets sont apportés sur un plateau sous une serviette à thé, dévoilés et prestement escamotés de nouveau. Elle se rappelait toujours les détails du motif sur le plateau, aussi bien que les cuillers, les ciseaux, les pendulettes, les lacets de chaussure, les soucis et les animaux en verre exposés dessus. Et le soir elle avait du mal à se débarrasser de la somme de connaissances inutiles accumulées pendant la journée. Des objets remémorés empêchaient ses pensées, flottaient, comme des spectres intenses, devant ses yeux clos. Elle devait parfois les faire défiler délibérément, un par un, et les effacer mentalement, faire de sa vision intérieure une illusoire et éphémère table rase avant de pouvoir dormir. Même alors, quand elle s'éveillait le lendemain, elle était incommodée par un interminable tapis roulant d'objets sans rapport les uns avec les autres, qui essayaient de resurgir dans sa mémoire avec précision.

Jusqu'à ce qu'elle commence à enseigner elle n'avait pas pensé qu'il y eût là quelque chose d'inhabituel. Elle s'était imaginé que tout le monde était enrichi ou tourmenté par un tel essaim de choses et d'informations remémorées sans utilité. L'enseignement, à cette époque, cultivait la mémoire, et les élèves dont elle avait découvert l'absence de mémoire étaient désavantagées. Plus tard, quand les habitudes de pensée, de temps et d'histoire furent bâties sans la peine d'« apprendre par cœur », sans catégories établies de séquences grammaticales, temporelles ou esthétiques, quand l'art et la politique s'intéressèrent à l'actualité et à l'avenir – des talents comme le sien furent pris moins au sérieux ou même brocardés et rebutés. Il existe des modes en matière de pensée comme en matière d'habillement, et les banques de mémoire passèrent, peu après le temps de ce récit, peu après le couronnement d'Elisabeth II, comme les théâtres de mémoire avaient passé avec la Renaissance, et avec les banques de mémoire disparurent des œuvres d'art qui étaient elles-mêmes des banques de mémoire, disparurent la tradition et le talent individuel, la bible, le panthéon, les différentes organisations d'autres langues. Dans les étalages du Supermarché des Antiquités ou de la Caverne du Meuble vous auriez pu trouver sur des plateaux vernis, laqués, en cuivre ou en marqueterie, un monceau d'épaves et de débris comme ceux qui encombraient les rayonnages de Felicity Wells, mais vous n'auriez retrouvé ni la perception ni le souvenir de leur ordre ou de leur désordre comme Stephanie le faisait en 1953.

En temps ordinaire la chambre de Mlle Wells était tendue de morceaux d'étoffe. Dentelle sur la table, basin brillanté sur le lit, soie rouge et or lestée de petites perles d'or comme des capsules de bouteilles de lait, négligemment drapée, pour créer une atmosphère chaude et mystérieuse, sur les lampes à pied. Mais à présent elle était entassée, entourée et bourrée de rouleaux de tissu, de piles d'étoffes et de vêtements accrochés à moitié terminés, de toutes couleurs, vives et chatoyantes.

Stephanie voyait tout cela en double, avec une immense clarté et une exacte précision. Elle voyait ce que les choses voulaient être et aucun détail ne lui échappait de leur manière effective de se présenter. Elle était capable d'imaginer le degré de grandeur escompté par les gens qui déploient un salon Louis XVI de chez Maple dans une minuscule pièce aux murs fouettés de plâtre comme le glaçage d'un gâteau à la crème. Elle était capable de discerner la propreté et la simplicité imaginées et désirées par les gens qui, ignorant la géométrie existante, convertissent des cuisines victoriennes à la modernité en revêtant de grêle contreplaqué de solides boiseries bourgeoises, et ajoutent de minuscules boutons de porte en plastique, de forme hexagonale et de couleurs actuelles « claires et brillantes », là où il y avait auparavant d'honnêtes boutons en porcelaine blanche ou en solide cuivre. Elle voyait donc les strates brillantes de mystère et les tissus somptueux que Felicity Wells voyait, et elle voyait en outre l'ambition d'incarner, ici et maintenant, dans le temps présent et l'espace actuel, la vigueur, le sens de la forme, la cohérence perdue avec l'âge d'or de l'Angleterre. Elle voyait comment la chape de théâtre accrochée à la tringle de l'armoire de Mlle Wells et la photographie, publiée dans les *Illustrated London News*, du Doyen de Westminster revêtu d'une chape portée au couronnement de Charles II et ressortie pour le couronnement d'Elisabeth II – à quoi s'ajoutait le présence de Daniel en col d'ecclésiastique – donnaient à Felicity Wells l'heureuse impression d'une coïncidence, et même d'une superposition, de la grandeur passée et de l'occupation du moment.

Elle voyait, et ne partageait pas. Elle voyait aussi les capsules martelées des bouteilles de lait cousues sur la chape, et le manque total d'intérêt de Daniel pour toute cérémonie, que ce fût chez Shakespeare, chez Yeats, ou dans la Haute Église d'Angleterre. Elle voyait les ébréchures des tasses et les trous dans les bas. Il ne lui revenait pas de fondre aucune de ces choses en un objet neuf et complet. Elle voyait seulement.

Daniel emporta la théière jusqu'au Baby Belling sur le demi-palier et prépara le thé. Quand il revint ct posa soigneusement la théière devant la cheminée en s'agenouillant aux pieds de Stephanie, Mlle Wells, trônant à présent dans ses artistiques robes de soie, haranguait Stephanie sur le symbolisme des couleurs dans l'habillement élisabéthain. Tout, déclarait-elle, avait alors possédé une signification précise, la couleur pouvait s'interpréter. Le jaune était la joie, mais le jaune citron était la jalousie. Le blanc était la mort. Le blanc lactescent était l'innocence. Le noir était le deuil ; l'orangé, la malveillance ; la couleur chair, la lasciveté. Le rouge était le défi ; l'or, l'avarice ; le paille, l'abondance. Le vert était l'espérance, mais le vert de mer était l'inconstance. Le violet était la religion, et le céladon était l'abandon. Sa propre robe, c'était à craindre, présageait l'inconstance et était certainement douteuse.

Daniel se montra sceptique quant à ces mystères. Comment, questionna-t-il, un élisabéthain différenciaitil le blanc et le blanc lactescent, comment distinguait-il entre paille, jaune, citron et or. Et pourquoi, dit Stephanie, Carlyle parlait-il de l'incorruptible vert de mer, si celui-ci signifiait l'inconstance. En ce temps-là, leur expliqua Felicity Wells, ce que l'on prisait c'étaient les vraies couleurs. Pas les nuances et les teintes. Jaune, bleu, écarlate, vert. Les couleurs panachées indiquaient presque toujours la sournoiserie ou la corruption. Cela contribuait à un monde plus brillant. Carlyle était un romantique et voyait dans la mer une force naturelle. Avec les élisabéthains la nature n'avait pas la première place, laquelle revenait à la vérité de l'esprit. La couleur était plus difficile pour eux à obtenir. Stephanie dit que pareilles certitudes et complexités étaient belles. Daniel dit que cela lui paraissait un peu bête. Mlle Wells rit facétieusement et dit que les prostituées portaient du vert pour une charmante raison. Laquelle était les taches d'herbe sur les robes des filles quand elles étaient culbutées. C'était aussi la couleur du marié. Pour la sève printanière. Elle soupira, et son regard quitta Daniel pour Stephanie. Il y avait de jolis mots pour dire vert. Perroquet, merde d'oie, céladon. Même la forme des vêtements était en ce temps-là pleine de signification. Hommes et femmes sous les premiers Tudor étaient tellement virils et féminins. Épaules et torses herculéens. Hanches larges pour porter les enfants, et seins qu'on pouvait voir et juger. Seulement cela s'était outré. Pourpoints à fronces cosse de pois et braguettes énormes, vertugadins et fraises si amples qu'on ne pouvait voir ni autour ni au-dessus, de sorte que les habits étaient de véritables prisons pour les corps. Ou, dans le cas des femmes, les habits montraient qu'elles étaient la propriété de quelqu'un. Immobilisées, comme des chevaux entravés, par leurs atours. Les symboles sexuels prenant la suite de la parade amoureuse. Rembourrage et armatures. La vieille reine teinte et peinte, sur une chaise percée sous son vertugadin. Elle rougit à cette remarque terre à terre, appropriée et pédantesque. Daniel l'encouragea en la questionnant sur les tribunes spécialement construites à Westminster pour les députés aux culottes rembourrées. Cela irrita Stephanie. Les ecclésiastiques essayaient toujours de prouver qu'ils égalent les autres en animalité. Elle ne voyait pas pourquoi.

La nuit tomba. Le chauffage à gaz rugit, cracha et devint plus chaud. Daniel regardait Stephanie, à l'endroit où son col chemisier se croisait sur sa poitrine, à l'endroit où son mollet dans sa gaine de Nylon chatoyait sous les flots de soie qu'elle cousait. Il ardait. Mlle Wells le regardait arder.

« Les vêtements, fit-il d'un air menaçant, sont faits pour tenir chaud et non pour rendre magnifique. *Le Roi Lear.* »

Mlle Wells dit à Stephanie qu'elle aurait dû entendre Daniel utiliser *Lear* dans son sermon sur la vieillesse, le dimanche précédent. Stephanie dit, sans lever les yeux, qu'elle croyait qu'il n'avait pas lu *Lear*. Il lui avait été signalé, dit-il, qu'il devait le lire. (Il avait voulu lui parler de *Lear*. Il ne le pouvait plus maintenant. Le sermon avait été relativement bon, il était allé au fond des choses.)

« Quel homme torturé, dit Mlle Wells pour combler le silence. Vous devriez savoir, en tant qu'homme d'Église, que les ornements ont un sens… »

L'habit ecclésiastique, dit Daniel, était assez souvent comme une mauvaise odeur ou une éruption cutanée. Des gens dans le train avaient changé de compartiment quand il y était entré. Il le portait parce qu'il jugeait que s'il y a des règles il faut les observer. Mais il n'y prenait aucun plaisir.

Cette remarque eut pour effet d'attirer l'attention des dames sur sa personne, dans son costume débordant et lustré. Il sentit que la sueur lui coulait sous les bras et que son front était aussi luisant que le fond de son pantalon. Il eut l'impression qu'elles se moquaient de lui. Il dit, « Je vais m'en aller maintenant ».

Mlle Wells leva le doigt. « Non, non, Stephanie, ma chère, faites la jeune fille de la maison. Offrez une nonnette à Daniel, s'il vous plaît ».

Elle se leva, alla prendre la boîte à biscuits, celle à fleurs, et revint se placer tout près de lui, la hanche contre son épaule, la poitrine près de son visage, se penchant avec sollicitude au-dessus de lui. Ses jupes – elle portait les épaisseurs de rigueur de jupon en tulle empesé – se mirent à bruire. Sa robe chemisier était rose foncé. Ses cheveux qui tombaient sur sa joue dorée étaient ondulés et épais. Il fut saisi d'une rage étranglée.

« Non, je n'en prendrai pas, merci.

— Mais si, prenez-en une, dit Felicity Wells.

— Allons, dit-elle en insistant contre son habitude. Ne faites pas l'ange.

— Je suis censé maigrir.

— Juste une, dit-elle avec une obstination absurde, ne fera aucune différence.

— À ma graisse ? Oh mais si. Je peux faire craquer mon unique costume aux entournures. Écartez-vous. Enlevez-moi ça. »

Et elle resta là à rire en lui tendant la boîte.

« Vraiment, explosa-t-il, vraiment, j'ai dit non. Vraiment non. Pour l'amour de Dieu. Je vous en prie. »

Elle baissa la tête et s'écarta d'un pas hésitant. Mlle Wells se mit brusquement en branle avec une rapidité surprenante, malgré son faux cul. Murmurant « pardon » et « toilettes », elle sortit de la pièce. Daniel se prit la tête entre les mains. Il s'empoigna les cheveux. Il la sentit faire un pas dans un sens, puis dans un autre, avec gêne. Il l'entendit dire, « Je ne sais pas pourquoi tout le monde est si atroce quand les autres essaient de maigrir. Tout le monde semble poussé à s'immiscer. C'est drôle. »

Il entendit sa propre voix. « Ce n'est pas seulement quand on essaie de maigrir. Tout le monde semble poussé à s'immiscer dans les efforts des autres pour résister à quelque forme de tentation que ce soit. »

Elle recula, étendit le bras de tout son long sur le manteau de la cheminée, et lança à Daniel un coup d'œil furtif. « Oh ? »

Le gaz déversait sa chaleur incandescente, craquetante et éblouissante. Daniel sentait que cette conversation lui brouillait les esprits et le rendait malade. Elle n'était que plis et cannelures de rose et d'or chauds et purs. Il comprit pour la première fois que comparer une femme à une fleur ou à un fruit n'est pas qu'enjolivure.

« Tout le monde aime offrir – des biscuits ou n'importe quoi –, c'est une façon d'exercer son pouvoir. La femme m'a tenté et j'en ai mangé.

— Non, vraiment. » Son visage s'empourpra et prit la teinte de sa robe. « Vraiment, ce n'est pas possible. Vous ne pouvez pas vous mettre à prêcher des sermons sur les nonnettes. Outre que c'est d'une théologie douteuse.

— Je suis navré que mes façons vous déplaisent. » Il laissa paraître son sentiment d'avoir été offensé. Il ne la regarda pas. Elle serait aussitôt contrite. C'était une si gentille fille. Il ne savait pas si elle savait ce qui était en train de se passer. Il voulait qu'elle soit gênée de s'être emportée. S'il ne disait pas un mot, s'il ne souriait pas, ne faisait rien pour amadouer, pour aplanir...

Elle virevolta sur le tapis et vint se placer carrément à côté de lui.

« Daniel, pardonnez-moi. Je ne voulais pas être si impolie. Je ne sais pas pourquoi je suis si impolie envers vous... »

Ah vraiment, marmonna-t-il dans sa tête, ah vraiment vous ne le savez pas. Ou bien vous ne le savez que trop. Il continua à fixer le tapis. Il ardait. Au bout d'un moment, incroyablement, elle étendit la main et lui effleura les cheveux.

À ce geste l'intraitable Daniel se mit à trembler. Il se pencha en avant sans rien voir, l'agrippa, la tira vers lui, et enfouit son visage brûlant et furieux dans les basques de la robe rose. Elle se raidit, se mit à trembler elle aussi, puis fit un pas en avant pour garder son équilibre, et lui entoura la tête de ses bras légers et protecteurs. Il enfonça le visage dans ses cuisses et les berça. Il l'entendit dire, « Tout va bien, tout va bien... » Il pensa, vous ne savez pas, vous ne savez pas de quoi il s'agit. Il murmura dans l'étoffe, je veux, je veux, et s'écarta violemment lorsque Mlle Wells, nouvel exemple de mise en scène et de pro-grammation comme exercice du pouvoir, rentra dans la pièce. Le regard brillant en embrassant la situation, elle

jacassa pendant dix interminables minutes qui leur pro-
curèrent du répit, et même de l'agrément, puis les congé-
dia grandiosement.

Quand ils eurent descendu une volée de marches,
Daniel s'arrêta sur le palier. «J'habite ici.» Elle hocha la
tête, sans le regarder. «Entrez un instant», dit-il. Il ne
savait pas, jusqu'au moment de le dire, s'il le demande-
rait. Elle entra. Il remarqua qu'elle refermait la porte
derrière elle sans bruit, lâchant lentement le loquet. Elle
s'arrêta juste devant la porte. Daniel alluma, l'une après
l'autre, toutes ses sinistres lumières. Puis il s'assit sur le
lit.

«Que puis-je dire maintenant? demanda-t-il presque
en colère.

— Vous n'êtes pas forcé de dire quoi que ce soit.

— Oh si je le suis.» Il pressa ses poings l'un contre
l'autre. «Vous ne pouvez pas continuer à me faire ça.

— Je vous ai demandé pardon. Je n'avais aucune
intention de vous contrarier.

— Oh non, vous êtes gentille. Vous êtes si gentille.
Vous vouliez être gentille.

— Ne me détestez pas pour ça.

— Je ne vous déteste pas.» Il poussa un gros soupir.
«C'est juste que je – non, à quoi bon? Il faut que cette
conversation s'arrête là. Vous feriez mieux de nouer
votre écharpe et de rentrer chez vous. Vous n'êtes pas
stupide, vous pouvez comprendre que vous feriez mieux
de rentrer chez vous. Quant à moi, je veillerai à ce que
cela ne se reproduise pas.

— Cela paraît un peu dur. Comme si je vous avais délibérément fait de la peine. De juste me congédier.

— Vous savez que ce n'est pas ça. Écoutez. Vous
n'avez pas commencé – d'accord? C'est moi qui l'ai fait.
Vous vous montrez tout simplement gentille, parce
que vous êtes navrée pour moi, à cause de mon travail, et
d'autres choses, ma grosseur par exemple, alors vous êtes
gentille. Il vous faut être gentille. Eh bien, je pourrais en
profiter, et le résultat serait horrible. Et je ne gaspille pas
mon temps et mon énergie à ce genre de gâchis. Alors je

174

crois que vous feriez mieux de rentrer chez vous. Et d'y rester un bout de temps, je vous en prie.

— Vous êtes tellement sûr d'avoir raison. Vous faites tellement d'histoires…

— Non, je fais preuve de bon sens. » Il se ramassa sur lui-même et annonça de but en blanc, « Je vous aime. Je veux vous épouser. Je veux… Je veux. Non, je ne fais pas d'histoires, mais c'est à moi de régler la question. Ça m'empêche de faire mon travail.

— Vous ne pouvez pas vouloir m'épouser. Vous…

— C'est exactement ce que je veux », dit Daniel avec détermination, comme si nulle autre réponse ne pouvait être possible ou attendue. Il s'attendait à moitié à ce que, mise en face de cette déclaration sans ambages, elle se lève et s'en aille. Pour dire la vérité, il espérait à moitié qu'elle le ferait. Ce qu'elle dit étonnamment fut, « Tout le monde le fait toujours.

— Toujours quoi ?

— Vouloir m'épouser. C'est effrayant. Les garçons à Cambridge. Des hommes que j'ai rencontrés deux fois, une seule fois même. Un serveur, une fois, dans un hôtel où nous étions en vacances. Un des mineurs de fond de papa. L'employé à la banque. Je pense que je dois – ce n'est pas du sex-appeal, c'est toujours le mariage –, je pense que je dois tout simplement avoir l'air rassurant. Ça ne me donne pas l'impression de me concerner, moi personnellement. Il n'y a aucun de ces hommes qui me connaisse. Je dois avoir une de ces têtes qu'on choisit pour les réclames de cigarettes, la tête type de la femme mariée. C'est presque humiliant. »

Il dit avec colère, « Je vois, je vois. C'est un problème à répétition que vous avez là. Une bande de fourvoyés. Ça me remet à ma place. D'accord, je vous présente mes excuses, et rentrez chez vous, je vous en prie. »

Elle fondit silencieusement en larmes, s'essuyant les yeux avec le dos de la main, demeurant parfaitement immobile devant la porte. Elle proféra :

« Ils ne disent pas, allons danser, partons en vacances, montons nous coucher, mais rien d'autre que je veux vous épouser, avec une espèce de terrible vénération. Je ne peux pas faire face à cette situation. Je ne la comprends pas. »

Il se leva et la conduisit jusqu'au lit, où il la fit asseoir, puis il s'assit à côté d'elle.

« Je pourrais vous le faire comprendre. Mais ce n'est pas la peine. Ce n'est pas une terrible vénération. C'est juste que je vous veux. Mieux vaut se marier que brûler, en brûler est un abominable gaspillage de temps, je peux vous le dire, alors je voudrais vous épouser, seulement je suis capable de voir que ça ne marcherait pas. Je vous veux, telle que vous seriez, une fois mariée avec moi –

— Ne soyez pas arrogant.

— Vous avez remarqué ça. Eh bien, j'ai à peu près tout ce que je veux vraiment. Mais ça – non. J'ai prié à ce sujet, pour en être quitte –

— Comment osez-vous ?

— Quoi ?

— Cette pensée me fait horreur. Discuter de moi avec…

— Je ne discute pas, ce n'est pas le mot…

— Je ne veux pas être le sujet de prières. Je ne crois pas à votre Dieu. Je n'ai rien à voir avec cela. »

Elle ne savait pas pourquoi l'idée d'être le sujet de prières l'emplissait d'une telle rage.

« C'est une raison de plus qui prouve que c'est sans espoir, dit Daniel également furieux.

— Votre Église fait trop de cas de la sexualité.

— Si vous voulez dire qu'on passe bien trop de temps à épiloguer dessus, et à en parler comme Freud, comme si c'était tout et que rien d'autre n'existait, alors oui, je suis d'accord avec vous, dit-il. Mais je ne suis pas à même d'en juger. Ça ne m'a jamais personnellement turlupiné avant aujourd'hui, tout bonnement jamais. »

Elle tourna vers lui un visage dubitatif maculé de larmes.

« Je ne crois pas être homosexuel ou quoi que ce soit de ce genre. J'ai simplement beaucoup à faire. Si vous pouvez le croire. Jusqu'à cette… »

176

Une part de sa furieuse énergie l'abandonna. Il laissa retomber sa grosse tête et se remit à trembler. Elle se rapprocha craintivement.

« Je n'avais pas compris.

— Je ne devrais pas vous hurler tout le temps après.

— Vous ne devriez pas prendre si mal les choses.

— Facile à dire.

— Je comprends. »

Elle posa la main sur son genou.

« Oh, Daniel –

— Laissez-moi tranquille.

— Daniel – »

Alors il se tourna, l'entoura pesamment de ses bras et la porta sur son lit, qui protesta lorsqu'ils s'y allongèrent, elle, fixant le plafond par-dessus son épaule, lui, faisant porter son poids, tout son poids, sur elle, visage contre visage humide sur l'oreiller. Il resta étendu sans bouger. Elle se sentit, dans tout son corps elle se sentit entièrement détendue. Il remua un peu et son regard rencontra l'échancrure du corsage. Lentement, laborieusement, il défit les boutons, fixant d'un regard alarmé, étonné et douloureux, la poitrine et la gorge d'or pâle. D'une main invisible et maladroite il retroussa la robe et toucha la cuisse, lisse et chaude. Il frissonna.

« Tout va bien », dit-elle, tout en continuant à fixer le plafond, comme elle l'avait déjà dit tant de fois dans la soirée pour le rassurer. « Ça ne fait rien. Tout ira bien. »

Daniel déplaça son énorme panse et enfouit son visage dans la poitrine qu'il avait découverte. De ses doigts hésitants ou distraits – comment l'aurait-il su ? – elle lui toucha les cheveux. Il l'entendit rapidement, une fois, deux fois, enlever ses chaussures d'un coup de pied. Il défit quelques boutons de plus, ainsi que la ceinture. Pendant un instant de frénésie, il promena la main sous la poitrine, dans la robe, tâtant les côtes palpitantes, la colonne vertébrale devinée. Là, sous lui, sous son étreinte. Il releva la tête et posa la bouche sur la sienne, qui était chaude, et qui s'ouvrit doucement, suavement, cédant devant lui. Il fit porter maladroitement tout son poids sur un genou et, fronçant les sourcils, regarda l'expression de ce visage près du sien. Elle fixait toujours le plafond. Il décida, crut-il, que cette attitude de consentement était celle du désespoir. Elle voulait lui faire plaisir, elle voulait lui donner quelque chose, elle croyait qu'il avait droit à quelque chose, et il lui parut qu'elle n'attendait rien en échange pour elle-même de la situation, qu'il n'y avait aucun désir, aucune fureur correspondante en elle. Il pensa que c'était peut-être comme cela qu'elle était toujours, que cette attitude lui était habituelle. Il s'écarta. « Non. Vous ne savez pas ce que vous voulez.

— Si, Daniel, je le sais, je le sais. Tout va bien. » Presque une récrimination.

« Tout va bien. Tout va bien. Vous ne cessez de répéter que tout va bien. Je veux davantage que tout va bien. Ce n'est pas vrai, n'importe comment.

— J'aurais dû y penser. Vous, bien sûr, vous ne pouvez pas, ce serait faire quelque chose – de mal. »

Elle y avait pensé, en fait. Il existe une sorte d'agrément à briser de véritables tabous, même pour des moralistes comme les Potter, peut-être spécialement pour des moralistes comme les Potter.

« Si je le fais, c'est mon affaire. Il faut vous relever maintenant. Vous allez rentrer chez vous.

— Mais pourquoi ? » Elle ne bougea pas.

« Je ne veux pas qu'on me fasse la charité. Allons, relevez-vous. Relevez-vous.

— Ne soyez pas brutal.

— Il faut que vous sachiez ce que vous voulez.

— On ne décide pas de sang-froid, mon chou.

— Ah mais si justement. Pour plein de choses qui comptent. Et ne m'appelez pas mon chou, je ne le suis pas.

— Vous êtes trop dur avec moi », dit-elle, et elle se remit à pleurer, assise à présent toute recroquevillée sur le lit, tirant sur ses vêtements en désordre.

« Je vous en prie, rentrez chez vous maintenant », dit-il avec rudesse, en détournant les yeux, incapable de bouger. Fierté, désir et ligne de conduite étaient à présent inextricablement mêlés. Il ne savait pas s'il la mettait dehors parce qu'elle avait un air protecteur, ou parce qu'en finir à présent serait en finir pour toujours, et que ce qui n'est pas fini possède son propre pouvoir, ce qui n'est pas encore arrivé torture l'imagination, parfois avec de l'agrément. Pour une part, il lui était tout bonnement impossible d'en supporter davantage.

Elle était en train de remettre ses chaussures. Quand il ne fit aucun mouvement pour se lever, elle remit aussi son chapeau et son manteau.

« Eh bien, dit-elle, au revoir. »

Il se secoua. « Non, attendez. Je vais vous raccompagner chez vous. Allons-y tranquillement ensemble. »

Elle donna l'impression qu'elle allait protester, puis elle dit, « Bien ».

12

La pépinière

Marcus supposait que si l'on est véritablement fou l'on n'a pas peur d'être fou. Les fous dans les films et les livres semblaient posséder en commun la certitude inébranlable d'avoir raison. Sa crainte grandissante de la folie pouvait sans doute s'interpréter comme le signe qu'il était sain d'esprit. Et la folie, dans cette famille littéraire, avait des tonalités de délire, de vision et de poésie qui n'avaient rien à voir avec ce qui le tracassait.

Ce qui le tracassait, c'était la peur du déploiement. De plus en plus de choses la suscitaient, des choses qu'il ne parvenait plus à faire, qu'il ne parvenait plus à supporter de voir. Ces choses se reconnaissaient aux petits chocs concomitants, brèves disjonctions de la conscience, comme de descendre deux marches à la fois quand le corps n'en a prévu qu'une. Cela avait un lien avec la géométrie. En mesurant soigneusement, en veillant à garder le sens des proportions, on pouvait l'empêcher. Cela avait un lien avec la peur animale de ne pas réagir vite. Comme de se brûler, parce que la peau, ou l'odorat, ne fonctionne pas comme il faut. Il avait, de toutes les manières, perdu le contact, aussi bien animal que géométrique.

Chaque jour une chose nouvelle devenait problématique et difficile. Au début, ce furent les livres, qui avaient toujours été pénibles et devinrent impossibles. Les caractères d'imprimerie se dressaient sur la page comme des serpents prêts à frapper. Son œil s'empêtrait dans ceux qui présentaient un aspect normal, comme la lettre *g* et la

bizarre disparité entre sa forme écrite et sa forme imprimée. Lire était infaisable parce qu'il calculait la fréquence
des *g*, ou restait fasciné par l'un d'eux. N'importe quel mot
prend un air insolite, si on le regarde avec insistance,
comme s'il était incorrect, irréel, pas un mot du tout.
À présent tous les mots étaient comme cela.

Descendre l'escalier était une autre cause de problème. Il n'avait jamais aimé descendre l'escalier. À présent il restait à hésiter de longs moments sur le palier,
et puis se mettait en branle, marche après marche,
posant les deux pieds sur chacune à la suite, hanche et
flanc frottant contre la rampe et mesurant les intervalles
entre les barreaux.

Et la salle de bains. Quand l'eau jaillissait dans la
cuvette des cabinets, explosion par-devant, cataracte sur
les parois, petit filet à l'arrière, le tout fumant en un grand
bouillonnement avant d'être aspiré et de disparaître, il
avait peur, et ne pouvait cependant s'empêcher de regarder les lignes et leurs tractions. Et aussi il n'aimait pas le
trou de vidange, roue de charrette recouvrant un tunnel
vide d'un dessin circulaire.

Il différait le moment d'aller aux toilettes, puis différait le moment de les quitter pour se laver les mains, et
différait encore le moment de quitter le lavabo pour se
les essuyer, et différait enfin le moment de quitter la salle
de bains à cause de l'escalier.

Mais il n'était pas fou, et n'était absolument pas obligé
de se comporter comme le lui dictaient ses peurs. Si un
autre garçon entrait dans les cabinets du collège, il s'en
allait promptement. La soumission était seulement plus
agréable. Et ses rituels d'échappatoire possédaient, il en
était vaguement conscient, leurs propres séductions.
L'eau, le vertige, les nombres, les rythmes, la lettre *g*, le
libéraient d'exigences pires. Ils lui octroyaient l'aise de
la sécurité. Il réussit, également, à cesser de manger
de la viande sans prendre position sur les légumes.
C'était échapper à l'exigence menaçante de devoir
renoncer complètement à s'alimenter.

Ce qui finalement le désarçonna, ce fut la mutation de la lumière.

Il traversait ces fameux terrains de jeu, un lundi matin, en se rendant au collège. Il se trouvait exactement à égale distance des lignes de force constituées par les bandes blanches de démarcation à demi effacées. C'était un matin de printemps et un soleil froid brillait sur l'herbe nouvelle et les arbres à feuilles persistantes. Les courbes luisantes des rails du chemin de fer scintillaient, de même que le grillage autour des courts de tennis, par éclairs intermittents et fulgurants. Le ciel était vide, bleu et pâle. Le soleil lointain, disque liquide, cruel et nettement découpé, était suspendu quelque part dans le ciel. Les lois de la perspective n'étaient d'aucun secours avec un tel soleil, qu'il s'agisse de ce qu'il était ou de l'endroit où il était. Il ne pouvait se visualiser qu'en regardant là où il n'était pas, quelque part sur le côté, en lançant un regard furtif. Il n'était pas doré, mais davantage blanc, et très brillant. Ses images rémanentes ponctuaient les pelouses vertes de cercles indigo.

Les pelouses s'étendaient, unies et vertes, foulées et tondues. La Mare Croupie était sur sa gauche, petite, noire et ordinaire. Soudain la lumière changea et Marcus s'arrêta.

Une part essentielle de ce qui arriva alors résida dans sa propre réticence à croire que cela arrivait. Quand il s'en souvint, son corps se rappela une tension et une oppression considérables, provoquées par deux peurs antithétiques et s'exerçant en même temps, la peur d'être changé radicalement, sans remède, et la peur également puissante que tout cela ne soit qu'un fantasme, perversement imprimé par sa conscience égarée sur le monde réel. Et même en cet instant précis, qui changea peut-être toute sa vie, il entendit une voix intérieure lui affirmer avec gaieté qu'il était possible, comme dans le cas des livres, des escaliers et des salles de bains, de ne pas avoir à savoir. Plus tard, il crut que c'était la voix du mensonge et de l'échappatoire. Plus tard encore, il s'en souvint comme d'une véritable consolation, car cette infime gaieté forcée lui donnait la garantie d'avoir conservé son identité, d'avoir continué à être lui-même...

La lumière, donc, changea. Il s'arrêta parce qu'il était difficile d'avancer, il y avait trop de lumière devant lui et autour de lui, une lumière d'une densité presque tangible et d'un éclat presque confondant. Il s'arrêta par étapes, son corps d'abord, son attention ensuite, de sorte qu'il y eut un instant de nausée où l'intérieur de sa tête, la caverne, se porta en avant de ses fragiles yeux apeurés et de sa peau crispée.

La lumière avait une activité incessante. Elle s'amassait, s'élançait, se décuplait le long des lignes par où elle avait commencé à se manifester. Elle filait dans une furie effrénée sur les rails du chemin de fer, elle s'enflammait, s'enchaînait, s'entrecroisait sur le grillage des courts de tennis, elle jaillissait par intermittence, en gerbes scintillantes d'étincelles, depuis les feuilles de laurier lustrées et les brins d'herbe coupés. Elle bougeait aussi quand rien ne la réfléchissait, réfractait ou dirigeait. En boucles, en tourbillons, en jets puissants et droits, en turbulences et en longues lignes qui se déroulaient sans obstacle à travers les pierres, les arbres, la terre, lui-même, ce qui avait été une condition de la vision se transformait en objet de vision.

Les choses en étaient autrement définies. Les objets qu'elle rencontrait, roches, pierres, arbres, poteaux de but, étaient sombrement délinéamentés puis lumineusement décrits. Sa traversée de ces choses ne faisait qu'augmenter leur opacité.

Outre ses courants linéaires elle se percevait en plaques, en énormes élévations mouvantes de lames échevelées de plusieurs kilomètres de haut, infinies ou du moins incommensurables, muraille après muraille après muraille de froide flamme blanche. Elle avait d'autres modes de déplacement non mesurés par les mesures à la disposition des hommes ni séparables de l'expérience des hommes, et qui cependant s'effectuaient là, de sorte qu'il était forcé de se savoir incapable de savoir plus que leur existence. Il était enfermé dans leur proximité et leur ubiquité, distendu et déformé par son sentiment tendu et angoissé de leur activité continue au-delà de l'attention qu'il pouvait fixer sur eux.

Alors il se mit à voir ce qui se passait comme une présence, une présence intentionnelle. C'était une présence totalement hors de proportion avec lui, qui se livrait à son activité avec une ampleur trop grandiose en même temps qu'une minutie trop précisément délicate pour qu'il puisse en percevoir le tracé. Distendue et contractée, il la sentait s'enrouler autour de lui, passer à travers lui et, au pire moment, il se concentra presque sur son passage à travers sa conscience. Il fut à la fois sauvé (d'un aveuglement éblouissant, de l'annihilation) et empêché (de s'y perdre) par une figure géométrique qui contenait comme une image ou davantage dans cet éblouissement ou jeu de lumière. Il vit des cônes intersectés s'étendre à l'infini en endiguant coulées et déversements. Il vit qu'il était lui-même au point ou à un point d'intersection, et que, si la lumière ne pouvait pas traverser ce point, elle ferait voler en éclats la fragile structure pour se frayer un passage. Il lui fallait tenir en un seul morceau mais la laisser passer, comme le verre ardent laisse passer la lumière accumulée du soleil. Les pourtours flamboyèrent, flamboyèrent, flamboyèrent, encore. Il dit, «Oh mon Dieu». Il essaya d'être et de ne pas être et, le plus dangereux de tout, d'avancer.

Quand il se remit en marche, elle avança avec lui, ou se porta visiblement en avant de lui aussi. Il pensa qu'il allait sans doute mourir avant d'arriver au collège et qu'il ne pouvait faire demi-tour, car ce qui était derrière lui augmentait régulièrement d'activité. Il fit un pas, puis un autre, puis encore un autre, et les champs de lumière oscillèrent, rugirent, vacillèrent et chantèrent.

Il atteignit le collège sans savoir comment et réussit à s'asseoir sur le petit mur du cloître, en face du *Moïse* cornu qui devait quelque chose à Michel-Ange et plus encore au massif *Balzac* de Rodin. Marcus fixa les yeux de pierre convexes et réfléchit.

La turbulence était à une certaine distance ; elle s'était arrêtée à la hauteur des briques rouges ; les franges de son activité agaçaient la pelouse et les serres. Il ne pouvait ni continuer ni reculer. Pendant qu'il réfléchissait, un être vêtu de blanc franchit radieusement les voiles de lumière, comme s'il les habitait d'un pas alerte et aisé. Sa tête bouclée brillait doucement au soleil. Marcus, gelé à présent, cligna péniblement des yeux. C'était Lucas Simmonds, en route vers le labo Croupi. Marcus ne croyait pas – comment l'eût-il fait ? – aux signes et aux présages. Mais c'était la troisième fois. Au Gaumont, à la boucherie, Simmonds lui avait tendu une main secourable. À présent il passait par là. Marcus se leva et partit, à bout de forces, sur ses traces. Il n'y avait en tout cas, la petite voix le souligna, absolument personne d'autre.

Le labo Croupi faisait partie des bâtiments anciens. La physique et la chimie disposaient d'une extension neuve, rectangulaire, murée de verre et pavée de mosaïques abstraites. Le labo Croupi était gothique, et les mots « Biologie, Physiologie humaine et Anatomie » s'étalaient au-dessus de la porte en lettres gothiques dorées sur fond bleu nuit. La porte cintrée était en chêne massif.

Il entra. Travées de hautes tables vides, hauts tabourets, robinets de cuivre sinueux et recourbés, petits éviers de porcelaine, becs à gaz et lampes à abat-jour vert. À la fenêtre, au soleil, une silhouette en blouse blanche sur un pantalon de flanelle en tire-bouchon.

« Monsieur », dit-il. Il eut l'impression de mugir et ce grondement le fit tressaillir, mais en réalité sa voix était grêle, faible, chancelante comme ses pieds qu'il ne pouvait plus faire avancer. « Monsieur… »

Simmonds se retourna en souriant.

« Bonjour, mon vieux. Qu'y a-t-il ?

— Monsieur… »

Agrippant lentement le bouton de la porte, il s'affaissa sur le sol et y resta assis en agrippant toujours la porte. Instable, celle-ci oscilla sur ses gonds. Cette sournoiserie l'emplit d'un pur et simple sentiment de haine.

Lucas Simmonds fit le tour des travées en courant.

« Prenez votre temps. Ne vous inquiétez pas. Vous avez eu un choc ? Allongez-vous, c'est ce qu'il y a sans doute de mieux à faire. »

Il ne toucha pas Marcus. Il s'arrêta devant lui, avec un sourire inquiet, et montra de la main le linoléum. « Allons. Étendez-vous. C'est le mieux. »

Marcus se laissa glisser avec précaution. Il étendit les bras, obéissant à une compulsion nerveuse, bien droits de chaque côté du corps. Au-dessus de lui, penché sur lui, le visage radieux de Simmonds souriait et hésitait.

« Vous avez eu un choc », répéta-t-il. Marcus acquiesça en fermant les yeux. « Boire vous ferait peut-être du bien. »

Il apporta un vase à bec rempli d'eau, qu'il posa à côté de la tête de Marcus. Maladroitement, en se tournant de côté et en s'appuyant sur le coude, les larmes aux yeux, Marcus but une petite gorgée. L'eau avait un léger goût chimique, et cette odeur d'éther qui flottait toujours dans la salle.

« Vous avez vu des choses ? » Simmonds, à présent, était agenouillé à côté de Marcus, examinant de près son visage. Cette question pressante et désinvolte accrut en Marcus le sentiment vague du présage et de la destinée en marche. Toute autre personne lui aurait sûrement demandé s'il était malade. Il tourna la tête dans un sens puis dans l'autre sur le linoléum. « Vous avez vu des choses ? » Simmonds se fit écho à lui-même, observant et souriant.

« Pas des choses, non.

— Pas des choses. Je vois. Pas des choses. Quoi alors ? »

Marcus se souvint de Simmonds parlant sans pouvoir s'arrêter du paysage mathématique. Et, avant cela, de son propre esprit aux abois et courant en tous sens pour échapper aux questions implacables de Bill.

« Quoi alors ? » insista doucement Simmonds.

Il ferma les yeux et la bouche. Il les ouvrit furtivement et dit, « La lumière. C'était la lumière. » Et les referma. Ainsi que tout ce qu'il pouvait refermer.

« La lumière. Je vois. Quel genre de lumière ?

186

— Je ne sais pas. Trop de lumière. Trop. Une terrible lumière. Vivante. Vivante, si vous voyez ce que je…

— Oh oui, dit Simmonds captivé. Oh oui, je vois. Racontez-moi. »

Marcus ouvrit la bouche et fut pris d'un violent vomissement. Quand il recouvra ses esprits, il était allongé, la tête sur une sorte de coussin, et une autre chose, le manteau de pluie de Simmonds, le recouvrait et l'enveloppait. Il était immobilisé dans un cocon. Le visage de Simmonds réapparut tout près du sien.

« Vous êtes en état de choc. Vous ne devez pas bouger. Restez allongé jusqu'à ce que vous vous sentiez mieux. Ne vous inquiétez de rien. Je vais m'occuper de tout. »

Il n'avait pas le choix.

« Je vais finir ce que j'étais en train de faire et nous continuerons à bavarder quand vous serez plus en forme. »

Simmonds parcourait les travées à grandes enjambées, empilant des gamelles en aluminium et des bocaux à bouchon. Il paraissait extraordinairement solide, superlativement normal. Il sifflotait gaiement entre ses dents. Marcus se rappela la dissection du lombric. Simmonds avait fait tomber les vers, en quantité suffisante pour toute la classe, un par un dans une coupe de chloroforme, où ils avaient écumé et blêmi. Après quoi Marcus avait dû inciser, écarter et fixer avec des épingles la peau livide et roulottée.

Cette salle remontait très loin, aux intentions humanisantes des fondateurs du collège. En ce lieu, grâce à l'étude du développement des espèces, poissons, mammifères, oiseaux et végétaux, l'enfant devait apprendre à obéir au commandement premier : Connais-toi toimême.

Quelques oiseaux empaillés, un hibou, deux ou trois sternes, un groupe poussiéreux de rouges-gorges et de roitelets, étaient perchés sur les rayons supérieurs de placards en acajou à portes vitrées. En dessous, un squelette articulé était couché sur le côté, les membres ballants. Des boîtes d'ossements détachés, vertèbres, tarses et métatarses, d'un blanc crayeux ou crémeux, lancés comme des cochonnets sur les pupitres par des générations de garçons, éparpillés, rassemblés, remis sur l'étagère pour la fois suivante.

Une vitrine contenait des choses dans des flacons – des bocaux à stériliser comme ceux dans lesquels sa mère mettait en conserve des profusions de grosses prunes rouges ou de pommes et de poires vertes tombées. Des pots à confiture, des éprouvettes. Des douzaines de fœtus. Rats minuscules d'un rosé crémeux, à la tête émoussée, aux yeux aveugles et aux microscopiques moignons de pattes et de queue, qui étaient enroulés les uns dans les autres et assurément un peu moisis comme du fromage dans le liquide où ils baignaient. Rats un peu plus gros, au ventre rond encore muni de son cordon ombilical et du placenta. Chats avant leur naissance, tête plate, chair blafarde, yeux en germe fermés contre la paroi de verre et la lumière. Embryons de serpents conservés en chapelets comme des perles enfilées, lovés sur eux-mêmes et à jamais privés de naissance. Embryons d'oiseaux conservés avec la paroi de leur coquille brisée pour montrer la boule resserrée de leur duvet humide, leurs cuisses décharnées, leur bec flasque. Il y avait un embryon de singe édouardien dans un coffret de verre à monture d'acajou, un triste homoncule, un génie brun ratatiné dans une bouteille.

Des organes de ces animaux étaient également conservés à part, pour circuler parmi les élèves, un bocal de poumons, ou de cœurs, ou d'yeux. Marcus se rappelait particulièrement l'horrible tête noyée d'un chat écorché aux yeux ternes de gelée noire dans le liquide opaque. Et le lapin blanc dans son bocal ovoïde, ses petites pattes encore couvertes de fourrure et munies de griffes, écartées pour encadrer ses pâles viscères tachés de cramoisi, de vert ou de cobalt, boyaux, poumons, cœur, au-dessus desquels ses dents de lapin ricanaient et ses longues oreilles retombaient, plaquées contre lui par le bocal.

Il y avait des choses vivantes aussi. Une souris blanche tournoyant dans son manège. Une cuve d'hélices aqua-

188

tiques et d'épinoches. Un formicarium dont les parois de verre permettaient de voir les sombres tunnels, et aussi les fourmis tirant leurs pâles larves d'un étage à l'autre, affairées et résolues dans ce mélange de lumière et d'obscurité. Il y avait la vieille expérience de la croissance des graines et de la photosynthèse. Pois et haricots privés d'eau et ratatinés, posés un par un sur du coton hydrophile. Pois et haricots privés de lumière et dressant, aveugles et anémiques, chétifs et incolores, leurs points d'interrogation. Pois maintenus au chaud, pois maintenus au froid, pois maintenus en groupe, pois maintenus dans une lumière oblique, dans le demi-jour, pointes émoussées ici, et là, déjà, une feuille penchée qui se déroule.

Marcus but une autre gorgée d'eau tiédasse et fixa son attention sur la relative neutralité des diagrammes. Le système uro-génital des grenouilles et celui des lapins, joliment dessinés en deux dimensions, à l'encre de Chine, par Lucas Simmonds, étaient affichés auprès du tableau noir. Les connaissances de Marcus étaient sommaires et les annotations de Lucas, minimales, si bien qu'il fut tout à fait incapable de décider si certaines formes qui ressemblaient à des doigts épointés et frétillants étaient des protubérances ou des poches, et donc confondit les lapins mâle et femelle et ne put noter aucune différence apparente entre les grenouilles.

Juste en face de l'estrade, sur laquelle il était alors étendu, étaient accrochés côte à côte, dans toute leur délibérément peu attrayante émancipation clinique, l'Homme et la Femme. Ils étaient tous deux représentés quatre fois, sur d'antiques bannières déroulées de toile huilée couleur de parchemin. D'abord sous forme de squelettes ; puis d'écorchés couleur de foie révélant le réseau musculaire de leurs forces motrices et fonctions directrices ; puis encore d'organes internes sous leur charpente. Et enfin, solides et caséeuses, nues, stéatopyges et chauves, les surfaces de chair, la chose telle qu'en elle-même.

Ils se tenaient, copies conformes, bras ballants et jambes écartées, bouche en O muette, peut-être souriante, crâne quadrillé comme un champ de bataille en zones et éminences. Ils étaient criblés, tel un saint Sébastien victorien en double exemplaire, de longues flèches noires au bout desquelles apparaissait en sobres italiques le nom des parties de leur corps. Ils avaient un air d'antique désuétude, comme si quelque répétiteur édouardien avait continûment indiqué et partiellement oblitéré leurs points marquants au moyen d'une longue badine, et qu'ils étaient depuis tombés dans l'oubli.

Lucas Simmonds revint et s'agenouilla auprès de lui.

« Comment vous sentez-vous maintenant ? »

Marcus secoua la tête misérablement.

« Parlez-moi de cette lumière.

— Monsieur – je suis peut-être en train de tomber malade. Ça pourrait être l'aura d'une maladie. Ou bien des convulsions, ou des troubles mentaux. Monsieur. »

Les commissures des lèvres de Lucas se relevèrent avec perplexité au milieu de son visage rond et rosé.

« Le croyez-vous vraiment ? En avez-vous vraiment l'impression ?

— Comment le saurais-je ? Ça fait des semaines que je ne me sens pas bien, précisément. J'ai… »

Il y avait un tabou qui interdisait de décrire les tabous. Il se recroquevilla sous le manteau de pluie.

« Je vous en prie, continuez. Je peux probablement vous aider. Continuez.

— Bien. Je n'arrive pas à me concentrer. Pas sur les choses qu'il faut. Pas sur mon travail. Beaucoup trop sur les choses qu'il ne faut pas. J'ai peur des choses. Pas de choses qu'il y a la moindre raison de… sentir de cette façon-là. De choses idiotes. Un robinet, une fenêtre, un escalier. Je me tourmente sans fin. À propos de choses, rien que des choses. Je dois être plus ou moins malade, certainement. Et maintenant ceci.

— Nous donnons à trop de choses le nom de maladie, dit Simmonds paradoxalement objectif dans sa blouse blanche. À n'importe quoi d'inhabituel. N'importe quoi qui modifie notre train-train conventionnel, souvent si préjudiciable à notre bien-être réel. Peut-être êtes-vous bouleversé pour de bonnes raisons. Je vous en prie, continuez à me parler de la lumière. »

Marcus ferma les yeux. Simmonds serra l'épaule de Marcus d'une seule main et s'écarta brusquement d'un bond une nouvelle fois.

« Voyez-vous, c'est quelque chose qui concerne les terrains de jeu. Je me suis toujours senti tout drôle, par là-bas. Je peux en arriver au point où je ne sais plus où je suis, par là-bas, au point où je ne trouve plus mon – je me retrouve déployé. » Offrande secrète du mot important, comme un code, ou un otage.

« Déployé. Vous voulez dire hors du corps ?

— Je ne comprends pas ce que vous voulez dire par là. On pourrait l'appeler comme cela. C'est un truc technique. Dans le temps j'étais capable de le provoquer ou non, quand j'étais petit. Maintenant je n'arrive plus à le maîtriser.

— Un truc technique. Une technique. Ça, par exemple, c'est très bien. Vous pouvez le faire à volonté ?

— Je n'aime pas ça. Plus maintenant. »

Le sourire de Simmonds était brillant comme l'émail.

« Et c'est cette technique qui a produit le choc ? Cette lumière dont vous parlez ?

— Oh non, non, non. Je n'ai rien fait du tout. Ça s'est fait tout seul. Je veux dire que c'est la seule chose dont je sois sûr. C'est juste arrivé.

— Encore mieux. Allons. Dites-moi ce que cela a produit.

— Comment le puis-je ? C'était effroyable. Ça m'a rempli entièrement. J'ai eu peur d'être… supprimé. »

Simmonds se frotta les mains avec agitation.

« Et vous pensez que vous avez quelque chose qui ne va pas, mon garçon ?

— Je vous l'ai dit. J'ai eu peur. Je n'arrivais pas à tenir en un seul morceau.

— Peut-être n'étiez-vous pas censé le faire. Peut-être étiez-vous en présence d'une force. »

Marcus trouvait l'attitude de Simmonds rassurante pour une part et alarmante pour une autre. Rassurante, parce que quelqu'un semblait sûr de reconnaître et d'identifier des phénomènes dont il avait craint d'être le seul à avoir conscience. Alarmante, parce que Simmonds semblait avoir des intentions, des plans, une vision, qu'il n'était pas du tout certain de vouloir partager.

« Des photismes, dit Simmonds. Il y a un terme technique pour dire cela. Potter. Des photismes. Des expériences de ruissellement et de gloire qui accompagnent fréquemment des moments de révélation. Le phénomène est connu.

— Des photismes », répéta Marcus dubitatif. Il décida de se remettre sur son séant.

« L'explication du phénomène est bien sûr exposée au doute scientifique. Mais c'est une expérience connue, attestée et débattue.

— Oh !

— Pour l'amour de Dieu, hurla Simmonds extrêmement excité, est-ce qu'il ne vous vient pas à l'idée que ce que vous avez vu peut plus ou moins avoir été ce que Paul a vu sur le chemin de Damas ? Ce que les bergers ont vu dans les prés la nuit. Ils ont éprouvé une peur terrible, une peur atroce, ce qu'il est normal que vous éprouviez aussi, ce n'est pas une plaisanterie. Il faut être entraîné, voyez-vous, pour résister, pour réagir à des choses comme ça. Et vous ne l'êtes pas.

— Je vous ai dit que je ne crois pas en Dieu.

— Et moi, je vous ai dit que cela n'a pas d'importance si Lui croit en vous. Avez-vous dit quelque chose à haute voix pendant que vous voyiez les photismes ?

— J'ai dit, oh mon Dieu.

— Précisément.

— Écoutez, n'importe qui le dit, tout le monde le dit, à tout instant. Ça ne signifie rien.

— Il n'existe rien qui "ne signifie rien". Tous les mots sont proférés pour une raison. Je savais ce que vous aviez dit.

— N'importe qui pourrait –

— Vous êtes trop sujet à trop de coïncidences. La plus importante étant moi. Il se trouve que je possède les techniques pour canaliser les forces qui vous effrayent comme de bien entendu. Je travaille depuis un certain temps sur les moyens d'entraîner la conscience. La méditation, si vous voulez, mais scientifique. Vous êtes venu à moi. Vous pouvez prendre la poudre d'escampette maintenant, mais Dieu orchestrerait un autre drôle de choc et vous reviendriez.

— Non.

— Et moi je dis que si. Parlez-moi de la manifestation.

— Cela a affecté mon sens des proportions.

— Avez-vous vu quelque chose ?

— Un diagramme. »

Lucas Simmonds s'enthousiasma. Il abasourdit Marcus, fournit un crayon et du papier, et soutira un croquis.

Sur le papier cela ne ressemblait à rien. Mais le souvenir était encore légèrement dangereux.

« Un symbole de l'infini », dit Lucas Simmonds. Marcus murmura timidement que cela avait paru montrer du verre ardent. Et aussi, dit Lucas, un symbole de l'infini, un symbole de l'énergie infinie qui passe par un point. Ils devaient, et ils le feraient, utiliser ce symbole comme un mantra, un objet à la fois de contemplation et de méditation.

Marcus regarda le symbole en silence. Il lui parut diminué par l'interprétation de Lucas. Le tout diminuait, inoffensif à manipuler, ainsi emballé dans les propos volubiles de Lucas Simmonds. Toutefois Simmonds essayait paradoxalement de le déballer. Sous l'effet des paroles, le tout s'éloignait. Il paraissait, en s'évanouissant, brillant et désirable pour la première fois.

Simmonds, gaiement raisonnable, se pencha sur le bureau de l'estrade et le harangua.

« La Renaissance s'est produite lorsqu'on s'est trompé sur la relation entre l'Homme et l'Esprit. On a fait revivre la vieille idée païenne selon laquelle l'Homme est la Mesure de toutes choses, ce qui est bien sûr absurde, et cette idée a provoqué des ravages incalculables. Au lieu de l'infini, il fallait se contenter d'un cercle de la circonférence duquel un homme pouvait toucher tous les points. » Il dessina une version grossière de l'homme microcosmique de Léonard de Vinci dans son cercle, à côté du symbole de l'infini de Marcus, et sourit paisiblement.

« Un tour de magie avec des images fausses. Depuis lors nous vivons dans un univers anthropocentrique, les yeux, les oreilles et l'esprit clos. Ce qu'on appelle la Religion ne concerne pas l'esprit humain mais l'Homme, la Morale, le Progrès, qui sont de bien moindre importance. Et puis la Science est arrivée, qui aurait dû donner une vague idée, une vague idée des Puissances inhumaines établies, mais en fait on s'est borné à tirer de l'anthropocentrisme l'idée terrible que l'Homme est le Maître de toutes choses. Eh bien cela, Potter, c'est de la magie noire, et elle a produit Hiroshima et les fabriques de Satan. La Science aurait pu, oui, elle aurait pu être utilisée, bien sûr, pour rétablir l'antique croyance que l'Homme a sa place sur une Échelle de l'Existence en tant qu'intermédiaire entre la Pure Matière et le Pur Esprit. Mais on a parlé de l'esprit humain indomptable et des cieux vides, et on a laissé passer toutes les chances. Y compris celle d'affronter, de décrire ou même de reconnaître les expériences du genre de celle que vous venez juste d'avoir. »

Il transpirait à nouveau. Des tics tiraillaient son visage. Marcus observa ces signes avec une inquiétude glacée. Ce qui l'attirait chez Lucas, ce n'était pas encore ses théories, mais son air assuré, quand il l'avait, la normalité de ses vêtements confortables, cette qualité à laquelle les trois jeunes Potter attachaient un prix si ambigu. Quand Lucas était agité, Marcus était déconcerté. Mais aujourd'hui son assurance semblait surtout inspirée, si ce mot pouvait avoir la moindre justesse, et elle incluait un sens des fluctuations de l'humeur de Marcus.

« Vous soupçonnez le langage. La Science est impec, elle a des termes techniques. Mais ceci n'en a pas, parce que l'Homme a négligé les formes spirituelles au profit des somatiques. Inutile de vous parler d'alchimie, d'auras ou même d'anges, je le vois bien. Toutes ces choses sont des descriptions difformes que nous avons comprises de travers. En fait, je crois, je crois sincèrement que le monde est en train d'essayer d'évoluer, de quitter la matière pour l'esprit... Tenez. J'ai tout rédigé, en fait. En tâtonnant. J'aimerais que vous le lisiez. »

Il sortit, de sa serviette, une liasse de stencils. « Vous pourriez en tirer un certain profit... »

C'était flou, beaucoup manipulé, mou. Marcus lut.

Le MODÈLE et le PLAN

Écrit par Lucas Simmonds, Maître ès Sciences
Pour la Plus Grande Gloire du Créateur.
Pour montrer la Toujours plus Complexe
Évolution du Plan et du Modèle dans lesquels et selon
lesquels il est désiré que nous Jouions notre Rôle.

« Je pense que nous devrions travailler ensemble, profitablement. La décision vous revient, dans la mesure, bien sûr, » – il rit – « où aucune Puissance supérieure n'y remet la main. Le premier stade est que vous lisiez mon livre – juste pour voir si vous n'avez aucun commentaire à faire, pour préparer le terrain. Ensuite je crois que nous pourrions concevoir quelques expériences.

— Que vais-je faire ?

— Faire ?

— Maintenant. Je me sens très mal.

— Maintenant. Maintenant vous devriez aller à l'infirmerie, dire à l'infirmière que vous avez eu des vomissements au labo Croupi, et vous laisser mettre au lit. Je pourrais vous accompagner, mais mieux vaut ne pas susciter de commentaire, nous devons tenir notre secret bien gardé... Dites seulement que vous avez eu des vomissements.

— J'ai vomi.

— Très exactement. J'attendrai avec impatience notre prochaine rencontre. »

Il ne dit pas quand celle-ci aurait lieu, mais dorénavant Marcus ne doutait pas plus que Simmonds qu'il y serait pourvu.

13

Dans la demeure de l'humaniste

Frederica, en pénétrant pour la première fois à Long Royston, n'apprécia guère cette demeure. Elle en avait pourtant eu la ferme intention. C'était un pas en avant, plusieurs pas en avant, dans Blesford et hors de Blesford. Comme l'Éverest, conquis cette année-là, le manoir avait toujours été là, mais inaccessible. Et maintenant, invitée par son propriétaire, elle traversait ses jardins, plantés conformément aux instructions de Crowe, plus ou moins selon les prescriptions de Francis Bacon, dans son essai, *Des jardins*. Le printemps, cette année-là, était affreusement gris, mais les fleurs d'avril de Bacon dans le jardin clos s'efforçaient de poindre. Bacon aimait l'exhalaison des fleurs dans l'air. Frederica respira la violette blanche double, la giroflée, le voilier, le coucou, les fleurs de lis et de liliacées de toute nature, le romarin, la tulipe, la pivoine double, la pâle jonquille, le sainfoin, le cerisier en fleur, le prunier de Damas et le prunier d'Europe, l'aubépine blanche en feuilles, le lilas. Tout était dans le guide, distribué avec de jolis dessins quand les jardins étaient ouverts au public à Pâques et en juin. Vous pouvez, dit Bacon, obtenir *ver perpetuum*, si le lieu le permet. Même dans le Nord-Yorkshire, quoique le vent de la lande y souffle grièvement. Frederica écrasa sous ses pas le gravier de la terrasse où la pièce devait plus tard être représentée. L'exhalaison des fleurs est bien plus suave dans l'air que dans la main. Les giroflées sont très délectables à planter sous la fenêtre d'un parloir ou d'une chambre basse. Elles l'étaient. Mais celles qui parfument l'air le plus délectablement et ne se côtoient pas comme les autres, mais se foulent et s'écrasent sous le pied, sont au nombre de trois ; ce sont la pimprenelle, le thym sauvage et la menthe d'eau. Vous devez donc en planter des allées entières, pour en avoir le plaisir, quand vous les foulez en marchant. Crowe avait procuré ce plaisir. Frederica vit d'autres gens fouler et marcher dans l'entrelacement d'allées ainsi plantées, des visages connus, des visages inconnus, des visages rendus familiers par des photographies et des affiches. La fête commence, se dit-elle.

Quand elle entra elle se sentit moins heureuse. Il y eut un majordome en veste blanche qui lui prit son imperméable et son nom. Il y eut Crowe qui s'exclama « Enchanté ! » et passa sans s'arrêter. Il y eut un jeune homme en veste de velours côtelé bleu paon, qui examinait une sculpture, la moitié du visage cachée derrière d'énormes verres teintés aigue-marine. Elle crut que sa réaction était due à son manque d'aisance mondaine – la crainte de ne pouvoir faire impression sur ce petit groupe de gens qui s'exprimaient avec une parfaite clarté, d'une voix sonore et musicale, et qui se mouvaient avec virtuosité. Manquer d'aisance la rendait toujours agressive. Plus tard, elle se demanda si ce qui l'avait intimidée n'était pas le manoir de Long Royston lui-même.

Ils étaient réunis pour une première séance d'information, pour voir les costumes, et parce que Crowe pensait que cela serait amusant. Ils s'assirent pour déjeuner dans la grand-salle, sous la tribune des ménestrels, quinze à table, les premiers rôles pressentis, le triumvirat et les costumières, la femme du doyen de Calverley et une personne de Covent Garden qui s'était laissé séduire par Lodge. Marina Yeo, trônant entre Crowe et Alexander, discourait sur le pouvoir des vêtements. Frederica, à l'autre bout de la table, était entre le jeune homme aigue-marine, qui n'avait toujours pas ôté ses grosses lunettes, et Jennifer Parry, qui devait jouer Bess

Throckmorton et qui, remplissant de justesse, dans cette énorme distribution, les conditions pour être classée parmi les premiers rôles, l'observait d'un œil critique.

« Les vêtements possèdent un terrible pouvoir au théâtre, disait Mlle Yeo. Ce que l'on paraît être en scène, on l'est effectivement, on est à leur merci, toujours, dans une certaine mesure. La fille d'Ellen Terry ne voulait jamais que ses costumes fussent nettoyés. Ils étaient raides de son mana. Sybil m'a raconté que quand elle mettait les élytres chatoyants qu'avait Ellen Terry dans Lady Macbeth, elle devenait, purement et simplement, absolument intrépide. Ils la portaient pendant toute la pièce. Connaissez-vous, Alexander, l'histoire d'Oscar Wilde sur ces élytres ? Il disait – que la reine d'Écosse – achetait le banquet – un repas très frugal – dans les boutiques du voisinage – et accordait sa clientèle aux tisserands du coin – pour son mari – pour son miteux – kilt. Mais ses propres toilettes – elle les achetait – à Byzance. Et c'était bien vrai.

— Jamais je n'oublierai ta Lady Macbeth, dit Crowe. Je vois encore tes mains, comme si tu allais les arracher à force de les tordre...

— Je préférais la chemise de nuit dans le spectacle, dit Mlle Yeo, à toutes ces robes assez carrées que je devais trimbaler...

— Tu vas avoir une ravissante chemise de nuit pour mourir, cette fois-ci, lui dit Crowe. Attends de voir. Les costumes sont faits d'après les maquettes de l'auteur, une nouveauté.

— Réellement », dit Mlle Yeo, accordant toute son attention à Alexander qui se sentit obligé de lui faire la cour. Frederica et Jennifer Parry observèrent toutes deux comment il se tirerait de cette obligation, Jennifer à la dérobée, Frederica sans vergogne. Comme elle l'avait prévu, il s'en tira mal, balbutiant gauchement, avec une évidente absence de sincérité, ce qui, en fait, n'était pas le cas. Marina Yeo avait le visage long et mat, des cheveux épais, lisses et grisonnants, des yeux très noirs sous des paupières profondément sculptées. Sa grande bouche avait invariablement droit au qualificatif de mobile. Son cou était très long et avait vieilli comme du très fin macramé, sans bouffissures. Elle contorsionne trop son visage tout le temps, décida Frederica en composant le sien avec raideur. Frederica avait été très impressionnée par la physionomie rigide, comme un masque, des portraits d'Elisabeth.

« Je n'ai pas encore saisi votre nom », dit l'homme aux grosses lunettes, en les braquant sur elle et en levant la tête sous les hautes fenêtres, de sorte que des étincelles dansèrent dans ses verres iridescents. « Je crois que je vous connais.

— J'en doute. Je suis Frederica Potter.

— Ah. Eh bien si, voyez-vous. La fille de Bill Potter. La seconde, la farouche. »

Frederica se recula et dit, « Comment », puis reconnut sa manière d'être.

« Vous êtes Edmund Wilkie. Comme c'est bizarre. Pourquoi êtes-vous là ?

— Je suis Sir Walter Ralegh, mon chou. L'enfant prodige de retour au bercail pour étonner et confondre la prophétie. Pourquoi êtes-vous là ?

— Je suis Elisabeth. Jusqu'à ce que Marina Yeo soit assez vieille – ou assez jeune – pour le faire, pour être elle. Si vous voyez.

— Je vois parfaitement. Épatant ! Vous aurez à apprendre ses maniérismes. Ce ne sera pas difficile. Ils sont très nettement tranchés. » Il pencha le corps vers elle en une très honorable imitation des angles curvilignes de l'actrice inclinée dans une posture attentive.

« Je ne vois pas votre figure, protesta Frederica. Ces lunettes sont très déconcertantes. Je ne me rappelle pas que vous ayez eu besoin de lunettes.

— Je n'en ai pas besoin. Elles sont expérimentales, de ma fabrication, une explication de l'effet des couleurs intenses sur l'humeur. J'ai bien essayé ces verres inverseurs qu'on met aux poulets, mais je n'ose les porter que chez moi. Ils sont garantis, quand on les enlève, pour produire des sentiments océaniques de totalité. Le haut et le bas du monde identiques. Ou du moins le haut et le bas de l'escalier, puisque les sens égarent l'intellect et déclarent que chacun des deux est l'autre. Les verres colorés sont plus faciles en public. J'en ai plusieurs paires. Brun, doré, bleu, gris fumé, violet fumé, grenat et rose conventionnel. Je tiens un long registre détaillé de mes humeurs et réactions. Je fais tenir par mon amie un registre de contrôle. Jusqu'ici la seule chose dont nous soyons tous les deux sûrs, c'est que, moins on me voit, plus je me montre impoli.

— Tout le monde, dit Frederica, semble se faire un titre de gloire d'être très impoli, ces temps-ci.

— Exact. Vous avez parfaitement raison. C'est un moyen facile d'avoir l'air spirituel. Je vous en prie, soyons révolutionnaires et polis. Dites-moi ce que vous pensez de votre alter ego, l'autre Gloriana ? »

Edmund Wilkie était le lauréat anticonformiste de Blesford Ride. Au collège, il avait passé son bachot avec une extraordinaire facilité, d'abord en lettres, ensuite en sciences. Puis il était parti à Cambridge faire des études de psychologie à King's College avec, disait-on, une maestria inégalée. Il était devenu à une vitesse fulgurante un acteur de renommée nationale, avait écrit, mis en scène et joué une revue intitulée *Chnoctambules* qui avait eu une brève carrière à Londres, et il avait interprété pour la Société Marlowe un Hamlet que Harold Hobson avait qualifié de « prince de Danemark le plus intelligent et le moins sentencieux qui ait illustré notre scène d'aussi loin que je me souvienne ». Frederica avait été passagèrement amoureuse de lui après l'avoir vu jouer Bunthorne, en velours jaune pâle et vert gazon, à une représentation au collège de *Patience*, de Gilbert et Sullivan. Il était le genre d'élève dont les professeurs espèrent en secret qu'il va se faire coller, désinvolte et ingrat. Ils avaient écrit des attestations fortement mitigées dont Cambridge ne tint pas le moindre compte.

Les échotiers se demandaient déjà s'il deviendrait un psychologue éminent, un universitaire ou un médecin novateur, un brillant meneur de jeu ou un grand acteur shakespearien. Alexander avait pensé qu'il était tout indiqué de lui demander de revenir à Blesford pour jouer Ralegh, homme aux nombreuses facettes, arriviste, poète, bateleur, savant, athée, soldat, marin, historien, captif. Ralegh portait sur ses épaules une bonne part de la pièce – il tenait pour mi-partie le rôle du chœur en même temps que le sien propre. Wilkie était pour Frederica la preuve vivante qu'il était possible d'échapper à Blesford pour la vie à cent à l'heure et les enchantements de la métropole. La vision que Bill avait de son avenir à elle n'incluait pas de pareilles choses. Il était prévenu contre Wilkie, témoignant sombrement qu'il avait l'esprit vif et peut-être quelque chose de plus.

Frederica s'empêtra dans un ramassis de remarques polies sur Mlle Yeo, dont il ressortit qu'elle lui trouvait une parfaite aisance, plastique et verbale. Elle gâta ce qu'elle avait réussi à rassembler de politesse en disant que Marina Yeo lui faisait penser à l'illustration de Teniel qui montre Alice en serpent effrayant la colombe. Wilkie dit, «Les filles qui ont de la cervelle comme vous croient que tout se fait avec la tête.

— Il n'y a rien de mal à avoir de la cervelle.

— Ne prenez pas si facilement la mouche, ma chère. Je n'ai jamais dit ça. J'adore la cervelle. J'en vis.

— On dit que vous allez vous faire psy.

— Non, non, non. Prof de psycho à l'université. Je veux étudier les rapports entre la perception et la pensée. Pas la libido, ma petite fille, la pensée. Le fin du fin du narcissisme, la cervelle mesurant ses propres pulsations et fluctuations. Les racines de la connaissance.

— Comment peut-elle ?

— Comment peut-elle quoi ?

— Comment peut-elle se connaître elle-même ? Comment peut-elle étudier ce qu'elle est elle-même ? Elle ne peut pas sortir d'elle-même.

— Les machines, Frederica.

— Les machines qu'elle a inventées elle-même.

— Non, pas elle. D'aucunes cervelles discrètes. Mais l'argument est valable. C'est un circuit fermé. La cervelle ne peut vérifier les conclusions de la cervelle sur la cervelle. Ça ne fait de mal à personne d'essayer, toutefois. »

Frederica se débattit vertigineusement avec l'image d'une cervelle en train d'essayer de se contempler elle-même. Une lumière en approche d'une lumière dans un miroir. Une bouffée de fumée, une explosion. Des circonvolutions de matière grise enlacées dans un combat mortel avec d'autres circonvolutions de matière grise. La cervelle était active et pourtant on l'imaginait informe et léthargique.

« Elle exploserait, déclara-t-elle avec confiance.

— C'est que vous l'imaginez sur le modèle de l'électricité.

— Non. Je vois des serpents de matière grise luttant avec d'autres serpents de matière grise.

— Et sautant comme des fusibles ? C'est intéressant, la constance de l'imaginaire concernant ce concept. Toujours des enroulements – électriques ou reptiliens – des cellules – organiques ou en batteries – et puis ça saute ou ça explose. Mais ça n'est suivi, dans mon propre cas, par rien du tout. Un espace vide et satisfaisant de lumière claire. À quoi je n'atteindrai jamais, étant trop actif, de nature, et pas vraiment assez audacieux. »

Crowe se leva pour faire les présentations générales. Trois acteurs de profession, anciens de Stratford et de l'Old Vic, qui avaient joué dans des films de Lawrence Olivier. Max Baron, grand, mince, l'air inquiet, qui jouait Leicester. Crispin Reed et Roger Braithwaite, respectivement Burleigh et Walsingham. Ces deux-là avaient une curieuse ressemblance, mais le maquillage accomplirait certainement leur métamorphose. Ils avaient des traits d'une grande netteté, des cheveux noirs, des chaussures en daim, des dents éclatantes, et des voix pleines qu'ils mettaient à profit pour troquer des histoires de désastres auxquels ils avaient échappé de justesse sur les planches. Ils étaient corpulents mais parlaient avec un mélange d'inflexion onctueuse et d'émotivité, un débit alternativement heurté et traînant, que Frederica ne parvenait pas à rapporter à leurs deux personnages de froids observateurs et de prudents hommes de pouvoir.

Bob Grundy, de la Compagnie d'York, autre professionnel destiné à Essex, laissait déjà pousser sa barbe.

Les amateurs commençaient avec Thomas Poole, chef du département d'anglais à l'École normale de Calverley, homme carré, blond et silencieux qui était l'ami d'Alexander et devait jouer Spenser, le poète sage et sérieux. Spenser, avec Ralegh, faisait fonction de chœur. Alexander avait passé des semaines de folie, de malaise et de fiasco à essayer de s'attaquer à Shakespeare en personne. Une nuit il rêva qu'il était cérémonieusement forcé de se mettre à genoux, puis décapité par un gigantesque bourreau masqué qui marmonnait un flux inintelligible de ce qu'Alexander savait être, dans son rêve, le véritable courant profond de l'anglais. C'était, comme ce personnage le lui rendit limpide, non pas Shakespeare, mais lui-même, qui était incapable d'endurer la question. Il se réveilla glacé de sueur qui lui ruisselait sur tout le corps, et pensa à Spenser.

Ce poète, plus lointain, plus inaccessible en apparence, s'était révélé plus facile à camper. Le texte qu'Alexander avait écrit pour lui, mélange mobile et changeant de pillage délibéré, pastiche chaleureux et clarté personnelle, était peut-être, pensait-il, ce qu'il avait réussi de mieux. Le vers élisabéthain s'unissait aisément avec la parodie et la nouveauté, avec sa source ancienne. Æterne en mutabilité, comme Spenser, qui lui aussi incorporait les archaïsmes, aurait pu le dire du langage, et l'avait effectivement dit d'Adonis. Alexander avait incorporé la formule dans *Astraea*. D'où, le moment venu, elle se retrouva dans les aide-mémoire du baccalauréat. Alexander était content de la participation de Thomas Poole qui connaissait *La Reine des fées* et parlait avec une clarté neutre et musicale.

Les femmes, outre Marina Yeo et Frederica, sa jeune ombre, comme le dit Crowe, étaient une enseignante guindée et passionnée de Calverley, taillée sur mesure pour Marie Tudor, une monumentale dame de la Compagnie de Scarborough, Mlle Annette Turnbull, qui était Lady Lennox, et Mme Marion Bryce, épouse du chanoine Bryce de Blesford, qui avait renoncé à une prometteuse carrière d'actrice pour embrasser celle de femme de pasteur, et qui montait chaque année des nativités et des passions, Christopher Fry et Dorothy L. Sayers, à la cathédrale de Calverley. Elle avait les cheveux bruns et la poitrine avantageuse, les yeux et la voix liquides et troublés, une présence indéniable et une grande force émotionnelle de palpitation et de tension. Son rôle, quoique dramatique, était succinct, car Alexander abhorrait Marie Stuart et avait fait en sorte que sa présence fût dans une large mesure ressentie comme une absence menaçante. Il y avait également Jenny, qui n'aurait sans doute pas été là si Alexander ne l'avait pas particulièrement désiré.

Elle était déjà ravagée par ses tentatives de conversation pendant le déjeuner. Wilkie et elle avaient poussé des exclamations appropriées sur le fait qu'ils étaient mariés dans la pièce. Wilkie avait demandé si elle faisait beaucoup de théâtre.

« Oh non. J'ai un tout petit bébé. Enfin un assez petit bébé. Je ne sors pas beaucoup. Et vous ?

— Je pourrais en faire ma profession. Des chasseurs de têtes sont venus rôder dans ma loge. Très flatteur. Très lucratif, en tout cas, pour un an ou deux. Je crois que je m'en tiendrai aux cellules grises. »

Frederica leur avait coupé la parole. Personnellement, elle voulait être actrice, son père en tenait mordicus pour Cambridge, mais elle craignait que Cambridge ne fût qu'une diversion. Le scintillement aigue-marine de Wilkie se porta sur elle. Il alluma une cigarette au bout d'un long fume-cigarette noir qui apparut comme une trompe entre ses deux yeux luisants de phalène. Il dit avec sérieux qu'elle ne pouvait rien faire de mieux, à l'heure actuelle, que Cambridge, pour trouver des débouchés. Et elle pourrait enseigner pendant ses « moments de détente ». Cela vaudrait mieux que de travailler comme serveuse dans un café. Mais Frederica ne voulait pas enseigner. N'importe quoi, rugit-elle, plutôt que d'enseigner. C'étaient les bons à rien qui le faisaient. Elle, elle voulait exceller. L'excellence, lui dit sèchement Wilkie, n'exclut pas la détente, mais il ajouta, jouant les vieux oncles, qu'il est impossible d'exceller sans commencer par trimer dur, voilà la vérité.

Jenny s'alarma devant ces enfants brillants et présomptueux. À vingt-quatre ans elle était vieille, et pourtant ne pouvait avoir guère plus de deux ans de différence, moins peut-être, avec Wilkie qui avait fait son service militaire. Ils étaient ambitieux, ils se voyaient prendre leur essor, s'élever toujours plus haut au firmament, et disparaître, tandis que son horizon à elle était strictement limité par Geoffrey, Thomas et Blesford Ride. Et qu'y avait-il au-delà, sauf, la chance aidant, des petits bouts de cet enseignement méprisé ? Elle avait excellé quand elle faisait du théâtre à Bristol, mais n'avait jamais songé à bâtir sa vie là-dessus. Elle savait qu'il lui fallait d'abord régler le problème du mariage et des maternités avant de définir n'importe quel projet d'avenir rationnel. Elle avait, désiré se marier, sans même envisager l'éventualité du contraire, durant toute sa licence, et même avant de l'avoir commencée. Elle ignorait, à supposer qu'elle eût alors pensé autrement, si elle se serait définie autrement, si elle se serait vue brillante et le serait peut-être devenue. Elle éprouvait de l'aversion, non pour Wilkie qui se croyait évidemment un génie, mais pour Frederica qui se croyait tout aussi évidemment un génie et exprimait cette croyance d'une manière relativement outrecuidante et glapissante. Elle était amèrement consciente du fait que son jugement avait une dimension sexuelle. Elle avait essayé d'échanger un regard avec Alexander, pour être au moins sexuellement réconfortée, mais il était occupé à draper une étole sur les épaules de Mlle Yeo. Elle essaya d'attirer à nouveau l'attention de Wilkie en lui demandant sur quoi portaient ses recherches, quelles fonctions du cerveau il étudiait.

« Sur – les relations entre les images visuelles et les langages. La façon dont nous formons des concepts, au bout du compte. Les images visuelles sont-elles, comme le pensent certains psychologues, plus primitives, plus fondamentales, que les mots, ou bien est-il impossible de penser sans disposer d'une sorte ou d'une autre de langage symbolique précis ? Je veux travailler sur les phénomènes eidétiques – les gens qui pensent simplement en visualisant. Certains génies mathématiques – Finders Petrie, par exemple – pensent visuellement – visualisent une règle à calcul et en lisent les nombres. Il y aurait à étudier d'intéressantes relations entre la mémoire visuelle, la mémoire conceptuelle et la pensée analytique... »

Frederica, violemment excitée, s'interposa de nouveau.

« Mon frère pouvait faire des mathématiques instantanées.

— Ah vraiment ? Le peut-il encore, comment faisait-il, et quel genre de choses exactement, le savez-vous ?

— Eh bien », dit Frederica, et elle se lança dans une version très inexacte de la chute mathématique de Marcus, qui fut interrompue quand Crowe se leva de table. On ne peut tout de même pas devenir invisible à vingt-quatre ans, pensa Jennifer.

Crowe conduisit ses invités dans la bibliothèque où étaient exposés divers croquis et maquettes. Sur la table, un modèle réduit de la terrasse et des arbres, avec divers rutilants pavillons de jardin mobiles et salles du trône aériennes qu'on pouvait mettre en place et enlever sur des roulettes. Il y avait une Tour blanche en carton et une litière de couronnement en allumettes, ficelle et gaze. On eût dit l'un de ces microcosmes gigognes, villages miniatures ou poupées russes, où l'enceinte du village contient un autre village, lequel, à son tour, contient des graines indifférenciées, des maisons, des empereurs, trop petits pour que la main de l'homme puisse les diviser ou son œil les séparer. Ou comme les jardins d'Adonis, paysages miniatures en blé, laitue, fenouil, repiqués à l'occasion de sa fête, pour fleurir et mourir, puis jetés, telles les effigies de la mort et du carnaval, quand le bas est fini, pour se rendre le fleuve propice.

Sur la table étaient exposé les dessins d'Alexander. Il ne les avait pas entrepris avec l'intention de les montrer à personne. Ils étaient le fruit de son obsession portée à son comble. Écrire l'avait mené, à moitié par érudition, à moitié par entichement, aux portraits, aux miniatures, aux vêtements eux-mêmes, du Victoria & Albert Museum. Et puis il s'était mis à dessiner ses personnages tard dans la nuit. C'était Crowe qui, lui ayant soutiré l'information que ces dessins existaient, en avait emporté une liasse. Un costumier pressenti avait déjà exécuté des croquis préparatoires, aux couleurs thématiques liées à des mentions repérables dans le texte d'Alexander, rouge et blanc, vert et or, roses Tudor, rosettes de ruban. Burleigh et Walsingham, rouge et blanc ; Spenser et Ralegh, vert et or, la reine, ces quatre teintes. Mais l'amour d'Alexander pour la minutie s'était révolté. Il avait eu, en partie, l'idée d'un réalisme dru et fidèle, d'une richesse que ce projet trop appuyé diluait. Il montra ses dessins à Crowe uniquement pour expliquer ce qu'il fallait. Sa science, toutefois, ne se bornait pas au dessin. Il savait placer agrafes et œillets, plissés, parements et pinces. Il s'était toujours chargé des costumes pour les représentations scolaires.

Les acteurs s'assemblèrent et se récrièrent. Alexander avait donné à certaines maquettes le visage de leur personnage historique, à d'autres celui de l'acteur qui en serait l'interprète. Ralegh, en velours noir rehaussé de rayons de perles, était Ralegh. Leicester, malgré sa pâle barbe hérissée, regardait sous le front anxieux de Max Baron. Les costumes de la reine étaient habités par des silhouettes et des visages changeants. Au-dessus d'un collet de cérémonie, le regard courroucé et le nez crochu étaient ceux du visage blême et fatigué de la reine en blanc qui chevauche l'Angleterre dans le portrait de l'orage. Au-dessus de la chemise de nuit plissée apparaissait un visage hybride qui avait l'immense bouche et le cou sinueux de Marina Yeo avec les hauts sourcils épilés et la perruque échafaudée d'Elisabeth. Frederica trouva ses propres robes, qui lui plurent : une blanc et or pour son emprisonnement, une vert et or pour courir dans le verger de Catherine Pair. Elle fut contrariée de voir que le visage couronnant les robes sur les dessins était un ovale vide.

Alexander s'était secrètement complu à dessiner Bess Throck morton. Il l'avait peinte à l'aquarelle en s'inspirant de Hilliard, et lui avait donné le petit visage nerveux et avide de Jenny, séparé des seins ronds qu'il connaissait à Jenny par la fine collerette en éventail de la véritable Bess. Elle maintenait les flots corail de ses jupes soulevées par le vent, appuyée contre un rosier blanc à la Hilliard, sur un tapis de verdure émaillé avec précision de violettes blanches et de marguerites panachées. Seuls les vêtements de la femme, dans cette idyllique scène de printemps, étaient agités par cet insolent coup de vent. Alarmé par ce qui lui apparaissait comme la représentation flagrante de ses sentiments dans ce dessin, il avait essayé de lui donner un aspect plus technique en faisant figurer des détails relatifs aux fendus, dentelles et guipures, dans les marges, et n'avait réussi, à ses yeux si habitués à déchiffrer de spirituelles et énigmatiques fioritures, qu'à rendre sa préoccupation plus apparente. Il s'accorda le plaisir de contempler Jenny en train de s'examiner dans le bosquet aux pâles reflets qu'il avait si bien agencé, et regarda par-dessus son épaule au moment où elle dit, « Je reconnais la femme appuyée contre l'arbre.

— Douceuralteur messiralteur, s'exclama Wilkie derrière elle.

— C'est dans ma pièce », dit Alexander. Crowe, qui se tenait encore plus en arrière, compléta la citation d'Aubrey :

« Et comme péril et plaisir grandissaient en même temps, elle s'écria dans son extase. Non, doux Sir Walter, messire Walter. Ce qui devint douceuralteur messiralteur.

— Elle tomba enceinte et ils furent enfermés dans la Tour, dit Wilkie. Quel merveilleux cotillon, monsieur Wedderburn. Je vais en tirer beaucoup de plaisir. »

Frederica attrapa Alexander par le bras au moment où il allait suivre Jennifer.

« Attrapé », dit-elle avec l'enjouement forcé de l'embarras. Alexander, avec la perspective de tout un été de Jennifer devant lui, se sentit bienveillant.

« Je vais vous montrer une chose, Frederica. Regardez ça. »

Il sortit d'un emballage de papier brun une longue et étroite bande de velours rouge foncé.

« Une chose que le temps a oubliée. C'est Matthew qui l'a trouvée. Il faisait retapisser les chaises et l'a trouvée en rouleau dans le rembourrage. Aussi neuf que quand il y a été fourré, sous Jacques Iᵉʳ. »

Il le tint déroulé dans la lumière.

« Si vous suspendez le velours dans le mauvais sens, vous perdez le reflet. La vie s'en va. Voilà le bon sens. Regardez. » Ses doigts caressèrent le pelage au lustre brun. « Regardez comme la lumière chatoie dans ce tissu – elle passe de l'argent au rouge sang et ensuite au noir. Incarnadin – un soupçon plus sombre que feuille-morte – une altération de l'incarnat. Rose chair sombre, plus sombre que toutes les roses de Damas et les lèvres cerise des sonnettistes. La chose authentique.

— Vous aimez vraiment les choses, Alexander.

— Vous semblez le critiquer. Vous ne les aimez pas ?

— Personne ne m'y a jamais incitée. J'éprouve le solide respect des gens du Yorkshire pour du beau drap de laine épais et un bon couteau bien aiguisé. C'est à peu près tout.

— C'est sans doute votre âge. La vie gagne en consistance lorsqu'on vieillit. Je me demande si j'aurais été autant sous le charme des objets de cette demeure à votre âge.

— C'est trop pour moi. Je ne vois pas. Je suis de la génération de l'austérité. Le beurre et la crème, les oranges et les citrons sont des entités mythologiques pour nous, vous savez. Papa trouvait ça très bien. Le pain ordinaire, les chaises standard, les œufs en poudre et la margarine. Toutes ces sculptures et ces tentures me mettent surtout mal à l'aise. »

Alexander dit à Crowe, « Voilà Frederica qui dit qu'elle ne ressent rien pour vos objets à cause de la guerre. »

Crowe leva ses sourcils argentés en la regardant.

« Je suis sûr que ce n'est pas vrai.

— Mais si. Ils m'intimident. Il y en a trop.

— Pas si vous les connaissez. Je vais vous montrer ma belle demeure et vous apprendre à voir les détails. Nous allons commencer par les stucs de la grand-salle. Avez-vous regardé les stucs ? »

Elle avait remarqué qu'il y avait une fraise qui faisait le tour de la grand-salle sous la tribune.

Elle n'avait enregistré davantage qu'une vague impression d'arbres, de nudités qui couraient, d'animaux, en relief crayeux. Maintenant, en contemplant docilement cette frise, elle vit que les personnages étaient à la fois vigoureux et légèrement compassés, mariage précaire de l'art anglais et de l'art classique. Elle localisa un homme en train de se changer en cerf, une créature dont l'énergie torturée dans la métamorphose rappelait celle des hommes feuillés de la cathédrale de Southwell : muscles distendus, pieds déformés se durcissant, cage thoracique se dilatant, cornes se ramifiant, fanon au pelage crème, bouche ou gueule béante sous un front humain.

« Actéon, dit Frederica qui connaissait sa mythologie.

— Exactement, dit Crowe. Ce mur dépeint l'histoire de Diane et Actéon. L'autre est consacré à Vénus et Cupidon errant. Au-dessus de la cheminée, voyez-vous, les deux déesses se rencontrent, Cupidon maté est réprimandé, et Actéon est massacré de la belle façon. L'ensemble forme à mon sens une allégorie en continu. Il est bien plus vivant que la plupart des stucs anglais. Regardez les jolies déesses. »

Frederica regarda les jolies déesses. Elles apparaissaient et réapparaissaient dans des scènes qui se fondaient les unes dans les autres, conférant aux personnages récurrents une multiplicité ou une ubiquité. Diane se tenait, les seins hauts, svelte et grande, dans une mare circulaire au milieu des joncs, tandis qu'Actéon épiait derrière un rocher. Le regard qui observait la scène était situé derrière le chasseur en observation, et pouvait ainsi voir les muscles de ses épaules et de sa croupe d'homme. Dans la scène suivante, la déesse courroucée et la petite cohorte de ses compagnes gracieuses et musclées considéraient le changement de l'homme en bête, puis venait la longue poursuite, les pattes des chiens, les pieds des chasseresses et les sabots des chevaux s'élançant comme des vagues verticales à travers les fleurs blanches et les troncs d'arbre blancs, alors que Cupidon apparaissait et réapparaissait avec son petit arc d'enfant, et que la déesse bondissait, visait, et réapparaissait dans la clairière suivante. Vers la cheminée, un cortège de jeunes filles portait, accroché à de longues perches, le poids mort du corps brisé, à l'endroit où les déesses triomphantes, en drapé pâle et guirlandes de fleurs, siégeaient sur leur trône, la main dans la main, au-dessus de l'âtre.

De l'autre côté de la salle, dans un style bien moins fluide et plus artificiel, Vénus s'éveillait dans une chambre sylvestre dont on avait du mal à distinguer si les murs étaient faits d'arbres décoratifs ou de colonnes blanches à chapiteau orné de feuilles. Elle s'envolait dans un chariot tiré par des colombes, et se posait dans une petite ville fortifiée sur un coteau bucolique où des paysans, des moutons et des vaches miniatures montraient les blessures blanches qui témoignaient du passage et de la fuite de son fils. Vénus était plus opulente que Diane et portait une ceinture au tissage recherché sur des vêtements étroits à travers les fins plis desquels ses formes étaient joliment galbées. Où qu'elle se tînt, on voyait des fleurs blanches poindre sur le sol et choir dans l'air blanc en jeunes pousses et petits bouquets. Le calme de son visage était aussi souriant que celui de Diane était sévère. Réunies, pour le finale, parmi le désastre conventionnel de nymphes sanglantes et sanglotantes, victimes des flèches de Cupidon, et de l'homme-cerf roidi, installé pour la curée, elles étaient quelque peu inquiétantes.

Frederica en fit la remarque. Crowe dit qu'elle avait raison, et qu'à son avis elles constituaient une critique déguisée de l'attitude d'Elisabeth à l'égard de Johanna Seale, fille de la maison, dont la destinée avait été très voisine de celle de Bess Throckmorton. Virginité et volupté avaient détruit cette dame, morte jeune, en mettant au monde un second fils, très imprudemment conçu durant son emprisonnement. Il y avait une peinture loyale de la reine elle-même au-dessus de la porte de la grand-salle, en face des déesses, qui correspondait parfaitement à la pièce d'Alexander et pourrait intéresser Frederica.

Frederica leva la tête pour examiner cette femme au total plus encombrée, moins délicate, et fit observer que la reine paraissait accroupie.

« Oui, c'est exact. C'est en partie un effet de perspective. Mais c'est surtout que son habit est la carte de l'Angleterre, ce qui entraîne une certaine proportion d'écrasement et d'étirement de son corps. Vous voyez le cap de Cornouailles, Land's End, palpiter derrière son genou gauche ? Et l'Écosse nouée au-dessus de son épaule gauche ? Il y a une parenté avec le frontispice du Polyolbion de Drayton, bien sûr.

— La corne d'abondance, commença Frederica sans faire attention, semble sortir entre ses jambes de son...

— Je l'interprète comme l'estuaire de la Tamise. Le centre du négoce. C'est Elisabeth en tant que Virgo-Astraea. Astraea, la dernière des immortelles, la déesse de la Justice, montée au ciel à l'âge de fer parce qu'elle s'était amalgamée à la Vierge du zodiaque. Elle a acquis la Balance, mais aussi les attributs de la moisson de la Vierge, puisque Vierge et Balance sont les signes de la moisson.

— Je sais. Je suis de la Vierge. Le 24 août. La nuit de la Saint-Barthélemy.

— Conjonction imprévue de présages.

— Je ne crois pas à tout ça.

— Elle était aussi du signe de la Vierge, Elisabeth. On peut avancer que la Vierge du zodiaque et la Vierge Marie sont les très proches parents de divinités de la moisson bien plus déplaisantes et sauvages, Cybèle, Diane d'Éphèse, Astarté.

— La lune de Birkin.

— Mais les images de Birkin sont tellement forcées. Ce n'est pas votre avis, quand vous voyez ceci ? » Frederica regarda consciencieusement Elisabeth-Polyolbion-

Virgo-Astraea. À cause de sa position accroupie, le personnage, partiellement absurde, avait une présence amorphe, chthonienne, escarpée, plus primitive que les nymphes et les déesses aux beaux seins sphériques. Sous ses draperies littéralement paysagées, elle était lourde et débordante, le chef couronné d'un château. La main gauche tenait l'épée nue, les balances de la justice pendaient dans sa main droite ; la corne d'abondance se dressait, puissante et colossale, trompe raide et courbe, fleuve de profusion, entre ses genoux monumentaux, déversant sur la terre et le long de l'architrave une cascade en stuc de fleurs et de fruits, d'épis de blé et de pommes d'or.

L'éducation esthétique de Frederica ne s'arrêta pas là. Tous les hôtes furent emmenés, bon gré mal gré, faire une visite guidée des chambres d'apparat. Celles-ci avaient des noms cosmologiques, Soleil, Lune et planètes, ouvrant les unes sur les autres et meublées chacune d'un énorme lit à baldaquin sous un plafond peint avec recherche. Ces grandes pièces ouvertes à tous vents avaient plusieurs portes d'entrée et de sortie qui donnaient sur des cabinets, des corridors, des paliers. Crowe s'agitait, tenant à la fois de la femme de charge, de l'historien d'art et du garde-chiourme, les bras encombrés de morceaux de papier qui protégeaient de la lumière les couvertures de lit brodées par l'infortunée Johanna Seale. Dans la chambre de la Lune la couverture et les tentures s'ornaient de croissants d'argent sur fond bleu : Crowe ouvrit les volets et laissa entrer un soleil un peu pâle, froid et dubitatif. Toutes les chambres avaient des stucs de l'imaginatif maître anglais de la métamorphose classique. Dans la chambre de la Lune le stuc dépeignait les faits et gestes de Diane, la mort des enfants de Niobé et celle d'Hippolyte, la métamorphose d'Égérie en source. Le plafond, comme le dit Crowe, dominait malencontreusement le reste des lieux. Innovation baroque, il représentait sous une étrange perspective Cynthia descendant du dôme des cieux vers Endymion endormi dans sa caverne.

Wilkie dit, « Je me demande depuis combien de temps on a fait l'amour dans ces lits ? M'est avis que le jeu en vaudrait la chandelle.

— Il y ferait très froid la nuit, dit Thomas Poole. Même avec du feu et toutes ces tentures.

— M'est avis, dit Frederica, que si vous rebondissiez là-dessus, vous soulèveriez d'énormes nuages de poussière. M'est avis que si vous vous enfermiez derrière ces courtines, vous feriez de la claustrophobie. M'est avis que la chambre étant une espèce de lieu de passage, cela couperait vos effets.

— Le plafond était sans doute destiné à vous en procurer, des effets, dit Crowe.

— À moi pas », dit avec toute la vigueur de son tempérament Frederica, à qui jamais personne au juste n'avait encore fait éprouver les effets des joutes amoureuses. « Toutes ces tranches rondelettes de chairs brunes et rosâtres, et cet horrible bleu plat et irréel, et ces nuages roses et maladifs. Les chairs donnent l'horrible impression d'être rôties, ou à moitié rôties, vous n'auriez aucune envie de les toucher. »

Wilkie examina le dôme en trompe-l'œil et, au bout d'un moment, ôta ses lunettes. Quand il se tourna vers Frederica, elle fut surprise de voir que ses yeux, qu'elle avait imaginés bleu vif comme ses verres, étaient en fait chocolat. Il battit des cils. Elle battit des cils. Il dit :

« C'était un artiste italien. Ce ne sont pas là des chairs anglaises, la lumière est trop grêle et trop intense, ces bruns et ces roses n'appartiennent pas à nos paysages. L'érotisme anglais n'a pas cette richesse de bleu et de terre cuite. Ou de chair cuite. Il est sylvestre et humide. Nous nous attendons à ce que nos regards se fondent dans les brumes et plongent dans les gouffres. L'Arcadie anglaise est faite de fourrés, de halliers, d'obscurité humide. Ah ! le taillis et la clairière sur le minuit de *Femmes amoureuses*, ou bien l'amant de Lady Chatterley courant tout nu, la nuit, dans les bois, sous une pluie battante.

— La véritable et palpable altérité mystique, dit Frederica en servant très à propos sa citation la plus souvent tournée en ridicule. Non merci. »

Dans la chambre du Soleil, Mme Bryce dit qu'elle avait mal aux pieds, s'assit sur un coffre sculpté et se frotta la voûte plantaire. Reed et Braithwaite, à la fête, enlevèrent le papier qui cachait l'ardeur resplendissante du lit. Crowe signala le stuc de Daphné, parmi les amours d'Apollon, le chef-d'œuvre du stucateur, à son avis, tellement anglais, avec les feuilles qui pointaient sur les articulations saillantes, les veines qui commençaient en vaisseaux sanguins humains et se ramifiaient en nervures de feuille, les jambes arrêtées en plein élan qui s'enfonçaient en racines, l'amusant petit visage d'elfe anglais d'antan, pas de nymphe grecque.

Mlle Yeo cita Marvell : « Apollon pourchassa Daphné/Pour qu'en laurier elle se mue,/Comme en Syrinx Pan convoita,/Non la nymphe, mais un roseau. » Reed et Braithwaite chantèrent l'amour végétal et sa vaste croissance. Crowe saisit Frederica par le coude et dirigea ses regards vers le plafond.

« Mieux qu'à côté. Je soupçonne Jacopo de n'avoir pas été foncièrement inspiré par les femmes. Mais par ceci. »

Le plafond dépeignait la mort de Hyacinthe. Il était d'un goût douteux, si pouvait se définir ainsi le curieux malaise qui s'emparait de la plupart de ceux qui le regardaient. Le dieu du Soleil, dans sa pâle nudité dorée, ses boucles d'or coiffées avec recherche sur ses étroites épaules, était à genoux, les bras écartés dans l'horreur ou d'adoration érotique devant le corps basané et sanglant, pâmé et idéalisé, du jeune homme, dont le sang plus intense tachait le sable rouge de charmantes spirales et commençait déjà à fleurir sur le pourtour des flaques, en jacinthes d'un cramoisi pourpré sur l'écarlate et la terre cuite. La tête du dieu était penchée, dans la contemplation de son œuvre, sur le côté. Les paupières étaient abaissées sur les yeux, de sorte qu'il regardait par des fentes étroites. La grande bouche était distendue et affaissée, légèrement ouverte dans une expression ambiguë qui pouvait être de pure douleur ou de pur plaisir, masque d'un sentiment porté à son comble, et pétrifié.

Crowe serra plus fort.

«Regardez la ligne – la ligne qui suit la face interne des cuisses d'Apollon, et la façon dont ses jambes répondent à celles du garçon. Regardez l'indifférence de ces deux visages, et le contour de la tête dans le sang, les courbes qui se répètent.

— Il est mort», dit Frederica. Il semblait important d'établir qu'il était mort.

«La mort et l'extase amoureuse étaient des images interchangeables.

— Elles le sont toujours, dit Wilkie. Les gens ont cet air-là. Mort ou extatique.»

Il parlait avec autorité. Frederica n'éprouva aucune envie de lui demander comment il le savait. Crowe continua.

«Remarquez la différence de perspective. À côté, le monde est enclos dans un dôme éclairé selon les règles. Ici, l'horizon désert s'étend bien au-delà des limites d'une vision aisée – l'œil est obligé de se déplacer, il ne peut s'arrêter et tout embrasser. Et dans ce désert informe le groupe central est entièrement formé, entièrement composé. Regardez avec quelle précision les pétales des fleurs répondent aux gouttelettes étincelantes de sang coagulé sur le flanc du jeune homme – la forme de la gouttelette est inversée dans la fleur. L'ensemble est une pyramide constituée de petits segments qui montent ou qui descendent, comme les gouttes – regardez la chevelure d'Apollon, le sommet, les boucles et les frisons qui se répètent. Ma théorie est que c'est une peinture délibérée du cycle de la génération et de la régénération sous le soleil, le sang goutte dans le sol, les fleurs jaillissent.

— Les chairs sont bleues, dit Wilkie en ôtant une nouvelle fois ses lunettes. Ce qui ménage une image rémanente de tous les éléments. Beaucoup de rouges d'une froideur paradoxale, peints sur les bleus, également.

— Il a une bouche cruelle, dit Frederica.

— C'était un dieu cruel, dit Crowe. Ses légendes sont des légendes cruelles. Vous verrez mon petit Marsyas, pour terminer. Ce dieu n'a pas tué le garçon, mais voyez comme Borée, qui l'a fait, par là-bas, imite sa pose. Pour terminer, remarquez ce groupe subsidiaire de personnages. Les historiens d'art les baptisent nymphes et bergers, mais je crois que c'est hautement improbable. Mon opinion est qu'à droite – en une danse solennelle – ce sont les Muses – "le chœur d'Apollon, les neuf vierges" – vous savez – et qu'à gauche, ceux qui farandolent et gesticulent assez obscurément sont les initiés, les jeunes gens qui célébraient Hyacinthe, Adonis, Thammouz, je ne sais qui encore, en des orgies accompagnées d'auto-mutilation et autres choses du même genre. Vous voyez que l'ensemble est un symbole de l'infini – un 8 horizontal et distendu si vous regardez bien – suivez les bras et les corps d'un bout à l'autre, en passant par Apollon et Hyacinthe au centre, où leurs corps – ah ! – se touchent presque. Jacopo était versé dans les arcanes et les mystères néoplatoniciens. Nous avons ici un Apollon qui est le principe de l'ordre et du désordre, de l'art et de la destruction. De la résurrection et ainsi de suite. Tout flamboyant qu'il soit, par-dessous sa forme est robuste.

— C'est obscène », dit Wilkie à Frederica qui pouffa de rire.

Alexander et Jennifer s'étaient arrangés pour rester en arrière sous la visitation de la Lune. Par un accord tacite ils demeurèrent à des côtés opposés de la chambre jusqu'au moment où la dernière personne à la traîne, qui se trouva être Thomas Poole, entra, ouvrit la bouche pour parler à Alexander, se ravisa et se hâta de rejoindre les autres.

Alexander se tenait devant la fenêtre, parcourant des yeux le jardin de simples, le potager, les hauts murs et, plus au loin, la lande avec ses moutons aux pattes fines, ébouriffés et touffus.

« Jenny. Viens par ici.

— Non, toi, viens par là regarder ce lit. » Ils demeurèrent côte à côte à considérer solennellement la surface convexe et soyeuse. « Tu dis toujours, si seulement nous avions un lit. En voici un de littéralement monstrueux. »

Alexander convint qu'il l'était. Sa main trouva celle de Jenny au creux de ses reins. Ils restèrent enlacés.

« Je te pousserais, dit-il avec une extrême douceur, je prendrais tes pieds dans mes mains, comme ceci, je t'enlèverais tes chaussures, je dénouerais tes cheveux… et puis j'enlèverais tout le reste – très posément… et je te déploierais…

— Et tu resterais planté là à me considérer pendant que je frissonnerais au milieu de tout cet espace.

— Non, non. Je te… je te… » Il aurait pu l'écrire. Il ne pouvait pas le dire.

« Tu me ferais mille choses. Je sais, je sais. Nous en avons souvent parlé. Mais nous ne les faisons pas, voilà la vérité.

— Nous les ferons. Nous avons des mois devant nous –

— Non, non. Il faut renoncer, ou bien –

— Ou bien – dit Alexander.

— Ou bien nous marier. Alors nous pourrions –

— Nous marier. » Il examina les rideaux qui bougeaient. Il se rendit compte qu'il supposait Jennifer inapte au mariage. Il la serra plus fort contre lui. Il avait très peur d'être vu. Il la poussa assez rudement derrière les courtines. Il l'embrassa.

Des pas résonnèrent. Ils s'écartèrent vivement l'un de l'autre. Alexander montra du doigt le plafond et récita le premier vers qui lui vint à l'esprit.

« Et toi qui reviens sur tes roues d'argent.

— Ah oui, Tennyson, dit Frederica avec un glousse-ment de complicité déplacée. Je croyais toujours qu'il était question d'une statue montée sur roulettes, pas un char, sotte que j'étais. J'ai été envoyée à votre recherche. M. Crowe veut fermer l'aile et nous emmener dans la tourelle qu'il doit habiter à l'arrivée des étudiants. Voir son Marsyas, dit-il. Personnellement, n'étant pas habi-tuée à faire du tourisme, je ne sais si je puis en suppor-ter davantage. En tout cas, me voilà. »

La petite aile de Crowe, même sans être aussi immensément grandiose que les chambres d'apparat, ressemblait encore à un palais. Il offrit le thé aux acteurs dans son bureau, sombre pièce lambrissée où seul était directement éclairé le petit Marsyas que Frederica prit d'abord pour un ténébreux et obscur crucifix. Crowe expliqua, avec allégresse, que c'était l'œuvre la plus subtile et la plus déplaisante de Jacopo, non pas, comme le Marsyas de Raphael, une image de l'animal ligoté dans l'attente de l'écorchement divin générateur de grand art, mais comme le Marsyas d'Ovide, une image de la douleur juste avant la désintégration, le corps écorché vif mais conservant encore, pour un court instant, sa forme terrible. La peau velue était étalée sur le sol, la chair et le lacis des muscles étaient exposés aux regards et des gouttes de sang crevaient en pointant sous les muscles, de sorte que ce qui semblait à première vue posséder la fermeté du marbre était dégoulinant et gluant, boursouflé, prêt à exploser dans l'informe. Des chalumeaux en corne sculptée gisaient à terre, délaissés. Au second plan Apollon souriait d'un terrible sourire vide et pinçait sa lyre. Crowe passa le bras autour des épaules de Frederica.

« Qu'en pensez-vous ?

— Je n'aime pas ça.

— C'est très pénible. C'est ravissant. C'est le moment de la naissance de la nouvelle conscience. Marsyas a crié à Apollon : *Quid me mihi detrabis*. "Pourquoi m'arraches-tu à moi-même ?" Et Dante a prié pour être ainsi arraché à lui-même. Et pour qu'Apollon le traite *si come quando Marsia traesti/Della vagina delle membre sue*. "Comme lorsque tu arrachas Marsyas à l'enveloppe de ses membres." Une métamorphose, une fois de plus. L'étincelant papillon de l'âme séparé de la chrysalide du corps. Larve, chrysalide, imago. Une image de l'art.

— C'est répugnant, dit Frederica. Je refuse l'art s'il doit absolument être aussi déplaisant. Merci bien.

— Vous vous sentez toujours oppressée par ma belle demeure ?

— Oh, encore plus. Mais plus intéressée.

— De quelle manière ? »

Elle réfléchit, jetant un regard froid à présent sur le satyre pendu.

« Eh bien – avant de l'avoir vue, elle me paraissait étonnante mais irréelle. Et maintenant que je l'ai vue, elle me paraît étonnante et réelle. Mais ce dont j'ai envie, c'est d'une bonne grande promenade en plein air. »

Crowe rit et la lâcha. Il dit, « Il faudra venir la revoir. Il faudra vous familiariser avec tout cela. »

14

Cosmogonie

À Blesford Ride ce que la plupart des collèges eussent nommé l'infirmerie s'appelait le pavillon. Y présidait une corpulente infirmière en uniforme blanc amidonné pas tout à fait propre, qui portait une coiffe comme un casque ailé, une rangée de ciseaux et de crayons bardant les rondeurs de son sein, et une vigoureuse moustache grisonnante. Sa prescription pour la plupart des indispositions était l'obscurité et le jeûne, ce qu'elle appelait donner à la tête et à l'estomac un peu de repos. La plupart des garçons, après une ou deux heures de privation, guérissaient plus ou moins miraculeusement et demandaient à recouvrer la liberté. Marcus venait souvent, à cause de son asthme et de maux de tête. Il ne demandait pas à être libéré.

Après la lumière et le labo Croupi Marcus essaya faiblement d'effacer Dieu et Lucas Simmonds de sa conscience. Il ne lut pas la brochure de Simmonds. Il changea de direction s'il apercevait Simmonds dans les couloirs du collège. Il chercha de la compagnie avant de traverser les terrains de jeu, ou bien en fit le tour. Il souffrit de maux de tête accompagnés de lumières fulgurantes qui ne se déclenchaient pas dans sa tête, ne jaillissaient pas de sa tête, mais se produisaient juste derrière elle. Il ne jeta pas la brochure mais la conserva dans son pupitre.

Un jour, pendant un cours de maths, Marcus regarda par la fenêtre et vit la lumière bouger à la cime d'une rangée de tilleuls à l'horizon. Il regarda une nouvelle fois, et vit la lumière s'amasser et danser. Un oiseau s'éleva dans le soleil et fit jaillir de menues étincelles et éclaboussures de scintillement dans l'air. Marcus, verdissant, fouilla sans regarder dans son pupitre, saisit la liasse de feuillets, leva la main et demanda à sortir en prétextant une migraine.

Au pavillon, l'infirmière crissa des dents, ouvrit des draps froids sur un haut lit de fer, le regarda y grimper et tira le store vert. Le gland de bois cliqueta sur le rebord de la fenêtre. La pièce baigna dans une obscurité sous-marine. Marcus remonta les genoux sous le menton et ne regarda pas les échardes de lumière blanche tout autour du store. L'infirmière sortit en froufroutant, l'enfermant derrière elle.

De brèves visions le visitèrent. La lumière, le cristal diaphane se soulevant comme une mer et le noyant. Lui-même agrippant les genoux de Simmonds sous la flanelle grise et hurlant comme un animal. Rien de ce qu'il évoquait d'autre ne semblait substantiel ou possible.

L'infirmière avait mis les feuillets dans le tiroir de la table de chevet. Il se retourna, releva précautionneusement le store d'un ou deux centimètres et se mit à en prendre connaissance.

Marcus ne possédait pas, comme Eliot le disait de James, un esprit si fin qu'aucune idée ne pouvait le violer. En un sens, cependant, toutes les idées lui paraissaient peser du même poids ; il ne formulait pas de jugements sur leur éventuelle vérité ou absence de vérité ; sa réaction vis-à-vis d'elles était une conception moins intellectuelle que quasi perceptive de leur cohérence ou absence de cohérence, au fur et à mesure qu'il traçait les carrés et les marches possibles sur un échiquier. Son sentiment de cohérence à l'égard des structures verbales était également moins aigu que sa réaction vis-à-vis des formes visuelles ou mathématiques. Il assumait, sans formuler cette assomption, que les mots étaient de toute façon des indicateurs grossiers, et que leurs messages n'étaient au mieux que des approximations. Alors il parcourut rapidement la brochure de Simmonds, comme il aurait pu le faire, dans sa prime jeunesse eidétique, d'une image offerte de champs, de rues, de hauts-fonds dans des voies navigables, comme une simple sorte de reconnaissance neutre pour aider la mémoire. Si sa lecture, même sous cette forme cognitive neutre, fut également fautive, parce qu'il ne connaissait rien des divers textes dont Simmonds avait compilé des bribes et des morceaux pour sa théorie de l'univers, cette carence fut contrebalancée par le fait qu'il lisait Simmonds. Il fut, en ce sens, l'unique lecteur de Simmonds, mais il n'avait pas le moindre désir, à la différence de tous les autres gens de cette histoire, de démontrer son habileté à lire les gens.

Le Plan et le Modèle se proposait de décrire les ensembles en corrélation, indifféremment nommés organismes ou organisations, dont l'infini se constitue. Il existait trois infinis, l'Infiniment Grand, l'Infiniment Petit, l'Infiniment Complexe. Une sorte de coefficient de la valeur des choses semblait être attaché aux degrés du troisième Infini. Par exemple :

> Plus nous montons sur l'Échelle de la Matière, des minéraux aux végétaux, des végétaux aux animaux, des animaux à l'Homme et aux créatures plus complexes que l'Homme, plus il devient véritablement manifeste que les corpuscules qui composent la matière, atomes, électrons, protons, neutrons, tendent à se regrouper selon des modes toujours plus complexes pour former de toujours plus complexes Corps composés.

> Sous le rapport de la Complexité un Corps vivant est supérieur à un Corps inanimé puisqu'un assemblage de cellules est plus complexe qu'un assemblage de molécules. Une fourmi est conséquemment supérieure à l'Être physique du Soleil.

> Sur cette planète il n'est d'organisme plus complexe que le cerveau humain.

> Toute l'Organisation de la Vie de la Terre peut être considérée comme une pellicule sensible appelée Biosphère, laquelle s'étend sur les surfaces solides de la Terre.

Avec la Lithosphère (la Terre solide), l'Hydrosphère (le globe liquide) et l'Atmosphère (l'enveloppe gazeuse), la Biosphère constitue les quatre aspects du globe physique. Je ne dis rien encore du Globe Mental.

L'opinion que la Biosphère doit être considérée comme une entité vivante possédant sa propre Unité Interne a été avancée par de nombreux biologistes et géologues depuis que, le premier, Süss a formulé la théorie ultérieurement développée par Vernadsky.

Une telle opinion met en question notre vision simplement stratifiée de l'existence, car elle n'entraîne pas moins qu'un renversement radical de notre Mégalanthropique et Anthropocentrique croyance en l'Homme comme ordre suprême de l'Être donné à notre perception sensorielle. Si la Biosphère est une Créature vivante, alors nous autres hommes, nous sommes des portions de son organisme ou organisation physique, et en vérité des portions si petites que le même rapport de taille et de nombre existe entre nous et elle qu'entre une seule cellule et le corps humain vivant.

Si nous considérons par hypothèse l'Espèce Humaine comme constituant les cellules cérébrales de la Biosphère, la coïncidence numérique est effectivement frappante. On estime que le cerveau humain compte 3 000 000 000 de cellules, ce qui équivaut à l'estimation de la population humaine sur la terre en l'an 2000 de notre ère. En outre, il existe quelque 10 000 000 000 000 de cellules ordinaires dans le corps, chiffre qui correspond à l'estimation raisonnable du nombre de métazoaires sur la surface de la Terre…

L'hypothétique échelle de la matière de Simmonds laissa Marcus vaguement dubitatif, mais il fut séduit par l'idée que sa conscience n'était seulement qu'une cellule dans l'interconnexion d'un vaste système d'appréhension. Cela rendait la vision du papier millimétré et l'intrusion excessive de la lumière plus tolérables. Il sauta encore quelques données numériques et analogies douteuses entre les cellules du corps humain et les oiseaux et les bêtes de la création, pour arriver à la théorie de Lucas Simmonds sur l'évolution mentale comme continuation de celle de Darwin.

La surface physique, l'enveloppe externe de la matière, a évolué jusqu'à un certain point et produit l'Homme. Les observateurs scientifiques qui cherchent depuis Darwin à découvrir des mutations observables qui puissent être présentées comme la preuve de processus évolutionnaires continus, se sont révélés incapables de produire quoi que ce soit de convaincant. Cela tient au fait que l'espèce a maintenant atteint ses ultimes forme et identité physiques. La lutte pour l'existence et le processus de développement se sont transportés sur la Sphère Mentale. Ainsi la Biosphère développée est-elle à son tour incluse dans une couche encore plus dense d'Esprit. Cette couche est la Noussphère, l'Esprit Terrestre. Il semblerait raisonnable de supposer que le But actuel de l'Existence soit la translation de l'Énergie Matérielle en Énergie Mentale. Ainsi l'Homme et, uniformément dans son sillage, l'ensemble de la création inférieure, seront-ils transfigurés en pur Esprit. Ainsi le phénomène de l'entropie, ou perte de l'énergie matérielle tangentielle du globe terrestre par une émission de chaleur à chaque nouvelle opération de la matière, peut-il s'interpréter, non pas comme une menace à notre survie, mais comme la résolution d'un dessein supérieur, une opération nécessaire à la réalisation d'un Plan.

Il est également raisonnable de supposer que d'autres corps et organisations célestes, accessibles ou inaccessibles à notre perception sensorielle, possèdent des Noussphères ou entéléchies, confusément figurées dans les Créatures Vivantes de l'Apocalypse peut-être, ou dans les représentations rudimentaires des anges, archanges, et ainsi de suite, ou, comme C.S. Lewis l'a intelligemment exposé, dans le fait que la Science-Fiction donne des noms de Divinités païennes, si obscurcies par l'anthropomorphisme qu'elles soient, aux Âmes ou Noussphères des autres planètes de notre système solaire.

Quand l'étude en arriva à Dieu, Marcus découvrit que l'habitude qu'avait Simmonds de le désigner par un monogramme, n'était pas, comme il l'avait supposé, une facétie, mais une tentative de désanthropomorphisation de l'esprit universel qui emplit l'espace, représenté dans le texte par D. D était l'organisateur de toutes les organisations, le planificateur d'un modèle qui était « actualisé » selon certaines lois. Marcus trouva les descriptions des opérations de D considérablement plus difficiles à suivre que les hypothèses de biosphérologie.

Tous nos esprits d'hommes peuvent être vus comme des aspects ou des particules de D. De même que la Tulipe, ou le ciel au point du jour, D est strié de lignes d'univers de tous les esprits, mais il ne dépend pas de ces vacillements pour exister : sans D ils ne seraient pas. C'est le but de l'Activité Mentale, humaine, subhumaine et surhumaine, que d'atteindre à une conscience plus pleine de D.

Le Plan découle directement de D. Le Plan est l'Idée, la parfaite et totale Idée du Créateur, à laquelle toute la création s'efforce d'atteindre. Le Modèle est la réalisation concrète dans le Temps et dans l'Espace du Plan. Le Plan et le Modèle sont entre eux dans une même relation que les principes Mâle et Femelle, le premier est affirmation et puissance, l'autre est dénégation et réalité concrète. Le Soleil doit être considéré, non pas comme la mère des planètes, qui les produirait de sa propre substance, mais comme le Père qui imprègne le matériau planétaire informe du Plan, de la Lumière étincelante, de sa propre constitution génétique.

Suivaient alors quelques pages très spécifiques de « faits » scientifiques que Marcus eut du mal à comprendre. Elles se donnaient pour tâche l'analyse des protéines en tant que vecteurs de modèles ; il existait de nombreux millions de structures protéiniques distinctes, présentes dans les organismes vivants, mais il n'y avait qu'« une infime et quasi inexistante proportion de la totalité des protéines à être chimiquement *possible* ».

Même une protéine simple constituée de 20 acides aminés, s'exclamait Simmonds, chacun d'eux n'apparaissant qu'une seule fois, donnerait environ 2 400 000 000 000 000 000 de composés différents, contenant chacun les mêmes acides aminés en proportions identiques et ne différant que dans leurs relations spatiales. Il passait ensuite au codage génétique transmis par le sperme (un cent millionième du poids du corps) et l'ovule : le développement de l'œil complexe à partir du petit nombre de composés protéiniques indifférenciés présents dans le sperme. Marcus, confronté aux chiffres, fut gêné par la faiblesse des liens de cohérence ; son attention fut de nouveau captivée par une péroraison sur la vie comme force de réconciliation cosmique.

Mais combien peu d'Hommes sont conscients de leur véritable nature ou fonction ! Pour la plupart, ils s'élèvent à peine au-dessus du niveau de la conscience de soi de l'Espèce vue en d'autres mammifères. Une vache est comme une machine. Elle ne peut être que ce qu'elle est, la réalisation concrète du modèle Vache, qui contient irréfutablement une conscience de soi seulement rudimentaire. L'herbe et la laitue, qu'elle convertit en une matière corporelle qui lui est propre, n'ont bien sûr pas la moindre conscience de soi. Un Homme devrait lutter pour satisfaire sa potentialité. Un Homme ordinaire peut agir de son plein gré environ 10 000 fois dans le cours de sa vie. Si nous comparons cela aux 100 000 000 000 d'actions involontaires ou réflexes que son organisme aura accomplis durant la même période, force nous est de conclure que la conduite de soi est un pouvoir qui n'est pratiquement jamais mis en œuvre en l'Homme.

Le suprême degré de conscience de soi transcende bien sûr tout individu ou toute espèce, et il est présent en toute entité capable d'avoir conscience du Modèle de la vie même, – p. ex. des entités telles que les biosphères.

Dans l'existence après la Vie, l'existence est le Modèle, sans interférence d'une réalité concrète dénégatoire. En

D l'existence est le Plan, qui n'est concrètement réalisé sous aucune forme de matière. La Vie répond à un Plan d'affirmation. Mais l'existence après la Vie est l'affirmation même. La Terre est ce qu'elle affirme, et il en va de même du Soleil. La différence entre un niveau supraanimé et un autre consiste qualitativement dans le degré de liberté qui réside dans le pouvoir de créer ses propres modèle et affirmation plutôt que dans le fait de recevoir l'empreinte d'un ordre supérieur.

C'est précisément parce que le Soleil possède une moindre réalité concrète que la Terre, qu'il est plus libre en regard de l'affirmation. La Galaxie à son tour est plus libre que le Soleil, mais la plus grande part de son existence demeure de beaucoup purement potentielle.

Quand Marcus eut achevé ces exhortations, et quelques autres du même style, il tira le store et se pelotonna, les genoux sous le menton. Il sombra volontairement dans un sommeil profond et sans rêve, chose qu'à l'égal du déploiement il avait toujours été capable de faire. Quand il se réveilla, les écrits de Simmonds s'étaient disposés comme un modèle dans son esprit, un modèle inoffensif de sphères et de lignes indicatrices de protistes et de lumière douée d'intention. Il décida, après avoir pesé le pour et le contre, de ne rien faire. Si Simmonds avait raison, rien n'avait à être fait.

Cela se révéla vrai. Trois jours plus tard, en traversant le cloître d'un pas hésitant, il aperçut la familière blouse blanche. Les jambes grises progressèrent et stoppèrent. Marcus leva les yeux. Simmonds, dont le visage rose était empreint de sévérité, fit signe, et Marcus suivit.

« Nouvelle rencontre, déclara Simmonds. Vous avez lu mon étude.

— Oui.

— Alors maintenant vous avez une petite idée de l'importance de la tâche en présence. Nous devons faire preuve de beaucoup d'intelligence. Une part de notre tâche consiste à découvrir sa véritable nature, les modes de conscience que nous devons explorer. J'ai divers projets pilotes en tête. Je crois à l'éclectisme. Nous nous soumettrons à divers exercices traditionnels de contemplation. Nous pratiquerons également la transmission directe de pensée. De l'un à l'autre, et par nous peut-être directement à la Noussphère. Asseyez-vous, mon garçon, et je vais vous expliquer. La première chose est d'apprendre – ce qui est difficile, très difficile – à faire le vide dans votre esprit... »

Marcus s'assit. Il serra ses fines mains l'une dans l'autre et courba la tête avec docilité. Les paroles de Lucas, de plus en plus rapides et abondantes, se déversaient agréablement, troublant la surface lisse d'un bassin mental bien trop souvent limpide et vide.

Il n'y avait là personne pour réfléchir sur l'ironie qu'impliquait le double fait qu'il se protégeât du vide avec le discours interminable de Simmonds sur la nécessité de déblayer le fouillis et le rebut des mots morts et du langage moribond, et qu'il se protégeât du silence avec le joyeux débordement de paroles de Simmonds sur le silence auquel ils atteindraient ensemble.

DEUXIÈME PARTIE

UNE FABLE FLEURIE

« L'AUBE DE L'ANNÉE »

The Times, lundi 6 avril 1953

Le cycle complexe du calendrier a ramené Pâques à sa place initiale et naturelle dans l'année, car le 5 avril du calendrier grégorien – le 25 mars de la chronologie d'avant la réforme – est le Jour de l'An de l'Ancienne Année, fête qu'ont seuls de nos jours coutume d'honorer les fonctionnaires du fisc. Est ainsi soulignée la signification du premier jour férié de l'année, ce premier Bank Holiday qui, en dépit des prévisions météorologiques et de leur cortège de vents froids, de neige et de tonnerre, marque pour un Anglais le moment de se détourner des pensées hivernales. C'est la seule de nos fêtes chômées à rompre si nettement avec ce qui la précède, par un contraste des plus tranchés avec Noël, qui survient au point culminant de semaines de préparations croissantes. Pour le citadin à tout le moins, Pâques signifie généralement la découverte que le miracle annuel du printemps a fondu sur lui à l'improviste. Fuyant les rues des villes où les mois se sont si lentement écoulés qu'ils paraissaient interchangeables, il trouve dans la campagne que tous les signes de la nouvelle naissance s'offrent ensemble à sa vue – les jonquilles hochent la tête sous la brise et les primevères chatoient au bord du chemin, les bourgeons nouveaux pointent, les oiseaux chantent à cœur joie. La vie, si longtemps arrêtée en apparence dans les ténèbres et l'inertie, est soudain instante, allègre, bourgeonnante une fois encore. Le signal a été donné, le cours ordinaire de nos existences humaines change de rythme et de refrain avec le renouveau de la nature.

«Vieux et jeune», ces termes sont empruntés aux mesures de la vie humaine et doivent inévitablement l'être. Ce n'est pas là tomber dans un sentimentalisme fallacieux, car nous participons de l'éternel changement dont nous tirons observations et morale. Il ne peut avoir existé de temps, depuis que l'esprit humain est capable de tant soit peu concevoir des idées abstraites, où l'homme n'ait pas vu dans le passage du temps une image de lui-même.

> *Et sa gloire fleurie, inconstante et flétrie,*
> *De son avide faux le Temps bref bientôt tranche.*

Assurément Glaucus, fils d'Hippolochus, n'exprimait pas sous les murs de Troie une pensée originale dans cette très charmante image de la chute des feuilles à l'automne et de leur renaissance au printemps, image léguée par HOMÈRE à VIRGILE, chez qui DANTE l'a prise pour la transmettre à MILTON. Plus longuement nous étudions les runes à demi déchiffrées de la préhistoire, plus nous sommes forcés de conclure que l'homme primitif, tel qu'il se voyait lui-même, non seulement partageait la destinée de la cosse sèche qui tombe dans la terre, mais encore *était* mystérieusement cette graine en sa mortalité et sa puissance, et donc était aussi la pousse verte qui resurgit à l'aube de l'année. Des sociétés entières se sont construites sur cette conception, car le parallèle dépasse la vie de l'individu pour s'étendre à celle de la famille, de la tribu, de la nation.

En ce printemps par-dessus tout, l'image primitive doit posséder pour nous sa plus riche signification. Car le Couronnement est la fête nationale du renouveau mystique. Nous avons traversé un hiver gris et mélancolique, sombre de désastres naturels, assombri encore, dans l'orbite symbolico-personnelle que notre société décrit, par le deuil récent d'une bien-aimée REINE. Mais le printemps survient avec son message annuel qui proclame que tous les désastres et tous les deuils peuvent être transcendés par l'invincible puissance de la vie nouvelle. Comme Nation, comme Commonwealth, nous tenons pour notre suprême représentante notre jeune REINE et, dans son intronisation qui consacre l'avenir selon des formes anciennes, nous déclarons notre foi et proclamons que la vie se lève de l'ombre de la mort, que la victoire est arrachée aux apparences de la défaite, que la transfiguration dont notre nature est capable n'est pas un démenti de notre évanescence temporelle, mais la révélation de sa signification la plus profonde. Il se peut

> *que toutes choses abhorrent d'être stables*
> *Et soient changées ; cependant si bien orientées*
> *Qu'elles ne changent pas de leur état premier,*
> *Mais qu'en ce changement leur être se dilate.*
> *Elles retourneront enfin à elles-mêmes*
> *Et devront au destin leur propre perfection.*
> *Le changement sur elles point ne règne en maître ;*
> *Elles règnent sur lui, et leur état maintiennent.*

15

Pâques

Pâques, en cette année de contrastes extrêmes, fut fantasque, en particulier dans le nord. Dans le nord-ouest il y eut de fortes neiges, par endroits, le vendredi saint, et, le lundi de Pâques, des averses de grêle. À Calverley et à Blesford, des giboulées de neige fondue et noire alternèrent avec un soleil vitreux.

Les gens de la pièce disparurent temporairement. Felicity Wells délaissa les rubans incarnadins pour le cher petit jardin de Pâques dans la nef de Saint-Bartholomew. Alexander acheta d'occasion une Triumph gris métallisé et prit la route. Il acheta aussi le nouveau disque de T. S. Eliot lisant les *Quatre Quatuors*. Frederica, grâce à une furieuse concentration et à l'affectation d'une vertu de disciple à maître, réussit à l'emprunter pour l'écouter pendant les vacances scolaires. Elle le passa alors continuellement, comme s'il s'agissait d'un talisman, et réussit finalement à exaspérer tous les autres membres de sa peu musicienne famille par la répétition incessante de ses rythmes.

Le jour de Pâques, Stephanie décida d'aller à l'église. Elle se dénicha un chapeau, pour respecter les convenances, un demi-melon de velours marine orné d'un petit bout de voilette. Ainsi coiffée, et précédée par le cercle tremblotant d'un parapluie écarlate, elle se fraya un chemin entre les pierres tombales et dans l'herbe mouillée.

Elle aurait pu venir à l'église de toute façon sans le problème de Daniel. Elle aurait pu venir pour faire plaisir à Felicity. Elle aurait pu venir parce qu'elle aimait prendre part aux cérémonies de l'année. À d'autres Pâques elle avait teint des œufs, carmin, pelure d'oignon, et s'était rendue dans des villages miniers pour voir les œufs sur des tréteaux dans les salles du premier étage des pubs, des œufs teints avec des cravates, bouillis avec des fougères et des napperons de dentelle, bouillis avec des chaussettes criardes et de vieilles cravates de club, de la betterave, de la cire et des gentianes. Bill aimait ces œufs, mais ne mettait pas les pieds dans une église à l'approche de Pâques. Stephanie avait fait les deux choses selon l'occasion. Cette année était différente. Elle était en colère contre Daniel. Elle était venue pour le voir, là, à l'église. Son milieu naturel.

Il l'avait contrariée. Il avait fourré son gros visage consacré entre ses genoux et tremblé. Il avait déclaré sa passion et lui avait dit de rentrer chez elle et de ne pas en tenir compte. Il l'avait entraînée dans son méli-mélo de politesse de goûters chez ses paroissiens, d'histoires mortes et de cérémonial. Il lui avait donné l'impression qu'elle jouait les allumeuses professionnelles. Quand il la verrait à l'église, il verrait qu'elle était pleine de regrets et de respect. Quand elle le verrait à l'église, elle saurait avec certitude que toute cette affaire était ridicule. Elle pourrait en essuyer les traces, ensuite, sous le porche de l'église.

Une de ses élèves de troisième lui tendit un livre de prières. Elle s'assit dans le fond, contre une colonne, et regarda Mlle Wells faire son entrée dans une envolée d'écharpes en mousseline de soie de diverses nuances de rose qui pendaient d'un chapeau en forme d'assiette et palpitaient comme des papillons défraîchis dans l'encolure et entre les boutons de sa gabardine de couleur taupe. Les suivants à arriver furent son frère Marcus et un jeune homme qu'elle reconnut vaguement, et puis identifia comme ce drôle de type de sciences nat qui, une fois, à une fête de Noël au collège, n'avait cessé de l'inviter à danser, laissant de grandes marques de mains moites sur le dos de sa robe de soirée pâle. Simmonds fit des courbettes et des sourires à toute l'assistance, puis guida Marcus vers un banc, comme une poule avec un poussin, ou un chambellan avec un prince.

Stephanie fut profondément choquée de les voir tous deux faire une génuflexion puis un signe de croix. Qu'est-ce que cela signifiait ? Depuis combien de temps cela durait-il ? Marcus n'avait pas semblé la voir, mais à dire vrai il ne le faisait jamais.

L'orgue poussa un râle d'asthmatique, se raffermit et retentit avec fracas. Le chœur entra, marchant en procession d'un pas traînant, et chantant sur des notes aiguës étouffées par le poids de l'air qui n'avait pas encore été ébranlé sous les voûtes du toit. Avec le chœur entra un berger massif, Daniel, en surplis. M. Ellenby venait ensuite, qui devait prendre la parole pour son offrande pascale. L'expression de Daniel ne s'accordait pas à l'allégresse de la musique. Ses sourcils noirs se croisaient sur son nez. On eût dit qu'il allait s'embarquer dans la cérémonie de la commination. Elle parvint à distinguer sa voix, une basse rugueuse qui chantait juste mais sans être harmonieuse. Ses efforts semblaient tendre à donner une cadence fortement marquée que les autres chanteurs puissent suivre. Elle-même n'essaya pas de chanter.

Il n'avait pas, comme elle l'avait supposé, peut-être redouté, l'air bête. Il ne semblait pas non plus, comme elle avait également imaginé qu'il le ferait, brûler d'énergie spirituelle. Elle était venue pour voir cette énergie s'exercer ; elle était venue pour le regarder prier. Mais il avait son air ordinaire, noir, charnu, solide, et la batiste blanche lui faisait une bavette ténue sans rapport avec lui. Elle se sourit à elle-même à cette pensée. Et tandis qu'elle souriait, il la vit. Il la regarda et fronça encore plus profondément les sourcils, avec la rigidité électrique d'un choc. Il se détourna. Puis, lentement, au-dessus du col d'ecclésiastique et du plissé neigeux, il s'empourpra, il s'embrasa, le sang incendia tout son visage, de ses sombres bajoues à ses pommettes et à son front. Elle se sentit prise sur le fait, coupable d'une faute de goût. Un surcroît de grêlons crépita sur les vitraux.

238

Ils chantèrent, se levèrent, s'agenouillèrent, psalmodièrent, murmurèrent, confessèrent. Son aversion pour le christianisme se durcit comme de la glace. Elle comprit qu'elle avait à moitié désiré partager ce qu'il y avait d'antiquité et d'héritage. Noël l'émouvait. Venez, fidèles, surtout en latin, lui laissait le regret réel d'être exclue de la foi et de la communauté. La naissance difficile par mauvais temps, les anges d'or chantant dans la neige, la parole dans le verbe incapable de dire un mot, voilà ce qu'elle aurait voulu avoir, tout en se sentant exclue de la chaleur et de la lumière dans l'étable par un rationalisme superflu. Mais le mort marchant au petit jour dans le jardin la laissait froide. La congrégation donna les psaumes avec ce mélange de parlé et de chanté, de discordant qui crisse comme de la craie sur le tableau noir, et de vagissant atone, endurant et lugubre, qui est si anglais. Elle en éprouva de la répulsion.

Peut-être existait-il quelque chose de particulièrement déplaisant dans les Pâques anglaises. Il ne s'était pas avéré possible de greffer les sanglants rites pascals et le Dieu démembré sur le printemps anglais, comme il l'avait été de concilier les célébrations nordiques du solstice d'hiver, l'étoile qui bouge dans le ciel, l'arbre aux feuilles persistantes, le bœuf, l'âne, le messager resplendissant et la terre où il gèle à pierre fendre. Il y avait une qualité ardente et barbare dans les lectures du dimanche de Pâques, qui n'avait rien à voir avec les chatons de saule et les poussins en bourre de soie jaune, mais qui pouvait peut-être avoir trait à des atrocités druidiques oubliées. La lecture de l'Exode parlait de l'agneau pascal et du dieu qui venait par les airs dans la nuit et égorgeait tous les premiers-nés des hommes et des bêtes. Elle donnait des instructions pour arroser de sang les montants des portes et pour égorger et manger la chair rôtie au feu de l'offrande immaculée. La seconde lecture, tirée de l'Apocalypse, présentait l'Alpha et l'Oméga, le premier et le dernier, le Fils de l'homme, blanc comme la laine blanche et comme la neige, aux yeux comme une flamme de feu et aux pieds semblables à l'airain le plus fin, comme s'il eût été embrasé dans une fournaise. La nature laineuse, écarlate et blanche des âmes lavées dans le sang avait mystifié et épouvanté des générations d'êtres humains et d'Anglais. Mais elle était étrangère. La naissance était un miracle réel, poursuivit l'esprit froid de Stephanie, et la résurrection en serait un plus grand, si l'on y ajoutait foi, mais le sang que nous buvons, la forme éphémère qui sort de la tombe aromatisée, ne sont ni crus ni nécessaires comme l'est le chant des cieux à la naissance. Nos Chevaliers verts ont fait pousser des têtes neuves sur des épaules décapitées, dans leurs veines tressaillantes un sang neuf a coulé, le Christ de Langland a dévasté l'Enfer comme n'importe quel héros explorant le monde souterrain et revenant indemne. Mais les Chevaliers verts, c'était encore Noël. Les Pâques anglaises essayaient de greffer sur les images du massacre rituel et purificateur la remontée de la sève, les cabrioles des agneaux de Wordsworth, l'éclosion des poussins duveteux brisant leur œuf scellé et satiné, or vivant issu de la pierre. Mais l'esprit anglais était secrètement horrifié par la mer glauque, les murailles de cristal, la laine blanche, les pieds d'airain et le trône de la Nouvelle Jérusalem où le printemps ne reviendrait jamais parce qu'il n'y avait ni herbe ni hiver.

M. Ellenby prêcha sur saint Paul. Il assura ses ouailles que si le Christ ne s'était pas levé d'entre les morts, il n'y aurait pas d'Église et elles seraient condamnées à la mort éternelle. Si c'est dans des vues humaines, dit M. Ellenby en ajustant ses lunettes et en léchant ses lèvres sèches, que j'ai combattu contre les bêtes à Éphèse, quel avantage m'en revient-il, si les morts ne ressuscitent point ? Mangeons et buvons, car demain nous mourrons. Paroles terribles, dit M. Ellenby, en cognant du poing sur le rebord en pierre de la chaire, en l'écrasant sous les coups, si nous n'étions assurés que le Christ est vivant en ce moment même, que les si terribles processus naturels furent contrecarrés et changés, que la décomposition fut arrêtée et inversée, qu'un cœur mort battit et que des pieds morts marchèrent, et par conséquent nous nous réjouissons, dans la crainte, parce que nous aussi, nous vivrons à jamais. Les gens hochèrent la tête et sourirent comme ils hochaient la tête et souriaient tous les ans, et Stephanie passa par tous les stades du rejet, de la discourtoisie embarrassée à la haine transie.

Après le service M. Ellenby et Daniel se placèrent près de la porte pour serrer la main de chaque paroissien à sa sortie de l'église. Elle savait à présent qu'elle n'aurait pas dû venir, que Daniel savait qu'elle était venue pour le regarder prier ; elle essaya de s'attarder. Elle se dirigea vers le jardin de Pâques de Mlle Wells, autour duquel un petit groupe s'était formé et s'exclamait sur sa joliesse.

Il était construit et aménagé sur des morceaux soigneusement choisis de calcaire et de granit du pays, dont les interstices étaient bouchés par de la terre humide et gazonnés avec des bandes de mousse. Le tombeau était un wigwam carré, fait d'ardoises inclinées. À l'intérieur, des mouchoirs de fil soigneusement enroulés et disposés comme des toiles d'embaumement. À l'extérieur, un ange en céramique, surmonté d'une auréole en fil de fer argenté, était adossé d'une manière assez mal assurée contre une menue branche d'aubépine, les mains jointes dans la prière ou le ravissement. Au sommet du monticule, un christ, également en porcelaine, se tenait en bleu pâle et bénissait les airs de ses mains blêmes. En contrebas, Marie-Madeleine, en bleu plus foncé, suivait le mouvement ascendant du Christ dans un sentier étoilé de têtes coupées de primevères et d'aubriéties. Autour d'une petite mare, faite d'un miroir, se dressaient des boqueteaux de fleurs printanières, perce-neige, sylvies, aconits, leurs tiges plantées dans du coton dans des pots de pâte de viande à tartiner placés sous les pierres. Des scilles aussi grandes que le Christ hochaient la tête, bouche bée, sur les pierres au-dessus de lui. Elles firent penser à Stephanie aux poupées des *Deux Vilaines Souris* qui, adossées contre le buffet, sourient sans discontinuer. Les enfants avaient déposé des offrandes sur le pourtour, des coquilles d'œuf de grive, de merle et de pluvier, quelques poussins en bourre de soie aux fines pattes en fil de fer. Mlle Wells pria Stephanie, comme elle l'avait déjà fait une fois, de respirer le parfum de miel et de vin des primevères. Elle le fit et retrouva ce parfum, pureté du miel, pureté du vin, fraîcheur de la terre.

Une nouvelle voix lui remit d'autres problèmes en tête. Lucas Simmonds joua de l'épaule contre la sienne et se fraya un passage ; il remercia Mlle Wells, comme si elle l'avait fait à son seul bénéfice, pour le joli petit jardin, salua Stephanie et fit observer que le service avait été très réussi, à son avis.

Stephanie ne trouva rien à dire. Davantage encore que le christ et l'ange en porcelaine, Lucas Simmonds souriait sans discontinuer. Involontairement les yeux de Stephanie rencontrèrent ceux de Marcus. De même que Daniel avait rougi, de même Marcus pâlit. Ses mains faisaient des plis sur son pantalon le long de ses cuisses. Elle se rendit compte que d'aussi loin qu'elle osât se souvenir, c'était la première fois qu'elle le voyait, tout du moins de son plein gré selon toute apparence, en compagnie de quelqu'un. C'était la première chose, en dehors de ses occupations journalières, qu'elle le voyait faire, depuis… Ophélie.

« Pâques est un temps de triomphe, dit Simmonds. L'Église n'a jamais pleinement compris la signification universelle de Pâques. C'est Pâques, et non pas Noël comme nos pratiques le laissent vulgairement supposer tout du moins, qui est la fête capitale du véritable calendrier. Nous y célébrons – ainsi que ce petit jardin nous en offre un si bel emblème – notre unité avec la création végétale, l'herbe qui est tondue et qui repousse, la moisson qui est semée avec le grain récolté. Nous y célébrons aussi l'éternité de l'Esprit, l'éternité de l'Espèce, l'assurance que nous n'expirerons pas. Il y a quelque chose dans cette Fête pour tous les hommes autant qu'ils sont, même ceux qui ne partagent pas notre Foi, qui ne pratiquent pas selon notre rite. Chacun doit pratiquer selon le temps et le lieu où il se trouve. Je ne vous avais pas encore vue ici, mademoiselle.

— Non. Je ne – viens pas ici.

— Je suis heureux de vous voir en cette occasion », dit Simmonds comme si l'église lui appartenait. Son ton pontifical n'avait rien de commun avec les laborieux essais de propos mondains qu'elle se rappelait de la fête de Blesford.

Stephanie pensa qu'elle devrait dire quelque chose à son frère. Comme si la rencontre était naturelle. Ce que, Dieu sait, en un tel lieu, elle n'était pas. Simmonds dit, « Nous devons filer, Marcus. Le travail nous attend.

— Le jour de Pâques, protesta Mlle Wells.

— Le travail de Dieu, dit Simmonds en inclinant la tête et en poussant Marcus devant lui hors de l'église. Le travail de Dieu. »

Stephanie parcourut l'église du regard et vit qu'elle y restait à présent presque seule, avec Felicity. Elle décida de sortir rapidement.

Sous le porche attendaient pasteur et vicaire. M. Ellenby lui prit la main entre les deux siennes et dit qu'il était heureux de la voir, qu'il espérait… Sa voix se perdit. Daniel tendit une main raide et toucha la sienne.

« Bonjour », dit-il. Il regarda dans l'église en espérant voir un autre habitué.

« Au revoir », dit-il en voyant qu'il n'y en avait pas.

Il avait cessé de pleuvoir. Elle erra dans le cimetière, entre des tertres gazonnés et des pierres penchées, s'arrêta pour regarder un bouquet de jonquilles enfoncé dans une urne polie parmi des éclats de marbre. Herbe, jonquilles, ifs, les morts, Marcus.

Elle se demanda si elle devait effectivement se réjouir que Marcus eût un ami. Il n'avait jamais eu aucun ami, n'avait jamais amené âme qui vive à la maison. Le caractère spécifiquement sinistre de leur vie de famille pouvait expliquer que le fait n'eût jamais été remarqué, pas plus que ne l'était la répugnance que Frederica et elle éprouvaient à inviter des amies à entrer. Elle-même en avait eu, des amies. Elle était populaire, à sa manière modérée, était allée camper avec les Éclaireuses. Frederica avait entretenu avec des filles beaucoup plus vieilles ou beaucoup plus jeunes qu'elle des relations passionnées qui avaient mené à des désastres, des rebuffades ou de subites aversions. Mais la conduite imprévisible de leur père empêchait de ramener des amies à la maison. Il pouvait, en excellent pédagogue qu'il était, faire subir un interrogatoire socratique à une jeune visiteuse et lui prêter une attention flatteuse tout en la cuisinant sur ses vues et ses croyances. Il pouvait tout aussi vraisemblablement vociférer, de l'autre côté de la cloison lattée, qu'il était intolérable que personne ne se préoccupe de son besoin de silence pour travailler, ou pis encore, qu'il y avait déjà eu du hachis une fois de trop cette semaine et que la cuisinière pouvait s'attendre à ce qu'il le lui flanque à la figure.

Winifred semblait croire que ce qu'ils avaient était une « vie de famille » plus intense et d'une plus grande portée que des invitations fortuites, à supposer qu'elles eussent même eu lieu, ne pouvaient prétendre en avoir.

Stephanie pensa : je n'ai pas la moindre idée de la façon dont Marcus se comporte avec les autres garçons parce que je ne l'ai jamais vu avec aucun garçon. Elle pensa : même si ce type lui fait des avances on peut quasiment soutenir que cela vaut mieux que rien. Mais elle n'avait pas aimé l'expression de Simmonds, « le travail de Dieu », non, c'était une formule sentencieuse, remplie d'ostentation et de fatuité. Elle aurait pu consulter Daniel, et elle l'aurait fait, si les pulsions sexuelles n'avaient tout compliqué. Contrairement à ses habitudes, elle s'apitoya sur son propre sort. Elle n'avait pas demandé à Daniel Orton de piquer un fard, de s'embourber dans des explications, ni de jouer les exaltés et les censeurs. Elle aurait pu coexister avec son christianisme s'il avait gardé ses distances. Elle l'aimait bien, et maintenant tout était un beau gâchis. Cette pensée et celle de l'existence sans amis de Marcus lui firent regretter d'être là. Cambridge avait voulu la garder. Elle aurait pu être en train d'arpenter les couloirs bien cirés de Newnham ou de Girton tout en devisant de la prosodie de Keats et de la protection des bizuthes intelligentes contre leurs propres sottises. Elle aurait pu épouser cinq ou six garçons au choix, peut-être davantage, futurs universitaires ou fonctionnaires, professeurs de lycée ou employés municipaux, et même un petit hobereau pourvu d'une Rolls Royce d'époque et d'un monument historique qui avait besoin d'une maîtresse, disait-il. Elle était revenue à son point de départ, à sa sinistre base, parce que la réalité, c'est supporter, c'est endurer les choses. Mais ce que Marcus endurait, lui, était-ce la réalité? Et elle, était-elle simplement en train d'ensevelir son unique talent dans le sol encrassé de Blesford?

Elle était revenue, admit-elle, en partie à cause de ces garçons, parce qu'elle était toujours tellement contente de quitter leur lit. Elle n'aurait pas pu continuer comme cela. Et n'aurait pas pu continuer non plus à refuser ce dont ils semblaient avoir envie ou besoin, d'un autre côté. Elle se sentait utilisée, et elle sentait que si elle l'était, c'était entièrement de sa faute. Si Marcus avait une inquiétante petite aventure, elle espérait qu'il en tirerait au moins quelque plaisir, si peu vraisemblable que, selon toute apparence, cela pût être.

Elle se rendit compte qu'elle avait fait à moitié le tour de l'église et se tenait à présent contre le mur de la sacristie à côté d'une barrique d'eau et d'un tas de compost fait de couronnes mortes et de bouquets fanés. Avançait vers elle entre les tombes Daniel dépouillé de son surplis. Il s'arrêta à quelques pas et lui demanda péremptoirement:

«Vous cherchez quelqu'un?

— Non. Je me promène de long en large.

— Pourquoi êtes-vous venue?

— Je ne sais pas. Pour voir à quoi cela ressemblait.

— Et êtes-vous satisfaite?

— Satisfaite?

— Avez-vous effectivement vu à quoi cela ressemblait, alors?

— Je ne sais pas. Je ne sais pas. Je n'ai pas aimé.

— Je ne pense pas que vous vous y attendiez.

— Je veux dire que j'ai éprouvé une telle conviction que tout était faux. Cela m'a rendue malheureuse. Noël a un sens pour moi – même si je ne – mais tout cela – Noël possède sa propre vérité.

— Les choses sont vraies ou elles ne le sont pas, dit-il avec dureté. En définitive. Noël ou Pâques. Ou bien ils ont eu lieu ou bien ils n'ont pas eu lieu. Ou bien vous y croyez ou bien vous n'y croyez pas. Ce ne sont ni de belles histoires ni de jolies métaphores, ni du folklore non plus, et vous le savez bien. Vous n'en croyez pas un mot. Vous n'auriez pas dû venir.

— Vous ne pouvez pas dire à tout le monde de ne pas venir, simplement parce qu'il y a des choses que les gens ne croient pas. Il ne vous resterait personne.

— Laissez-m'en juge. Mais je ne le dis pas à tout le monde. Je le dis à vous. Vous n'auriez pas dû venir, vous. »

Il regardait la terre sous ses pieds, la terre sillonnée et gazonnée. Ses mains étaient serrées derrière son dos.

« Si vous voulez dire – que je suis venue à cause de vous – si je l'ai fait – je suis seulement venue – pour voir ce que vous croyez. Pour essayer de comprendre. Était-ce mal ? »

Il enfonça la tête dans les épaules, comme si son cou le faisait souffrir.

« Je pense que ça n'a pas servi à grand-chose. Alors, avez-vous compris ?

— Non. » La contrainte l'oppressait. C'était une femme qui, en raison d'un alliage habituel de sensibilité aux réactions d'autrui et de couardise morale, se donnait perpétuellement du mal pour ne faire outrage aux susceptibilités de personne, ni fouler aux pieds de fermes convictions. Avec lui, elle n'allait pas se conduire comme cela. Elle dit hargneusement, « Non. Sincèrement, si j'essaie de la prendre au sérieux, je trouve toute cette histoire répugnante. Un sacrifice sanglant rapetassé, un conte de fées sans la moindre preuve qu'un historien puisse avaliser, et une espèce d'ineptie révoltante qui recouvre le tout, comme du sucre. Voilà ce que je ressens réellement.

— Bien », dit-il lentement. Son visage se ferma. Il lança des regards noirs. « Vous saviez que c'était ce que vous ressentiriez. J'aurais pu vous dire à l'avance ce que vous venez de dire. Vous auriez dû rester à l'écart. »

Elle se mit en colère à son tour.

« Est-ce là tout ce que vous avez à dire ? Vous ne me prenez pas au sérieux, c'est bien cela, ce que je pense vous est
égal, complètement égal, nous n'allons pas en discuter, ah
non. Vous vous comportez juste comme si j'étais une
espèce de tentatrice, comme si tout ce qui arrive – la
confusion, l'embarras – était de mon fait. Comme si j'étais
un de vos péchés. Eh bien, je ne le suis pas. Je suis –

— D'accord. C'est juste. Je retire ce que j'ai dit. Tout
est de mon fait. Parce que j'ai réagi lentement. J'aurais
dû stopper ça avant que ça ne se mette complètement
en branle, mais j'ai réagi trop lentement. De telles choses
ne m'étaient encore jamais arrivées, je vous l'ai dit. Je
n'ai pas vraiment compris de quoi il retournait. Maintenant que je sais, je me débrouillerai, je me débrouillerai.

— Et moi, qu'est-ce que je peux faire ?

— Oublier tout ça. Rentrer chez vous. »

Il parut délibérer avec lui-même. Il dit avec une gentillesse pesante, pour se rassurer lui et la rassurer elle,
mais doublement sans succès, « Je devrais être capable de
m'en apercevoir à temps, la prochaine fois. Il existe certainement un point où l'on peut choisir que les choses
n'arrivent pas. Si l'on y prend garde. Certainement. »

Elle aussi réagit lentement. Elle avait prononcé des
paroles violentes et laissé échapper des sentiments violents. Toute expression de colère, puisqu'elle l'évitait toujours soigneusement, la terrifiait et la remplissait d'aise.
Elle avait commis un double sacrilège : elle avait blessé
Daniel dans ses sentiments, et elle avait enfreint dans sa
conduite sa propre règle de modération. La colère l'envahit et prit l'étrange forme d'un désir de le toucher et de le
troubler. Moralement, il avait raison et elle était indéfen-
dable. Néanmoins elle fit un pas hésitant sur le gazon
tondu du tertre funéraire et tira d'un geste rageur et impératif sur les mains qu'il tenait serrées derrière son dos. Elle
fut assaillie par un souvenir précis du visage posé sur ses
jambes. Il dégagea ses mains d'un geste brutal.

« Si ça continue, lui dit-il, il faudra que je parte d'ici
pour de bon. Êtes-vous incapable de le comprendre ? Je
ne veux pas m'en aller.

— Vous me traitez comme si je n'étais pas là.

— Je voudrais que vous ne le soyez pas, maintenant.

— Vous ne valez pas mieux que ce que vous m'accusez d'être. Vous n'aviez pas besoin de venir me rejoindre ici et maintenant.

— Je voulais tirer les choses au clair, dit-il avec une autorité douteuse. J'ai prié, j'ai réfléchi, et j'ai fini par comprendre que je paie le prix d'avoir pensé que j'étais exempt de bien des choses au fond de moi – de besoins personnels, de désirs sexuels, et ainsi de suite. Je réagis lentement. Très lentement. Mais cela ne devrait plus causer de ravages.

— Vous êtes épouvantablement égocentrique et arrogant.

— Vous me l'avez déjà dit. Peut-être le sommes-nous tous les deux. J'ai encore le droit de le demander une fois de plus – que voulez-vous, que désirez-vous gagner dans toute cette affaire maintenant ? Pourquoi êtes-vous encore là ?

— Je vous l'ai déjà dit.

— Et moi j'affirme que vous n'auriez pas dû venir. »

À ces mots, elle lui tourna le dos et se mit à s'éloigner d'un pas rapide sur le gazon.

Daniel, qui n'avait en fait rien prémédité de ce qu'il venait de dire, qui n'avait ni prié ni réfléchi comme il venait de le dire, et qui était encore un tant soit peu sous le choc de la voir là, manqua lui lancer l'ordre de s'arrêter, se ravisa, et la laissa partir. Il aurait voulu la secouer jusqu'à lui décrocher la mâchoire et puis la cogner contre l'if. À la place, il flanqua des coups de pied dans les feuilles, dans les carcasses rouillées des couronnes mortuaires sur le tas de compost, faisant gicler des jonquilles mortes café au lait, des roses tavelées et pourrissantes, des iris ratatinés, dans le monceau d'ordures. Ses chaussures de tous les jours étaient mouillées, boueuses et éclaboussées de pétales morts collés dessus. Au portail, en regardant en arrière, elle le vit, maussade et massif, qui écrasait du pied des tiges mortes en les enfonçant dans la terre.

16

Hypnagogie

Stephanie s'éveilla d'un rêve de liquéfaction pour entendre un son liquide. Dans ce rêve elle se tenait dans une pièce nue, planchéiée et plâtrée, près d'un établi de menuisier sur tréteaux, et expliquait à quelqu'un juste hors de son champ de vision que la maison était bien faite, très solidement bâtie. Les châssis des fenêtres avaient reçu une première couche mais n'étaient pas encore peints. La pièce était éclairée par la lumière du jour, mais en regardant par la fenêtre elle voyait un ciel nocturne, turbulent et agité, dont elle comprenait lentement que ce n'était pas le ciel, mais la mer qui se dressait lourdement, se soulevait en crêtes noires et se balançait plus haut que sa maison. Elle allait à la fenêtre et regardait au dehors, et elle voyait, ou comprenait – ce que sans doute elle n'aurait pas pu vraiment voir de là où elle était – que la maison était située sur un banc de sable, lequel était déjà rongé, sur toute la longueur d'une énorme morsure incurvée, par l'avancée de la mer. Sous la fenêtre la mer était éclairée, de sorte qu'elle pouvait voir le sable s'ébouler par mottes imprégnées d'eau, se dissiper, s'épandre en coulées tourbillonnantes de grains, telle une brume jaunie. Il y avait un bruit régulier de sable mouillé qui dégouline, d'eau qui gifle, de bois qui craque périlleusement. Elle se réveilla d'elle-même avant que la maison ne bouge. Ce rêve, pensat-elle, ressemblait en un sens à celui dans lequel on perd toutes ses dents, remplacées par des trous béants. Il lui déplaisait également d'être amenée à rêver en paraboles

bibliques d'un caractère aussi rudimentairement perti-
nent. Le son, cependant, persistait, un son mouillé, un craquement de bois.

Sa chambre était à côté de celle de Marcus, leurs che-
vets, de part et d'autre du mur, se touchaient. Quand le
son s'éternisa, elle alla voir. Il y avait un rai de lumière
sous la porte. Elle frappa. Il ne répondit pas. Elle essaya
la poignée et entra.

Il était couché dans son lit, sa lampe encore allumée. Le
son provenait de longs sanglots dont le gargouillement se
mêlait au craquement intermittent du lit. Elle murmura
son nom. Il ne répondit pas. Elle s'approcha sans bruit.

Il tournait la tête de droite et de gauche. Ses yeux
étaient clos, contractés comme pour se protéger du soleil.
Son front se plissait. Sa bouche était grande ouverte. Son
visage était entièrement inondé, ainsi qu'une partie de
son oreiller. Pendant qu'elle l'observait, un nouveau flot
de larmes jaillit sous ses paupières et coula dans sa
bouche ouverte. Ses cheveux étaient mouillés. Par terre, à
côté de son lit, gisaient des papiers disposés en éventail,
couverts de dessins géométriques et de petites images
rudimentaires de bonhommes en bâtonnets, d'arbres et
de bâtiments, reliés par des flèches de diverses couleurs
ou par des espèces de chaînes. Il y avait aussi un cahier
portant une étiquette, «Vision Hypnanogique». Elle ne
toucha pas aux papiers, mais posa la main sur son épaule,
et quand elle vit qu'il ne cessait ni de dormir ni de sangloter, elle s'assit et lui caressa les cheveux, ramenant le drap
sous son menton. Il ferma la bouche et les sanglots cessè-
rent. Il poussa un gros soupir, remonta ses genoux et
enfouit sa figure dans son oreiller, en paraissant se disposer à un sommeil immobile. Après un certain temps elle
retourna dans sa chambre.

Deux ou trois nuits après, elle entendit le même son et
découvrit Marcus à nouveau trempé de larmes dans sa
chambre éclairée. La nuit suivante, elle fut éveillée par des
sons différents, un grattement, un grand coup sourd. Elle
prêta l'oreille aux sanglots mais il n'y en avait pas. À la
place elle entendit Marcus marcher à pas feutrés sur le

plancher, et puis entendit sa fenêtre s'ouvrir. Elle alla à sa propre fenêtre, dans l'obscurité, et vit, dans le jardin obscur, le carré de lumière de Marcus sur l'asphalte et la pelouse noire. Puis elle vit son ombre bouger dans la lumière et elle eut peur qu'il veuille sauter, ou manque tomber par la fenêtre. Mais il s'éloigna, toujours à pas feutrés, et la lumière s'éteignit. Elle l'entendit descendre précautionneusement l'escalier. Elle retourna à la fenêtre et scruta la nuit. Au bout d'un moment elle distingua, à la porte du jardin, une forme accroupie, immobile, en manteau de pluie, qui attendait, le visage blême dans le clair de lune. Elle resta en observation. Marcus, ses souliers à la main, passa en chaussettes devant les massifs de fleurs, une bosse ou un baluchon se profilant sur ses épaules. Sans attendre, ni se toucher, ni se parler, les deux formes s'enfoncèrent dans la nuit. Elle se rendit dans la chambre de son frère. Le lit était soigneusement fait, un Biggles, *Biggles au clair de lune*, posé à côté. Rien d'autre. Aucun papier, pas de tiroirs ouverts ni de pyjama jeté n'importe où. La peur qu'il ait une crise de somnambulisme persista bizarrement dans son esprit. Il était manifeste que tel n'était pas le cas ; qu'il y avait eu un signal convenu, un rendez-vous, pour lesquels il était prêt.

Elle ne l'entendit pas rentrer, mais le matin, un peu blafard, il parut au petit déjeuner. Il but du thé et ne mangea rien. Elle ne dit rien.

Les dons d'invention et de stratégie de Lucas Simmonds avaient fleuri dans la diversité et l'extravagance. Tous les moments de conscience de Marcus, et les siens propres, étaient autant que possible notés et archivés : rêves, visions, moments de méditation, rencontres – de sorte que toute éventuelle coïncidence à la fréquence surprenante pouvait être isolée et recevoir une attention particulière. Ils ignoraient, faisait-il souvent observer, où était exactement situé le champ d'expérience, c'est pourquoi ils devaient lancer leur nasse aussi loin que possible, et lui donner un maillage aussi serré que possible, de façon que rien de ce qui pourrait être un signe ou un message ne puisse échapper à leur prise.

Pour quelqu'un de déjà harcelé par un mélange de capacité mémorielle absolue et d'objets doués de signification mystérieusement scintillants ou menaçants, cela aurait pu être – et sous maints aspects ce l'était effectivement –, une forme indirecte de torture. Les journées qu'il avait réussi à muer en trames géométriques régulières de correspondances, en quadrillages noirs et blancs de pensées ourdies aussi sûres à penser que de marcher sur les fentes des pavés, prenaient à présent l'allure d'une fantasmagorie en technicolor de tapis, bicyclettes, buissons de laurier, girouettes, agents de police, anges et aviateurs, qui, tous, bleu noir, or, bleu jacinthe, vert brillant moucheté, auraient pu être des messagers célestes, des présages infernaux ou des symboles du divin Modèle qui, regardés fixement, livreraient à l'œil nu – le sien et l'œil visionnaire et stéréoscopique de Marcus – leurs nécessaires structures internes ou messages simples, pullulant de formes codées, moléculaires, génétiques, thermodynamiques, qui, comme le buisson ardent et la vue de Dieu par-derrière, livreraient la clé de vérités éternelles grâce auxquelles, lui, Lucas Simmonds, Blesford, Calverley, l'Angleterre, et qui pouvait bien savoir quoi encore, pourraient être et seraient bel et bien transfigurés et illuminés.

Il existait, il fallait le reconnaître, une certaine forme de protection contre le rayonnement horrible et les abîmes insondables de ces choses et de ces personnes, dans le simple fait d'avoir à les mettre par écrit. La transcription se substituait en partie aux élégances géométriques qui l'avaient protégé contre des choses vues ou non vues, avant Lucas. Noter ou même dessiner les choses les neutralisait ou les mettait à la terre d'une manière dont Marcus soupçonnait que Simmonds n'avait pas idée, puisqu'il soupçonnait que pour Simmonds ces choses n'avaient ni existence ni signification tant qu'elles n'étaient pas couchées sur le papier. Simmonds était capable de réaliser des dessins de professionnel, aux détails exquisément à l'échelle, qui faisaient ressembler les mémos rudimentaires de Marcus, ses bonhommes en bâtonnets gesticulants, ses quartiers de bœuf cartographiés, ses lavabos tourbillonnaires, aux invocations tâtonnantes ou insistantes d'une créature primitive bien antérieure à Lascaux.

Il y eut deux ou trois jours pendant lesquels ils virent tous deux une signification dans les déplacements de bandes d'étourneaux qui filaient, piaillaient et fusaient dans le ciel, sombre comme une coquille de moule ou nacré comme une coquille d'huître, de ce temps de Pâques changeant. Marcus essaya de tracer, avec des points et des V sautillants, le schéma de leurs allées et venues. Simmonds peignit à la détrempe, dans le style de Peter Scott, une image réaliste de ces oiseaux tournoyant devant un banc de cirrus sur un ciel rouge vermillon et bleu véronique. Ils furent très excités par ces dessins lorsqu'un calque des trajectoires de Marcus, remis à l'échelle, fut glissé sur l'image de Lucas et compléta la roue du croquis en entonnoirs entrecroisés de Marcus. Lucas prêta à Marcus un livre sur le comportement social de l'étourneau. Marcus observa le miroitement et les mouvements saccadés des étourneaux dans le Bout de Là-bas, leur manière de tirer sur les vers élastiques pour les happer, et il eut envie d'un répit.

En même temps Lucas s'embarqua dans une investigation détaillée de l'histoire visionnaire, psychosomatique ou spirituelle de Marcus. Cela entraîna un comportement très différent des questionnements qui aspiraient fébrilement à partager la vision de Marcus. Durant ces sessions d'investigation ils s'asseyaient de part et d'autre d'une table. Marcus racontait ce qui lui revenait en mémoire et Lucas le consignait. De cette manière il recueillit une description détaillée du déploiement, du paysage mathématique, d'Ophélie et des couronnes de fleurs brisées, des aspects interdits de certains éléments de plomberie et d'architecture, et de la cage en papier millimétré qui se refermait sous l'effet de l'éther et de l'asthme.

Marcus n'appréciait pas précisément le comportement de Lucas durant ces interrogatoires, ainsi qu'il les nommait à part lui. Faire confiance à quelqu'un était une expérience si inhabituelle qu'il essayait de la rendre totale, d'accepter cette autorité-là exactement comme il avait rejeté toutes les autres. Il existait d'autres raisons de faire confiance, qui seront décrites plus tard. Il acceptait les changements de personnalité marqués de Lucas comme une nécessité probable de cette nouvelle discipline, ou de cette liaison étroite avec quelqu'un qu'il avait toujours évitée. S'il y avait réfléchi, ce qu'il ne faisait pas, il en aurait peut-être conclu que vivre avec Bill l'avait habitué à des sautes et des changements de forme et d'humeur. Il était en tout cas profane en matière de personnalité, et ne disposait pas de termes précis pour qualifier lesdits changements.

Il voyait les différences comme des visages différents. Le visage de Lucas en méditation géométrique était un carré aux angles arrondis, aux cheveux pâles ébouriffés qui bouclaient et flamboyaient allègrement, aux grands yeux et à la bouche diversiforme et animée, généralement ouverte, mais sans dimension ni dessin fixe. C'était un visage rouge et luisant de sueur. Le visage de l'interrogatoire était considérablement plus long, plus brun, plus figé, la bouche en cul-de-poule, les yeux plissés, les cheveux plus foncés et plus lisses, et avait, dans l'ensemble, une expression de colère méprisante. Le premier Lucas le conjurait de lui raconter ce qu'il voyait. Le deuxième aboyait des questions sentencieuses, se tapotait perpétuellement les dents avec un crayon, et ne répondait guère davantage que « hem » ou un « bon » guttural, légèrement germanique, aux renseignements communiqués. Parfois ce deuxième Lucas lui posait des questions sur Bill ou Winifred, lui demandait s'il se rappelait sa naissance, s'il avait des « fantasmes » ou se livrait à des « expériences solitaires ». Il tirait, supposait Marcus, peu de satisfaction de ces questions, car Marcus restait muet sur ses rapports avec ses parents, prenait un air ahuri et fermé quand il était questionné à ce propos et, dans la mesure où Lucas s'abstenait d'être plus explicite quant à la nature des fantasmes et des expériences sur quoi il souhaitait s'informer, Marcus pouvait feindre une aimable innocence, ou ignorance, quand le sujet était abordé. Cela augmentait l'acidité du ton de l'interrogant Lucas, qui semblait croire que Marcus faisait exprès d'être indocile. D'occasionnelles escarmouches sur ce thème se terminaient généralement par le retour à un autre et plus acceptable visage de Lucas, c'est pourquoi Marcus, ayant compris les règles du jeu, les provoquait et les menait à bon terme avec une habileté croissante.

Il y avait un troisième Lucas – au moins un troisième – dont la présence compliquait considérablement les activités des deux autres. Celui-là fit sa première apparition lorsqu'ils se heurtèrent à une difficulté due à une série d'images communes de l'herbe tondue qui ne pouvaient être l'effet du hasard – deux personnes en mars ne voient pas, comme Lucas le fit remarquer avec excitation, ne voient assurément pas toutes les deux des champs de foin s'étendre dans toutes les directions, à moins que cela ne soit voulu. Si ces images n'étaient pas l'effet du hasard, elles n'en résistèrent pas moins à l'interprétation et à l'exploitation, et finalement Lucas déclara qu'ils étaient fatigués et pouvaient aller boire leur thé. Le Lucas qui faisait du thé et, plus tard, celui qui fit du café ou du cacao, correspondaient au troisième visage, allègre, normal, à l'affût des cancans, plein de prévenance et de douceur. Ce Lucas fournissait d'énormes cakes poisseux, des sandwiches au concombre et à la sardine, des petits pains briochés grillés, le tout assaisonné de bavardages. L'acné du second frère Barrow, les piètres chances de la première E de passer le bac, la mauvaise influence morale d'Edmund Wilkie, le relâchement, en ces premiers jours de sa gloire naissante, d'Alexander Wedderburn. Petits soins, cancans et affection offrait-il à Marcus, miel, lait, pommes et noisettes, une sorte de perpétuelle bombance souriante qui se développa par la suite en agapes de pensionnaires.

Ce développement fut fonction de la maîtrise du temps et de l'espace. Au début, lorsque Lucas prit en main ses journées, les nuits de Marcus empirèrent. S'il y avait quelque chose de réconfortant à partager ses difficultés concernant les choses intouchables, surtout quand le partage était suivi de thé et de galettes, il en payait le prix avec des cauchemars. Certains, il les racontait, comme celui où il avait été lancé comme une toupie et virait au centre de l'espace, tandis qu'émanaient de ses doigts des fils câblés qui le transformaient en svastika, puis en cocon mécanisé, au centre d'une toile plus flasque qui retenait l'espace en un seul bloc tout en l'étouffant, lui personnellement. D'autres, comme celui où il pendait atrocement, la tête en bas, accroché à un haut clou en acier, et où, chaque fois qu'il allait réussir à se redresser, il était incessamment, interminablement, inexorablement rabattu en arrière par Lucas, il ne les racontait pas du tout. Lucas disait que des influences contraires tentaient une percée nocturne tandis qu'ils renforçaient leur emprise sur les journées. Lucas disait que la discipline, la maîtrise de soi, étaient la réponse à presque tout. Marcus devait apprendre à se réveiller de lui-même, à intervalles réguliers et fréquents, pour empêcher quoi que ce soit ou qui que ce soit de prendre le contrôle de sa précieuse conscience sans son consentement. En se réveillant de lui-même, il devait noter ce qu'il venait de rêver. Marcus essaya. Il se réveilla et se retrouva trempé de larmes, et pis, physiquement incapable de se servir de ses doigts pour écrire. Il rêvait de récipients, cornues, vases à bec, carafes, remplis de liquides spiritueux et volatils, qui explosaient, fumaient et rejaillissaient. Lucas s'excita une nouvelle fois et prétendit que lui aussi avait rêvé de récipients en verre, mais qu'ils étaient restés stables et s'étaient remplis lentement. Il dit que s'ils faisaient, la nuit, preuve de la même vigilance que le jour, ils pourraient arriver à contrôler… Marcus rêva d'un paon qui criaillait hideusement et choquait un récipient en verre contre un roc comme une grive avec un escargot. Lucas dit que c'était très encourageant, vraiment très encourageant, qu'il était absolument certain que le paon était une espèce de symbole alchimique, que peut-être le verre craquelé était l'œuf qui éclot. Marcus dit que les grives tuent les escargots et les mangent. Lucas dit que Marcus était comme un escargot, il se cachait et refusait de regarder le monde qu'il était seul à même de voir, sacré nom de nom… Marcus dit que les escargots qui lorgnent autour d'eux servent plus vite de souper que ceux qui restent assoupis. Il fit un pâle sourire après ce semblant de boutade, et Lucas dit, « Mon petit vieux, ne mollissez pas, et je serai ce soir à la porte de votre jardin, comme deux et deux font quatre et deux cornues sont biscornues, et nous redoublerons de vigilance, nous prierons et nous triompherons de concert, je vous en fiche mon billet. »

Le premier soir, le crépitement des cailloux de Lucas sur la fenêtre coïncida avec l'explosion dans la tête de Marcus d'un tonneau de sombre liquide vineux qui cacha tout le reste en s'épanchant, comme l'encre d'une pieuvre. Il se leva à toute vitesse et se précipita en aveugle au-dehors, en manteau de pluie et pyjama, se heurtant violemment à son ami qui étendit la main pour le retenir. Marcus était hors de lui.

« Ne faites pas ça. Ne refaites jamais un bruit pareil. Ne refaites jamais un tel boucan, ou je... Si vous n'êtes pas capable de me réveiller par la pensée, ou l'inverse, alors tout ça c'est du flan. » Lucas lui tapota la poitrine, l'épaule, le bras, et fit entendre des bredouillements d'apaisement et d'excuses. Il ramena Marcus au collège par le Bout de Là-bas, le retenant quand il titubait sur les inégalités du terrain, le guidant, lui serrant le bras, et le conduisit par le sombre chemin creux après le pont du chemin de fer derrière le jardin des Maîtres. Il corna aux oreilles de Marcus que le Bout de Là-bas était bien un champ de force, il l'avait distinctement senti lui-même, il était certain que la terre bougeait.

Quand ils atteignirent le cloître du Panthéon, où il y avait des lumières, il lâcha brusquement Marcus et se passa plusieurs fois la main dans les cheveux, lissage qui leur redonna leur aspect ensoleillé. Il ouvrit diverses portes vitrées avec des clefs, trottina le long de couloirs sombres, passa devant les élevages familiers des formicariums et des vermitoriums, et finit par ouvrir la porte de son petit studio, qui baignait dans une chaleur et une lumière intenses, et qui, situé dans la tourelle opposée à celle d'Alexander, n'était pas meublé très différemment, mais décoré de tableaux et d'objets de son choix. Ceux-ci incluaient plusieurs photographies assez réussies de navires en pleine mer suivis de sinueux sillages ; plusieurs autres de mouettes dans des champs labourés ; une grande reproduction floue du *Christ de saint Jean de la Croix*, de Dali, parqué au-dessus de la cheminée comme la *Danaïde* d'Alexander ; deux cuves en verre de tritons et de joncs canadiens ; et la reproduction d'un mandala tibétain d'un musée de Durham. La pièce avait une odeur de vestiaire, cette odeur intrinsèque de semelles en caoutchouc, chaussettes et chemises trempées de sueur, laine humide et boue, qui leur était si familière à tous les deux qu'ils ne la remarquèrent ni l'un ni l'autre, mais qui rassura inconsciemment Marcus. Devant la cheminée Simmonds avait un tapis suédois en chiffons gaiement nattés de couleurs primaires, écarlate, citron, bleu clair. Sur ses fauteuils il avait d'assez petits coussins durs, des mêmes couleurs mais d'un tissu différent. Ils étaient visiblement choisis pour se marier avec le tapis, ou l'inverse, et le mariage était si mal assorti qu'il déclencha un trouble perceptuel en Marcus, qui ne cessa de les regarder alternativement pour essayer de découvrir entre eux un rapport ou un autre, d'harmonie ou de tonalité, bien qu'ils fussent trop similaires pour une *discordia concors*, même s'ils ne l'étaient pas assez pour être agréables à voir. Ce problème fut momentanément écarté lorsque Simmonds, pour créer une atmosphère accueillante ou intime, éteignit toutes les lumières sauf une, une grande lampe à pied faite d'une bonbonne avec un abat-jour miel foncé, agrémenté d'essaims de petites virgules, ou d'organismes, ou d'épingles courbes, de couleur noire, tourbillonnant en nuages en forme de larmes qui montaient vers le bord supérieur sans jamais parvenir à le toucher. Cette lampe posa un rond de lumière jaune sur l'âtre et réduisit les coussins à des ombres de couleur. Simmonds s'assit dans l'âtre, où il avait un réchaud à gaz, et fit du cacao, prenant le lait dans un rafraîchissoir en faïence, l'eau dans une bouilloire, des chopes et des cuillers. Il donna à Marcus des biscuits digestifs au chocolat et l'incita à conserver ses forces. Il enleva son manteau et son pantalon et apparut en pyjama rayé. Il endossa une virile robe de chambre bleu marine et offrit à Marcus une couverture à mettre sur ses épaules. Pendant qu'ils buvaient leur cacao, il parla – des photographies, de ses expériences dans la Marine, suite décousue de réminiscences concernant l'huile de machine, la camaraderie, la discipline dans les locaux exigus, le contraste de l'immensité du ciel nocturne, la majesté des icebergs à la dérive, l'horreur du matraquage des phoques, la vie en communauté des pingouins, la force derrière l'adaptation de l'organisme à la chaleur et au froid extrêmes, l'habileté humaine impliquée par l'invention de coques de navire capables d'avancer sous la glace. Marcus, engourdi par le feu, la couverture qui l'enveloppait, la chaleur du cacao et l'effet de l'attention, dodelinait de la tête et se réveillait en sursaut. Simmonds s'en rendit compte et se montra plein de sollicitude. Marcus devait se blottir dans son lit et dormir. Lui, Simmonds, veillerait sur lui, le réveillerait s'il montrait le moindre signe d'agitation qui puisse indiquer un rêve, le noterait pour lui, et de cette manière ils rempliraient tous deux leur devoir, les exigences de leur tâche, et Marcus serait en sécurité et se reposerait. Peu importait ce qui le concernait. Il rattraperait plus tard le sommeil perdu, sauterait dans son lit une fois qu'il aurait raccompagné Marcus chez lui. C'étaient les vacances, il n'avait rien à faire, il pouvait se le permettre. Il ferait lever Marcus à l'aube et le raccompagnerait pour traverser le Bout de Là-bas. Ils verraient l'aube poindre ensemble, ça serait épatant, et peut-être éclairant, rigoureusement éclairant, étant donné la position du Soleil dans le Plan, sa libre entéléchie, l'instant de mystère qui avait toujours coexisté pour l'Homme avec celui de son premier contact quotidien avec lui, si étrange et si familier, Marcus le pensait certainement aussi. Marcus ne pensait rien, il dodelinait et vacillait, et Lucas le prit par l'épaule et le poussa dans la chambre, et il le regarda attentivement grimper dans le lit étroit, se blottir dans son habituelle position recroquevillée, dans le creux imprimé par le corps de Lucas, plus tôt, dans les draps.

Là, il sombra immédiatement dans le sommeil. Sombra est le mot juste. Il se sentit plonger agréablement dans des ténèbres duveteuses, plus bas, toujours plus bas, en une sorte de chute libre dont il savait, dans la sécurité des ténèbres, que c'était une suspension rêvée qui n'aurait ni conséquence ni fin. D'habitude, quand il se trouvait la tête en bas dans un rêve, il était tourmenté par une évaluation intellectuelle intermittente de sa situation, la perception qu'il était dépourvu d'organes de mouche ou de ventouses pour marcher au plafond, et qu'il devait y avoir un fond dur en bas du puits ou de l'entonnoir qu'il descendait avec une telle désinvolture. Mais là il se sentit en sécurité. Quand Lucas le secoua à l'aube et qu'il se réveilla, il fut informé sur un ton presque bougon qu'il avait dormi si paisiblement que Lucas n'avait pas eu de motif de le déranger. Mais qu'il était à espérer qu'ils feraient mieux une autre fois.

Ainsi, évidemment, qu'ils le firent. Tellement mieux, que Marcus se mit à souffrir sérieusement d'insomnie. Comme les autres soins de Lucas, l'offrande de chaleur, de cacao et d'un lit se révéla exacerber des problèmes analogues à ceux auxquels il procurait un havre ou un soulagement temporaire. Si la poigne ferme de Lucas sous son coude lui permettait de traverser le Bout de Là-bas en un seul morceau, sans déploiement ni effondrement, si en se concentrant sur les exercices intellectuellement fatigants et fréquemment futiles ou déconcertants il n'était plus envahi par des océans de lumière ou des trompettes supersoniques, une série de nuits méthodiquement interrompues, quand bien même elles s'accompagnaient chaleureusement de nourriture matérielle et de bonne humeur spirituelle, commença à agir sur lui comme des nuits passées dans une cellule de lavage de cerveau. Une lumière froide et dure brillait derrière ses globes oculaires, même dans le noir. Il voyait des étoiles qui n'étaient pas célestes mais physiologiques. Il entendait des vents impétueux qui n'étaient pas le fait d'Éole mais d'interférences radiophoniques dans ses propres tympans. Que vois-tu? que vois-tu? cajolaient, chantaient, menaçaient, imploraient, attendaient ardemment les diverses voix. Rien, espérait-il pouvoir répondre, et dans son paisible sommeil il le pouvait honorablement. Mais les paisibles sommeils étaient de si courte durée.

C'est ainsi que Stephanie le trouva la troisième fois, les bras en croix et les jambes écartées, au milieu de l'escalier, à cinq heures du matin, le visage trempé comme la fois précédente, ses souliers et ses chaussettes brillant de rosée et de brins d'herbe au bout de son pyjama. Sa première pensée fut d'empêcher que Bill le voie. La seconde fut qu'il était devenu maigre comme un clou. Elle le secoua par l'épaule, doucement. Il dit non, non, non, non, non, en protestant de plus en plus fort, et se mit à trépider et à remuer dans tous les sens, tant et si bien qu'elle dut le saisir sous les bras pour l'empêcher de culbuter dans l'escalier. Il se mit à marmonner :

« Des choses qui fouettent, en forme de roues assez bien ordonnées. Elles se changent en formes dures. En ammonites peut-être. La lumière tourne en sifflant, elle tourne et vire, elle se solidifie en ammonites. Plein de petits... plein de petits... de petits... Est-ce que je peux m'arrêter ?

— Marcus. Chut. Marcus.

— De la laine, oh ! elle est blanche, elle est jaune, elle est rouge... »

Elle le secoua.

« Tout doux », dit-il, et il se réveilla, la fixant sans la reconnaître, glissant d'une marche.

« Lève-toi, Marcus. Lève-toi, ou bien papa... »

Galvanisé, il se mit sur ses jambes, tituba encore une fois et monta l'escalier. Elle le suivit dans sa chambre.

« Marcus – est-ce qu'il y a quelque chose qui ne va pas ? Quelque chose de grave ? Est-ce que je peux faire quelque chose ? » Il avait les joues couvertes de boue et de crasse, comme un petit garçon qui a pleuré et s'est frotté les yeux. Il la fixa sans répondre.

« Il y a évidemment quelque chose qui ne va pas », dit-elle. Il se pelotonna, plissa le front avec effort, prit appui sur ses deux poings fermés comme il le faisait autrefois quand il avait de l'asthme, et l'informa d'une voix paisiblement désespérée qu'elle ne comprenait rien à rien. Puis il tourna la tête et s'enfonça dans un sommeil dont elle jugea que le plus sage était de ne pas le réveiller.

17

Colloque pastoral

Stephanie se rendit au presbytère. Elle monta directement l'escalier et frappa à la porte de Daniel avant de songer qu'un homme si occupé n'avait guère de chance d'être là. Cependant il vint ouvrir. Il portait un énorme chandail de marin en laine naturelle sur un pantalon vert en velours côtelé. Il l'avait l'air ébouriffé, à la fois d'aspect et de mine.

« Oh. Tiens donc, c'est vous. Que puis-je faire pour vous ?

— Je voulais vous demander un conseil. Pour un problème religieux. Du moins je pense que c'est de cela qu'il s'agit.

— Vous n'avez pas de problème religieux, dit-il avec dureté.

— Ce n'est pas moi qui l'ai. Mais je crois qu'il faut que je m'en occupe. Et je pense qu'une chose terrible est peut-être à la veille de se produire.

— D'accord, dit Daniel. Entrez. »

Sa chambre était plus triste à la lumière du jour que dans l'obscurité, le lugubre fouillis accentué, le mystère de la chaleur et de l'ombre disparu. Il lui offrit une chaise et s'assit en face d'elle, les mains sur les genoux.

« Bien, dit-il. Racontez-moi.

— Il s'agit de mon frère. J'ai vu – quand je suis venue à l'église l'autre fois –, j'ai vu qu'il y était avec un homme, Simmonds, de Blesford Ride, le professeur de sciences nat. Il parlait du travail de Dieu. J'ai pensé que vous sauriez peut-être ce qu'il se passe.

— Que pensez-vous qu'il se passe ? »

— Je ne sais pas. Je crois qu'en un sens c'est religieux… une chose religieuse… je ne sais pas quoi. Je veux dire, évidemment, si c'était cela, cela ne me gênerait pas, en soi…

— Si, cela vous gênerait. Mais vous ne vous en mêleriez pas. Continuez.

— En tout cas, quelle que soit cette chose, elle a un effet effrayant sur Marcus. Il maigrit et crie sans arrêt dans son sommeil ; je suis allée le voir dans sa chambre. Il sort la nuit, je suis sûre que c'est avec Simmonds, je l'ai vu en faction dans l'ombre, comme un chien, comme l'amant de Lady Chatterley… enfin, cela ne me gênerait pas non plus, pas forcément, mais…

— Rien ne vous gênerait par principe. Mais.

— Non, si vous l'aviez vu, vous ne vous moqueriez pas de moi et de l'inefficacité de mes idées libérales ou que sais-je. Il est effrayant, et malade. Cela ne me gênerait vraiment pas s'il s'agissait juste d'une phase homosexuelle – je pourrais même penser que cela lui ferait du bien.

— Même si ce n'était pas une phase ?

— Ne vous raillez pas de moi. Il n'a jamais eu d'ami, Daniel, pas un seul ami ni personne. Je suis venue vous voir parce que j'ai pensé que vous saviez peut-être quelque chose.

— Vous me mettez dans une position très difficile…

— Je vous en prie, oubliez ce qui nous concerne tous les deux. C'est beaucoup trop grave.

— Je ne pensais pas à ça. Ne me faites pas dire ce que je n'ai pas dit. Je suis dans une position difficile parce que Lucas Simmonds a déjà discuté – enfin – tenté de discuter – de cette affaire avec moi. Et je ne me sens pas autorisé à trahir une confidence. »

Il la regarda rougir. Et remarqua qu'elle avait l'air abominablement fatiguée, elle aussi. Et ressentit ce même amour invétéré, constant, violent et inutile.

« Ne pouvez-vous – en ce cas – m'indiquer quelque chose, une chose que je pourrais dire ou faire ? Je ne peux pas le laisser continuer comme ça.

— Non. Je ne savais pas comment il était. Rien n'a été dit à ce sujet. »

Il repensa à la curieuse confession, ou déclaration, ou communication prophétique de Lucas Simmonds, assis là où elle l'était à présent, parlant à toute vitesse, sans plonger, comme elle, des regards perplexes dans les siens, mais avec un bredouillement volubile, les yeux fixés sur le plancher et la fenêtre, les mains tremblantes jointes sur le bas-ventre.

Il dit, « Et aussi, bien sûr, il y a des gens qui viennent vous raconter des choses, qui veulent avoir raconté une certaine chose à quelqu'un, en avoir parlé – mais qui sont en fait incapables de se résoudre à dire ce qu'il en est réellement. Certaines personnes louvoient beaucoup – en partie parce qu'elles n'osent pas dire – en partie parce qu'elles ne sont pas disposées à se fier à quelqu'un qui n'est pas capable de deviner ce à quoi elles se contentent de faire allusion – en partie parce qu'elles ne savent pas où le bât les blesse et espèrent que si elles continuent à parler cela deviendra clair pour elles. Il n'est pas tellement important à leurs yeux que cela soit clair pour moi. Alors, en un sens – n'ayant pas le don de lire dans les pensées – je ne suis pas aussi éclairé que M. Simmonds pense peut-être – ou espère – que je le sois, à l'heure qu'il est. Et je ne sais pas ce que j'ai le droit de vous communiquer de ce que j'ai effectivement pu comprendre.

— Ça a l'air sinistre.

— Je ne sais pas. Je ne crois pas qu'il s'agisse de sexe. Ou du moins – il s'est donné un mal de chien pour me dire que ce n'était pas ça. Pour me dire qu'il n'approuve pas le sexe. Il semble croire au célibat. Il a beaucoup parlé de pureté. Il n'a pas véritablement nommé votre frère. Seulement fait mention d'autrui. Je veux dire qu'il a dit qu'il devait s'assurer qu'il n'arrive rien de mal à autrui. Quel genre de mal n'était pas clair non plus.

— Marcus déteste que quelqu'un – qui que ce soit – le touche. Même quand il était bébé, on ne pouvait pas le câliner. Il avait de l'asthme. »

Il y eut un silence embarrassé. Daniel se rappelait les propos abstrus de Simmonds abordant les dangers que font courir à autrui les forces spirituelles déchaînées par l'invocation, ou par l'impureté, affirmant sur un ton plaintif que l'Église possède les formes capables de contenir de telles forces, et déplorant d'un air maussade que l'Église eût troqué le Pouvoir religieux vivant pour des coquilles mortes et l'écho de bâtisses vides. Il y avait eu des digressions sur la chasteté, la science, les progrès de la conscience, les pouvoirs supérieurs d'autrui, les insuffisances avérées de Simmonds. Aux tentatives de Daniel pour le questionner il avait toujours répondu sur le ton de la récrimination que Daniel savait déjà tout ce qu'il avait besoin de savoir, c'était évident, il était bien informé, il devait se montrer vigilant et prier. À la fin, au bout de trois bons quarts d'heure de rengaines et de répétitions, il avait brusquement remercié Daniel de ses sages conseils et était parti au plus vite. Il se pouvait que ses remerciements aient été ironiques. Il se pouvait aussi qu'il ait supposé s'être confié à Daniel avec succès.

Que dire à Stephanie était une autre affaire.

« J'ai eu l'impression que cela avait à voir avec des exercices religieux – des prières, des visions, des choses de ce genre. Mais il semblait être question d'expériences scientifiques aussi. Il semblait redouter les effets des expériences sur autrui. Je ne sais honnêtement pas s'il voulait parler de Marcus. Je pourrais demander, si vous le voulez. Je n'aime pas mettre mon nez dans les affaires des gens.

— Il me semble exister tant de possibilités de causer des ravages sans le faire exprès. Je n'arrive pas à comprendre – Marcus n'a jamais, absolument jamais, montré le moindre signe d'intérêt pour la religion et ce genre de chose. Je ne vois pas ce qui lui a pris.

— Peut-être, comme vous l'avez dit, avait-il besoin d'un ami. Peut-être a-t-il toujours eu besoin de religion et ne le savait pas, étant donné son éducation, jusqu'au jour où elle a été portée à son attention, sans doute. C'est déjà arrivé. Ça me paraît bizarre. Mais je ne suis pas très religieux, moi non plus.

« — Quoi ? Que dites-vous ?

— Je ne suis pas très –» dit Daniel. Puis il sourit d'un air penaud. «Eh bien, je ne suis pas – pas religieux de cette manière-là, la véritable manière de l'être. Je ne vois pas de signes, je n'entends pas de voix, je n'éprouve pas une grande paix ni rien du même genre, et je ne le ferai jamais.

— Je n'ai jamais rencontré personne de plus religieux.

— Ouais, mais vous n'avez aucune idée, si vous me permettez de vous le dire, aucune idée du tout de la signification de ce mot, sans parler de la chose elle-même. »

Elle prit la mouche. «Ma formation m'a appris à pratiquer les mots.

— Les mots, dit Daniel, les mots », et il rit. «Je suis un travailleur social sous une appellation plus glorieuse, sauf que je ne le fais pas pour la société dont je me contrefiche en tant qu'entité. Je veux juste travailler, un point c'est tout. La conception morale du travail qui règne dans le Yorkshire confond travail et religion, mais ce n'est pas pareil, et vous le savez parfaitement, et Simmonds aussi, malgré toutes ses foutaises. »

Elle rit nerveusement. «Ainsi je suis venue porter mon problème religieux à un irréligieux de religieux. Elle est bien bonne.

— Pas réellement. Le problème est toujours là. Est-ce que je peux vous faire une tasse de café ? Voulez-vous rester ? J'aime parler avec vous.

— Du café me ferait très plaisir. Moi aussi, j'aime parler avec vous. Si seulement vous n'étiez pas aussi redoutable. »

Il se mit à préparer du café en poudre. «Redoutable ?

— Quel âge avez-vous ?

— Vingt-deux ans », dit Daniel qui croyait à la vérité. Cette vérité-là le laissait particulièrement exposé. Il était habitué à être traité, à se traiter lui-même, en homme d'une bonne trentaine d'années.

«Personne ne se comporte avec vous comme si vous n'aviez que cet âge-là.

— C'est mon poids. Dans les deux sens du terme. La graisse et la fonction représentative. »

266

Il sentait son attention sur lui. Elle pensait qu'il était jeune et qu'il voyait tout, la souffrance, la maladie, la peur de la mort, les affres du deuil, la faiblesse d'esprit, la folie furieuse, la solitude et l'angoisse métaphysique, toutes les choses que la plupart des gens évitent avec succès, la plupart du temps, ou dont ils souffrent, sans y être préparés, pour leur propre compte, une fois ou deux. Eh bien, les médecins aussi. Et M. Ellenby aussi. Du moins, de par sa profession, M. Ellenby le devait-il certainement. Seulement il semblait, il semblait seulement n'être concerné que par les affaires de la paroisse, les préséances, la beauté du retable et les ventes de charité. Mme Haydock était déjà là avant l'arrivée de Daniel et personne ne l'avait relancée, ni elle ni personne d'autre, pour aller garder Malcolm.

« Pourquoi êtes-vous entré dans l'Église, Daniel ?

— Parce que je ne supporte pas les demi-mesures. J'ai la frousse de rester assis sur mon derrière à ne rien faire. J'ai la frousse de me détendre. J'ai besoin d'être poussé un bon coup. J'ai besoin d'être astreint à ne pas m'arrêter une minute. J'ai besoin d'une discipline machinale.

— Vous êtes un rebelle-né.

— L'un n'exclut pas l'autre, tout de même. J'ai besoin d'être forcé. L'Église vous force. Vous comprenez ?

— En partie », dit-elle, son imagination captivée par cette alliance de terreur de la lassitude et d'énergie inexhaustiblement forcée. Elle n'avait jamais vu en l'Église autre chose qu'un foyer de somnolence, un exosquelette ossifié renfermant un organisme quasi inerte, ruminant agréablement des aliments depuis longtemps vidés de substance vitale à force de mastication. « Mais j'ai l'impression que l'Église n'est pas le meilleur endroit, l'endroit le plus animé...

— Nous n'allons pas recommencer, ou vous finirez par faire de moi un employé de mairie assis derrière son casier de courrier. »

Il n'arrivait pas à comprendre quelles étaient ses objections, pas véritablement. Il savait aussi bien qu'elle que M. Ellenby était un snob doublé d'un fainéant, et il savait qu'elle savait que la charité est expressément ordonnée, mais il n'arrivait pas à comprendre comment elle ne comprenait pas que la force de l'Église ne réside pas là. Il n'arrivait pas à imaginer la force de sa simple incrédulité à l'égard des histoires chrétiennes en tant que telles, et pourtant il avait été préparé à affronter l'opposition théologique péremptoire de Bill. Bill avait le goût et la capacité de contester le qui, le comment et le pourquoi de la pierre qui roule dans le jardin. Stephanie n'était tout simplement pas disposée à s'y intéresser, tant il était clair pour elle que la vérité des événements n'était pas telle que l'affirmait le Nouveau Testament. Avec toute son acuité psychologique, Daniel avait de la simplicité en matière de doctrine. Il lui fallait être ainsi. Et les évidentes vertus de Stephanie étaient pour lui des vertus chrétiennes, ses scrupules et sa douceur appartenaient à ce qu'il aimait dans le Christ, elles émanaient du Christ, et voilà tout. Il y avait de bons chrétiens qui croyaient ne pas l'être, et c'était dans cette catégorie qu'elle entrait d'une manière aussi indiscutable qu'exaspérante. Il soupçonnait, mais sans se figurer dans toute son ampleur la violence de sa réaction, qu'une telle notion lui inspirerait de la répugnance.

« Avez-vous toujours appartenu à l'Église, Daniel ?

— Eh bien non. Cela a commencé quand j'étais enfant, la seule fois où je me suis trouvé dans une foule unie par une même émotion. C'était terrifiant, véritablement. Hitler ou le père de Mirfield.

— Racontez-moi. »

Il lui raconta. Aussi fidèlement qu'il le pouvait, conscient que cette histoire, à la différence d'autres épisodes de sa vie, était une chose avec laquelle elle serait en sympathie. Ce qui se produisit effectivement. Elle fut émue. Elle le dit.

« C'était ce que j'appelle la religion, aussi, dit-il. Cet homme aurait su instinctivement si Simmonds est un prophète ou un charlatan, ou si une vision est une illusion mensongère, ce à quoi je ne m'entends pas, ma réaction naturelle est de conseiller aux gens de ne pas aller se fourrer dans ce genre de choses. C'est pourquoi je ne suis pas d'un grand secours concernant Marcus. Tout ce que je peux dire, c'est, soyez vigilante et, bien sûr, envoyez-le-moi, si ça peut être utile, selon vous.

— Je vous remercie », dit-elle. Rien n'était changé, mais elle avait l'impression que si, juste parce que les énergies de Daniel étaient lâchées dans le champ de l'angoisse de Marcus.

« Écoutez – j'ai une journée à moi – mercredi en huit – une journée entière. Je l'ai gardée libre, je veux m'en aller d'ici. Pour être franc je voulais aller quelque part – pour penser à quoi faire – à propos de ce dont nous avons évité de parler. Je pensais aller faire une balade au bord de la mer. J'aimerais que vous veniez avec moi. Pas pour épiloguer, vous comprenez, juste une balade. Nous ne nous en sommes pas trop mal tirés, aujourd'hui.

— Oui, c'est vrai.

— Alors vous viendrez.

— J'aime la mer.

— Donc vous viendrez. »

Elle ne disait jamais non, songea-t-elle. Il s'ensuivait peut-être qu'elle ne pensait jamais oui. Elle aimait bien faire plaisir. Elle l'aimait bien, lui aussi. C'était exaspérant.

« Oui, dit-elle. Je viendrai. »

18

Anadyomène

Ils allèrent à Filey parce que Daniel y était allé en vacances dans son enfance. En proposant ce lieu, il expliqua que d'habitude il ne revenait pas sur les lieux de son passé, mais il fallait bien reconnaître que d'habitude il n'avait pas de vie privée, alors il avait pensé qu'il pouvait le faire. Il leur fallut un certain temps pour arriver : autocar pour Calverley, train de Calverley à Scarborough, autre train de Scarborough à Filey. La majeure partie du voyage fut suffisamment harcelée par le bruit de la locomotive et le cliquetis des roues pour qu'ils n'aient pas besoin de se parler. Daniel, au lieu de son uniforme, portait son chandail de marin et un ample duffel-coat noir informe, avec capuche et boutons à brandebourg, qu'il avait acheté dans un magasin de surplus militaires. Cela donnait à son énormité une allure de paysan de Brueghel, pensa Stephanie, comme s'il avait dû avoir un seau ou une hache pour compléter l'ensemble.

Ils furent presque les seuls à descendre à la gare, qui était inondée de soleil et affreusement froide. Daniel avait tout prévu pour la journée. Ils gagneraient la ville et suivraient la grève jusqu'au Brigg. Ils pourraient emporter un friand et une bouteille de bière et déjeuner là-bas. Stephanie, qui avait de bonnes chaussures mais n'avait mis ni chapeau ni gants, frissonna. Daniel le remarqua.

« Ouais, ça va souffler, dit-il avec satisfaction. Ça va soulever la mer, j'espère. Il vous faudrait un chapeau. Je vais vous en acheter un. »

Elle formula une objection.

« Non. J'aimerais vous offrir quelque chose. J'aimerais que vous soyez bien couverte avant qu'on y aille, comme ça je n'aurai pas à m'inquiéter de l'état dans lequel je vous ramènerai. »

Ils pénétrèrent dans la ville en longeant des bungalows crépis et des villas de vacances badigeonnées, également décolorés et endormis par l'hiver. Ils trouvèrent un magasin de nouveautés victorien peint en brun foncé, avec des robes feuille-morte et grège drapées, poitrine gonflée et taille serrée, comme des épouvantails de dames d'un certain âge, sur des supports chromés en forme de T, derrière des cloches de feutre et des rouleaux de tulle bleu roi, rose pétunia, et d'un vert pomme plus vert que jamais ne le fut aucune pomme.

À l'intérieur, une femme beige en robe de tricot beige à empièccment au crochet leur ouvrit des boîtes blanches, lustrées et craquelées, de gants en laine, en cuir et en tissu. Stephanie, qui voulait quelque chose de chaud et de bon marché, choisit des moufles de Fair Isle bleu pâle, parsemées d'étoiles ou de soleils pâles. Daniel insista alors pour prendre le béret assorti, qui avait un gros pompon jaune pâle. Elle l'enfonça docilement sur son front et ses oreilles ; la belle volute de cheveux blonds s'évasa sur sa nuque, brillant sur le col de son manteau. Quelle douceur, pensa Daniel, submergé d'émotion, et il fit une découverte. Derrière le cliché il y avait quelque chose de primordial, d'ardent et d'absolu, une passion gustative des premiers âges, le miel de la Bible. Ézéchiel avait mangé les rouleaux d'écriture et les avait déclarés doux. Il en va de même, pensa férocement Daniel, de ce visage rond et pur sous la laine enfantine, les cheveux brillants, le regard suave et indécis.

Ils arrivèrent à Cargate Hill, lieu abrupt et pavé, équipé de rampes, la terre y faisant une ultime et indomptable embardée avant de se précipiter dans la mer. Droit devant était l'eau grise, lourde et sombre, d'étroits lacs miroitants posés là où les rayons du soleil perçaient la course des nuages. Le père de Daniel rugissait toujours, la voilà, la voilà, en la voyant pour la première fois, puis fonçait vers elle comme un bolide au milieu de ses rugissements, Daniel sur ses épaules, qui, tout petit, poussait à l'unisson des cris perçants et, plus vieux, se sentait exposé à la risée des habitants et des touristes déjà installés, susceptibles de deviner qu'il venait juste d'arriver. Mais la raison pour laquelle cela revêtait une telle importance, alors qu'il venait effectivement tout juste d'arriver chaque fois, lui échappait complètement à présent.

« La voilà », dit-il à Stephanie Potter, et il lui prit le bras.

On pénétrait sur la plage par une énorme voûte de pierre sous le front de mer, un tunnel caverneux où le vent s'engouffrait avant d'expirer. Le sable sec s'agrégeait en amoncellements, s'entassait contre les parois, selon sa propre ligne de démarcation irrégulière sur les pavés. Daniel plongeait chaque jour dans ces froides ténèbres, quittant ses sandales de plage à semelles en caoutchouc, gros garçonnet tortillant ses gros doigts de pied dans le sable fin, d'abord frais, puis plus chaud, et débouchant sur le rivage ensoleillé.

« On pouvait monter sur des poneys ici, dit-il. Quand j'étais petit, on pouvait retourner en ville à dos de cheval, en un sens, jusque chez soi. » Il avait été un gros bébé dans un siège d'osier à pommeaux de cuir sur un âne chancelant. Il avait été un gros garçon en culotte grise à longues jambes, ses gros mollets pincés par les étrivières, mi-inquiet, mi-exultant tandis que le pauvre poney pie remontait péniblement la plage en faisant sautiller sous ses yeux une crinière hérissée. Une part de sa chair d'aujourd'hui était la même et une autre part avait disparu à jamais. Son père marchait à ses côtés, lui donnait des tapes sur le derrière, lui disait, tiens-toi droit, fils, du nerf, il ne faut pas t'avachir. L'été après l'accident il était monté sur les poneys une ou deux fois, tout seul, sa mère ne l'escortant pas et, de fait, se contentant de lui offrir un tour, deux fois. Il avait souvent pensé que si son père voulait bien le laisser se débrouiller tout seul il pourrait parler aux petits garçons accrochés à ses rênes pour guider le poney. Mais au bout du compte il ne le fit jamais.

Stephanie se demanda pourquoi cette pensée lui donnait un air si sévère. Ils pénétrèrent sous la voûte.

«Le vent, un couteau aiguisé. Mon père disait toujours ça, chaque fois que nous enfilions ce passage. Invariablement. Je crois que c'était le seul vers qu'il connaissait.

— C'est un très beau vers, dit Stephanie.

— Je ne saurais dire», remarqua Daniel qui avait toujours son air inexplicablement triste.

Quand ils débouchèrent effectivement sur la grève, au sortir du tunnel, la brise de mer les cingla comme un mur de toile mouillée dans lequel on se cogne et qui vous assène en pleine figure une gifle cuisante et assourdissante.

«Oh!» dit Stephanie, ouvrant la bouche et avalant de l'air froid et salé. Elle tituba et se mit à rire. «Oh, Daniel.

— Placez-vous de l'autre côté de moi, dit Daniel. Je fais un bon et solide coupe-vent.» Il se mit entre elle et la trombe d'air qui montait de la mer, au pied du mur du port. Le sable sec se soulevait, se convulsait, s'enroulait, se dressait comme une lame, et retombait inanimé au pied du mur. La marée descendait; elle avait projeté derrière eux sa laisse de grès noir scintillant, de poussière de coquilles de moule broyées, de grappes de raisins de mer échouées. La grève était striée de longues rides et nervures, images inverties de l'eau; là où la plage descendait, un reflet chiffonné vacillait et luisait encore. Daniel rit avec un plaisir stupide.

«Dix kilomètres de grève», dit-il en agitant ses gros bras écartés pour embrasser cette distance. Il boutonna son col et abaissa sa capuche noire sur ses cheveux hérissés. Le vent tournoya autour de sa tête et des petites colonnes de sable fouettèrent avec fureur ses revers de pantalon. Ici il pouvait étendre les bras comme un épouvantail et être presque emporté, dans un état d'apesanteur disgracieuse, sur les ailes du vent. Il arrondit le bras et le lui offrit.

«Nous allons marcher jusqu'au Brigg, dit-il en montrant l'endroit où la ligne de rochers et de grosses pierres

273

avançait dans la mer. Le vent ne vous fait pas peur. »

Ce n'était pas une question. Les lèvres et les joues de Stephanie cuisaient. Ses yeux étaient voilés d'une taie d'air froid et de larmes. Elle s'abrita la tête derrière les épaules de Daniel et fit un hochement ambigu. Ils se mirent en route, suivant une trajectoire sinueuse et fantasque, de dédales en méandres, se cognant parfois l'un dans l'autre, ne marchant pas du même pas, trottant parfois, presque courant, alors que le vent gonflait leurs vêtements comme des voiles et les faisait presque s'envoler. Une fois, détachant sa tête de l'épaule de Daniel, elle regarda en arrière l'ample courbe immobile de la baie, où la mer, en descendant, était projetée en boucles d'écheveaux blancs, et où le sable de la surface séchée par le vent était arraché et projeté en l'air. Ce n'était que tourmente, et pourtant dominait une forme lisse, une forme claire. Quand elle écarta l'oreille du dos de Daniel, celle-ci s'emplit d'un rugissement gelé. Elle la remit.

De cette manière, après un certain temps, ils arrivèrent au bout de la digue, où menait à la grève la cale que les canots de pêche descendaient sur des roues en caoutchouc, et que les charrettes à poney remontaient durant l'été, brillamment décorées de Minnie Mouse et de Donald Duck des années trente. Passé la cale, la grève était bordée par les falaises instables dont les bords herbeux et les flancs boueux et rouges s'inclinaient régulièrement vers la grève et la mer. Perché sur cette falaise, étayé par des poutrelles, se trouvait le Café de la Marine. Daniel le montra d'un geste de son bras libre.

« Si c'est ouvert, beugla-t-il, nous pourrions prendre un café et un petit pain pour nous fortifier avant l'étape suivante. »

Il y avait un ou deux vieillards qui s'abritaient contre le mur avec leur chien et quelques pêcheurs qui déterraient des vers à la frange de l'eau. Il ne semblait pas vraisemblable que le café fût ouvert. Stephanie mourait d'envie du liquide chaud et sucré d'un café. Elle déglutit. Daniel bondit en avant dans l'escalier de la falaise qui penchait dangereusement, des rebords en bois étayant des marches boueuses effacées, et il lui fit signe depuis la porte. C'était ouvert. La vie était belle. Elle monta tranquillement les marches, les joues cramoisies, et s'assit dans le silence et la chaleur soudaine, les tympans palpitants et rugissants. Il s'écoula un certain temps avant qu'ils puissent parler. Ils commandèrent du café et des petits pains grillés. L'odeur de grillé était presque douloureusement chaude et prometteuse.

Le Café de la Marine était un bâtiment légèrement en forme de navire, avec des fenêtres à châssis métallique et de petites tables en osier à dessus de verre vert glacier. Le vitrage de la véranda était barbouillé et terni par les embruns ; le dessus émeraude des tables était barbouillé et terni par les coups de torchon sans soin. Dehors, les nuages filaient devant le soleil, flottaient dans le ciel resplendissant. Dedans, le verre s'illuminait et s'assombrissait, amorti. On se serait cru dans un aquarium, dans un élément plus dense. Quand le café arriva, il se révéla mauvais. Daniel voulut faire un compliment à Stephanie sur ses yeux brillants et ses joues roses, et n'osa pas.

Il dit à la place, « Je venais ici avec mes père et mère. Ils prenaient du thé et j'avais droit à une glace dans une coupe en argent. Enfin je suppose que ce n'était pas de l'argent, mais je l'appelais comme ça.

« La vie de famille, fit-il. La vie de famille. C'est drôle. Quand nous venions ici – tous les trois – nous étions censés être ensemble, nous venions pour ça. Et aucun de nous trois ne savait quoi dire. Parfois mon père faisait le singe. Il ne pouvait pas supporter de rester en repos. Il fallait absolument qu'il fasse quelque chose. Je pense parfois que les vacances le rendaient enragé. Ma mère s'asseyait dans son transat, et moi, je ne lui étais d'aucune utilité. J'étais trop gros et trop lent. Je n'aimais ni grimper ni courir, je n'ai jamais appris à nager. Lui se baignait par tous les temps, il plongeait dans tous les sens, et nous le regardions du rivage. Une manière stupide de passer le temps, en fait. Je suppose qu'il poussait un soupir de soulagement quand nous pouvions enfin rentrer à la maison, et lui, retourner à son travail et cesser de penser à des choses à faire, en un sens, pour m'amuser.

— Vous ne pouvez pas supporter de rester en repos maintenant.

— Non, dit Daniel, je ne peux pas. Mais ça m'est venu plus tard, ça m'est venu après sa mort.

— Je ne savais pas qu'il était mort. »

Daniel eut l'air irrité, comme si elle avait dû le savoir. Il s'efforçait de lui dire ce que, vu la position qu'elle occupait dans ses pensées, il était plus facile et plus agréable de présumer qu'elle savait déjà.

« Il est mort avant mes onze ans.

— Je suis navrée. De quoi est-il mort ?

— Des wagons de minerai de fer se sont détachés et l'ont écrasé. » Il plongea dans ses souvenirs, détaché d'elle. Il revit son père, énorme, blanc, ruisselant d'eau dans la tente de plage à l'odeur de toile, à l'odeur de mer, à la lumière verte, qui s'essuyait les épaules et le torse, et des cheveux drus comme les siens. Il pensa à tout cela brisé, broyé, et dit à Stephanie, « Je n'ai pas eu de chagrin. Je ne me souviens pas d'avoir eu du chagrin. J'aurais dû ressentir davantage de chagrin. »

Elle tendit la main vers lui. Il ne la prit pas.

« Je suis sûre que vous avez eu du chagrin, Daniel. Ce fut peut-être trop douloureux pour en conserver le souvenir.

— C'était un homme bon. Un énorme, gentil et ordinaire homme bon. Il était exigeant. Toujours après vous, après moi, pour que j'excelle, que je fasse les choses correctement. Je ne lui en étais pas reconnaissant. Je le suis maintenant, pourtant. Je lui en voulais alors, je crois. Je ne sais pas. Je l'aimais. »

Comment faire imaginer à Stephanie ce mort ? Pourquoi, en vérité, le devrait-elle ? Il voulait lui faire don de son passé. Mais cela n'était pas possible.

Quant à Stephanie, elle savait ce qu'il voulait, et pourtant elle était contrariée. L'ironie veut souvent que ceux à qui nous éprouvons le besoin de faire l'offrande de notre passé se sentent menacés, écartés ou amoindris par ce passé. Une ironie supplémentaire voulut dans le cas de ces deux jeunes gens qu'une légère agressivité en résulte chez Stephanie. L'ombre indistincte du mécanicien de locomotive n'était pas là, après tout. Mais elle, elle l'était. Elle l'était. Daniel devait voir ce qui était là.

Lorsqu'ils se retrouvèrent sur la cale, il faisait plus froid. Les nuages s'amoncelaient en bancs noirs et vaporeux, coagulés et oscillants derrière les friables falaises rouges. Il y avait une autre immense grève en demi-lune à parcourir pour atteindre le Brigg. Daniel se sentait déprimé. Il enfonça les mains dans les poches et resta solidement campé sur ses jambes à contempler le large. Elle le tira par la manche.

« Allons-y. Il va pleuvoir. Le vent souffle assez fort pour vous satisfaire, même vous. »

Il la toisa, haussa les épaules et fit un pas. Elle dit quelque chose qu'il n'entendit pas.

« Quoi ? » rugit-il dans le vent.

Elle parla encore, et encore il ne l'entendit pas. Le vent emportait les paroles et les mêlait à son propre vacarme. Il l'attira plus près de lui et ils se mirent en marche sur ce dernier segment de grève.

Ils franchirent une zone de boue rouge cru dont la pente crissa sous leurs pas et atteignirent le sable ferme, traversé de loin en loin par des ravines d'eau rouge sang qui se précipitaient vers la mer comme des rapides découpant leurs propres berges. Une fois, il leur fallut sauter par-dessus les bouillonnements tourbeux et écumeux d'eaux d'égout qui jaillissaient d'un tuyau de fer émergeant de la boue, et sur une courte distance le rouge sang, l'écume crème et les reflets argentés de l'eau de mer se mêlèrent, scintillèrent et fusionnèrent. Puis, quand ils eurent atteint le milieu de la baie, ce ne fut plus qu'une étendue égale de luminosité éblouissante, réfléchie par le sable gorgé d'eau. Il n'y avait aucune autre trace de pas, seuls les cônes sombres des minuscules cratères formés par les déjections des vers brisaient le brasillement. Ils marchaient en crabe dans la tornade et voyaient tous deux la mutation, la fusion de la terre, l'air, l'eau et la lumière à travers l'arc-en-ciel cuisant de leurs propres larmes. Leurs oreilles endolories cognaient ; des chorals tonnaient dans la tête de Daniel, brisés par sa respiration pénible. Stephanie, les poumons battants et distendus, attendait son second souffle, stupéfiée que l'air salin glacé pût à ce point ébouillanter. Il était difficile de voir quelle distance ils avaient parcourue, ou avaient à parcourir, tant le sable brillait à perte de vue, de sorte qu'ils semblaient peiner sans avancer, courir sur place. Et quand Stephanie eut trouvé son second souffle, elle respira à l'aise, et puis le vent souffla sur eux en rafales et ils furent pratiquement emportés jusqu'au Brigg.

Pour monter sur le Brigg proprement dit, il est nécessaire d'escalader, en jouant des pieds et des mains, des rochers et des empilements de pierres hérissés de bernacles et de patelles coupantes, tapissés d'algues brunes gargouillantes ou de molles tresses d'algues vertes. Ils grimpèrent, ils glissèrent, ils finirent par atteindre la chaussée ménagée par l'homme sur un segment de l'arête du Brigg dans son avancée vers la mer, étayant, consolidant à force d'asphalte et de béton, ce qui est comprimé et fissuré, crissant, glissant et branlant. Ils réussirent tant bien que mal à s'y hisser à quatre pattes, et se mirent debout sous la plaque commémorative de la famille Paget, emportée par une énorme lame de fond, son destin gravé là pour mettre en garde les autres hommes. L'odeur de sel était organique à présent, une odeur de mer et d'iode, vivante et étrangère. Daniel la respira avec plaisir. Il dit, « Voulez-vous continuer ? Aller jusqu'au bout ? Ou faire un tour du côté des grottes ?

— Jusqu'au bout, dit-elle en pointant le doigt.

— Bien. » Il était impatient d'y aller. « Nous pouvons avancer sur une bonne longueur avant que ça devienne dangereux. C'est marée basse. Saviez-vous que cet endroit est censé avoir été construit par l'ennemi du genre humain pour attirer les navires à leur perte ?

— Je le crois volontiers.

— Ou bien ce serait le premier stade de la construction d'un pont sur la mer du Nord. Mais il s'est impatienté, et ça a croulé, alors il a renoncé, et il nous reste des ruines inachevées. »

D'abord en marchant debout, puis, quand le chemin disparut, en se repliant, s'accroupissant, s'asseyant ou s'agrippant, ils commencèrent à progresser petit à petit vers la mer, en ne pensant à rien d'autre qu'à avancer. Des bigorneaux roulaient et s'entrechoquaient bruyamment. Stephanie s'égratigna le poignet sur des bernacles ; enfonça les doigts pour chercher une prise dans les trous de l'argile à blocaux poreuse et claire ; fit des tours et des détours pour éviter des plaques de cette plante d'un vert si vif qu'il est tentant de la dire artificielle, sauf qu'elle pousse et qu'elle prospère, on ne peut plus naturellement, en touffes et fourrés balayés et recouverts par la mer. Une sorte de troisième souffle s'empara d'elle. Elle se mit à savourer les protestations de son corps selon la position de ses doigts et de ses orteils, le mouvement basculant de son dos, sa hanche et son épaule. Quand ils dépassèrent l'abri du promontoire, le vent souffla différemment, moins monotone, moins claquant, mais strident, cinglant, hulu-lant. Ils arrivèrent sur une haute plate-forme et s'arrêtè-rent pour regarder autour d'eux.

Droit devant, des vagues déferlaient sur la pointe noyée de l'éperon rocheux, projetées dans les airs puis fracas-sées, roulant, tournoyant, confluant et rejaillissant. Et les vagues, déjà fendues en deux par la saillie du promontoire, s'abattaient de part et d'autre, les eaux se soulevant en une masse escarpée qui s'aplatissait à toute volée sur une plate-forme de grès et coulait, s'égouttait, soupirait en dis-paraissant dans des trous et des sillons jusqu'à l'endroit où elle clapotait en remous invisibles sous leurs pieds. Il régnait une singulière cohésion dans le monde du large. Le ciel, en fragments épars, était très bleu et scintillait de lambeaux ondoyants de nuages entremêlés d'écume volti-geante et tourbillonnante, flocons et particules de blanc pur, blanc cassé, crème, gris et brun, les oiseaux tour-noyant et lançant leurs appels discordants dans les deux éléments, des oiseaux blancs, des oiseaux bruns tachetés, au bec doré, sanglant, crochu, rude et d'un dessin pur.

Ils restèrent sur la pierre mouillée, fascinés et frappés de stupeur par le spectacle, laissant passivement une houle impétueuse, gris-vert, gris or, approcher, se hausser, monter en crête, blêmir et, soudain, se dresser à côté d'eux, se maintenir encore formée, de toute sa hauteur, au-dessus d'eux, pendant un bref espace de temps, et retomber, se disperser sur la roche à leurs pieds, les inondant tous deux sous un flot gargouillant, ruisselant, brisé par chaque pierre et par chaque brin d'algue, et regagnant par toutes les voies la masse froide et indifférenciée. Le béret de Fair Isle était trempé. Daniel secoua sa tête noire comme un chien et des gouttes d'eau jaillirent, étincelantes, scintillantes, dans le rayon de soleil brillant et froid qui parut s'être subitement immobilisé au-dessus d'eux. Il regarda Stephanie qui restait là, qui restait paisiblement là, les derniers ruissellements de la vague glissant avec ardeur sur ses chaussures et autour d'elles avant de disparaître. Lentement, elle ôta son béret. Le vent s'empara des cheveux blonds et les fit flotter. L'eau les avait sillonnés de raies sombres et son manteau de pluie était couvert de taches oblongues aux pointes noires. Elle restait là comme hypnotisée par l'eau, la bouche légèrement ouverte, souriant à part soi, tandis que le vent ondoyait sur ses cheveux et ses habits mouillés. Le soleil était si brillant à présent qu'il pouvait à peine la voir.

Une vague plus petite ne réussit pas à s'élancer aussi haut qu'eux. Une fois encore Stephanie dit une chose que Daniel ne parvint pas à entendre.

« Quoi, cria-t-il, que dites-vous ? »

Elle approcha la bouche de son oreille. Il entendit, « ... votre langage, alors. J'ai dit : Que la lumière soit. » Elle semblait ivre, riant sous cape, droguée. « Venez », dit-elle. Elle partit en avant sur les rochers, à toute vitesse, bras écartés pour garder son équilibre, moitié courant, moitié marchant à grands pas. Il la suivit. Une autre grosse vague se cambra, trépida, claqua et chuchota aux pieds de Stephanie. Elle tourna vers lui un visage inconnu de lui, souriant aveuglément, éperdu, blanc et inondé. Au moment où elle repartait une autre vague se dressa, Daniel l'agrippa, les eaux ruisselantes s'abattirent, et Daniel empoigna ses cheveux et son corps. Il l'embrassa. Ce fut un mélange de sel, de froid, de chaud et d'équilibre instable. Elle lui rendit son baiser. Elle l'embrassa avec tant de conviction qu'ils en titubèrent tous deux, et Daniel ne réussit à les remettre d'aplomb qu'en tirant sur ses cheveux et en donnant un coup de genou. Cela eut pour effet de la rendre flexible et docile, elle qui avait été tendue et fuyante jusqu'alors.

«Il n'est pas question que vous vous noyiez», dit Daniel en l'attirant vers lui. Entre deux rochers il la serra dans ses bras des plus incommodément et l'embrassa encore. Elle avait presque un air d'abandon lascif. Daniel était dans un état extrême. Il la heurta accidentellement à la roche, puis la cala contre la solidité de son propre corps. Le soleil froid continuait à briller.

«Il va falloir que vous m'épousiez.

— Non. C'est un – moment romantique – que nous avons créé. Cela ne change rien.

— Oh mais si. Nous l'avons créé. Nous pouvons en créer plein d'autres. Nous pouvons tout faire.

— C'est vous qui l'avez suscité, dit-elle implorante.

— Je veux vivre ainsi.

— Vous ne pouvez pas. Je le sais. Ces choses-là – ne durent pas.

— Les choses que je fais durent.»

Des larmes coulaient sur les joues de Stephanie, des larmes chaudes sur la mer froide, sur la chair froide. Elle savait, elle savait que de telles choses s'évadent pendant que vous essayez de les discerner, meurent pendant que vous essayez de trouver comment les maintenir en vie, s'évaporent pendant que vous essayez de faire apparaître dans votre vie de nouvelles formes qui leur soient adaptées.

«Avez-vous jamais rien éprouvé de pareil? dit Daniel comme si la question était concluante.

— Non. Mais –

— Moi non plus.»

— Daniel – cela ne signifie pratiquement rien – c'est seulement ici et maintenant.

— Ce n'est pas vrai. Je ne veux pas grand-chose. Mais je veux continuer ainsi. Je vous veux. Je vous veux. Je veux que vous soyez à moi.

— Oh, Daniel.

— Et vous le voulez aussi. Je sais ce que vous voulez. » Il ne le savait pas. Mais elle dit, « Bien ».

Ils restèrent tous deux interdits. Elle le répéta avec presque de l'irritation, comme si, au cas où il ne l'aurait pas entendu, elle aurait pu le retirer. « Bien. J'ai dit bien. »

Le visage de Stephanie ruisselait de larmes. Daniel retira un bras.

« Non, non, je ne vous force pas. Vous n'avez pas à –

— Vous ne comprenez pas. Je croyais que vous le faisiez. Le fait est que je n'ai jamais rien voulu, jamais rien, rien pour moi, de toute ma vie. Je ne sais pas comment faire concorder cela avec aucune des choses que je sais par ailleurs. Je ne maîtrise pas... »

S'il perdait à présent sa fermeté d'intention, tous deux étaient perdus. Mais il dit, « Alors c'est bien. C'est la seule chose. Tout ira bien. » Il contempla par-dessus la tête de Stephanie le calme et la fièvre, le vent et la lumière de la mer et du ciel.

Beaucoup plus tard ils prirent des sandwiches et de la bière dans un pub à Hunmanby. Il s'assirent côte à côte sur un banc de bois à haut dossier auprès de la cheminée flambante et dévorèrent du bœuf saignant, des oignons et du sel pressés entre deux tranches de pain bis frais. Ils n'arrivaient pas à manger assez vite ; la saveur était âcre, forte et entièrement délectable. Ils n'étaient pas habitués à être heureux. Tous deux se préparaient inconsciemment au moment où le bonheur se briserait.

« Et ensuite, dit Daniel en vidant son demi.

— Ensuite ?

— Ensuite aujourd'hui, ensuite dans une semaine, ensuite dans un mois. Qu'allons-nous faire maintenant ?

« — Que pouvons-nous faire ?

— Nous marier. Vite. Rien d'autre ne compte.

— Dans combien de temps ?

— Eh bien, il y a les bans. Un endroit où vivre. Ce n'est pas facile, je ne gagne pratiquement rien. Vous ne voulez pas vivre avec le pasteur. Ni moi non plus. »

« Vous disiez, « Bien », et subitement plus rien n'était reconnaissable. Elle ne pouvait pas imaginer vivre avec Daniel. Ni, il est vrai, sans lui.

« Il faut que je finisse le trimestre. Il faut que je persuade papa. Ça ne va pas lui plaire.

— Maintenant ou jamais ?

— Peut-être bien jamais. Mais il pourrait finir par se laisser un peu amadouer.

— Personnellement, je n'y compterais pas. Personnellement, je n'attendrais pas. Mais vous devez faire ce qui vous semble bien. Le pasteur va vouloir vous parler. »

L'Église dressait sa solide tête hideuse et engourdie.

« Que dira-t-il ? Il m'aime bien.

— Ouais, il vous aime bien. Je pense qu'il pensera que vous ferez une bonne femme de pasteur. Étant si visiblement du côté des anges. Inutile de batailler avec lui.

— Vous le feriez.

— Ouais. Mais aussi de telles choses comptent pour moi. Votre force est qu'elles ne le font pas pour vous. Je pense qu'il pensera que vous me civiliserez. Il pense que je suis fruste.

— Daniel –

— Hum ?

— Au dix-neuvième siècle j'aurais – j'aurais fait une bonne femme de pasteur. Au vingtième, la chose n'est pas possible moralement. »

Le pain et la viande remplissaient son corps d'aise, le feu réchauffait ses jambes trempées par la mer, la cuisse de Stephanie était sur la sienne.

« Vous feriez une bonne femme pour moi. Vous avez besoin d'agir. Moi aussi. Nous sommes pareils. Nous nous entendrons. Ce n'est pas comme si j'étais un de ces pasteurs férus d'encens, de cloches, et tout le bataclan, hein ? »

Il posa la main sur les genoux de Stephanie, sur la main de Stephanie. Le désir les éperonna.

« Je veux, je veux, je veux, dit Daniel sur le ton de la conversation mais en serrant les dents.

— Moi aussi, dit-elle avec sincérité.

— Nous n'avons nulle part où aller.

— Non. Nous pourrions rester ici. Louer une chambre, inventer une histoire, téléphoner et raconter des mensonges. Les gens le font. Tout le temps. Cela devrait être facile. »

Le visage de Daniel prit son expression sombre et menaçante. « Le trouveriez-vous facile ?

— Non. Je mens affreusement mal. Je me tourmenterais.

— Ouais. » Il s'empara de sa main, broyant les os. « Il doit y avoir un moyen. Il le faut. Les gens trouvent toutes sortes de moyens.

— Moins de gens que vous le croyez. »

Il rit avec brusquerie. « Dans ma profession vous finissez par savoir combien de gens. Combien de gens dans mon genre. Le nombre m'en paraît abominablement élevé. Il semble y avoir un nombre abominablement élevé de gens qui se retrouvent dans des situations où il est foncièrement difficile de ne pas... Peut-être que je manque juste de capacités. Ou que je ne me donne pas assez de mal. Qu'allons-nous faire ?

— Je ne sais pas. »

Ils se promenèrent encore beaucoup, finalement, et rentrèrent à Blesford par autocars et trains sans avoir rien résolu. À la gare routière de Blesford il dit :

« Le mieux que je puisse offrir, c'est du café en poudre dans ma chambre.

— Eh bien moi, je ne puis rien offrir du tout. »

Le presbytère était plongé dans le noir et désert.

« Ils sont sortis.

— Ouais, ça m'en a tout l'air. »

Ils montèrent dans le noir jusqu'à la chambre de

Daniel. Ils s'y enfermèrent. Ils tendirent l'oreille. Elle dit,
« Où est Felicity ?

— Je ne sais pas.

— Pourquoi ne fermez-vous pas les rideaux ? »

Il le fit, et alluma le feu ainsi que la lampe de chevet
couleur de braise. Il se tourna vers elle. « Ah mon Dieu,
et maintenant ? »

Elle ne savait pas. Ils avaient tous deux peur de se
mettre au lit, non pas, bizarrement, parce qu'ils ressentaient la terreur primitive de la défaillance sexuelle, mais
parce qu'ils étaient, plus modérément, plus insidieuse-
ment, plus profondément, en proie à la gêne. Ils craignaient l'irruption soudaine des habitants de la maison,
de paroissiens insistants. Daniel craignait les vieux ressorts de son lit et la légère odeur de moisi qui ne l'incom-
modait pas quand il était seul. Stephanie craignait de ne
pas être capable de faire face à la moralité de Daniel. Le
péché, et elle supposait que c'en était un, est une affaire
complexe. Certainement, en un sens, coucher avec elle
serait mal, et l'insistance de Daniel à ne pas vouloir en
tenir compte était excitante pour elle. Cela donnait à la
situation quelque chose de sérieux et d'important qu'aucune de ses expériences à Cambridge n'avait eu, bien qu'il
lui apparût à présent que ça l'avait arrangée de rabaisser
toutes les réactions des garçons au niveau machinal et
quotidien auquel elle préférait se comporter. Mais cette
plongée dans les conséquences inconnues du péché l'alarmait. Elle ne voulait pas dévaluer Daniel aux yeux de
Daniel. Elle ne voulait pas avoir affaire à une tempête
de remords. Elle tenait le béret de Fair Isle à deux mains
et le tortillait nerveusement devant elle comme une duve-
teuse ceinture de chasteté.

« Enlevez au moins votre manteau », dit-il. Elle le plia
avec un soin exagérément délibéré sur l'une des nombreuses chaises. Cette sage lenteur sans raison d'être
irrita Daniel. Il avança de biais en faisant craquer le parquet et mit les bras autour de sa taille.

Elle fit un pas de côté.

« Qu'y a-t-il ? »

— Je me demande si vous n'allez pas le regretter.

— Pas du tout. Pas avec vous.

— Mais vous ne devriez pas –

— Cela ne semble pas compter. Si cela ne me tourmente pas, je ne vois pas en quoi cela vous tourmenterait.

— Je ne comprends pas pour quelle raison cela ne le fait pas.

— Cela ne vous tourmente pas, fit-il observer. En tant qu'acte.

— Non. Mais je – ne suis pas – »

Il vit ce qui la troublait mais ne trouva rien à lui répondre, parce que le problème lui semblait hors de propos et qu'il n'avait aucune intention de s'y attaquer, ni maintenant ni jamais. Les forces et la clarté de la journée, la mer, le ciel, le vent, étaient en train d'être dissipées sans nécessité. Il chercha comment distraire son attention et dit avec une ruse grossière, « Bien sûr, je n'ai jamais encore… jamais encore… Et c'est ça qui me tracasse. »

Cela ne le tracassait pas du tout. Il supposait complètement à tort que la passion et l'attention compenseraient son manque de pratique. Mais cela eut bel et bien pour effet de dévier l'attention de Stephanie de sa moralité meurtrie vers son manque présumé d'assurance sexuelle.

« Cela n'a pas d'importance », dit-elle.

La maison était silencieuse. Daniel commença à défaire le lit. Elle n'essaya pas de l'arrêter. Quand il eut terminé, elle dit, « Avez-vous une serviette ?

— Une serviette ?

— Nous aurons besoin d'une serviette. »

Il en trouva une, blanche à raies rouges, et la posa sur l'oreiller. Il se demanda s'il devait commencer à la dévêtir, ou à se déshabiller. Elle dit, « Si nous éteignons la lumière et ne faisons pas de bruit, s'ils rentrent, ils ne sauront pas que nous sommes là.

— Ouais, dit-il. C'est ça. »

Alors ils se déshabillèrent dans le noir, à la hâte, et se coulèrent tant bien que mal, chair froide, chair brûlante, pâle et sombre, dans le lit étroit, tous les deux ensemble.

Ce ne fut pas une grande réussite, mais une effervescence sans coordination ni rythme partagé, leurs deux corps constamment en danger de tomber du lit, inhibés presque jusqu'à la fin par les ressorts grinçants et les draps débordés qui glissaient. Daniel, surexcité et frénétique, ne savait pas, la moitié du temps, s'il était dedans ou dehors, s'il entrait ou sortait. Stephanie, qui n'était pas accoutumée au plaisir sexuel aigu, ne fit aucune tentative pour exiger un orgasme et n'en atteignit aucun, ce dont le balbutiant Daniel parut ne pas avoir conscience, car il ne fit aucune tentative pour en stimuler un, pour demander s'il y en avait eu un, ni pour s'excuser de cette apparente déficience. Elle trouva le fait plus réconfortant que l'inverse, en raison de l'absence de gêne. Ils s'échauffèrent, devinrent moites, un peu contusionnés et égarés. Daniel poussa un grognement et ce fut terminé.

Il se tourna et elle s'assit, examinant son visage sombre et fermé. Elle n'arrivait pas à imaginer ce qu'il ressentait. Elle n'arrivait pas à dire qui il était. Elle s'attendait presque à ce qu'il sorte de sa torpeur et pousse des rugissements dans des transports de reproche ou d'extase vis-à-vis de lui-même, ce qui, dans un cas comme dans l'autre, l'aurait profondément gênée.

Il ouvrit des yeux perspicaces et sourit, indolent, amusé, immobile.

« Eh bien, dit-il, c'était un début, en tout cas. Je pense que c'est l'essentiel. C'était un début. »

Elle abaissa les yeux sur lui.

« J'aime te voir là, dit-il. Ça semble bien. » Il leva un gros bras et attira la tête blonde sur sa poitrine. Elle resta allongée à côté de lui, s'habituant à ses rudes contours, aux épais bourrelets de chair. Une main énorme était posée dans le creux de ses reins, et l'autre dans ses cheveux. Elle sentit que les limites de leurs deux corps n'étaient pas vraiment distinctes. Elle entendit les battements rapides et forts de cet autre cœur.

« Tu te sens bien ?

— Extraordinairement bien.

— Peux-tu imaginer – » Elle ne saisit pas la fin de la phrase.

« Quoi ? Puis-je imaginer quoi ?

— Peux-tu imaginer qu'on puisse se marier sans le vouloir réellement ? Tant de gens doivent le faire, à les voir. Ça paraît n'avoir aucun sens, si on ne le veut pas réellement…

— On peut ne pas vouloir être seul.

— Ça me serait égal. »

Les certitudes de Daniel l'alarmèrent et la ravirent en proportions égales. Alors elle soupira et s'endormit.

Quand ils se réveillèrent des coups et des heurts accidentels indiquaient qu'il y avait maintenant des gens dans la maison. Ils se demandèrent en chuchotant s'ils allaient allumer la lumière, et ne le firent pas. Ils ne voulaient ni des jacasseries des Ellenby ni du regard d'espoir et de connivence de Felicity Wells. Alors ils restèrent immobiles à somnoler pendant environ une heure de plus. Quand les Ellenby eurent fait des bruits annonciateurs de leur coucher, des bruits de précautions contre les cambrioleurs, des bruits de salle de bains et d'extinction des dernières lumières, ils se levèrent et s'habillèrent. Ils étaient tous deux affamés et avaient besoin d'aller aux toilettes. Ce fut cet ultime embarras qui décida finalement Stephanie à descendre furtivement et à rentrer chez elle. Daniel fit observer qu'elle pourrait utiliser les cabinets du jardinier, à l'extérieur, avec une relative sécurité. Il fut décidé que lui-même ne sortirait pas. Alors il la regarda par la fenêtre traverser sur la pointe des pieds la pelouse baignée par le clair de lune, baissant la tête sous son béret et la levant une fois pour regarder la masse sombre de Daniel à sa fenêtre assombrie. Il leva le bras dans un salut généreux, tel un général victorieux. Il avait agréablement chaud dans son corps. Il avait l'imagination agréablement à l'aise. Il ne sous-estimait pas, espérait-il, les difficultés de la suite des opérations. Mais il était parvenu jusque-là, oui jusque-là, à force d'audace et d'amour, et c'était impossible d'imaginer qu'il n'irait pas plus loin.

19

Mammon

Quelques semaines plus tard, le trimestre ayant commencé et Alexander, de retour dans sa voiture, ayant emporté les *Quatre Quatuors*, Stephanie et Frederica prirent un café à La Causette de l'immense grand magasin de Calverley, Wallish & Jones. Elles fuyaient une grosse averse et le vitrage était couvert de buée à l'intérieur comme à l'extérieur. Les tables avaient des nappes damassées amidonnées. Sur un tapis épais et silencieux s'étalait un feuillage luxuriant et compact de lianes de la jungle et de feuilles de nénuphar invraisemblablement croisées avec des feuilles palmées de marronnier, de diverses nuances de vert tropical et de brun et or d'un automne anglais, avec de brillantes petites grappes de baies comme des gouttes de sang à des intervalles géométriquement proportionnés. Ce tapis absorbait, outre tous les bruits de talons aiguilles, chaussures de ville et griffes cliquetantes de chiens de manchon, les égouttures des pointes de parapluie, impers en plastique, chapeaux en taffetas imperméable et sacs en papier. Il faisait chaud. Les dames étouffaient, se dépouillaient de plusieurs pelures de vêtements. Votre voix, si vous parliez, ne portait pas, absorbée qu'elle était par les manteaux humides et la moquette d'Axminster. La coutume était néanmoins de baisser la voix, que vous discutiez du prix abominable des rideaux en filet ou des abominables effets secondaires de votre hystérectomie. Les filles Potter aimaient ce lieu. Elles l'avaient fréquenté toute leur vie.

C'était samedi. Frederica portait, ce qui était tape-à-l'œil à cette époque et en ce lieu, un pantalon noir collant et son chandail à manches kimono avec une petite écharpe autour du cou. Elle était extrêmement maquillée, paupières vert gazon, cils noirs et bouche prune. Stephanie était dépeignée et suffoquait en manteau et jupe coordonnés. Frederica buvait un café glacé de luxe, avec deux boules de glace, une longue cuiller et des pailles. Stephanie buvait du café avec un petit pot de crème. Elle dit, « Il faut que je te dise quelque chose.

— Vas-y.

— Eh bien. » Il semblait y avoir une difficulté. Frederica releva les yeux du spectacle de ses pailles tachées de pourpre. Stephanie était cramoisie et sa rougeur se propageait jusqu'à la pointe de ses oreilles et la racine de ses cheveux.

« Dis-moi tout.

— Je vais bientôt me. Je veux dire, je me marie.

— Tu te maries ?

— Je vais épouser Daniel Orton. Dans très peu de temps. »

Frederica, pendant un terrible moment, la fusilla d'un regard indigné. Elle prononça les premières paroles à lui passer par la tête.

« Je ne savais pas.

— Nous ne l'avons dit à personne encore.

— Je ne savais pas, répéta Frederica d'un ton fâché.

— Je me rends bien compte qu'il y aura des difficultés.

— Je le pense effectivement, approuva Frederica d'un ton acerbe.

— Il va falloir que je le dise à papa.

— Il sera furieux. C'est sûr et certain. »

Frederica jeta un regard furtif à sa sœur, à présent rose foncé, couleur absurde sous ses cheveux pâles. Une grosse larme ronde s'était formée au coin d'un de ses yeux. Frederica trouva la chose répugnante.

« Femme de pasteur est un travail à temps complet. Fêtes, associations des Mères, seins où s'épancher et tout le tralala. Tu vas assumer tout cela ?

— En partie, je pense. Cela ne me gêne pas.

— Eh bien je comprends ce que tu veux dire par difficultés. Miséricorde ! »

Stephanie s'écria, « Je voudrais que tu dises autre chose. Je suis très très heureuse. » Elle écarta, d'un vaste mouvement de bras, porcelaine blanche, fourchettes à dessert en plaqué et serviettes en papier, enfouit le visage dans ses bras et éclata en sanglots, sans aucune retenue.

Frederica était horrifiée. Elle appela la serveuse, tapota Stephanie sur l'épaule et dit :

« Bien sûr je suis enchantée, deux autres cafés s'il vous plaît, avec de la crème, et vite, Stephanie, c'est juste le choc, je ne me doutais pas, personne ne se doutait. Es-tu amoureuse de Daniel Orton ?

— Oui. C'est certain.

— Comment le sais-tu ? » La question fusa comme celle d'un inquisiteur alors que Frederica avait voulu inviter à la confidence. Daniel Orton était gros et religieux. Frederica voulait et à la fois ne voulait pas imaginer quel effet cela pouvait faire d'être amoureuse de Daniel Orton.

« Comment le sait-on jamais ? » Elle se redressa sur sa chaise, rouge et luisante, et regarda vaguement autour d'elle. « J'ai couché avec lui.

— Et ça a été excitant ? interrogea Frederica d'une voix alliant d'une manière saisissante la lubricité et l'aigreur.

— Ce fut une révélation », dit Stephanie avec dignité. Elle entendit sa voix habituelle de Cambridge tomber comme une masse au milieu des silences ouatés des commérages de Calverley, leva les yeux et rencontra, non pas le signe de tête curieux et amical d'une amie de Cambridge, mais le visage de renard, avide, tendu et trop fardé de Frederica, qui exprimait une horrible jubilation mâtinée d'une fureur incoercible.

« Et tu as décidé, s'écria-t-elle d'une voix rauque, d'arborer un voile et des fleurs d'oranger, de m'avoir pour demoiselle d'honneur sous un joli chapeau, de me faire répandre devant toi les pétales de rose d'une mignonne petite corbeille, et de promettre obéissance, ou bien est-ce que tu épouses un pasteur dans le vent…?

— Je ne comprends pas pourquoi tu te mets dans cet état-là. » Frederica ne le comprenait pas non plus. Une malignité illimitée, irraisonnée, la possédait.

« Je regrette de te l'avoir dit.

— Je suis très contente pour toi. Sincèrement.

— Oui. Bien », dit Stephanie. Elle se leva et poussa deux demi-couronnes à travers la table. Elle était sortie avant que Frederica ait seulement eu le temps de formuler une autre phrase.

Frederica resta sur sa chaise à tripoter les deux pièces. Elle s'était conduite atrocement et se sentait atroce.

Quand elles étaient petites, pendant la guerre, elles jouaient aux grandes personnes, ce qui n'était pas pareil que jouer au ménage et avait un champ d'imitation plus limité et des règles qu'elles n'avaient jamais vraiment comprises. Elles se paraient d'anciennes toilettes de Winifred, une vieille robe du soir en velours noir, une robe de crêpe à volants parsemée de coquelicots écarlates et d'épis de blé flamboyants, des souliers de satin, des jupons, des châles à franges déchirés, des chapeaux à fleurs de soie, à plumes de faisan. Elles portaient une bourse pailletée au bout d'une chaîne ternie et une pochette en cuir verni, et se fabriquaient des poudriers factices avec des boîtes d'élastoplast, des cigarettes avec du papier roulé, du rouge à lèvres avec des crayolors enfoncés dans des tubes de carton. C'était un jeu inventé pour découvrir la réalité même de son objet, ce à quoi il échouait de toute évidence. Elles paradaient, se pavanaient, se livraient à d'interminables préparatifs en vue de péripéties qu'elles ne parvenaient pas à provoquer. Le jeu finissait par être inéluctablement joué dans des salles d'attente imaginaires, salles des pas perdus, foyers de théâtre, lavabos de dancing ou d'hôtel, lieux où, selon leur maigre connaissance des univers des films et des romans, des épisodes majeurs de l'existence des grandes personnes, des événements non circonscrits à la cuisine et à la chambre à coucher, prenaient place. Ni l'une ni l'autre n'envisageait jamais de tenir le rôle d'un homme, aussi leurs rencontres se faisaient-elles toujours dans le vide. C'était avec le vide que Frederica nouait des dialogues concis et avortés tout en dansant. C'était au vide que Stephanie commandait des produits de luxe introuvables, crème, raisin, orange et citron, beurre frais et petits fours glacés. Ce jeu commençait toujours par procurer l'impression de la tentation, de l'interdit et du mystère, et s'achevait dans la frustration et l'ennui.

Pour l'heure Frederica fit jouer une ou deux fois le fermoir de son sac, comme elle le faisait du temps du jeu, et en examina le contenu, un gros tube de rouge à lèvres grenat, de la poudre compacte Max Factor, comme pour conjurer l'ensemble de ces objets, tout en se demandant pourquoi elle s'était montrée, pourquoi elle se sentait encore, tellement venimeuse. Stephanie l'avait prise de vitesse et, simultanément, elle avait détruit la vision de l'évasion des prisons jumelles de Blesford et Calverley vers un monde plus réel et plus nécessaire. Si Stephanie, qui avait goûté à la liberté, pouvait opter pour le bonheur conjugal avec un gros vicaire, l'échec était horriblement possible. N'importe qui, n'importe quand, pouvait se retrouver esclave de ses fourneaux, d'une série de plats en Pyrex décorés de cristaux en forme de flocons de neige imprimés en noir sur un fond rose satin, et d'une théière à soi. Il y avait des agréments secrets, comme on s'en rendait compte à la lecture de *Bonnes Épouses* et de *L'Arc-en-Ciel*, à être cloîtrée avec un homme transfiguré et des possessions transfigurées dans une maison à soi. Mais le plus souvent, et à Blesford, c'était l'horreur.

Elle pensa à Alexander. Que Stephanie eût apparemment renoncé à aimer Alexander le rendait plus immatériel et plus lointain. Comment vivrait-il désormais ? Une fois riche et célèbre, comme il allait l'être, et profondément occupé d'art, comme il l'était déjà. L'imagination confondue de Frederica défaillit comme elle le faisait dans ces jeux d'autrefois. Il écouterait les *Quatre Quatuors*. Et partirait suivre les répétitions de ses pièces, qu'elle pouvait imaginer, et assister à des cocktails littéraires, qu'elle ne pouvait pas imaginer. La quintessence était la conversation, pas les théières, et elle ne pouvait pas imaginer cette conversation. Elle ne ressemblerait pas aux propos des Potter, mais à un texte écrit, au lieu de discourir pesamment de textes écrits.

Il y aurait aussi la sexualité. Stephanie avait fait ses propres découvertes en ce domaine. Elles n'avaient jamais abordé entre elles la vie amoureuse de Stephanie, ni même l'éventualité qu'elle en eût une, et Frederica était à présent troublée d'imaginer que sa vie amoureuse était, et avait été, terre-à-terre. Cela la mettait en fureur, au moins autant que sa capitulation devant les solides usages de la bourgeoisie. Aux deux bouts de la balance, le style et le fait, elle errait dans une salle des pas perdus imaginaire. Que Stephanie eût abandonné le chaste et chimérique espoir d'Alexander pour la chair solide rendait l'espoir d'Alexander soit impossible, soit plus concret. « J'ai couché avec lui. » « Ce fut une révélation. » Quelqu'un, quelque part, coucherait probablement, ou couchait effectivement, avec Alexander. Alors, logiquement, il fallait, soit vouloir cette chose-là, soit avouer s'être bercée de douces illusions. « Il s'agit de chair et de sang, monsieur. » Il était des plus vraisemblable qu'il n'avait jamais remarqué et ne remarquerait jamais le fait. Mais lui aussi, à l'égal de Daniel Orton et à la différence de M. Rochester, était de chair et de sang. En conséquence de quoi…

Elle décida que sa conduite atroce envers Stephanie devait être expiée. Elle dépenserait une partie de son pécule pour T.S. Eliot à l'achat approprié d'une cuiller en bois ou d'un rouleau à pâtisserie. Elle empocha la monnaie de Stephanie sur le prix du café, et partit pour le rayon des articles ménagers au sous-sol.

Wallish & Jones, grand magasin universel, était une part aussi ancienne de son mode de vie que le jeu en velours noir, ou même plus ancienne. Quand elle était un petit bout de chou, elle y était emmenée année après année, à Noël, pour voir le Père Noël dans son Palais des fées, ou bien, alternativement, le Père Noël dans sa Grotte souterraine. Un de ses plus vieux souvenirs était son premier ballon gonflé à l'hydrogène, nacré et bondissant au bout d'un fil de fer argenté, qui lui avait été tendu par le vieil homme barbu en personne, assis sur son trône clignotant de guirlandes argentées et de lumières féeriques dans les profondeurs glauques de la Grotte. Elle l'avait tenu dix minutes avant qu'il éclate entre les mâchoires des lourdes portes, enduites de vernis noir et armées de pistons, des toilettes pour dames. Elle avait entendu les lamentations de sa propre voix dans le crasseux périmètre carrelé derrière les fenêtres des toilettes, plaintes d'une âme emprisonnée en plein tourment, résonnant à tous les échos. Elle avait été consolée, lui disait-on, mais elle ne se le rappelait pas, par une glace rose à La Causette, qui, à cette époque, avant d'être remise à neuf, était presque austère avec son carrelage vert et or, ses napperons de dentelle et ses chaises en bois moulé.

La guerre avait nui à la vraisemblance, à l'enchantement, aussi bien du Palais que de la Grotte, habités, l'un, par des essaims de fées parsemées d'étoiles, l'autre, par des gnomes constellés de diamants qui maniaient des pelles et poussaient des brouettes. Les lumières clignotantes et scintillantes sur les remparts, les stalagmites et les stalactites, les cascades miroitantes d'eau à la sécheresse argentée, étaient devenues un peu tremblotantes et déglinguées. Les rochers incrustés de papier mâché, ou les clochetons sur lesquels de minuscules fenêtres gothiques brasillaient à ravir, étaient, comme les hauts-de-chausses des gnomes et le tulle des fées, comme les toiles d'araignée des cavernes et les bannières du château, devenus un peu élimés et sales. Les ballons, étant en caoutchouc, disparurent. Au lustre véritable du Royaume des fées succéda l'enchantement spécieux de la découverte de l'illusion théâtrale, l'arrière de la Grotte révélé comme quelque chose du même genre que le décor derrière lequel on marche en connaissance de cause sur un plateau. Le vénérable mage à la barbe blanche qui lui avait donné son premier ballon translucide, fragile et chatoyant, fut remplacé par un type ambivalent, mi-jeune mi-vieux, mi-laine mi-coton, grimé et grimaçant de sourire, qui la tint sur ses genoux dans le Palais des fées, poussa un gloussement lubrique, lui frotta la figure d'une joue cramoisie et piquante, lui caressa son petit derrière d'une patte chaude et insistante, et lui donna un curieux objet qui ressemblait à un étron en jais ou à un morceau de charbon en caoutchouc, et qui s'avéra être un distributeur de sel de réglisse, dont vous suciez une grande quantité de poudre pétillante jaune vif qui vous teignait la langue et les dents en jaune moutarde.

Même ainsi la magie subsistait, une fête annuelle, un gage annuel du pouvoir de l'imagination, déployant les filets de sa resplendissante influence bien au-delà de sa propre zone, sur tout le contenu de ces étages de rayons, comptoirs et plateaux de marchandises. Parsemant les bas inusables de filaments d'argent semblables à des traînées d'escargot, dansant dans les boules de verre cramoisies, vertes et dorées au milieu des plats en Pyrex, pendant en ribambelles de gnomes et de fées en Cellulloïd et en tulle au bout de fils de coton noir attachés aux appareils sifflants et cliquetants qui faisaient circuler des tubes pneumatiques remplis d'argent tout autour du plafond.

En ces temps anciens un génie de la mécanique vous permettait de monter jusqu'au Palais des fées ou de descendre jusqu'à la Grotte dans des petites nacelles branlantes, pilotées par des gnomes ou des fées, des nacelles en forme de cygne ou de dragon, treuillées le long de ce qui devait être l'Escalator de service, et qui, ensuite, disparaissaient avec une secousse et un cliquètement, par en haut ou par en bas selon le cas. Frederica les avait aimées, comme elle aimait les trains fantômes et les toboggans, la plongée dans un tunnel mystérieux vers une destination inconnue brillant de tous les feux de l'artifice. Pour l'heure elle se tint avec aigreur sur les marches argentées, roulantes et glissantes de l'escalier mécanique principal et fut lentement emportée, toute droite, vers les profondeurs. Elle passa devant des rayonnages de robes et de froufrous en tulle empesé, et plus bas devant des sièges, des postes de radio avec tourne-disque, des salons trois pièces et des tables en acajou, en noyer, en chêne, dont le couvert était mis avec de la porcelaine de Wedgwood, Minton ou Coalport, des verres en cristal taillé et des verres modernes de Dartington aux larmes de cristal enfermées dans leurs pieds trapus. Elle passa devant la literie, où l'on avait construit, autour de l'escalier, une série en étoile de différents styles de chambres à coucher, comme les quartiers d'une orange, offrant, pour ainsi dire, des variations infinies sur l'idée de chaise, ou de lit, divan bas avec dessus-de-lit à raies irrégulières, haut chevet Louis XV capitonné avec jupon en chintz glacé, bois pâle fonctionnel avec chenille de coton blanche, petites tables de toilette blanc et or, carpettes à fleurs, descentes de lit en fourrure blanche hirsute, tapis au motif géométrique archiconnu de spermatozoïdes et de bâtonnets, couleur noisette, rose ou jaune acide. Chacune de ces chambrettes avait une fenêtre en carton et Cellophane, des rideaux assortis au couvre-lit, un voilage à fronces, et donnait sur un ciel en papier brillant bleu foncé et quelques étoiles artificielles, sous la coupole aveugle de Wallish & Jones. Elle passa devant le rez-de-chaussée, son bazar de babioles, sa foire aux vanités de petits accessoires astucieux ou indispensables, de nouveautés et de fantaisies tape-à-l'œil, et atteignit le sous-sol des articles ménagers où des cuisines segmentées, resplendissantes de lumière du jour factice et de panoramas tronqués d'allées peintes et de bordures de fleurs en papier, succédaient aux chambres à coucher segmentées. Frederica descendit de l'escalier roulant. Elle regarda les petites cuisines d'un air mauvais et ne fut pas tentée de franchir leur seuil, ni d'essayer leurs ingénieux tabourets pliants ou leurs tabourets de bar aux pieds arachnéens. Elle passa sans s'arrêter devant ces éléments de cuisine, écarlate sinistre et blanc hôpital, bleu glacier et Formica bariolé imitant des éclats de marbre, fabriqués en un temps où les couleurs plastiques n'avaient pas encore acquis de clarté, où l'on ne connaissait pas leur nature, mais où elles n'étaient que de vilaines imitations d'autres choses, et où, par-dessus le marché, le bon goût exigeait de l'écarlate d'être brouillée et amortie avant de donner une touche acceptable de couleur vive.

Parmi les gadgets elle avait espéré dénicher un objet bon marché, utile et ingénieux, un instrument à l'élégante forme fonctionnelle, ou un accessoire exotique – un presse-ail, une spatule galbée, un tire-bouchon, une simple bagatelle, mais témoignant de sa bonne volonté, admettant le fait acquis des intentions domestiques de Stephanie. Mais en pratique elle ne put se résoudre à toucher, ou à prendre, aucun de ces objets-là non plus. Amoureuse invétérée des profondeurs, elle se sentit subitement prise de claustrophobie et remonta à l'air libre.

La mercerie avait toujours été un lieu de prédilection. Elles y venaient dans leur prime jeunesse chercher des cols de dentelle pour leurs belles robes, des rubans pour leurs cheveux, de la ganse, de l'élastique, des boutons et des pressions. Frederica, en 1953, était encline à voir dans ces visites des rituels fastidieux, mais elle discernait la possibilité de les voir autrement, avec une sorte de nostalgie dickensienne pour les détails d'une vie disparue, ce qui devait, en fait, être sa réaction en 1973. Mais ce jour-là elle fut déprimée, aussi, par les cartons d'épingles et les paquets d'aiguilles. Elle se dirigea vers la section franchement frivole de ce rayon, où de lisses et velouteux bustes noirs sans tête étaient drapés de chaînes d'or et de verre, où des anneaux d'oreilles pendaient à des arbres d'ébène dépourvus de feuilles, où de monstrueuses coupes à champagne débordaient de bulles compactes en plastique dont les teintes vineuses se mêlaient à l'or, l'argent et la perle. Là les comptoirs étaient festonnés de brumes de foulards en mousseline de soie déployés en arc-en-ciel, au milieu desquels fleurissaient dahlias, roses, asters, pivoines et pavots, en soie, en papier, ou en plastique réaliste nouveau, avec des feuilles dorées et argentées en papier métallisé et en aluminium tintant. En errant parmi ces fantaisies elle tomba tout à coup sur un cercle de personnes luttant corps à corps, de l'autre côté de qui se trouvait le cercle de verre tournoyant de la porte à tambour, et elle vit qu'elle était arrivée à l'étalage des voiles de mariée. D'un air mécontent, elle s'arrêta pour considérer la scène. Au centre s'élevait un kiosque circulaire, à l'intérieur duquel une vendeuse grassouillette et fourbue tournoyait par saccades. Autour d'elle, sur les planchettes de rayonnages en verre soutenues par de fragiles barreaux chromés, se dressaient des petits supports dorés à plusieurs branches où étaient posées ou accrochées les couronnes et les auréoles. Fleurs d'oranger en cire, feuilles de laurier en pelure d'argent, bouffettes de velours, tiares constellées de strass et poires postiches en cire assemblées en menues grappes sur des tiges métalliques, étaient toutes drapées de tulle dont les plis formaient ce lacis aux arêtes vives et linéaires propre au flou artistique. Certaines étaient sensiblement défraîchies, d'autres étaient toutes propres et d'une blancheur immaculée.

Autour de la figure centrale une espèce de mêlée de rugby de futures mariées se bousculait et jouait des hanches. Dehors, la froidure et la pluie; dedans, l'étuve; de la vapeur montait du tweed, de la gabardine et des bottillons fourrés. En un cercle plus large, le cortège des mères, grands-mères, tantes et sœurs, tels les témoins d'un duel en champ clos, se tenait autour de la cohue en action, étreignant parapluies, chapeaux et paquets humides. Il était possible aux jeunes filles d'approcher la tête du comptoir et de se dévisser le cou dans la direction des nombreux miroirs circulaires à pied disposés sur le comptoir au milieu des voiles. Il leur était quasi impossible de se frayer un passage pour que leur corps suive. Elles penchaient intensément le buste en avant, le derrière coincé, se distendaient anormalement de biais, et atteignaient, empoignaient et tiraillaient les couronnes haut perchées. Une fois qu'elles s'en étaient emparées et les avaient abaissées sur leurs cheveux humides, il leur fallait toujours pousser et frétiller sans trêve du postérieur pour ne pas perdre l'équilibre. Certaines, après avoir jeté un coup d'œil dans la glace, tournaient le torse pour exhiber à leur escorte familiale leur visage sous sa parure, tout en basculant et en se cramponnant nerveusement, parfois, comme dans un ouragan. Frederica observa, fascinée. Ceints de voiles, au-dessus de ces corps massifs et trop solides, les visages changeaient. Il y avait de temps en temps un petit sourire gêné ou une grimace de répulsion, mais la plupart de ces visages, révélés par le geste classique d'une main chaude et moite animée soudain d'une grâce timide et voulue, prenaient une expression lointaine et révérencielle et, qu'ils fussent ronds, chevalins, compassés, anémiques, ou barrés de lunettes à monture d'acier, tous entrouvraient les lèvres et écarquillaient les yeux en une sorte de stupéfaction rituelle devant la vision encore inaccomplie d'un être nouveau, d'un monde nouveau. Frederica pensa que c'était touchant autant qu'absurde, et regarda leurs jambes gigoter, se trémousser et se presser sur le sol boueux. Au bout d'un moment elle éclata de rire et repartit vers les fantaisies en quête d'un cadeau stupide pour Stephanie.

Finalement elle acheta deux choses stupides, une paire de pantoufles en chevreau blanc et duvet de cygne dans une espèce de coffret transparent agrémenté d'un nœud rose, et une ceinture, une de ces chaînes, à mi-chemin entre la laisse de chien et l'armure, qui étaient alors le dernier cri, et dont on attachait un maillon à un crochet en laissant pendre l'autre bout comme une imitation de châtelaine. Ou de fers. Ces emplettes lui mangèrent la totalité de son pécule pour les *Quatre Quatuors* mais la satisfirent. Stephanie pourrait garder les pantoufles pour sa lune de miel, elles seraient le signe de la sympathie de Frederica pour toute cette affaire. Une révélation. Quant à la chaîne, elle l'avait choisie selon le très bon principe que c'était ce qu'elle aurait elle-même voulu, comme cadeau surprise.

Après quoi elle se faufila dans la porte à tambour, décrivit un beau demi-cercle, prit une grande inspiration d'air frais qui lui donna le vertige, et partit à grandes enjambées dans la rue grise et pluvieuse.

20

Pater familias

Alexander avait pour règle de ne jamais pénétrer dans la maison, ou le foyer, des femmes mariées dont il était épris. Ce n'était, pensait-il, bon ni pour elles ni pour lui. Ou bien elles n'aimaient pas leur maison ou foyer et en conséquence étaient irritables ou bouleversées, ou bien au contraire elles l'aimaient et voulaient consacrer soit leur maison soit leur amant en y introduisant celui-ci. Il y avait une troisième éventualité, qu'il n'avait jamais rencontrée mais redoutait, celle qu'une femme, un jour, lui demande de prendre part à la destruction rituelle de ladite maison, dudit foyer, de l'attaquer à la hachette et au chalumeau. Une ou deux fois il avait dangereusement frôlé cette situation. Il préférait être homme d'extérieur.

Il avait passé de bonnes Pâques. Il avait écrit à Jennifer à quel point elle lui manquait en tous lieux, qu'il déambule dans l'hôtel de ses parents, contemple à chaque porte numérotée lit anonyme après lit anonyme, arpente, seul hélas! les dunes crayeuses, ou rôde au bord de l'eau, à marée haute, sur la grève de Weymouth. Ses parents avaient au sous-sol une enfilade interminable de cuisines et arrière-cuisines édouardiennes peintes en brun, très peu meublées, avec des portes vitrées mal ajustées et des tapis en fibre de coco houleux. Ils s'installaient là, parmi de monstrueuses boîtes de soupe à la tomate et des cartons d'oignons déshydratés, pour feuilleter le *Daily Telegraph* et écouter la radio. Le capitaine et Mme Wedderburn étaient à la fois les propriétaires et le personnel de l'hôtel, ils planifiaient les arrivées, les départs, les achats, et triaient les draps sales et la vaisselle ébréchée. Alexander n'y fit pas allusion dans ses lettres à Jennifer. «Mes parents se portent à merveille et sont contents de me voir», écrivit-il, bien qu'ils eussent à peine trouvé le temps de lui adresser la parole. Il écrivit aussi d'élégantes missives à Crowe, évoquant le plaisir des promenades solitaires et d'une vie sans élèves. Il transportait les réponses de Crowe, débordantes d'enthousiasme pour l'été à venir, avec celles de Jenny, dans ses poches.

À son retour Jenny lui sembla broyer du noir et se comporter d'une manière quasi revêche. Il n'arriva pas à décider si elle était attristée par son absence ou furieuse d'être forcée de ne pas bouger. Ils se rencontrèrent une fois sur la Butte du Château et s'aperçurent qu'ils étaient épiés par le visage ricanant et apparemment privé de corps de la fille à la résille qui se matérialisa dans un buisson de ronces. «Comme le chat du Cheshire», dit Alexander, mais Jenny remarqua violemment qu'il n'y avait rien de drôle, qu'elle était désormais une perpétuelle Alice lorgnant à travers de minuscules trous de serrure sur des jardins inaccessibles, et qu'elle avait envie de goûter un tant soit peu aux réalités de ce monde. De grâce.

C'est ainsi qu'Alexander se retrouva chez elle pour le thé, non sans s'être soigneusement arrangé pour être attendu au bout de la rue, chez les Potter, pour la soirée. Bill Potter ne parlait plus à Geoffrey Parry depuis qu'ils s'étaient querellés à propos de Thomas Mann, que Bill avait traité de charlatan oiseux. Parry dit qu'ils pouvaient admettre d'avoir des avis divergents. Bill dit qu'aucun esprit éclairé qui se respecte ne pouvait se comporter de la sorte. Parry dit que Bill ne lisait pas l'allemand. Bill dit qu'en l'occurrence cela n'avait aucune espèce d'importance. Parry dit que Bill était borné, et Bill dit que c'était une insulte d'ignare. Parry dit à Jennifer, qui n'écoutait pas, que l'irascibilité et l'immodération n'avaient pas lieu d'être contagieuses. Il n'avait pas adressé la parole à Bill depuis lors.

Jennifer avait confectionné un gâteau spécial pour Alexander et préparé du thé spécial. Elle frotta extatiquement son visage contre celui d'Alexander quand il franchit le seuil, et le petit Thomas, dans ses bras, tira d'un geste possessif sur la joue de sa mère. Elle fit faire à Alexander une visite guidée qu'il n'avait pas demandée. Il fut saisi d'inquiétude en se rendant compte qu'elle lui attribuait la curiosité dévorante de l'amant pour le moindre détail de la vie cachée de sa bien-aimée, les cabinets et leurs fleurs roses, la chambre d'enfant, sa frise de Beatrix Potter et son riant mobile à la sous-Miró, la chambre à coucher, son mobilier suédois et ses rideaux en tweed. Dans la chambre il eut l'impression d'être un voyeur, indésirable et déplacé. Jennifer gémit doucement et lui prit la main. Le petit Thomas, appuyé contre sa hanche, gémit aussi. Elle posa l'enfant sur le lit, au bord duquel elle s'assit. Alexander resta debout. Thomas hennit légèrement et tira sur les vêtements de Jennifer; elle lui donna une faible poussée et il éclata en sanglots. Elle le reprit dans ses bras, le retourna avec une adresse non dénuée de douceur, le renversa la tête en bas par-dessus son épaule, ce qui lui bouchait la vue, et redescendit brusquement au rez-de-chaussée.

Ils burent leur thé, nerveux tous deux, malades tous deux d'une chose qui n'était ni du désir ni son contraire. Thomas, dans sa chaise de bébé, fixait Alexander de ses yeux bleu glacier. Alexander but à petites gorgées dans une tasse en porcelaine rose et pensa: elle m'aurait laissé faire, avec lui regardant de l'autre côté du lit. Jenny coupa du pain et fit des languettes à la pâte à tartiner Marmite pour Thomas, qui les jeta par terre. Elle lui tourna sa chaise vers la fenêtre. «Regarde les arbres, le ciel bleu, le soleil, Thomas.» Thomas hoqueta, s'étrangla et se tortilla en arrière pour continuer à observer Alexander. Alexander jugea qu'il devait lui parler, et tendit un doigt inquiet qui fut serré dans un étau méfiant et graisseux. «Il t'apprécie», dit-elle. «Oh là là.» Elle essuya quelques larmes, souleva Thomas et l'installa sur les genoux d'Alexander, tout en laissant une main s'attarder électriquement sur sa braguette. Elle renifla et recula pour les contempler tous les deux.

Thomas était menu, chaud et compact. La petite main de Thomas était posée sur son bras. Thomas sentait à la fois le propre et le sale, le savon et l'urine, l'hamamélis, la pâte à tartiner et la confiture. Thomas était un être humain, deviendrait un homme, observait d'un œil calme, critique et sombre. Au bout d'un moment il fit des sauts de carpe, frétilla de tout son corps comme une gelée ou un haricot sauteur, et faillit tomber par terre. Elle s'empara vivement de lui, le refit culbuter par-dessus son épaule, la tête en bas et ne voyant plus rien, l'embrassa, le serra contre elle pour le faire taire.

« Il t'aimerait certainement, Alexander.

— Il faut que j'aille chez les Potter. » Il se leva et s'épousseta. « Je t'aime.

— Je t'aime. Je ne supporte pas de me trouver comme cela dans cette maison. Ce n'est pas bon. Il faut que tu t'arranges pour avoir toute une journée de liberté et sortir avec moi dans ma voiture. Je l'ai, la voiture, maintenant.

— Je ne peux pas.

— Il le faut. Fais preuve d'ingéniosité.

— Mon con me brûle. » Elle rougit.

« C'est normal. Moi aussi. Je ne peux pas en supporter davantage. »

Il partit, et se rendit chez les Potter.

Frederica le fit entrer. En ouvrant la porte elle l'avertit en aparté, « Il y a une scène monstre qui se prépare dans cette maison. Je dirais qu'elle va éclater d'un instant à l'autre. Tout le monde est d'une humeur massacrante depuis des jours.

— Je ferais sans doute mieux de rentrer chez moi.

— Oh que non », dit Frederica, et elle referma la porte derrière lui.

Ils étaient tous là. Quelque chose clochait dans l'éclairage ; il était inhabituellement froid et faible. Bill demanda à Alexander s'il voulait du xérès, en versa un peu pour eux deux, et puis, comme en se ravisant, une larme pour Winifred. Personne à part Frederica n'avait l'air d'avoir envie de parler. Frederica soûla Alexander de considérations sur

Mme Parry et son interprétation de *La dame ne brûlera pas*, d'où il n'y avait qu'un pas à franchir pour en venir à la propre détermination de Frederica à embrasser une carrière d'actrice au lieu de se morfondre au logis et de laisser ses talents, pour autant qu'elle en eût, moisir en elle inemployés, par la mordieu. Depuis qu'elle avait reçu la lettre de Lodge lui offrant le rôle d'Elisabeth avant son couronnement, elle marchait sur des nuages, sauf pendant le fâcheux contretemps de La Causette, et s'était mise à décorer ses propos de jurons et d'explétifs qui n'étaient pas des archaïsmes proprement dit, mais à l'évidence des versions modernes du style d'Elisabeth. C'était très pénible. Alexander essaya de refroidir son enthousiasme à coups de statistiques d'actrices syndiquées qui pointaient au chômage. Bill dit qu'elle irait à l'université et y ferait de bonnes études, comme Stephanie, après quoi elle serait équipée pour se choisir une profession.

« Comme Stephanie, dit Frederica sarcastique.

— Comme Stephanie, dit Bill. Quoique tu donnes étonnamment peu de signes de la maîtrise de soi de Stephanie, ou de son respect pour la vérité, je dois le dire.

— Je suppose que Stephanie a fait ce que tu veux, alors, et que la carrière de Stephanie te convient parfaitement.

— Elle pourrait mieux faire. Elle fera mieux. Ce lycée n'est qu'une étape.

— Tu ne sais rien de ce qui concerne Stephanie, ni de ce qu'elle a l'intention de faire. Tu ne sais pas ce qu'elle veut, ni ce que veut aucun d'entre nous. Tu ne sais pas ce que tu nous as fait.

— Oh, Frederica », dit Stephanie. Elle se mit à rougir. Alexander la regarda avec intérêt. Il pensa que Frederica avait prédit une scène avec tant de certitude parce qu'elle avait l'intention de la provoquer.

« Je sais que Stephanie se contente de trop peu. Je lui dis souvent qu'elle perd son temps dans ce lycée. Vous êtes certainement de mon avis, Alexander. »

La nécessité d'une réponse fut épargnée à Alexander par Winifred qui dit, sans penser assez vite aux conséquences de ses paroles, parce qu'elle était contrariée par Frederica, «Ce n'est pas ça. Il y a quelque chose qui ne va pas – Stephanie ?

— Non, il n'y a rien. Rien du tout. La vérité est que je vais me marier. Je ne voulais pas en parler encore.»

Pour une raison indéfinissable c'est à Alexander qu'elle s'adressait. Elle avait l'air malheureuse. Bill dit, «Avec qui, si je puis me permettre de le demander, y étant bien obligé, vu que je n'en ai pas la plus petite idée, vas-tu te marier ?»

S'adressant toujours à Alexander, elle dit, «Avec Daniel Orton.

— Et qui est Daniel Orton ?»

Il était impossible, décida Alexander, de déceler si cette question résultait d'une véritable ignorance ou d'une ironie appuyée. Ce fut Frederica qui répondit.

«C'est le vicaire. Celui qui vient, tu sais, qui est venu à propos des petits chats.

— Non, dit Bill.

— Mes félicitations, dit faiblement Alexander.

— Tu dois avoir perdu l'esprit.

— Je veux l'épouser. J'y ai bien réfléchi. Lui aussi. C'est une chose à laquelle on est censé réfléchir par soi-même.

— Balivernes.

— Papa, je t'en prie, ne commence surtout pas. Je t'en prie, ne dis rien. Je pense ce que je dis. C'est ma vie. Je t'en prie.

— Ta vie. Et que diable crois-tu qu'elle sera, ta vie, une fois mariée au vicaire ? Caquetages, agenouilloirs, Guides, Mères chrétiennes et kermesses. Tu es absolument inapte à ce genre de non-existence. Comme un cheval de course attelé à la carriole du laitier. Tu deviendras folle en une semaine, à supposer, comme je viens de le dire, que tu ne le sois pas déjà. Et il doit être fou, lui aussi, ou totale-ment dépourvu d'imagination, pour attendre cela de toi. Non que l'imagination ait l'air d'être son point fort.

— Papa –

— Et puis il y a sa foi, quoi que ce terme signifie, au

jour d'aujourd'hui. Je suppose que tu ne la partages pas, tu n'es tout de même pas tombée si bas.

— Non, mais –

— Mais quoi ?

— Son travail, oui, son travail est bien, je respecte son travail.

— Ce n'est pas ton travail à toi, pauvre dinde, il n'exige pas tes dons mais il exige des choses que tu n'as pas. Ce type ne peut pas y avoir le moins du monde réfléchi. Son pasteur ne le permettra pas. Nom de Dieu, Stephanie, tu ne vas pas me faire croire que tu puisses honnêtement vouloir te rallier à une institution qui professe les vues de saint Paul sur les femmes, et des vues, à coup sûr, sur la reproduction et la sainteté de la parturition à répétition. Tu deviendras une lapine. Une lapine, une esclave, et une dispensatrice de tasses de thé en tailleur de tweed. Tu ne peux pas.

— Je voudrais que tu arrêtes. Tu te montes la tête à propos de Daniel. Tu n'as aucun droit de le faire. »

Bill se tourna théâtralement vers Alexander.

« C'est de ma faute. C'est de ma faute, c'est sûr. J'ai failli à mon devoir. Mes enfants n'ont pas de tripes, aucun n'a véritablement de tripes ni de ténacité. Ils s'aplatissent et se débinent devant les vrais défis. Mon fils est un crétin dans la lune, ma fille veut épouser un mensonge doublé d'un totem et enterrer son unique talent –

— C'est de ta faute, dit Frederica. C'est de ta faute parce que tu agis comme tu le fais en ce moment. Tu nous rends impossible de faire ce que tu veux nous voir faire parce que tu le rends absolument répugnant à force de scènes. Je pense qu'elle épouse le vicaire rien que pour t'embêter, rien que pour te clouer le bec et t'empêcher de nous seriner à jet continu ce qui est bien, ce qui est bon…

— Frederica, tais-toi, dit Winifred. Et Bill. Tais-toi. Tu es en train de causer des dégâts irréparables.

— C'est stopper, je dis bien stopper des dégâts irréparables que je tente de faire, pauvre folle. Tu veux que ta fille épouse un gros patapouf de vicaire ?

307

— Non. Je ne le veux pas. Mais je ne pense pas que cela compte, ce que nous voulons. C'est elle qui décide, et je la soutiendrai.

— Tu n'en tireras aucune gratitude. Elle est bien décidée à nous bafouer.

— Non, dit Stephanie glaciale. Quoi que tu en penses – quoi que Frederica en pense aussi –, cela n'a rien à voir avec toi. J'aime Daniel. Cela n'a pas été chose facile. Et tu la rends bien pire. Mais tu n'y changeras rien. Alors, je t'en prie, calme-toi. »

Bill saisit une grande pile de livres surmontée d'un cendrier et lui lança le tout à la figure. Elle se pencha de côté. Les livres atterrirent autour d'elle avec un ébranlement et un bruit sourd. Le cendrier heurta une petite lampe qui explosa, répandant des éclats de verre et une odeur de brûlé. Stephanie ramassa deux livres. Ses mains tremblaient. Alexander remarqua qu'il y avait une fine croûte d'écume aux commissures des lèvres de Bill. Il détourna les yeux et dit, « Je pense que vous ne devriez pas en dire davantage. Et je crois que ma place n'est pas ici. Et Stephanie est bouleversée.

— Bouleversée, dit Bill. Bouleversée. C'est tout indiqué, et moi aussi je le suis. Bouleversé. Très bien. Je ne dirai pas un mot de plus. Je ne ferai plus état de la question, jamais plus. Tu peux agir comme bon te semble, bien sûr, mais quoi que tu fasses, je ne veux y prendre aucune part, alors tu auras l'extrême obligeance de ne plus jamais m'ennuyer avec cela. »

Il promena des regards furieux autour de la pièce, fit un brusque signe de tête à Alexander et sortit en claquant la porte. Winifred, le visage sans expression, le suivit.

« Je vous avais dit que ce serait abominable, dit Frederica.

— Tu n'as pas aidé, dit Stephanie.

— J'ai essayé, dit Frederica.

— Guère », dit Alexander.

Stephanie avait noué ses bras autour de son corps et frissonnait. Alexander s'approcha d'elle.

« Est-ce que ça va ?

— Sans doute. J'en suis malade.

— Vous ne devriez pas vous évertuer à être raisonnable.

— Nous avons été élevés à être raisonnables.

— Guère, dit Alexander.

— Oh mais si. À croire en la raison, l'humanité, les relations entre les êtres et la tolérance. Vous pouvez renforcer n'importe quel précepte avec n'importe quelle technique. Je ne ressentirai jamais plus la même chose pour lui après ce qui s'est passé. »

Elle parlait d'une petite voix grêle. Alexander éprouva un affreux moment de doute : était-ce pour Bill ou pour Daniel qu'elle ne ressentirait plus jamais la même chose ? Frederica déclara avec énergie, « Il se calmera. Il le fait toujours.

— Et s'il le fait j'aurai subi tout cela pour rien. Je serai censée prétendre que cela n'a pas vraiment d'importance. C'est ce qu'il nous fait, ce qu'il nous fait toujours, alors nous avons tort de prêter attention à ce qu'il dit, parce qu'il explique que ce n'est pas exactement cela qu'il voulait dire. Alors c'est vous qui êtes coupable de laisser de mauvaises paroles s'aigrir dans votre tête parce qu'elles ont été retirées.

— Vous ne pouvez vous permettre de prêter attention à ce qui est absurde.

— Ah non ? » Très froidement.

« Stephanie – il faut aller parler à Daniel. Maintenant. Dès que possible.

— Daniel ? Je ne peux pas le lui raconter. Cela serait absolument terrible. Je ne peux pas…

— Cela le concerne », dit Alexander doucement. Stephanie fondit en larmes, éclata en grands sanglots épouvantés.

« Je n'arrive pas à me le rappeler. Je n'arrive pas à me le rappeler comme il faut. Ce n'est pas comme si je n'avais mené mes propres – débats avec moi-même – à propos de ces choses – de l'Église.

— Mais Daniel est là, dit Alexander, et il est réel. » Il mit les bras autour d'elle, et elle respira le parfum de l'Old

Spice. Elle ne pouvait pas dire que l'irréalité d'Alexander, dans ce sens-là, et sa présence en cet instant, exacerbaient ses propres incertitudes. Elle s'accrocha à lui et sanglota, et il lui caressa les cheveux, longuement.

Frederica restait assise sur le canapé sans que personne ne se soucie d'elle. Elle se sentait ébranlée et revigorée. Leurs vies avaient toujours été ponctuées par de telles bourrasques de fureur. Ce n'était en aucune façon la première lampe brisée. Ils vivaient selon un mythe de normalité, une image de la sécurité et de la certitude que procure en toute circonstance la famille en circuit fermé. Mais il y avait des fissures et des interstices à travers lesquels soufflaient les froides rafales, aujourd'hui comme hier et comme demain. Cela avait un côté stimulant. Les hurlements, les rictus, la pure déraison n'étaient pas, comme le prétendaient l'éthique et l'esthétique des Potter, des aberrations passagères. Mais la substance même de la vie. Si vous en connaissiez l'existence, alors vous pouviez agir, véritablement. Elle se déplia, tapota Stephanie, qui tressaillit, sur l'épaule, et quitta la pièce.

« Le problème, dit Stephanie, c'est que je me sens dans l'incapacité de vivre.

— Quelle bêtise.

— Non, véritablement. Il me fait ressentir cela. Je ne crois pas que ce soit bien sensé, mais c'est ainsi.

— Vous essayez de vous le concilier comme Jéhovah. Ce n'est pas bon.

— Non ?

— Non, parce que cela ne fait qu'empirer les choses. Et pour lui aussi.

— Je devrais être morte. Tout ce que je veux, c'est cesser d'être.

— Vous voulez épouser Daniel Orton. »

Ayant dit cela, il lui donna un baiser doux et sec sur la bouche. Elle laissa tomber la tête sur son épaule, et ils restèrent ainsi pendant quelque temps. Elle n'arrivait pas à se rappeler Daniel, c'était vrai.

21

Le représentant en poupées

Frederica offrit ses cadeaux, avec un geste théâtral et une excuse, à Stephanie. Stephanie la remercia, et dit qu'elle n'aurait pas dû se donner cette peine. Stephanie était assez fine, estima Frederica, pour savoir à quel point il peut être blessant de s'entendre dire qu'on n'aurait pas dû. Elle essaya de lui trouver l'excuse de la tension nerveuse, mais pensa que Stephanie aurait dû considérer qu'elle aussi était sous pression.

Elle souffrait d'une colère généralisée, inspirée par une espèce de film érotique illicite, trouble et troué de hiatus, qui se déroulait en permanence dans sa tête et autre part. Daniel, malgré sa corpulence, était devenu monstrueusement intéressant. Bon gré mal gré l'imagination de Frederica retroussait sa chemise de vicaire, abaissait son pantalon de vicaire, évaluait le poids de son énorme ventre et avait une vision fugitive des joyeux ébats de la suave blancheur de Stephanie avec sa rocailleuse et hirsute masse noire. Elle-même se dénudait, mais, au lieu de la pénétrer, l'air l'enfermait dans une chaleur claustrophobique. Elle était hargneuse envers tout le monde, prenait des poses et se vantait, mais ne soutirait de réaction qu'à son miroir. Winifred lui suggéra d'aller faire une bonne grande promenade pour s'aérer. À ces mots, Frederica se détendit comme un ressort. Elle prit le car de Calverley, d'où elle avait l'intention de prendre un autre car pour les landes du Nord-Yorshire et de faire une balade.

Derrière la cathédrale de Calverley, où elle fit une rapide incursion d'un quart d'heure, se trouvait la gare routière. Frederica monta dans un car marron à destination de Goathland et Whitby, et s'installa contre une fenêtre, espérant vaguement en cette impression d'être désincarné que peut donner un bon voyage. Un homme entra et vint s'asseoir à côté d'elle. Elle se leva rituellement et se rassit, indiquant par là qu'elle lui faisait de la place, et resserra sa jupe. Son voisin prit immédiatement du volume et occupa l'espace laissé vide. Le car s'éloigna et sortit de Calverley. Elle jeta un bref coup d'œil à l'homme. Il portait un costume brun-roux, d'une étoffe laineuse, qu'il remplissait solidement. La main carrée sur le genou voisin du sien portait une chevalière en or. Elle regarda par la fenêtre.

Une fois sorti de Calverley, le car se mit à grimper. Frederica, délivrée de sa mauvaise humeur et de la chaleur, se plongea dans ses pensées. Elle songea à Racine. Elles faisaient *Phèdre* pour le bachot. Mlle Plaskett, le professeur de français, leur avait donné à rédiger d'interminables analyses de personnage. Phèdre, Hippolyte, Aricie, Œnone, mais pas encore Thésée. Le bachot prenait cette forme-là. En un sens cet exercice faisait paraître Racine exactement comme Shakespeare et Shakespeare exactement comme Shaw – le trimestre précédent elles avaient fait Jeanne, Dunois, Cauchon, Stogumber exactement de la même façon. Il était demandé d'étudier les fonctions des personnages et, pour couronner le tout, comme de la crème sur un diplomate, quelle individualité chacun possède en sus, quelle nature intrinsèque, unique et indépendante. L'autre chose qu'elles faisaient, et qui rendait Shakespeare comme Racine mais pas comme Shaw (lequel se montrait en fait réfractaire au bon candidat bachelier bien rodé), était de relever les images récurrentes. Le sang et les nourrissons dans *Macbeth*, le sang, la lumière et les ténèbres dans *Phèdre*. Cela faisait paraître Shakespeare aussi bien que Racine très proches d'Alexander Wedderburn. (Shaw était plus difficile. Si vous ne repreniez pas ses propres arguments de polémique, il ne vous restait pratiquement rien à dire. Si vous aviez quelque talent, c'était on ne peut plus insatisfaisant que de reprendre les remarques d'autrui, fût-ce l'auteur, sur ce que la pièce signifie. Il devait exister une autre méthode, mais elle était sacrément incapable de dire laquelle.)

Alors que ce qui vous frappait, en présence de Shakespeare et de Racine, c'était la différence de construction de l'œuvre. Il devait exister un moyen de rendre compte de cette différence. Comparez et opposez Phèdre et Cléopâtre en tant que portraits de femmes passionnées. Non, non. Cela ne concernait pas vraiment non plus les unités, qui lui faisaient l'effet de constituer une fausse piste.

Cela concernait l'alexandrin. Vous étiez obligé de penser autrement, la forme que prenait concrètement votre pensée était différente si vous pensiez en distiques, clos sur eux-mêmes et en outre divisés par la bascule de la césure, et si vous pensiez en français, avec un vocabulaire limité.

> Ce n'est plus une ardeur dans mes veines cachée,
> C'est Vénus tout entière à sa proie attachée.

Quatre membres de phrase, également répartis, également agencés, même dans cette déclaration des plus extrême, et pensez à la mise en valeur de cachée et attachée à la rime. Voyait-on pour de bon Vénus tout entière ? Elle avait sans y penser toujours vu une chose informe et accroupie, tombée d'une branche, toutes griffes dehors, mêlée au corps qui lutte comme dans le cas du lion et du cheval de Stubbs. L'extérieur lacérant l'intérieur. Mais la forme du vers isolait l'assaillant de l'assailli tout en les associant inexorablement. Quelque chose comme cela. Eh bien, si l'on écrivait, pensa Frederica, sur les processus intellectuels de l'alexandrin – on aboutirait peut-être à quelque chose –, on verrait combien les images sont comparativement argumentées, au lieu de couler de source comme dans Shakespeare. Elle sourit d'un sourire de pur plaisir, tout en regardant ce qui était à présent un paysage distinctement de lande, la route bordée de talus irréguliers et d'espaces d'herbe drue et de linaigrette tremblante, la terre bosselée, plissée, craquelée, jusqu'à l'horizon, de granite, de bruyère et de plaques de fougère.

L'homme à côté d'elle prenait plus que sa place. Il était habituellement vrai que ses voisins occupaient plus que leur dû. Le gros derrière de cet homme-ci appuyait chaudement contre le sien. L'avant-bras mordait sur son espace. Quand le car prit un virage, il étendit la main, lui agrippa le genou, se redressa et dit :

« Excusez-moi. Ça secoue un peu.

— Ce n'est rien.

— Vous allez loin ?

— Jusqu'à Goathland.

— Vous y habitez ?

— Non, non.

— Vous vous promenez ?

— J'ai un jour de congé.

— Moi de même. J'ai un jour de libre et je me suis dit que j'irais voir la lande. Vous êtes toute seule ?

— Oui.

— Moi de même. »

Laconique, pensa Frederica. Il retomba dans le silence. Son derrière augmenta de volume et se rapprocha. Le revers de son veston lui entra dans la poitrine. Sa respiration se fit plus audible. Elle tourna la tête vers la vitre et examina le paysage. Les bruns de l'année passée, le caramel pâle des fougères, la vieille bruyère, sur la terre crue et la jeune verdure du renouveau. Il existait un art sans paysage, avant lui, peut-être après lui. Racine, par exemple, n'eût éprouvé aucun intérêt pour les nuances des fougères, et Mondrian, qu'elle venait juste de découvrir, n'en éprouvait certainement aucun non plus. Si l'on vivait par ici, on supposait que le paysage fait partie de l'essence des choses et, à la façon des Brontë, on avait le sentiment de s'en servir pour penser et percevoir, mais en même temps c'était un obstacle. On ne pouvait ni le voir ni voir à travers lui, il était empâté de trop de souvenirs.

Passagèrement elle envisagea un appartement londonien imaginaire, celui d'Alexander peut-être, bois pâle et lisse, beaucoup de blanc, rideaux tirés, lumière tamisée, formes artificielles, carrées, arrondies, aérodynamiques, touches de crème et d'or. Elle sourit à nouveau, ce qui à nouveau incita son voisin à parler.

« Vous avez des tuyaux sur ce qu'on peut faire dans le coin ?

— Non. Il paraît que c'est très joli.

— Il paraît. Je pourrais aller me balader, me dérouiller les jambes, hein ? C'est drôle que je fasse une virée pendant mon jour de repos, vu que je voyage toute la semaine. Huddersfield, Wakefield, Bradford, York, Calverley. Puis ça va être le Salon du jouet à Harrogate. Je travaille dans les jouets. On pourrait comprendre que je ne veuille pas bouger pendant mon jour de repos, mais le fait est que j'ai la bougeotte. »

Frederica hocha prudemment la tête. L'homme dit, avec une bouffée de colère inattendue, « On se sent seul quand on est VRP. C'est dur d'entretenir une maison et une famille quand on ne peut jamais être là. Je dépense gros pour cette maison, des sommes folles, vous ne le croiriez pas, mais je n'en tire aucun bénéfice, sauf si on compte le plaisir de savoir qu'ils vivent plus à l'aise qu'ils ne le feraient autrement. Aucun bénéfice personnel. On ne fait plus partie des choses, pas comme si on rentrait régulièrement tous les soirs à l'heure du thé. Des fois j'ai l'impression de gêner, si je débarque sans crier gare, de déranger, comme qui dirait, alors je ne le fais plus, si je peux, maintenant, je ne me fatigue plus à couvrir des kilomètres à fond de train, à m'esquinter le tempérament, j'envoie une jolie carte postale et je reste où je suis, je fais une petite virée ou deux comme aujourd'hui. Je cause avec les gens, je trouve ça plus agréable tout compte fait, moins décevant.

— Oui », dit Frederica, qui ne devait jamais savoir qui habitait ladite maison, ses parents, sa femme ou ses enfants. « Ma sœur va se marier. Alors chez nous c'est le chaos.

— Je vous crois ! Je vous crois ! » dit l'homme en brun avec une énorme force de sympathie.

Quand ils atteignirent Goathland, le car s'arrêta devant un pub. Il faisait froid. Dans le pré communal accidenté des oies se promenaient, et des moutons des landes traînassaient, mâchonnaient, roulaient des regards torves et s'éloignaient au petit trot. Le compagnon de Frederica dit, « Je vous offre un verre ». Elle pensa à refuser, mais elle voulait voir l'intérieur d'un pub, où elle n'était jamais entrée. Lorsqu'il lui demanda ce qu'elle prendrait, elle dit, « Du whisky », ce qu'elle avait déjà bu, en cas de rhume, avec du miel, et jugeait plus approprié à l'endroit où ils se trouvaient que du xérès ou du gin au citron vert. L'homme lui offrit deux whiskys et lui parla poupées.

« On croirait pas, mais les Boches fabriquent des poupées bien plus mignonnes que nous. De vraiment jolis minois, des cheveux doux, tellement naturels, tellement fins. Notre poupée standard est une fillette à la mine vraiment sévère, les joues comme des billes rouges et les yeux qui font greli grelo comme des petits cailloux, et rien n'est fait pour les empêcher de cliqueter quand on les penche. L'étonnant, c'est qu'en général les gamines les aiment tout de même, avec leur bouche rouge sang de petite choute et leur expression mièvre qui vous mettent un peu mal à l'aise si vous les regardez vraiment, ce que je ne fais pas, bien sûr, en temps ordinaire, car mon boulot, c'est vendre l'article. Remarquez, les gamines aiment n'importe quoi, souvent je me dis qu'elles voient pas vraiment ce qu'elles câlinent, n'importe quel bout de chiffon, épingle à linge ou machin en caoutchouc leur convient la plupart du temps, du moment qu'elles ont décidé de lui faire des câlins. Je l'ai remarqué. Mais si vous êtes en position de faire des comparaisons, vous vous faites une espèce d'idéal. Ce que j'aimerais vraiment c'est une poupée nature, vous savez, toute douce, avec des vrais plis comme les bébés, une poupée qui boit, qui se mouille et tout et tout, avec des petites jambes qui ne servent à rien comme les vrais bébés. Je pourrais en créer une, mais personne dans la profession ne voudrait en entendre parler, elle serait bien trop laide, sans cheveux, le ventre rond, personne ne voudrait la prendre en considération. Dommage. Dommage aussi pour les baigneurs. Ils sont tout juste acceptables s'ils sont noirs ou hollandais, avec un costume qui cache le bas d'un ventre lisse sans rien au bout. Je me demande s'il n'arrive jamais aux gamines de demander où donc est le petit kiki, zizi, mimi ou machin-chose qu'elles voient sur elles-mêmes et sur leurs frères. Nous ne sommes pas faits pour jouer les saintes-nitouches, ça dure toute la vie. Encore un whisky? Il n'y a pas de mal dans la vérité vraie, c'est pas votre avis? Mais si j'essayais, je serais poursuivi en justice.

— J'en suis sûre. J'avais une jolie poupée en caoutchouc. Elle s'appelait Angelica. Mais son ventre s'est abîmé. Sa chemise de corps s'y est agglutinée. C'était horrible.

— La chaleur, je pense que vous l'y aviez trop exposée. Le talc rend bien service avec le caoutchouc. Prenez les cheveux maintenant. Prenez les cheveux. Les Boches réussissent mieux les cheveux aussi. Ils ont une plus belle gamme de couleurs – tout à fait réalistes –, chez nous c'est toujours noir d'ébène ou blond platine, ou parfois auburn, si on peut appeler ça comme ça. Je dirais plutôt henné. Mais les Boches fabriquent des cheveux qui ont l'air complètement naturels, et ils échelonnent mieux les touffes, ils les alignent pas en rangs comme des soldats, malgré qu'on pourrait s'y attendre d'eux, mais ils leur donnent un aspect naturel, sur toute la surface du crâne, et certaines sont très jolies, comme je viens de vous le dire. Ça détruit la foi qu'on peut avoir en made in Britain, y a pas à dire, et j'ai aucune envie d'avoir à chanter les louanges des Boches, je vous assure. Pas moi. J'en ai trop vu. Mais ce qui est sûr, c'est que ni les Boches, ni les Anglais, ni personne ne pourrait fabriquer des cheveux aussi jolis, aussi doux et aussi exceptionnels que les vôtres. Quelle teinte merveilleuse, vraiment extraordinaire, si vous me permettez de vous le dire.

— Merci, dit Frederica avec une dignité hors de propos.

— De rien. Voyez-vous, j'ai été dans les troupes d'occupation en Allemagne et je peux vous affirmer que les poupées artistiques sont la dernière chose de quoi on a envie de croire les Allemands capables. Plutôt les abat-jour en peau humaine, et les squelettes ambulants, comme ceux qu'on a vus en allant libérer les camps de la mort en Pologne. Je vais vous dire ce qui me les a rappelés. Je suis entré dans la cathédrale de Calverley et j'ai vu les sculptures de cadavres et de squelettes que les évêques d'autrefois mettaient sur la planche du bas de leur tombeau pour se souvenir. Imaginez une multitude de gens comme ça qui vous regardent en flageolant, en dégageant une puanteur horrible, quand vous entrez. Ça vous retourne l'estomac et les nerfs pour de bon, y a pas à dire. On n'arrivait pas à croire que c'étaient des êtres humains et pourtant c'était pour eux qu'on était venus. Encore un whisky ? Non. Ça vous dirait d'aller faire un tour ? »

Sous la table il lui coinça la cheville, chaussette en tire-bouchon contre bas Nylon. Elle jugea que les règles d'un jeu inconnu d'elle étaient strictement encore qu'excentriquement appliquées. Tant de boisson, tant de bavardage, une ration de chaque, et puis :

« Quel est votre nom ?

— Freda. Freda Plaskett.

— C'est pas commun. Moi, c'est Ed. Edward en réalité, bien sûr, je préfère Edward, mais c'est toujours Ed qu'on me dit.

— Ed.

— On y va ? »

Ils traversèrent le centre de Goathland, descendirent une rue qui se transforma en chemin, franchirent tant bien que mal un ruisselet et firent quelques pas en pleine campagne. Il devint évident qu'Ed n'avait pas l'intention d'aller plus loin. Il demanda à Frederica si elle pensait qu'il faisait trop froid pour s'asseoir. Elle dit que non. Il prit son imperméable et l'étendit sous un buisson d'épine assez wordsworthien. Frederica s'assit toute raide sur le bord du manteau, se disant qu'il y avait des choses qui, une fois connues, ne la tracasseraient plus de la même façon. Elle avait lu *L'Amant de Lady Chatterley*, il est vrai, et *L'Arc-en-Ciel* aussi, ainsi que *Femmes amoureuses*, mais on ne peut pas dire qu'elle s'attendait à une révélation de la part du représentant en poupées. Elle souhaitait que son ignorance, pour une part, soit dissipée. Elle souhaitait apprendre ce qu'il faut savoir. Elle souhaitait être à même de localiser avec précision les sources de son insatisfaction.

Ed s'installa, appuyé assez gauchement sur un coude, à côté d'elle, et leva les yeux vers elle. Elle ne lui rendit pas son regard. Pendant tout ce qui se passa, elle ne regarda pas véritablement son visage. D'une manière générale, il avait la mâchoire lourde et était rasé de près. Il avait les cheveux châtains, courts et hérissés.

« Ça va comme ça ? demanda-t-il.

— Plus ou moins.

— Ça irait mieux si tu te détendais un peu et t'allongeais. »

Elle s'allongea.

« Bon », dit-il, et il se pencha sur elle. Il passa une jambe sur les siennes et approcha la figure de la sienne, l'embrassant et la picorant de ses lèvres sèches, chaudes et fermes, absolument partout, le front, les joues, les paupières closes, le menton, les lèvres. Il possédait une sorte de compétence démoniaque et avait commencé la mise en œuvre d'une technique éprouvée. Après un certain temps dévolu à ces baisers superficiels il commença à s'occuper simplement de sa bouche, la pinçant, avec les lèvres, avec les dents, la frottant pour l'écarter, l'ouvrant finalement avec sa langue, qui parut monstrueusement grosse, raide et gonflée, et sentait la nicotine, la bière et le thé. Leurs dents se heurtèrent et crissèrent. Frederica essaya de se dégager en se tortillant, ce qui augmenta l'activité d'Ed, il la maintint d'une main et hissa la masse de son corps sur elle. Elle sentit son bas-ventre dur, très dur, frotter, frotter encore, et sa propre langue se rétracter, se relâcher un instant et frôler l'intruse, ce qui la fit frémir d'anxiété, de révulsion, et de cette persistante et épouvantablement anonyme curiosité. C'était peut-être un obsédé sexuel. Elle aurait dû y penser.

À ce point, il promena la main sur sa jambe, sous sa jupe, et remonta jusqu'à son épaisse culotte d'écolière. Et commença à frotter celle-ci avec autant d'efficacité que sa figure. Frederica voulut se dégager, de gêne ou de révulsion. Je vais devenir folle, pensa-t-elle, il faut absolument que je sache, et je ne peux pas le supporter. La façon d'apprendre n'a pas d'importance, il ne faut pas qu'elle en ait. Elle essaya de serrer les jambes, de dire non, mais sa bouche était occupée, son pelvis écrasé, et la main agissante progressait lentement vers l'intérieur de sa culotte, qui, à son extrême embarras, devenait chaud et humide. C'était étrange, moins elle aimait ce qui se passait et plus une espèce d'avidité machinale dans son corps prenait le dessus, de sorte que son corps se souleva de son plein gré pour chercher, pour accueillir les doigts inquisiteurs, si bien qu'à la fin, quand il en enfonça deux en elle, elle se tordit d'angoisse sur eux, convulsée par quelque chose, et que des larmes lui vinrent aux yeux. Elle se représenta ces doigts à l'œuvre, émoussés, inconnus, tachés de nicotine, pas trop propres, et des passions contraires se déchaînèrent en elle, elle rendit morsure pour morsure à l'autre bouche, arqua le corps, jeta un bras en l'air pour frapper ou caresser les cheveux drus qui se révélèrent, en fait, doux et soyeux comme ceux d'un bébé. Sa robe était retroussée et ses jambes froides et mouillées. Elle se posa brusquement la question de la conduite à tenir si l'envie de faire pipi la prenait, et cette pensée la calma. Ed lui saisit alors la main et la guida vers sa braguette. Frederica la laissa posée, d'une manière hésitante, un instant ou deux sur son costume, puis l'ôta, après une vague et rapide pression de politesse. Elle ignorait ce qu'elle était censée faire, et n'avait pas envie de s'exécuter. Elle devint brusquement et presque complètement flasque. Quand Ed lui ressaisit la main elle l'ôta avec une assez grande fermeté et détourna la tête. Il se redressa subitement et elle le vit s'essuyer la main sur son mouchoir. Frederica resserra les jambes sur cette impression de chaleur, démangeaison et pulsation, et observa Ed. Elle n'avait aucun moyen, aucune expérience préalable, pour savoir si c'était la conclusion normale, une monstrueuse frustration, ou le signal d'un nouvel assaut. En fait, tout en contemplant la lande impassible, Ed se remit à parler.

« Avec les copains à l'armée, avant d'être envoyés en Allemagne, on allait dans les bordels du Caire. Il y avait des numéros, tu sais, en plus de ce qu'on trouve d'ordinaire, et d'extraordinaire aussi, je crois qu'on pourrait dire. Certains ne valaient pas tripette, on finit par en avoir marre de voir toujours la même chose et j'ai jamais été porté sur les bottes et tout le bataclan. Mais il y avait des choses qu'on voit pas tous les jours. Comme cet endroit où il y avait une fille et on suspendait un bourricot au-dessus d'elle, dans un filet drôlement résistant, accroché au plafond. Elle l'excitait, comme qui dirait, cet âne, elle s'allongeait sous lui et l'excitait, avec les mains, la bouche et tout son attirail, c'était une fille qui savait drôlement y faire. Lui, il avait un outil énorme, tout juste s'il ne perçait pas le filet, il était excité à bloc mais ne pouvait pas atteindre la fille, à cause du filet. Il fallait le ligoter, comme qui dirait, sans ça il l'aurait complètement esquintée, déchirée, fendue en deux, et il gigotait des quatre fers pendant qu'elle frétillait et se trémoussait. C'était quelque chose, y a pas à dire. »

Il s'arrêta de parler, aussi abruptement qu'il avait commencé. Frederica ne trouva rien à dire. Ils restèrent assis l'un à côté de l'autre, fronçant tous deux les sourcils d'un air légèrement étonné. Il dit :

« Le mieux serait de retourner au village. On pourrait prendre le prochain car pour la côte.

— Je pense – que je vais rester ici et juste me promener. »

Ils restèrent assis un peu plus longtemps.

« Bon, dit Ed. J'y vais. Si je pouvais ravoir mon imper. »

Frederica se leva en toute hâte et il ramassa l'imperméable, le brossa méticuleusement, le plia sur son bras, fit un signe de tête taciturne et s'éloigna en remontant le chemin.

Elle ne se promena pas, en fait, très loin ; juste quelques pas en direction de la lande et puis, sans but précis, de nouveau sur le chemin. Le désir d'arpenter la lande l'avait complètement abandonnée ; le film cochon aussi. Elle ne savait aucunement tout ce qu'il fallait savoir, mais il était incontestablement vrai qu'elle en savait bien davantage qu'au départ. Elle suivit le chemin et tomba sur une voiture gris métallisé, d'une extrême propreté, garée devant une barrière. Cette voiture lui dit quelque chose, puis elle la reconnut avec certitude. Elle s'en approcha, colla le visage contre le pare-brise et regarda à l'intérieur.

Les sièges avant étaient vides. Sur la banquette arrière Alexander était vautré sans grâce, un genou pendant dans le vide, sur une femme non identifiée qui disparaissait sous lui. Il avait sa veste et son pantalon, et sa taille était informe et noueuse sous ses basques évasées en velours côtelé. Ses beaux cheveux pendaient tout lisses sur son visage et celui de la femme, l'effleurant elle, le cachant lui. Frederica se figea sur place et regarda fixement. Elle continua, hypnotisée, possédée par la curiosité, à fixer la scène. Alexander, alerté par quelque chose, leva un visage empourpré et délicatement luisant, et croisa son regard.

Le visage encadré de Frederica Potter, au beau milieu de la lande de Goathland, était bien pire que l'apparition, à la manière du chat du Cheshire, de la fille à la résille sur la Butte du Château. Elle avait refait son maquillage après l'épisode avec Ed, et le visage que vit Alexander avait une certaine qualité criarde de marionnette, comme c'était alors la mode – paupières arquées et dorées, bouche luisante lie-de-vin, masque poudré de blanc tout autour. De grands anneaux dorés pendaient à ses oreilles, sous les cheveux roux. Son expression, sembla-t-il à Alexander, était avide et cruelle. Pendant ce qui parut être un très long moment, ils se regardèrent droit dans les yeux, en silence. Puis Alexander décida confusément que s'il se baissait, c'est-à-dire s'il laissait sa tête retomber sur Jennifer, qu'il espérait protégée par son propre corps des regards scrutateurs de Frederica, il y aurait une chance pour que Frederica n'identifie pas Jennifer et, peut-être, sa présence ainsi ignorée, pour qu'elle s'en aille. Frederica n'était pas une hallucination, son haleine embuait le pare-brise. Il s'enroula, d'un mouvement aussi empreint de dignité que possible, autour de Jenny, et attendit, à l'écoute de sa propre respiration. Il regrettait, pour toutes sortes de raisons, esthétiques et musculaires, d'être resté dans la voiture. Mais Jenny s'était plainte du froid.

Installée à nouveau dans l'autocar, Frederica fut surprise de voir Ed y monter. Elle fut plus surprise encore qu'il vienne s'asseoir à côté d'elle et sorte un gros carnet noir. Avant que le car ne démarre il lui dit, méthodique, qu'il aimerait juste noter ses nom et adresse. Au cas où il reviendrait dans le coin, ce qui était assez probable vu son métier. Frederica répéta le nom de Mlle Plaskett et débita une adresse fictive, composée du numéro de la maison de Jennifer et du nom de la rue de Daniel, avec un numéro de téléphone composé d'une moitié de celui du lycée ajoutée à une moitié de celui du médecin. Ce tissu fictif de faits vrais possédait une vraisemblance que la pure invention n'aurait pu avoir ; elle en fut assez fière, mais incapable de comprendre pourquoi Ed y trouvait de l'intérêt. Il l'écrivit, lentement et patiemment, en respirant bruyamment, et ne lui adressa plus la parole de tout le trajet de Goathland à Calverley, quoique parfois dans les virages son derrière écrasât le sien comme avant.

Elle réfléchit, intensément. Sa journée avait été décousue, mais remplie de choses : Stephanie, la cathédrale de Calverley, Racine, la lande, Ed, Alexander. Prises ensemble, ainsi qu'elles pouvaient indubitablement l'être, ces choses avaient des aspects alarmants. Si, par exemple, vous preniez les images cochonnes de Daniel et les mettiez en relation avec *Vénus tout entière*, puis avec Ed, la langue chaude et gonflée d'Ed et l'outil chaud et gonflé de l'âne, et ces deux dernières choses avec Alexander, et si, dans un souci d'élaboration esthétique, vous mobilisiez, dans l'acception militaire du terme, les aspects Cathy-Heathcliff de la lande et la vision grossièrement freudienne de la flèche dressée de la cathédrale de Calverley, vous obteniez ce qu'on pouvait nommer une image organique, laquelle était, à n'en pas douter, extrêmement déprimante, encore qu'indubitablement puissante.

Mais si vous les isoliez. Si vous les isoliez, de maintes façons vous en obteniez une vision plus vraie.

Racine, par exemple, avait de l'importance à cause de l'alexandrin. *Vénus tout entière* était simplement un exemple, pas même un exemple particulièrement bon en fait, qu'elle se trouvait avoir choisi parce que tout le monde le connaissait par cœur et qu'on pouvait se le rappeler facilement dans un autocar cahotant sur la lande.

La lande, pour continuer, n'avait rien à voir avec Cathy et Heathcliff, à moins qu'elle-même n'en décide ainsi. Ce qu'elle avait vu, c'était que la fougère de l'an passé a une teinte caramel pâle et que, de loin, cette brume caramel sur la verdure qui se déroule semble rayée.

Ed n'était personne. Elle l'avait laissé faire parce qu'il n'était personne. Elle n'avait pas vu son visage et, si cela avait d'abord été accidentel, c'était voulu à présent, elle ne regarderait pas son visage. Ed avait sa fonction. À part cela, elle l'avait banni.

L'âne n'avait rien à voir avec rien, mais maintenant elle était au courant. C'était intéressant, en soi.

Quant à Alexander. Elle savait parfaitement qui était Jenny, ayant reconnu le coloris des bouts qui dépassaient. Elle aurait dû être fâchée, mais elle ne l'était pas. Ce qu'elle avait éprouvé, en voyant Alexander, c'était un sentiment de puissance. Le savoir est un pouvoir, tant qu'on ne le gâche pas en confondant un élément avec un autre et en essayant de l'absorber pour le transformer en chair et en âme. Désormais, elle s'y connaissait, elle savait qui fait quoi à qui ; et ce qu'Ed lui avait fait, et qu'Alexander faisait à Jennifer, était bon à savoir mais différent de ce qu'elle ferait à Alexander et de ce qu'Alexander lui ferait, le moment venu. Désormais, il semblait possible que ce moment existe, qu'il advienne, qu'il puisse advenir.

On pouvait laisser tous ces faits, toutes ces choses, rangées les unes à côté des autres comme des lamifications, pas des cellules vivantes. Ce savoir lamifié produisait un sentiment puissant de liberté, de véracité et même d'altruisme, puisque la première association organique et sexuelle par analogie était indubitablement égoïste. C'était elle, et non Daniel, Alexander, Racine, Ed, le bourricot du Caire, Emily Brontë et les architectes de la cathédrale de Calverley, qui avait établi un lien entre tous ces êtres, par nécessité personnelle. Tout le problème de l'égoïsme et de l'altruisme était bizarre, puisque voir les choses, soit isolées, soit associées, donnait l'impression d'exercer un pouvoir que son père, de la manière la plus équivoque qui soit, l'avait élevée à éviter en théorie et à cultiver en pratique.

Elle sentit que l'idée de lamification pouvait fournir à la fois un modèle de conduite et une esthétique susceptibles de lui convenir et de se révéler fructueux. Il lui faudrait, décida-t-elle, ainsi que cela se vérifia dans les faits, des années pour découvrir ce que cette idée sous-entendait.

Elle revint à l'alexandrin ; c'était l'élément sur lequel il était le plus facile de se concentrer, ainsi que le moins susceptible d'attiser tous les autres. Il lui parut y avoir un moyen très simple de savoir clairement par elle-même que la pièce de Racine était bonne – dure, forte, accomplie, durable – dans un domaine où elle en était beaucoup moins sûre pour *Astraea*. Voyons, comment arrivait-on à reconnaître cette sorte de qualité, et comment vérifiait-on son jugement ? Cela pouvait-il s'évaluer dans la structure des vers ?

C'était probablement une bonne chose pour elle, à dix-sept ans, d'ignorer les idées de Coleridge sur l'origine du mètre. Quand vint le temps où elle en prit connaissance, elle était armée pour les lamifier, elles aussi.

22

Beaucoup de bruit pour rien

Winifred vint un soir dans la chambre de Stephanie, démarche inhabituelle pour elle qui présumait que Stephanie, comme elle, préférait que les choses restent non formulées, non commentées. Elle dit qu'après y avoir réfléchi elle pensait devoir inviter Daniel, si Stephanie le souhaitait, en témoignage de bienvenue. Quant à Bill, poursuivit-elle lorsque Stephanie ne répondit rien, il se calmerait, Stephanie le savait bien, il le faisait toujours. Stephanie répliqua qu'elle en doutait. Un homme tel que Daniel, Winifred en exprima l'espoir, saurait respecter les croyances auxquelles un autre homme tenait avec passion. Stephanie dit d'une voix morne qu'elle en doutait également. Daniel n'était pas un homme tolérant, il était capable d'une colère démesurée. Winifred montra des signes d'agitation et demanda si elle pouvait s'asseoir. Elle ne souhaitait pas, dit-elle, que Stephanie épouse un homme coléreux. Elle avait essayé de leur procurer à tous une maison heureuse, de faire des concessions, la part des choses. Il lui en avait coûté. Assise au bord du lit, en robe de chambre, elle dit :

« Il m'a quittée pendant ma lune de miel. »

Stephanie écarquilla les yeux.

« Je n'en ai jamais parlé à personne. Nous étions à Stratford-on-Avon et il est sorti du bar du théâtre pendant l'entracte. On donnait *Beaucoup de bruit pour rien*, et je me sentais si heureuse, ces scènes d'amour sont tellement réelles – je n'aime rien en ce monde si parfaitement que vous, n'est-ce pas étrange – alors pendant l'entracte je lui ai dit ce que j'avais fait. Je me sentais tellement en accord avec lui, mais c'était la pièce.

— Qu'avais-tu fait ?

— Ah oui. J'avais écrit à ses parents pour leur dire que nous étions mariés et heureux. Dans l'espoir qu'ils se manifesteraient peut-être à cette occasion, ou même viendraient au mariage.

— Mais ils ne l'ont pas fait.

— Non. Il avait raison et j'avais tort. Les Potter sont inflexibles et obstinés.

— Oui », dit Stephanie, et elle pensa : Ce n'est pas une Potter. Mais moi, si. Moi, si.

« Toujours est-il que, quand je le lui ai dit, il s'est mis à hurler et à vociférer dans le bar, comme il le fait. C'était la première fois. Je ne savais pas qu'il… Je lui ai dit : Je t'en prie, tais-toi ; et il m'a dit : Si c'est comme ça, je vais m'en aller là où tu ne pourras plus m'entendre. Il s'est précipité dehors. Il a pris la petite voiture que nous avions. Il a disparu pendant deux jours.

— Qu'as-tu fait ?

— Oh, j'ai essayé de retourner à ma place dans la salle, mais je n'ai pas pu. Alors je suis rentrée à l'hôtel et j'ai attendu. Tu sais, quand tu attends, tu te fixes une limite, avant de commencer à t'inquiéter, une heure, six heures, un jour, deux jours. Deux jours et deux nuits dans un hôtel, sans argent, sans personne. Je n'osais pas m'éloigner. J'allais faire un petit tour, au cas où il reviendrait et repartirait en ne me trouvant pas à l'attendre. Parfois j'allais m'asseoir dans le jardin de New Place. Je déteste ces odeurs aujourd'hui, ce jardin, l'aurone, l'armoise, je les trouve tellement aigres. Le temps était beau, les églantines aussi, très jolies. J'ai songé à rentrer chez moi mais j'étais humiliée.

— Était-il malade ?

— Je me le suis demandé. J'avais en tête d'appeler la police, mais c'était un tel tracas, et pendant ma lune de miel, un moment délicat. Et puis il est revenu. Il a dit qu'il était allé à Malvern, et qu'il avait marché. Alors il m'y a emmenée et nous nous sommes installés au Camp britannique, et nous y avons été heureux, le moment le plus heureux de ma vie, peut-être. Pourquoi t'ai-je raconté cela ? Ah oui – je disais – il se calme toujours, tu vois.

— Tu as dit que tu ne souhaites pas que j'épouse un homme coléreux.

— Oui, c'est vrai.

— Que t'a-t-il dit quand il est revenu ?

— Oh, il a fait irruption dans la salle à manger – je dînais d'une omelette –, je n'osais rien manger d'autre, sans argent, et je craignais d'avoir une note astronomique. Et il s'est mis à hurler qu'il s'était conduit d'une manière intolérable et que, plus son absence durait, moins il osait revenir. Alors nous sommes montés – et il a dit – il pleurait – qu'il ne se croyait pas capable de jamais s'apaiser, jamais véritablement. Il n'aurait pas dû se marier, a-t-il dit. Alors je l'ai apaisé – et j'ai dit que nous trouverions un moyen de nous entendre. Et nous l'avons trouvé.

— Je suis contente que ça se soit si bien terminé.

— Oh, Stephanie, ne parle pas de cette façon-là. C'est comme cela que tu as vu le jour. Je ne suis pas venue pour te raconter ça. Je suis venue pour inviter Daniel à déjeuner. Viendrait-il ? »

Daniel vint. Winifred se donna du mal pour ce déjeuner. Elle confectionna un soufflé au fromage, mit un poulet à rôtir, prépara une salade de fruits et l'arrosa d'une mignonnette de Cointreau. Elle prit plaisir à la confection du soufflé, avec une nostalgie limitée de l'abondance d'avant-guerre. Ce furent ses filles, enfants de l'austérité, qui devaient plus tard pratiquer une cuisine authentique et gourmande, avec beurre, vin et épices. Winifred croyait aux produits de consommation courante, de même qu'aux appareils économisant le temps. Elle se rappelait les jours de pâtisserie d'autrefois, les pâtés en croûte, le pétrissage de la pâte, de même que les tubs en zinc, les bassines en cuivre et les essoreuses manuelles qui trépidaient monstrueusement, corvées dont il était bien agréable d'être débarrassée. Elle acheta du vin, pour Daniel, et sortit des serviettes damassées et des verres en cristal taillé. Elle était décidée à ce qu'il se sente à la fois fêté et mis à l'aise.

Il fit une entrée fracassante dans le vestibule et claqua la porte avec tant de violence que les verres à xérès dans le salon tintèrent sur leur plateau. Il s'écria, « Salut ! Salut ! » et admira les choses trop fort, trop tôt, trop copieusement. Il déploya une excessive confiance en lui, s'étant jugé apte à triompher des usages d'un déjeuner en ville dans la mesure où il passait sa vie à naviguer, non sans succès, entre les écueils de périlleuses assemblées. Il avait exercé son sens habituel des priorités et s'était dit que ce que Bill et Winifred pensaient ou ressentaient ne devait ni ne pouvait modifier ce qu'il y avait entre Stephanie et lui, et par conséquent n'y parviendrait pas. C'était en l'espèce, comme il allait le découvrir, tenir insuffisamment compte de ce que Stephanie pensait ou ressentait à leur endroit.

Il but plusieurs verres de xérès, très vite. Il niait la difficulté. Il remplit les fréquents silences, trop rapidement, avec des anecdotes humoristiques concernant la paroisse et un rire pastoral nerveusement puissant. Les anecdotes étaient pour la plupart franchement et humblement dirigées contre lui-même. Il admira le soufflé, qu'il apprécia énormément, avec tant de vigueur que Winifred eut l'impression d'être une incurable souillon félicitée par un travailleur social d'avoir enfin fini par produire un pudding aux raisins secs acceptable. Stephanie ne dit pratiquement rien.

Après le déjeuner ils burent du café dans de minuscules tasses lustrées. Pas un mot n'avait été dit du mariage. Daniel décrivit à Winifred la réussite de Stephanie auprès de Malcolm Haydock, et Winifred fut émue comme il l'avait prémédité. Elle dit qu'elle savait peu de choses du travail de Daniel, et Daniel, en faisant observer qu'il valait souvent mieux que la main gauche ignore ce que fait la main droite, le lui expliqua, peut-être en étalant ses références, d'une manière professionnelle. Winifred lui demanda si sa profession rendait les choses plus difficiles, et Daniel se lança dans le récit des drôles d'idées que les gens se font des ecclésiastiques, terminant, malheureusement pour lui, par la sexualité des clergymen. Stephanie ressentait déjà de la gêne. Elle avait été émue quand il lui avait raconté dans la chambre dc Felicity l'ostracisme dont il était victime dans les trains, mais les enjolivements oratoires et comiques de la version destinée à sa mère lui déplurent. Elle aimait le dur labeur d'ordre pratique de Daniel mais trouva détestable de l'entendre déterrer, pour sa mère, des mots abstraits et larmoyants – «spontané», «personnel», «humanitaire», «tendresse» – qui donnaient à son travail quelque chose de feutré et de complaisant. Il entreprit de les assurer avec un enjouement tonitruant que les clergymen sont en réalité pareils aux autres hommes, plus ou moins, sur le chapitre de la sexualité, que très peu ont de nobles pensées sur le renoncement au contrôle des naissances, de basses pensées sur la continence, ou même de pensées sacramentelles sur les «belles unions» qui réclament force patenôtres au pied du lit. Il se rendit compte d'une gêne entre les femmes et vit le visage de Stephanie au-dessus de sa tasse de café, un masque de froideur et de réprobation.

«Mon Dieu, lui dit-il. Je suis désolé. Je pérore sur des choses dont il m'est arrivé de palabrer en d'autres lieux, dans des contextes idiots. Mais pas devant toi. Je ne devrais pas parler comme ça devant toi.»

C'était ce qu'elle pensait, mais son embarras s'accrut encore de le lui entendre dire.

«Ne dis pas de bêtises», dit-elle.

Winifred prit son courage à deux mains. «Je ne crois pas que tu devrais critiquer Daniel. Il existe des difficultés à propos de ce mariage – et ceci en est une. Je suis contente que vous en ayez parlé franchement.»

Daniel continuait à froncer les sourcils en fixant Stephanie qui fuyait son regard.

Il se produisit une nouvelle série d'explosions dans le vestibule. Les tasses à café s'entrechoquèrent. La tête de Bill apparut dans l'entrebâillement de la porte.

«Ah! Je dérange? Si c'est le cas, dites-le-moi, s'il vous plaît, et je m'en vais.» Personne ne dit rien.

« Manifestement, je dérange. Je me sauve. »

Il ne bougea pas. Daniel se leva et lui tendit la main. « Bonjour.

— Trop aimable », dit Bill. Il ne serra pas la main de Daniel. Les femmes étaient changées en statues. « Vous venez faire la cour à ma fille ?

— J'espère avoir dépassé ce stade.

— Je suppose qu'on vous a dit que je trouve ça complètement cinglé.

— J'en suis désolé.

— Je refuse mon consentement. »

Daniel ouvrit la bouche. Bill reprit précipitamment la parole.

« Je sais que je n'en ai pas, légalement, la faculté. Mais moralement, moralement, je n'en démordrai pas. Je ne puis donner mon approbation à un projet si clairement voué à l'échec.

— Ce n'est pas de la morale. C'est de l'arrogance.

— Quant à la vulgarité des petites réunions clandestines…

— Je vais m'en aller maintenant, dit Daniel. C'est préférable. Je n'ai aucune envie de rester si je ne suis pas le bienvenu. J'espère que Stephanie m'épousera bientôt. Il me semble évident qu'elle sera bien mieux avec moi. »

Bill bondit théâtralement en travers de son chemin et mit les bras en croix pour lui barrer la porte.

« Vous n'avez rien à lui offrir. Vous n'avez rien de commun avec ce qu'elle est.

— C'est à elle d'en juger. » Daniel était très en colère, et cette colère était alimentée par sa conscience d'avoir auparavant débité des âneries, ainsi que par le silence prolongé de Stephanie. « Je n'aime pas vous voir la torturer. Vous abusez de l'amour qu'elle vous porte. Ce que vous faites est foncièrement cruel, c'est le terme exact, et il est heureux pour vous qu'elle soit si forte. Mais je ne suis pas sûr que ce soit heureux pour elle. Vous lui faites porter toute la charge. Ça n'a pas grand-chose à voir avec elle, en réalité. Et maintenant je vous prie de me laisser passer.

— Un vrai pasteur ! » commenta Bill d'une voix faible et narquoise. Il baissa les bras, néanmoins, et s'embarqua dans des propos conciliants, avec la soudaineté caractéristique qui désorientait et flouait tellement les siens.

« S'il vous plaît, ne partez pas. Tout le monde ici sait que la plupart du temps je ne parle pas sérieusement. Juste ciel, je me – je me tuerais – si je pensais un seul instant que qui que ce soit ajoute créance à ce que je dis. Je m'emporte, je ne peux le nier, mais c'est de la fumée sans feu, vous n'avez qu'à leur demander, personne ne s'y brûle. Vous ne pouvez pas vous en aller, nous n'avons encore causé de rien. Écoute, Stephanie, il faut que tu saches que nous te soutiendrons toujours, tu es notre aînée.

— Ce n'est pas une question de soutien, dit Stephanie. Je n'ai rien commis de mal, et je ne suis pas enceinte non plus. »

Daniel se rassit. Les femmes s'étaient de nouveau changées en statues. Bill les considéra tous trois et dit, « Peut-être pourrions-nous boire un verre – qu'ai-je donc à vous offrir ? – je vois que vous avez déjà bu du xérès, et le vin monte à la tête. Qu'ai-je donc à vous offrir ? Voulez-vous prendre un whisky ?

— Oui, s'il vous plaît.

— Stephanie, va donc, s'il te plaît, chercher une petite cruche d'eau pour le whisky de M. Orton. Voyez-vous, monsieur, je ne peux pas vous laisser accroire que je n'aime pas ma fille. Toutes les familles ont leurs particularités, vous savez, et si j'explose, si je fulmine dans l'expression de mon amour, j'ai tort, mais on me comprend. Nous formons une famille très unie et très homogène, et c'est cela, monsieur, c'est cela qui me conduit encore une fois à vous demander si vous avez mûrement réfléchi à la manière dont Stephanie aura à compter avec votre – foi.

— Nous en avons parlé.

— Je suppose que vous avez dû. Et votre pasteur ? Je ne saurais imaginer qu'il manifeste un grand enthousiasme –

— Il aime beaucoup Stephanie », dit Daniel, dissimulant à Bill, comme il l'avait fait pour Stephanie, les tortueuses angoisses de M. Ellenby et l'acharnement de sa propre résistance. « Il veut la voir. Mais il pense – si elle y consent – que c'est nous que cela regarde au bout du compte. »

Un regard d'aversion passionnée passa sur le visage pointu de Bill.

« Je suppose que vous ne pouvez guère envisager de mettre ce projet en pratique avant un très long délai. »

Mieux vaut se marier que brûler, se dit Daniel à part soi, et il répondit prudemment à Bill, au moment où Stephanie revenait avec l'eau, qu'il espérait au contraire se marier dès que les bans pourraient être publiés. On lui avait promis un appartement HLM à la cité Arkwright où il avait la conviction, professionnellement parlant, qu'il serait à sa place, et qui correspondrait à ses moyens. Les fines mains blanches de Bill se portèrent à sa poitrine en une imitation de palpitations de cœur, il pantela ostentatoirement et dit, « Je vois que vous êtes un rapide. Je vous avais sous-estimé. Vous vous sentirez aliéné dans ce désert des temps modernes. J'ai essayé d'y enseigner. C'est un désert d'asphalte, sans esprit de communauté, sans enracinement culturel, sans... Dans le Yorkshire nous disons not'Nellie, not'Ernie, not'chat, not'chien, not'rue. Mais là-bas ils disent la cité, le ou la pour tout ce qui s'ensuit. Et ils l'ont en horreur. Les gamins rôdent dans la rue et les cerisiers sont régulièrement sciés. Je connais le quartier.

— Moi aussi. Il n'est pas très différent de l'endroit d'où je viens.

— Je vois. Eh bien vous avez peut-être raison de vouloir y aller. Mais je pense que vous devriez observer un très long délai avant d'y emmener ma fille.

— Je la veux tout de suite. »

Bill versa le whisky et continua à bavarder, de la manière la plus affable du monde, sur les défauts de la cité. Les femmes restèrent en dehors de la conversation. Daniel était conscient de leur réserve, mais n'en avait pas moins l'impression de bien s'en tirer, d'être à la hauteur, d'avoir pris un premier avantage. Il décida de s'en aller avant d'avoir dépassé les bornes de l'hospitalité.

À la porte, Bill dit, «Notre conversation a été des plus instructive, j'ai beaucoup appris.» Une expression venimeuse et glaciale lui tordit le visage. «N'empêche que le christianisme est mort au dix-neuvième siècle, mon jeune ami. L'agonie était commencée depuis longtemps, et il est mort durant le troisième quart du dix-neuvième siècle. Ce que vous croyez sentir à présent, c'est un membre amputé qui frétille sans corps.

— Vous me l'avez déjà dit. Je n'essaierai pas de vous faire changer d'avis.

— Vous n'y parviendriez pas.

— J'ai ma propre façon de penser, néanmoins.

— Si l'on peut dire », riposta Bill, et il lui claqua la porte au nez.

23

Comus

Quelques jours plus tard Frederica vit Matthew Crowe surgir de l'ombre, au début de la soirée, derrière Pallas Athéna, dans le cloître de Blesford Ride. Il parut enchanté de la rencontrer, trottina de sa petite personne corpulente vers elle et lui étrcignit les mains.

« Ma chère petite, quel plaisir inattendu dans ces absolument lugubres parages. Je viens de chez Alexander, dont l'humeur était rébarbative et inhospitalière. Aviez-vous le même dessein ?

— Je suis allée voir mon père. Dont l'humeur aussi était rébarbative et inhospitalière.

— Quel établissement repoussant. Ô combien ! Mon vertueux aïeul. Toute cette religiosité œcuménique et athée. C'est hideux, sincèrement. Regardez-moi tous ces gens. Nul ne sourit à part le doux, si doux Jésus. Athéna a des muscles de débardeur et la bouche de Lizzie Siddall. Shakespeare, les yeux en boules de loto, des mollets de coq et des jarretières en tire-bouchon. Nous ferions mieux de leur fausser compagnie.

— Oui, avec plaisir », dit Frederica qui en réalité nourrissait depuis l'enfance de l'affection pour le pesant Panthéon. Ils s'éloignèrent d'un même pas.

« Vous travaillez dur ?

— Je suppose que oui. Penser à la pièce me perturbe. Mais en règle générale j'arrive toujours à travailler, quoi qu'il arrive.

— Un don précieux.

— Seulement je m'agite beaucoup.

— Vous vous agiterez toujours. Vous avez cela dans le sang. Et si je vous ramenais chez moi prendre un verre pour vous détendre ? Qu'en dites-vous ? »

Frederica ne résistait jamais qu'aux ultimes tentations. Crowe la fit monter dans la Bentley, qui étincelait dans l'allée du collège. En s'installant à son aise sur un siège moelleux presque jusqu'à l'indécence, Frederica eut un instant une perception très nette de ce que serait l'envie de se comporter en vandale, de prendre un gros couteau et de taillader, de mettre en lambeaux ce cuir lisse au parfum suave. Cette réaction l'étonna et puis l'intéressa ; elle croisa les mains sur les genoux pendant que Crowe accélérait de plus en plus, son bolide lisse et monstrueux fonçant le long des champs, des parcelles de lande et des murets de pierres sèches comme si c'étaient des rubans flottants de teinte grise, brune, olive et chamois.

À Long Royston, Crowe la conduisit à travers les grandes salles sombres et silencieuses, en partie tendues de housses. La lumière accentuait les seins en pomme et les genoux charnus de Vénus et de Diane sur les stucs et donnait du relief au cadavre d'Actéon. Elisabeth-Virgo-Astraea était mise en valeur par un minuscule projecteur dont le rayon s'élançait courtement à l'assaut des ténèbres avant de s'adoucir. Il faisait un froid de loup parcouru de vents coulis. Crowe trottinait et Frederica allongeait le pas. Ils franchirent des corridors et arrivèrent dans le petit bureau chauffé et brillamment éclairé. Dans la cheminée de pierre un feu de bois vacillait. Crowe lui offrit un profond fauteuil en cuir à hautes oreillettes et ce qui lui parut être un verre outrageusement grand de xérès brun, que la lumière du feu fit miroiter de reflets d'or rouge. Il lui tendit une assiette de noisettes salées, dont elle prit cupidement une pleine poignée, ce qu'elle faisait toujours de peur que son hôte oublie de lui en offrir une seconde fois. Cela le fit rire. Elle n'aurait pas dû s'inquiéter ; c'était un hôte attentif et il lui remplit fréquemment et assidûment son verre.

Il lui parla d'elle-même. Propos papillonnants et caressants, affriolants d'éloges vaporeux, de curiosité aussi chaleureuse et corsée que le xérès, touchant ses ambitions et ses projets. Il lui dit qu'elle avait de la « présence », et que la présence est un don, qui ne s'apprend pas, et va de pair avec le « mordant », qu'elle avait aussi, et qui la rendrait toujours fascinante pour certains hommes, sinon pour tous. Un trait particulier à l'année 1953 dans la vie de Frederica devait être une extraordinaire prépondérance de rencontres avec des gens prêts, et en vérité empressés, à lui servir des définitions sommaires d'elle-même relevant presque toutes de trois domaines : la sagesse des aphorismes, la platitude des coteries, le pur et simple rentre-dedans. Les remarques de Crowe flattèrent son irritable conscience de soi comme les caresses rythmées d'une brosse sur des cheveux. Elle se redressa sur son siège, se pavana en corps et en esprit, sourit gracieusement, et vida un verre de plus.

Crowe dit, « Bien sûr, en ce qui me concerne, je ne possède aucun don particulier. Seuls m'importent les dons des autres. D'où une certaine propension à la vacherie, j'en conviens sans barguigner, les gens ont tant à faire pour honorer leur réputation aux yeux de qui s'est investi, si l'on peut dire, en eux. Ce qui est un avertissement voilé dont je suis sûr que vous ne tiendrez aucun compte, car c'est là tout ce qu'en réalité vous pouvez en faire. Le pouvoir me fascine.

— Le pouvoir, vous l'avez.

— Pas comme vous, ma chère. Un patrimoine que j'administre au bénéfice de la culture. Le vôtre est dans votre sang. »

Il l'invita à approcher du bureau, où il lui montra une miniature de Johanna Seale, beauté rechignée, couverte de bijoux, coupée juste sous des seins pigeonnants dans un casaquin de velours brun. Il lui posa sur la taille deux petites mains potelées et remarqua que le pouvoir crée même de l'électricité chez certaines personnes. Elle en était indéniablement hérissée, c'était fort intéressant. Il l'attira avec virtuosité sur ses genoux dans le fauteuil du bureau. Frederica en fut toute surprise, simplement parce qu'elle avait présumé que Crowe était un vieux monsieur. Elle avait la vague idée qu'à son âge (et elle était dans la plus complète incertitude quant à son âge exact) les hommes sont fréquemment réduits à parler au lieu d'agir. Elle se persuada donc qu'elle accomplissait une action charitable, voire condescendante, due à sa jeunesse et sa vigueur totales, en répondant par des regards modestement provocants aux pointes d'esprit les plus pénétrantes de son hôte. La modestie était à vrai dire incompatible avec sa morgue retorse, mais elle ne l'avait pas encore découvert, et elle fit donc briller dans ses regards une lueur aguichante et lascive qui n'était pas voulue. Entre ses bras elle se rendit immédiatement compte que Crowe n'était ni sénile ni malhabile. Il la palpait, la pelotait, la tripotait avec une sûreté machinale. Elle était assise assez inconfortablement sur ses genoux. Quelle que fût sa virtuosité, il était également petit, et elle avait les jambes et le buste qui dépassaient d'une manière qu'elle soupçonnait dégingandée et disgracieuse. Elle essaya de sourire, mais ce n'était pas chose aisée, car elle commençait à avoir le torticolis à force d'essayer d'incliner la tête au niveau idoine pour Crowe, dont la stratégie amoureuse était aussi parlée et bavarde que celle d'Ed avait été taciturne.

Ce bavardage prenait la forme d'un commentaire suivi sur les différentes parties de son corps, comme si elle avait été une œuvre d'art ou une reine de beauté. Après chaque article de l'inventaire, Crowe posait les doigts et les lèvres sur la partie juste énumérée, chatouillant, pinçant, mordillant, effleurant, selon ce qui semblait approprié. Ses yeux, déclara-t-il, devraient être plus grands et plus sombres, mais il n'y avait rien à y faire, et pourtant il n'était pas favorable aux traits de crayon trop épais dont ils étaient ceints, et dont il effaça la trace à l'aide d'un mouchoir qu'il avait préalablement léché. Ses cheveux, dans lesquels il ouvrit les mains en éventail, avaient besoin d'un bon assouplisseur, d'un bon désépaississeur, mais jamais, jamais, de laque, peut-être un rinçage blond Titien pour modifier la nuance du roux –

mais c'étaient des cheveux qui avaient du ressort et de la vigueur, dit-il en les enroulant autour de ses doigts folâtres et en les humant de son nez camus. Il aimait ses pommettes. Il les picora, tel un oiseau chaud, doux et sec. Sa bouche avait beaucoup de caractère. Elle devait en corriger la courbe mais jamais, comme il voyait bien qu'elle l'avait fait, jamais, au grand jamais, ne mettre de rouge au-delà du contour naturel. Il effaça de nouveau les traces coupables, donnant à Frederica l'impression d'être récurée et reluisante, puis il se pencha, chaud et sec, et emprisonna les dites lèvres entre les siennes. Il sentait le xérès et la fumée de bois. Elle aperçut le globe lunaire et luisant de sa calvitie, rougeoyant à la lueur du feu. Elle aurait voulu moins ressembler à Wurzel Gummidge avec ses bras et ses jambes dépassant tout raides. Crowe glissa une petite main dans son corsage et se mit à faire tourner le bout de son sein entre le pouce et l'index. L'effet était franchement désagréable mais elle se sentit incapable d'y mettre fin. Elle espérait que son linge de corps était propre ; souvent il ne l'était pas, pas vraiment. Crowe dit, « Oh, comme des petites pommes nouvelles et dures, quelles délices, aussi fermes que le reste de votre corps, ma chère petite ». Elle regarda par la fenêtre, qui était sans rideaux parce que Crowe aimait à voir ses cyprès, ses ifs et ses genièvres s'estomper lentement à la tombée du jour, parce qu'il aimait à respirer le parfum des giroflées, des violiers à la senteur nocturne, et à contempler la course de la lune blanche au-dessus de ses haies de buis, au-dessus des corps blancs d'Apollon et de Diane dominant l'allée qui menait au jardin en contrebas. À la fenêtre, contre la fenêtre, à la façon dont Alexander avait vu son visage à Goathland s'encadrer dans le pare-brise, Frederica vit alors une face sans corps, blême, le regard fixe, les cheveux flottants, la mine horrifiée. C'était Alexander, dont les jolies mains se matérialisèrent un instant sur la vitre à côté de son visage, comme dans une prière muette, avant que la vision vacille et recule, que le gravier crisse et qu'un coup soit frappé à la porte.

Crowe cria « Entrez ! » sans lâcher Frederica. De fait, il resserra l'emprise de son bras sur l'aine de Frederica et retira seulement son autre main de l'intérieur du corsage pour la poser au même endroit par-dessus. Frederica braqua, d'un air de défi, des yeux de monstrueuse marionnette sur Alexander qui dit, « Vous m'avez précisément invité à venir prendre un verre. Vous m'avez précisément dit de faire le tour par la terrasse et d'entrer.

— Précisément. Mais vous étiez si peu disposé à quitter vos cahiers crasseux que j'ai cru que vous ne feriez pas d'apparition. Et Frederica avait autant envie d'un verre que moi. Alors nous badinions quand vous êtes arrivé. »

Il fit adroitement descendre Frederica de ses genoux, lui tapota le derrière, et versa du xérès à Alexander. Frederica hoqueta et tendit son verre, qu'il lui remplit à nouveau. Alexander plissa le front. Crowe, l'air bénin et la face rubiconde, les considéra en souriant, sa frange argentée légèrement soulevée par le courant d'air de sa cheminée. Il jeta des copeaux sur le feu et des étincelles jaillirent en gerbes, vertes, argentées et bleues.

> *« Par trois fois éparpille ces cendres de chêne*
> *Et rassieds-toi muet sur ce siège enchanté ;*
> *Puis par trois fois trois fois renoue ces lacs d'amour*
> *En murmurant tout bas, elle veut, ne veut pas.*

— *Comus*, dit Frederica.

— Non, non, dit Alexander professoral. Campion.

— C'est le siège enchanté qui vous a induite en erreur, dit Crowe avec malice en brandissant la carafe.

— Le siège dans *Comus* est absolument répugnant, dit Frederica.

— Absolument, dit Crowe. *Ce siège en marbre envenimé,/Souillé de gommes de chaleur gluante,/J'y pose moites mes paumes chastes et froides.*

— Obscène », dit Frederica cramoisie, d'un air entendu. Alexander la considéra d'un œil froid et s'assit. Il attendit que quelqu'un parle. Nul ne le fit. Au bout d'un moment

Frederica annonça qu'il fallait qu'elle s'en aille. Crowe dit, « Certainement pas », et Alexander, qu'il allait la raccompagner. Elle a l'air, pensa-t-il, fin soûle. Crowe dit, « Appelez votre mère, dites-lui que vous rentrerez tard, et détendez-vous », et Alexander dit qu'il ne demandait pas mieux que de la raccompagner. Il fallait qu'il rentre de toute façon. Là-dessus, Crowe rit immodérément et demanda à Frederica si elle était sûre de pouvoir se lever de son fauteuil.

Ils parcoururent, tous trois, la terrasse, puis les sombres allées gazonnées qui sentaient le romarin et le buis. Ils aperçurent un instant entre les ifs le jet d'eau qui glouglouttait au clair de lune. Frederica se sentait malade de xérès, d'excitation, de satiété esthétique et d'avidité financière.

« J'ai été si heureux, dit Crowe en refermant sur elle la porte de la voiture argentée. Revenez.

— Avec plaisir. »

Alexander remercia et fit un démarrage saccadé. Il dit, « Que faisiez-vous ?

— Pas grand-chose.

— Vos parents savent-ils où vous êtes ?

— J'en doute. Qu'est-ce que ça peut vous faire ?

— À titre d'ami de la famille.

— Oh, à ce titre-là. » Elle hoqueta. « C'est ma vie. Je ne vois pas pourquoi vous vous en mêleriez. » Elle hoqueta encore et ajouta, « Particulièrement, particulièrement dans la mesure où, moi, je ne me mêle pas de la vôtre. » Elle se laissa aller en arrière et ferma les yeux.

« Ce n'est pas la même chose.

— Peut-être bien. En tout cas, je ne le fais pas, vous en conviendrez.

— Certes. Pour autant que je le sache vous ne le faites pas. »

Elle se renversa sur son siège, bringuebalant mollement quand il prenait un virage. Il était furieux contre elle. Il avait été très choqué de la voir perchée sur les minuscules genoux de Crowe. Elle l'empêchait de passer la soirée avec Crowe ; imaginer les privautés que

Crowe s'était permises, et elle aussi, sans qu'il en sache rien, l'embarrassait ; et il avait réagi avec quelque pruderie, et autre chose encore, en voyant le globe ombragé dans son corsage, palpé par les doigts de Crowe.

« Frederica.

— Hum.

— Vous êtes très jeune.

— Je sais. Je vieillis aussi vite que je peux. Si je tiens le rythme je serai digne de considération à brève échéance.

— Vous devriez faire attention. Vous avez beaucoup à perdre.

— Quoi donc ? Qu'ai-je à perdre, dont, en outre, je ne me séparerais volontiers ? »

Elle se mit à rire d'une manière horripilante, en laissant baller sa tête de droite et de gauche.

« À quoi s'ajoute que vous êtes ivre.

— Sans doute. Je n'ai aucune idée de la quantité que j'ai avalée. C'est un habile homme.

— Vous êtes une enfant révoltante.

— Pas une enfant, dit-elle en lui décochant une œillade et en répétant la même erreur sur le chapitre de la modestie.

— Il est de mon devoir de vous abreuver de café, mais il n'est pas question que je vous emmène chez moi.

— Ouais. Ce ne serait pas du tout prudent. Le Petit Café est ouvert.

— Mon Dieu.

— Je n'ai pas envie de café.

— Vous feriez mieux d'en prendre. »

Et Alexander l'emmena dans les profondeurs clignotantes du sous-sol outremer, où ils consommèrent de la mousse bouillante et du café aigre.

« Êtes-vous le Frère aîné ? Ou bien l'Esprit protecteur ?

— Quoi ?

— Eh bien, vous m'avez fait sortir de ce fauteuil comme l'un des deux. J'avais seulement bu la coupe et grignoté plein de cacahuètes. Je n'ai pas pour principe de refuser ce qui ne me sera peut-être jamais offert une seconde fois.

« — Vous êtes trop jeune pour savoir ce que les gens font. Vous ne…

— Croyez-vous ? Ma sœur couche avec le vicaire. Imaginez donc ça. » Alexander s'efforça, mais sans succès, de ne pas trouver d'intérêt à cette nouvelle.

« Je ne l'aurais pas cru.

— Non, sans doute que non. Mais moi, je sais. Je sais toutes sortes de choses… Mais je ne veux pas jouer les demoiselles d'honneur en popeline jaune primevère, comme une fée-fleur du printemps. Je suppose que je n'en sais pas encore assez. Sur un tas de choses. Mais je sais une chose sur l'alexandrin. »

Alexander prit cette remarque pour une sotte allusion indirecte à ses propres affaires, ce qui n'était pas le cas. Frederica n'avait jamais seulement songé à établir un rapprochement entre cette forme poétique et le nom de son bien-aimé. Il s'agissait d'une tentative, incomprise et mal récompensée, pour arracher la conversation du domaine du sexe et la ramener à celui de l'intellect. En pratique, Alexander la prit pour le signal qu'il fallait la ramener chez elle à tout prix. Brusquement et autoritairement, il lui fit quitter sa chaise et grimper l'escalier en colimaçon, elle pouffant de rire et lui la soutenant à deux bras quand elle titubait, la rattrapant une fois sous les seins, ce qui, à son horreur, déclencha une étincelle d'excitation sexuelle en lui. Il la flanqua dans la voiture, rallia l'allée des Maîtres et la poussa dans la rue, où elle resta plantée dans la position où elle avait atterri, stupidement immobile comme un enfant jouant aux statues. Alexander abaissa sa vitre et dit d'une voix sifflante, « Rentrez chez vous.

— Vous êtes mesquin.

— Non, pas du tout. Ren-trez-chez-vous, je vous dis. »

La lumière s'alluma dans le vestibule des Potter. Alexander démarra en trombe, avec l'espoir, le lâche espoir, que dans le meilleur des cas elle ne le trahirait pas, et dans le pire ne lui imputerait pas ce dont il n'était pas responsable. Il n'y croyait guère, car la prudence ne semblait pas être une des qualités maîtresses de Frederica.

24

Malcolm Haydock

Daniel se rendit chez les Haydock le « jour » de Stephanie. Il était en quelque sorte devenu impossible de la voir allée des Maîtres ou au presbytère. En franchissant l'allée bétonnée il entendit un vacarme assourdi.

Elle lui ouvrit la porte, les cheveux dans tous les sens, les yeux égarés.

« Vite, ferme la porte.

— Qu'est-ce qu'il fabrique ? » Daniel laissa en plan le discours qu'il avait préparé sur leur avenir immédiat. « Tu as l'air grise et dépenaillée.

— Je suis grise et dépenaillée. Il est en train de laver. Il a tout mis dans la baignoire et le robinet d'eau bouillante coule à flots. Je n'y arrive pas. Nous ne restons plus tous les deux sans bouger, comme avant.

— Attends. » Daniel monta l'escalier quatre à quatre. Il s'arrêta dans l'encadrement de la porte de la salle de bains et fit face à Malcolm Haydock, si l'on peut appeler faire face une confrontation où l'une des deux parties ne manifeste aucune conscience de la présence de l'autre.

Dans la baignoire trempaient et fumaient l'édredon à fleurs de Mme Haydock, une masse enchevêtrée de sous-vêtements blancs et roses, une pieuvre de bretelles et jarretelles, plusieurs paires de chaussures, un Meccano éparpillé, une armée flottante de petits soldats gris de deux centimètres de haut, un flacon de sels de bains rose vif en cours de dissolution, et enfin l'aspirateur.

344

Malcolm Haydock était en train de chanter, interminablement, comme un orgue de Barbarie, l'air de *Combien ce petit chien dans la vitrine ?*

Daniel retira l'aspirateur et le posa, saturé et fumant, dans un coin. Il s'adressa à Malcolm avec une grave courtoisie. « Ça pourrait te faire mal. À toi ou à quelqu'un d'autre, très mal, si on le branchait mouillé comme ça. Et je vais prendre l'édredon, mon petit gars. Les plumes n'aiment pas beaucoup l'eau. »

Il saisit l'édredon à bras le corps, comme un ours, et le mit en tas dans le lavabo, trempant le devant de sa chemise et de son pantalon pendant l'opération. Malcolm Haydock recula en traînant les pieds et s'assit par terre, la joue contre le socle des cabinets. Il se mit à pousser un cri aigu, perçant, atrocement égal, sur une seule note. Ses yeux se retournèrent, chavirèrent et se révulsèrent.

« Je vais prendre les tricots de ta maman. Parce que ça rétrécit, tu sais. Et les chaussures, sinon elles seront bonnes à jeter. Je ne vois pas pourquoi tu ne continuerais pas avec les choses en Nylon, cependant, maintenant qu'elles sont mouillées de toute façon, Malcolm. Tu pourrais aussi bien les laver comme il faut, me semble-t-il. »

Il tendit une poignée dégoulinante de combinaisons et de porte-jarretelles. Malcolm fit virer sa tête comme une toupie sur ses épaules. Daniel déposa le linge sur le rebord de la baignoire et appela Stephanie.

« As-tu quelque chose où fourrer tous ces trucs-là ? C'est un vrai gâchis. Les couleurs déteignent. » Il se retourna vers Malcolm.

« Nous ne te voulons aucun mal. Nous ne sommes pas là pour te contrarier. Je ne vois pas pourquoi tu ne laverais pas, si tu en as envie. Ça dépend simplement de quoi il s'agit. »

Malcolm Haydock émit, comme un signal radio, l'information qu'il n'était pas là, que personne n'était là. Stephanie apparut, trimballant dans l'escalier une baignoire galvanisée dans laquelle, au son des sifflements de locomotive les plus perçants de Malcolm, ils réussirent à déposer en bloc et entasser l'édredon détrempé. Pendant un bon bout de temps ils s'activèrent en silence, s'acharnant ensemble à essorer, presser, frotter, étendre et suspendre. Daniel descendit l'aspirateur dans la cuisine, en essuya ce qui pouvait l'être, et le posa sur un journal. De l'eau s'écoula du mécanisme. Puis il alla jeter un nouveau coup d'œil dans la salle de bains. Malcolm était debout dans la baignoire ; d'une main, il traînait une queue de cerf-volant de sous-vêtements en Nylon ; de l'autre, d'un geste qu'on aurait cru douloureux, il pinçait sa joue rose sans s'arrêter. Il avait gardé ses chaussettes et ses chaussures, disparues sous l'eau. Il faisait un nouveau bruit dont Daniel comprit lentement qu'il s'agissait de l'imitation prodigieusement efficace d'un aspirateur qui s'étouffe sans trêve sur une épingle à cheveux régurgitée.

Ils allèrent s'asseoir sur le bord du lit défait de Mme Haydock, à portée de la salle de bains mais hors de vue. Ils glissèrent sur un couvre-lit en simili soie couleur d'huître que Daniel empoigna et jeta d'un geste rageur. Il mit un bras noir et mouillé autour des épaules de Stephanie. Elle dit :

« Je suis contente que tu sois venu. Ne t'en va pas, s'il te plaît. À moins que tu ne le doives.

— C'est la première chose que tu dis qui s'adresse à moi, depuis le jour... depuis des semaines – depuis l'explosion.

— Je sais. Je suis désolée.

— Désolée ne suffit pas. Il faut que nous changions tout cela. Il faut que nous fassions publier les bans, maintenant, que nous nous marions, maintenant, et mettions fin à ces inepties. Je sais qu'ils se sont tous fourré dans la tête que nous serions bien avisés d'opter pour de longues fiançailles – le pasteur le bêle à tous les vents, et ton père fait de même. Mais il faut absolument y mettre fin. Nous nous marions maintenant, ou jamais.

— Nous le pouvons, avant la fin du trimestre.

— Nous le pouvons. Nous pouvons faire comme bon nous semble. Il n'y a pas de sous pour une lune de miel et toutes ces inepties, de toute façon. Tu peux continuer à enseigner. Mais tu ne peux pas continuer à t'en aller à vau-l'eau comme ça, et tourner au gris. Je ne le tolérerai pas.

— Daniel !

— Quoi ?

— Est-ce qu'il a pris l'aspirateur ?

— L'aspirateur ? Je l'ai mis... Non, non, c'est lui, il se prend pour un aspirateur. Écoute, moi je l'écoute si toi tu m'écoutes. Que gagnerions-nous à attendre ?

— Lui – papa – pourrait se calmer. Toi – tu pourrais décider que ce n'est pas une bonne idée. Moi – je pourrais me sentir moins morte.

— Je doute de tout ça. J'en doute extrêmement. C'est ce qui me tracasse. Il veut que tu penses qu'il pourrait peut-être se calmer, alors il se cantonne juste en deçà de l'absolument intolérable, mais il ne bougera pas d'un pouce. Quant à toi, tu te rends malade, et le diable m'emporte si je te laisse continuer. Je te veux comme tu étais ce fameux jour, vivante, ma chérie, pas grise. Je l'ai vu. Je veux le revoir.

— Oh, Daniel. Elle est peut-être uniquement de ton fait, cette énergie. Elle t'est peut-être uniquement due. Et la vie a peut-être été anéantie en moi avant que je sois assez vieille pour le savoir.

— Non. Ce n'est pas vrai. Je le sais. Je le sais. Même si je dois te traîner à l'église... »

Elle posa la tête sur son épaule mouillée. On eût dit qu'il fumait sous l'effet de sa chaleur interne. Elle goûta le repos. Elle dit, « Je suis allée voir le pasteur, comme tu as dit. Il me trouve sympathique. C'est pure imposture de ma part.

— Je te l'avais bien dit, qu'il te trouverait sympathique. Il ne conçoit pas qu'il puisse y avoir grand-chose de mal chez quelqu'un qui aime George Herbert et a de bonnes manières. Ce n'est pas toi, l'Ennemi, c'est moi.

— C'est ridicule. »

25

Bonnes Épouses

Daniel entreprit de faire aboutir son mariage. Il reçut peu d'aide de la part de Stephanie, qui se contentait d'acquiescer patiemment à tout ce qu'il suggérait. Daniel était violemment en colère contre elle, et désolé pour elle aussi, détectant qu'elle doutait de tout, lui et elle inclus. Cela le fit simplement œuvrer de plus belle, puisqu'il ne pouvait compter que sur ses propres forces. Il livra une bataille contre le pasteur à propos des bans, et une autre bataille au sujet de son intention d'aller vivre à la Cité Arkwright. Le pasteur parla de la position que l'Église se doit de maintenir, et de la manière dont les travailleurs sociaux s'offensent de tout empiètement sur leur chasse gardée. Daniel vociféra, à pleins poumons, sur ce que le Christ avait dit, avait fait et avait enjoint à ses disciples. Il savait que le pasteur était physiquement mis à la torture par ses vociférations, et que s'il poussait des rugissements le pasteur ferait à peu près n'importe quoi pour qu'il s'en aille et se taise. Il poussa donc des rugissements. Et d'autres rugissements encore à propos des bans, au sujet desquels il était secrètement convaincu que la position du pasteur était beaucoup plus forte qu'il ne l'aurait ouvertement admis. Mais c'était un homme volontaire. Pendant le deuxième semaine de mai M. Ellenby, avec un regard nerveux à travers le chœur en direction de son auxiliaire renfrogné, proclama les bans pour la première fois. Stephanie Jane Potter, célibataire, également de cette paroisse, n'était pas, M. Ellenby le remarqua, présente à cette occasion. Un frémissement parcourut l'assemblée des fidèles. Daniel leur lança un regard noir.

Il avait, découvrit-il, une alliée. Winifred se dressa soudain, telle une Walkyrie vieillissante, et s'attaqua à l'édification d'un mariage. Pendant la fin d'avril et en mai la conduite de Bill fut agitée et dissimulée. Il restait de longues heures au collège et plus longtemps encore dans les pubs des villages miniers avec ses élèves de l'Association pour l'éducation ouvrière. Il ramenait à la maison des cadeaux inattendus, des livres la plupart du temps, pour Stephanie la plupart du temps, et restait la bouche pincée et l'œil humide à attendre une gratitude qu'il devenait difficile d'exprimer. Au cours du mois de mai il offrit à sa fille *Les Confessions d'un pécheur justifié* de James Hogg, la *Divine Comédie* dans la traduction de Carey, le *Tractatus logico-philosophicus* de Wittgenstein, et les *Notes pour une définition de la culture* de T.S. Eliot, qu'elle possédait déjà et repassa donc à Frederica. Stephanie dit à Daniel qu'il était impossible de décider s'il s'agissait de cadeaux de mariage clandestins ou de contributions au débat christiano-humaniste censé faire rage en sa propre âme. Daniel dit qu'il n'avait pas la moindre idée de ce qu'étaient la plupart de ces ouvrages et demanda si elle pensait qu'il devait les lire. Non, non, bien sûr que non, dit Stephanie, et elle retomba dans son silence gris.

Winifred, accomplissant de rapides progrès en habileté politique, demanda carrément à Bill, un soir, s'il était catégoriquement pour ou contre la mise en route des préparatifs du mariage. Bill hurla qu'il lui avait déjà dit une bonne fois que peu lui importait ce qui se tramait pourvu que nul ne tente de l'y mêler ou de le consulter, et il demanda si elle ne voyait pas qu'il était en train de travailler. Il attendit qu'elle reformule anxieusement sa demande. Il n'en fut rien.

Winifred rendit alors visite à Mme Ellenby et, après Mme Ellenby, à Mme Thone, épouse du principal du collège. Les sentiments de Mme Ellenby envers Daniel étaient au mieux tièdes. Elle considérait qu'il gaspillait l'électricité, fourrait son nez dans les consciences, et n'était pas fiable dans sa pratique des ventes de charité. Mais elle appréciait Stephanie, comme tout le monde, avait une piètre opinion de Bill, et s'intéressait passionnément au cérémonial des mariages. Winifred relata les désaccords familiaux avec ce qu'elle espérait être un délicat mélange d'affliction personnelle, de sympathie pour sa fille et d'acceptation tolérante des excentricités de son mari. Mme Ellenby en fut touchée, et légèrement flattée. Elle accepta de recevoir chez elle les cadeaux et les messages, dans la mesure du possible, de façon à maintenir le calme chez les Potter. Elle conseilla une couturière, un pâtissier et un imprimeur. Elle offrit de s'occuper personnellement des fleurs à l'église et d'inviter la mère de Daniel à loger au presbytère.

Mme Thone était plus redoutable. À l'arrivée de Winifred au collège, Mme Thone lui avait fait des ouvertures amicales, des invitations à venir prendre le café, ou à dîner, dont Winifred avait accepté le strict minimum, et qu'elle s'était sentie dans l'incapacité de rendre, car Bill méprisait le principal et Winifred craignait, en osant à peine se l'avouer, que si elle demandait fréquemment aux Thone de venir passer la soirée, Bill ne finisse par perpétrer une monstrueuse impolitesse qui mettrait un terme définitif à sa maigre vie sociale.

Monica Thone avait davantage l'air d'un principal que son mari. Elle portait des tailleurs en tweed gris et de coûteux corsages en soie. Elle avait les cheveux poivre et sel, coupés court. Elle avait fait ses humanités à Oxford. Le fils unique des Thone, un jour de 1947, était tombé d'un petit banc dans la cour de récréation, s'était heurté la tête et était mort sur-le-champ, à l'âge de dix ans. Les garçons du collège avaient peur de Mme Thone ; ils disaient qu'elle avait des yeux de sorcière. Elle parcourait les jardins du collège à grands pas, remplaçait les professeurs malades, et faisait un curieux cours sur le comique dans la littérature anglaise à la prison de Calverley, où elle était apparemment populaire.

Elle reçut Winifred avec froideur, et Winifred eut du mal à engager la conversation. Dans le salon glacé de

Mme Thone étaient assises deux Anglaises, grandes, austères, rigides, incapables de baisser le bouclier de leur
prudent silence anglais. Winifred pensa : Je pourrais
éclater en sanglots, je pourrais me livrer à des gesticu-
lations frénétiques. Comme elle détesterait cela. Elle dit
d'une voix neutre, « J'ai besoin de votre aide.

— Comment puis-je vous aider ?

— Il s'agit de mon mari. Il faut que je vous explique...
mon mari...

— Êtes-vous bien certaine... » murmura Mme Thone.

Winifred, d'une voix plus décidée, dit qu'elle était tout
à fait certaine. Elle présenta un excellent résumé, dénué
d'émotion, des événements advenus jusqu'alors, et expliqua qu'il fallait que le mariage ait lieu, qu'il ait lieu sans
tarder, et que Bill ne soit pas importuné et n'y soit pas
mêlé.

« Et que puis-je faire ?

— Je n'aime pas parler de Bill. Cela lui déplairait au
plus haut point.

— D'après mon mari, c'est un génie difficile à vivre.

— Si l'on est mariée avec lui, dit Winifred, on est plus
sensible à la difficulté qu'au génie.

— Mon mari le dit inestimable. Et souvent intolérable.

— Exactement. »

Elles échangèrent un très bref sourire.

« Je me demandais si vous – si votre mari – si le collège – pourrait m'aider pour la réception. Honnêtement,
je ne suis pas même sûre que Bill viendra. Je veux pour
Stephanie que tout soit fait comme il faut. Tout ce qu'il
y a à faire. Ici, il ne pourrait... soulever des objections...
ni semer la confusion...

— Je comprends. Pardonnez-moi, dit Mme Thone
avec délicatesse, mais n'aurez-vous pas de difficultés,
étant donné les circonstances, financièrement parlant ?

— Nous avons un compte joint. Je l'utiliserai. »

Mme Thone se mit à rire.

« Je dois avouer que j'éprouverais un certain plaisir à
arranger cela sans le mettre au courant, et pourtant je ne
devrais pas le dire. Je ne vois pas pourquoi nous n'utilise-

rions pas le jardin des Maîtres, si le temps le permet. Je ne vois pas pourquoi – pour la fille d'un collègue depuis longtemps dans la maison – nous n'utiliserions pas le personnel, la vaisselle et la verrerie de la maison. Je ne crois pas que je vais beaucoup ennuyer Basil avec cela. Il a une peur bleue – entre vous et moi – des esclandres de votre mari. Je l'informerai simplement que la chose se fait – que c'est moi qui la fais – et qu'il n'a nullement besoin d'en souffler mot à Bill. La nouvelle s'ébruitera, bien sûr.

— Je compte sur Bill pour faire semblant de ne s'apercevoir de rien.

— Il pourrait ne rien soupçonner.

— Il pourrait commettre... des choses telles... et pis encore. Mais avec un peu de chance il lui est impossible de stopper tout un mariage.

— Votre fille semble être une bonne et calme personne. Le jeune homme est-il un jeune homme solide ? »

Solide, oui, dit Winifred. Et comme un rouleau compresseur. N'admettant pas d'obstacles. Winifred, dit Mme Thone, montrait plus de ressemblance avec un rouleau compresseur qu'on aurait pu le croire. Aurait-elle envie – ainsi que tous les Potter disponibles – et le féroce vicaire – de venir voir la télévision le jour du couronnement ? Tous les élèves avaient congé, bien sûr, mais il y en avait toujours ou ou deux sans nulle part où aller, et ils seraient invités, plus quelques collègues. Winifred se sentit à la fois obligée et contente d'accepter cette invitation.

Daniel et Stephanie avaient désormais une date de mariage, le 21 juin, et une invitation au couronnement (à la télévision). Winifred sortit sa machine à coudre et commença une robe de popeline jaune pour Frederica. La couturière de Mme Ellenby prit les mesures de Stephanie. Des invitations furent expédiées, même à des Potter inconnus. Stephanie écrivit une courte et délicate lettre à Mme Orton, lui proposant d'aller la voir. Elle reçut une carte postale illustrée d'un énorme bouquet de dahlias dans un vase en argent sur une table reluisante, au dos de laquelle Mme Orton avait écrit : « Non, ne venez pas, ça causerait trop de dérangement à tout le monde, ma santé N'EST PAS BIEN BONNE, mais je serai là pour le grand jour ne vous inquiétez pas, merci d'avoir écrit et meilleurs vœux ». Daniel dit que c'était une vieille feignante et qu'elle l'avait toujours été. Il ajouta sombrement qu'elle taperait de première sur les nerfs de Mme Ellenby, mais que l'inévitable ne pouvait s'éviter. Stephanie ne trouva rien à dire sur ce point-là, non plus.

26

Owger's Howe

Lucas Simmonds dit qu'ils allaient dresser une Carte Mentale de la partie de la terre sur laquelle ils se trouvaient. La Biosphère serait intégrée à la Noussphère, où elle serait comblée et complétée, de sorte que changement et déchéance ne pourraient plus altérer ou empêcher son parfait rayonnement. Leur instrumentation y contribuerait. Guidés par leurs intuitions, particulièrement celles de Marcus, ils accompliraient des expériences, ou des rites, noms strictement différents pour la même chose, dans les Lieux de Pouvoir qu'ils ne manqueraient pas de repérer dans les environs de Calverley. La procédure suivie devrait être à la fois biologique et mentale parce que, participant aux deux mondes comme les amphibiens, ils constituaient le lien entre ces deux mondes. La méditation nocturne révélerait le *locus* de l'expérience du lendemain.

Pour aider à l'entreprise il accrocha dans son bureau, tels des mandalas, des cartes d'état-major des landes du Nord-Yorkshire ainsi que des photographies de l'abbaye de Whitby, d'une grotte marine connue sous le nom d'Échelle de Jacob, de la rosace de la cathédrale de Calverley, de pierres levées et d'ouvrages de terre géométriques de la lande de Fylingdales. Il étendit ses lectures éclectiques à des études sur la mythologie des fées et sur les druides. Il dit à Marcus qu'existaient des lieux, éminences et cavernes, qui, par tradition et pour de bonnes raisons, avaient toujours été considérés comme des points de rencontre entre les mondes terrestre et surnaturel, des nombrils de la terre, et que c'était là qu'ils se rendraient. Ils s'y rendraient dans un esprit scientifique et rédigeraient avec soin leurs observations et conclusions. Ils recueilleraient matériellement aussi bien que mentalement des spécimens, des talismans, des créatures significatives. C'était une étude scientifique sur le terrain conjuguée à un pèlerinage spirituel, le salubre plein air conjugué à une gymnastique intellectuelle dont Marcus n'avait pas encore perçu le processus. Toute coïncidence, analogie ou concaténation, de rêve et d'objet, d'action et de vision, était saisie au vol et décortiquée. Tout foisonnait de signification possible.

Marcus, sur le qui-vive et plein d'appréhension, goûtait néanmoins ces exercices davantage que le reste de la discipline. Lucas s'était mis à consigner et exploiter ses visions éveillées, cette suite sans fin d'images détaillées et protéiformes qu'il voyait dans ses moments de désœuvrement ou entre le sommeil et la veille. La toile d'araignée aux formes variées, fils gris et fibres translucides bleu jacinthe, iris ou gentiane, revenait fréquemment. Ou encore de l'étoffe, déployée, ondoyante, ornée de paillettes, de spirales de cachemire, de faces et de mains, imprimées sur le tissu ou perdues entre ses épaisseurs. Une fois, il vit une longue procession de bêtes reptiliennes, rhinocéroïdes et éléphantines, défiler, les pattes sanglantes, sur la glace et la neige devant une rangée de buissons rabougris dont il put dessiner les feuilles et les brindilles sans les identifier. Une autre fois, un visage casqué apparut et ne voulut plus disparaître, en dépit des efforts de Marcus qui ouvrit et ferma les yeux, d'un écran de fumée qui le masqua, et de son entourage qui se mua passagèrement en congres et en strates de pennes noires. Peut-être parce que Lucas en parlait, il se mit à voir des fleurs, des anémones qui se dressaient et se déroulaient comme des serpents en corolles cramoisi, saphir et pourpre, des rameaux en fleur qui se cassaient en émettant de la lumière et prenaient leur essor dans un ciel noir. (La vision des bêtes saignant dans la neige fut pratiquement la seule à avoir un ciel pâle.) Il vit la sève monter dans des hampes cannelées transparentes, le vert clair atteindre légèrement des calices dorés, des corolles blanches aux mouchetures cramoisies, des enroulements grimpants de fleurons bleu véronique. Lucas dit qu'il voyait les Formes internes de la Biosphère, les fleurs telles qu'elles avaient existé, ou existeraient, ou souhaitaient intimement exister. Lucas lui dit que Goethe avait vu la *Urpflanze*, la Plante Type, révélée dans les plantes existantes, bien qu'elle ne poussât pas dans la Nature. Alors peut-être Marcus voyait-il le modèle de l'espèce, le Plan des créatures comme il avait vu les Formes mathématiques. Lui-même avait récemment été conduit à se demander si les nombreux contes de fées mentionnant des onguents qui, appliqués sur les yeux, permettent de distinguer des espèces minuscules, des créatures animales invisibles en mouvement sous les collines, dans les cours d'eau, même sur les places des marchés, avaient un rapport avec une vision particulièrement adaptée à la création de modèles d'espèces de vie microscopique ou bien incréée. Blake avait dessiné le spectre d'une puce et déclaré que si les portes de la perception étaient purifiées l'homme verrait toutes les choses telles qu'elles sont, infinies. Imaginez, s'écria lyriquement Lucas en agitant un crocus sous le nez de Marcus, imaginez que vous soyez capable de percevoir l'infinité de cette créature de la flore, la matière et la force qui l'ont pénétrée et quittée au cours du temps, le pouvoir qui, alors même que nous la voyons, la maintient sous sa pure et complexe forme...

Marcus n'arrivait pas à suivre les analogies sautillantes et surexcitées de Lucas. Il voyait effectivement le crocus, les fines nervures et les vaisseaux dans ses reflets, l'or de plus en plus profond, la chair presque transparente de la fleur. Il était plongé dans un hébétement perpétuel de mise au point de visions et de choses, de choses réelles, étudiées et apprises avec une minutie hallucinatoire tellement semblable aux visions que les images mémorielles des unes et des autres se télescopaient. L'expérience était supportable, parce que dotée de la fermeté inébranlable que Lucas mettait dans sa conduite.

Ils parcoururent le territoire choisi dans la voiture de Lucas, qui était noire, basse et étincelante. À peine monté à bord, Marcus fut assailli par la géométrie. La façon dont les bas-côtés et les lignes blanches convergeaient, étaient avalés et disparaissaient, le remplit de la même terreur que les prises électriques et le papier millimétré. Les arbres et l'horizon étaient convertis par la vitesse en figures convergentes ; les grands arbres s'inclinaient et dansaient en direction du pare-brise en lignes construites par le véhicule. Lucas conduisait à toute allure et sifflotait entre ses dents en se penchant d'une manière extravagante dans les virages. Marcus dit qu'il avait peur de la vitesse et de la parallaxe. Lucas dit que c'était bon pour la vision. Au temps jadis, Marcus le savait-il, on suspendait les sorcières dans des sacs aux branches d'arbre et on leur donnait une bonne poussée. Là-haut, détachées du temps, de l'espace et du corps, elles prenaient conscience d'autres dimensions et avaient des visions. Il n'y avait pas l'ombre d'une raison pour que les voitures de sport n'aient pas le même effet sur les gens d'aujourd'hui, du moins sur les passagers. Qu'il fasse le vide dans son esprit et cesse de se plaindre. Marcus dit avoir peur de cela. Lucas dit être là, tout de même, et tout à fait capable de ramener Marcus de tout déplacement temporaire de son état de conscience à la réalité des haies et des lignes blanches. Ainsi encouragé, Marcus se mit à goûter la vitesse. Désincarné, il vit la voûte céleste au-dessus de lui et construisit la carte de la lande en une série de globes concentriques virant sur eux-mêmes. Il eut le mal de voiture une fois, et une fois seulement. Lucas dit que le mal de voiture est une faillite de la volonté, une faillite du contrôle du plexus solaire. Il dit qu'il ne voulait surtout pas que Marcus soit malade dans sa voiture. Cela distrayait l'attention et l'odeur subsistait. Il donna à Marcus un sucre d'orge. Marcus ne fut pas malade une seconde fois.

Un dimanche de printemps ils visitèrent la Fontaine Larmière à Knaresborough et un second lieu de pouvoir, un tertre tumulaire connu sous le nom de Owger's Howe.

Lucas s'était documenté sur la Mère Shipton qui avait jadis vécu dans une maison troglodyte près de la Fontaine Larmière. Cette personne, dit-il à Marcus, avait dû posséder un pouvoir mental considérable, car elle avait prédit des raz de marée sur la Tamise, la peste de Londres, la mort de Wolsey, la suppression des monastères, la défaite de l'Armada, la durée du règne d'Elisabeth et l'exécution de Charles Ier. Elle jouissait d'un pouvoir sur la nature ; elle jetait son bâton dans le feu et l'en retirait indemne. Elle avait prophétisé bien des progrès de notre propre époque.

> *Pensées voleront autour de la terre*
> *En un battement de paupières ;*
> *À travers monts hommes iront*
> *Sans monter chevaux ni ânons ;*
> *Sous l'eau l'homme saura marcher,*
> *Cavalcader, dormir, parler ;*
> *Dans les airs l'homme tout en noir,*
> *En blanc, en vert, se pourra voir...*

Lucas pensait que de telles personnes pouvaient parfaitement être en contact avec les mouvements des champs magnétiques terrestres. Marcus n'avait pas d'idées sur la question, mais écoutait.

Il faisait gris quand ils atteignirent Knaresborough. Ils suivirent, tels deux touristes ordinaires, un homme et un garçon, la rive du Nidd, sous la falaise en surplomb, vers laquelle l'eau de la source, remplie, expliqua Lucas, de fines particules de terre nitreuse, coulait dans un tuyau au-dessus de ce qui était à présent une chute pétrifiée de ruisselets, gouttelettes, fougères, racines d'arbre et de plante, tous solidifiés, renflés et fléchis, avant d'atteindre le peu profond bassin pétrifié de la fontaine. Au début du dix-neuvième siècle, le comportement des gardiens de la Fontaine Larmière avait provoqué de sérieuses objections esthétiques chez les amateurs de pittoresque. Lucas avait emprunté un vieux guide à la bibliothèque de Calverley. « Le sommet de la falaise (lut-il à Marcus) avec toute sa végétation a été incrusté naturellement de carbonate de chaux dont les égouttures déposent un manteau pierreux continu. Sous la stillation les gardiens de la source ont suspendu des oiseaux et autres animaux morts, des branches d'arbre, de vieux chapeaux, bas et chaussures et une variété d'objets absurdes qui "se pétrifient" sous les gouttes et sont emportés comme "objets de vertu" par les curieux, principalement des visiteurs venus d'Harrow-gate. »

À leur arrivée Marcus et Lucas trouvèrent effectivement, suspendus à des fils, des gants et des bas partiellement incrustés, et un chapeau melon, dont le ruban encore indemne était auréolé de vert-de-gris, et sur lequel la croûte de pierre progressait lentement. Lucas s'arrêta et regarda avidement Marcus observer avec gravité les objets hétérogènes en cours de pétrification sous les lourdes et lentes gouttes. Il y avait un nid d'oiseau complet, avec ses couches de paille, son tapis de plumes et son bouquet d'œufs minuscules, qui devenait lentement pierreux et durable. Marcus le contempla un long moment. Il y avait aussi un livre aux pages scellées par la concrétion calcaire et au titre déjà obscurci à jamais. Il y avait quelque chose de sinistre dans cette transmutation permanente et uniforme. Si l'on brisait une branche d'arbre pétrifiée, une fronde de fougère pétrifiée, y aurait-il aujourd'hui, à l'intérieur, ne fût-ce qu'un filament sombre de ce qui avait autrefois été vivant ?

« Je n'aime pas ça. Je me demande pourquoi les gens mettent des choses.

— Par curiosité envers le changement de substance. Par curiosité envers les curiosités. C'est comme une sculpture réelle, si vous voyez ce que je veux dire. »

Marcus considéra les pathétiques bas pétrifiés qui pendaient figés dans le vide en plis appesantis.

« Tout est mort. Je ne comprends pas pourquoi c'est si fascinant. » Mais il était fasciné.

« Il faut plonger la main. Et faire un vœu. Et laisser l'eau sécher toute seule sur votre main.

— Pourquoi ?

« — C'est un rite de tradition. Une invocation, peut-être. Un contact. Nous devrions plonger la main. »

Marcus n'en avait aucune envie.

« Toucher, sentir, goûter, entendre, voir, dit Lucas. Rocs, pierres et arbres. C'est là que la Lithosphère touche la Biosphère. Un point d'entrée et de sortie, à mon sens. Nous avons besoin de savoir. »

Il enleva sa veste et, avec une pointe de solennité et d'emphase, retroussa sa manche. Marcus ôta son blazer, déboutonna sa manchette et retroussa également sa manche. Côte à côte, ils tendirent le bras sous la fontaine et plongèrent la main dans son bassin glacial. Cela pinçait. Cela brûlait de froid.

« Concentrez-vous », dit Lucas, sans préciser sur quoi. Marcus fixa le nid calcifié. Le liquide chargé se grumela en un coquillage de pierre. Marcus détourna les yeux et fut interloqué par une poignée de lacets de chaussures contorsionnés et pétrifiés. Pour quelle raison les gens pouvaient-ils vouloir solidifier des objets usuels ? Il retira son bras et sa main mouillés, qui piquèrent et rougirent. À ses côtés, l'avant-bras de Lucas, rose et taché de son, tremblait légèrement.

« Avez-vous fait un vœu ?

— Je ne trouve rien à souhaiter.

— Ouvrez votre esprit à l'avenir.

— Je n'arrive pas à aimer cet endroit.

— Il possède une aura.

— Il est froid et humide. Et plutôt fait pour les excursionnistes. » L'eau continuait à geler sur sa main. Il resterait là à jamais. Si sa main n'était pas pétrifiée, elle se fendillerait de glace.

« Il faut laisser une chose à nous. Pour maintenir le contact. Un terminal, en quelque sorte. Avez-vous quelque chose ? »

Marcus fouilla de sa main gauche dans la poche de son blazer. Sa main droite en feu le piquait. Il trouva un stylo, de la petite monnaie, un mouchoir, de la ficelle. Lucas les examina et se décida pour le mouchoir, sur lequel la marque au nom de Marcus était soigneusement cousue. Marcus dit qu'il pourrait en avoir besoin, il faisait froid. Lucas dit qu'il en avait plusieurs et lui en prêterait un. Il plaça le mouchoir de Marcus et un crayon à lui sous les égouttures.

« Une part de nous. Une part de la fontaine. Un maillon.

— J'ai faim.

— Crayon et mouchoir devraient se solidifier ensemble. » Lucas ajouta assez plaintivement, « C'est le crayon que j'ai utilisé pour tout prendre en notes, tout ce que vous avez vu. Il a participé à de larges sections de l'expérience. Il devrait faire un terminal puissant. »

Marcus eut la brève vision d'un fil de pierre fixé à un crayon de pierre bourdonnant en prenant des notes de pierre, ainsi que d'un lointain poste à galène. Lucas scruta son visage avec l'air d'un chien inquiet. Des signes de scepticisme ou d'ennui chez son collaborateur, favorablement impressionné en règle générale, le remplissaient toujours d'alarme. Il fit quelques efforts de prosélytisme supplémentaires.

« Vous savez, la Mère Shipton vivait dans une maison creusée dans le roc. Comme la sibylle de Cumes et la pythie. Une coïncidence frappante. Et ces dernières étaient connues pour habiter des lieux donnant accès à l'autre monde, des ombilics... vraiment connues. Il m'a vraiment paru vraisemblable que vous puissiez prendre conscience d'un... champ de force... ou quelque chose comme cela.

— Non. Tout paraît solide, pesant, oppressant. Je veux m'en aller.

— Quelle forme cette oppression prend-elle ? »

Marcus, traçant du bout de ses doigts moites et rougis de vagues figures dans le vide et le silence, tourna vers Lucas un visage de marbre et, pour la première fois, exploita sciemment son équivoque ascendant sur lui.

« Elle prend la forme de savoir que nous ferions mieux de partir rapidement d'ici. Cet endroit ne veut pas que nous restions. Il n'aime pas que nous bougions. »

L'espace d'un instant, il vit en imagination des couloirs sinueux, en pierre lisse et polie, veinée de bleu, qui les invitaient à entrer. Il les ignora. Il répéta, « Il ne veut pas de nous.

— Mais vous ne voyez rien d'autre.

— Non. »

Lucas enfila sa veste.

« Alors nous partons. Nous devrions emporter quelque chose. »

Dans un bois avoisinant ils trouvèrent ce que Lucas déclara être des fleurs très satisfaisantes, des aconits tardifs, de la mercuriale et de la langue-de-cerf, l'unique fougère à feuilles entières à croître dans la région. Lucas manifesta l'intention d'offrir ces euphorbiacées dorées à collerette vertes, ces plantes fétides, velues et rampantes, à la Fontaine Larmière, pour leur préservation. Marcus dit qu'il n'était pas question d'y retourner. Lucas acquiesça avec soumission. Marcus dit avec rouerie, « Parlez-moi d'Owger's Howe », et Lucas s'anima et dit que cela se trouvait sur une lande au sud de Calverley, près d'un lieu appelé Obtrush Yat, la Porte de l'Obtrush, bête mythique, et que c'était un imposant tumulus avec des colonnes à la porte et un seuil qui possédait une longue tradition de rites propitiatoires et apparitions spécifiques, cognements singuliers et jattes de lait déposées à certaines époques de l'année, êtres sortant à minuit pour danser la ronde ou échanger des coups, un berger et son chien disparus, censés avoir pénétré au royaume des fées par ces portes de pierre et n'en être jamais revenus. Il faudrait sans doute deux heures de voiture, mais ce serait un endroit idoine. Il avait apporté un pique-nique. Avant de démarrer il lut à Marcus le récit d'un certain William de Newbridge, l'histoire d'un homme originaire de la province de Deiri (le Yorkshire), qui avait entendu aux abords d'un tertre « les voix de gens qui chantaient et, pour ainsi dire, festoyaient joyeusement. Il se demanda quelle sorte de gens pouvait rompre, en un pareil lieu, à force de s'esbaudir, le silence de la nuit profonde, et il voulut examiner la question de plus près. Avisant une porte ouverte sur le côté du tertre, il s'en approcha et regarda à l'intérieur ; il vit alors une vaste maison tout illuminée, pleine de gens, de femmes aussi bien que d'hommes, allongés sur des lits de table, qui banquetaient solennellement et, pour ainsi dire, levaient leur coupe en l'honneur d'un couple de haute stature et d'insigne beauté qui semblait, à considérer la couronne et la mise fabuleuse de la femme, nouvellement marié. L'un des serviteurs debout près de la porte lui donna une coupe. Elle contenait un liquide rouge clair, un peu comme du vin. Il la prit mais se garda de boire et, versant à la dérobée le breuvage dans l'herbe, fut épouvanté de voir le sol prendre feu et se calciner là où les gouttes s'étaient répandues. Là-dessus, tenant toujours le verre serré dans sa main, il remonta en selle et s'enfuit ; les gens du lieu le poursuivirent à fond de train en faisant entendre des bourdonnements aigus, mais il arriva sain et sauf à la ville et, là, confia la coupe à la garde du vicaire. Dès que la coupe eut quitté ses mains, il cessa de voir ses poursuivants et d'entendre leur clameur perçante, mais son cheval, rendu fou selon toute apparence, ne recouvra jamais ni calme ni repos. Le verre, de matière inconnue, couleur indescriptible et forme extraordinaire, fut conservé dans l'église pendant de nombreuses années, et les hôtes du tertre ne purent jamais entrer s'en ressaisir, mais quiconque prenait la coupe entre ses mains les entendait gémir, chanter et menacer parfois sur le vent ».

Marcus demanda ce que signifiait Owger, et Lucas dit que certains y voyaient une corruption d'Ogier le Danois, paladin qui avait disparu au Royaume des fées depuis plusieurs siècles mais reçu la promesse de sa délivrance en cas de grande nécessité – comme Arthur et Merlin et d'autres condamnés au sommeil perpétuel sous les pierres et au creux des collines. D'autres affirmaient qu'Owger était juste un lutin du pays qui acceptait des offrandes de lait et faisait parfois de mauvaises farces aux vaches et aux moutons.

Ils gagnèrent le Howe – le Val – par un sentier raide et herbeux qui traversait à flanc de coteau des prés tellement encombrés de fougères, bruyères et chardons qu'il était difficile de ne pas les considérer comme envahis par la lande. Le haut et caractéristique monument funéraire se trouvait au faîte d'un tertre circulaire édifié, lui-même entouré de terre-pleins éboulés, ou de sillons creusés dans la terre durcie, lesquels, assura d'un air facétieux à Marcus un Lucas au visage épanoui en un large sourire tandis qu'ils cheminaient chargés de fourre-tout de toile contenant le pique-nique et des bocaux à spécimen de faune et de flore – lesquels étaient généralement tenus pour les traces des convulsions et constrictions agonisantes d'un répugnant serpent ou dragon qui s'était réfugié sur cette butte pour livrer son ultime combat. Marcus, plutôt essoufflé, ne demanda pas pour quelle raison Lucas était tellement persuadé que l'idée de dragon était une fiction cocasse tandis que les idées de gentil petit peuple vert, de gens vivant dans les tertres et les tumulus, d'anges dans les cathédrales ou de commères pressentant les mouvements magnétiques plusieurs siècles à l'avance, étaient plutôt des descriptions aberrantes de forces véritables. Sans doute cela deviendrait-il plus clair, dans la mesure où Marcus choisirait de rechercher la clarté. Il préférait, en fait, une certaine zone de flou, s'agissant de la dénomination ct dc la catégorisation des choses. Sa capacité d'adhésion à des propositions singulières n'était pas plus prononcée qu'auparavant. Les plans et les types pouvaient bel et bien exister ; les biosphères, lithosphères et entéléchies n'étaient pas davantage que des mots évocateurs.

Quant aux terminaux et aux objets focaux dont Lucas parsemait la surface du Yorkshire, il les traitait avec un mélange de scepticisme et de peur. Il était presque sûr qu'ils n'étaient pas tels que Lucas le disait. Mais ce qu'ils faisaient provoquait en lui toutes sortes de tiraillements, excitations, picotements, bourdonnements, dilatations et contractions, couplés à des champs de force auxquels il était bien obligé de croire, et ressemblant à des choses des plus respectablement enseignées en classe, l'électricité, les rayons X, le magnétisme. Une charge électrique est capable de foudroyer une souris, un mouton ou un homme et de le faire tressauter comme un pantin désarticulé, de le roussir, le brûler et le réduire à l'état de déchet calciné. Quelque chose l'avait parcouru quand il avait vu la lumière, et quelque chose d'analogue le parcourait sans trêve à présent, en le faisant tressauter, de sorte que sans Lucas il aurait risqué, estimait-il, d'être annihilé, l'esprit aboli comme une ardoise effacée, ou le corps anéanti comme une chose lâchée dans le vide.

Ils établirent une sorte de camp près de l'entrée du monument funéraire que la terre obstruait. Enclin à traiter Marcus comme un genre de baguette radiesthésique ou divinatoire humaine, ou peut-être, pensa sinistrement ce dernier exposé au sommet de cette butte environnée de nuages noirâtres, comme un paratonnerre, Lucas le tira alors par la manche de son blazer et lui demanda s'il avait la moindre intuition de la nature du lieu, la moindre conscience d'une présence. Marcus dit, avec une certaine irritation, «Lâchez-moi, je ne peux pas penser si vous me touchez», et il s'éloigna sur le côté de la butte en essayant consciencieusement de faire le vide dans son esprit. Il répéta avec espoir qu'il avait faim. Lucas répondit avec une semblable irritation qu'il leur fallait accomplir leur tâche le ventre vide, c'était bien connu, le ventre vide. Pensez à l'Eucharistie. Quand leur tâche serait accomplie, ils pourraient manger leur pique-nique, qui était très copieux et d'excellente qualité. Il pouffa. Marcus continua à marcher, écoutant la terre et l'air, flairant, regardant. Le tumulus était vieux, silencieux aussi. Dedans, de la terre, de la poussière, des particules terreuses et poussiéreuses en suspens. Dessus, des choses poussaient. Des choses mêlées ; de l'herbe et des chardons issus de la terre ; de la terre issue des ossements ; de l'eau circulait à travers, sourdait, nourrissait les choses et s'évaporait. Il posa la main sur le flanc herbeux de la chose ; elle possédait sa propre chaleur. Il descendit et trouva une fleur bleue. Il cria à Lucas, «En voilà une bleue. J'en ai trouvé une bleue. D'un joli bleu.» Lucas s'approcha promptement, et s'excita vivement. Les fleurs bleues dressaient leurs hautes corolles tubuleuses sur des tiges lisses, de deux ou trois centimètres de haut. Leurs feuilles étaient disposées en petites rosettes à la base de la tige.

« Ne la cueillez pas, s'écria Lucas. C'est une fleur rare. Très rare par ici, vraiment très rare. C'est une gentiane de printemps. Il est exceptionnel d'en trouver par ici – elles poussent plutôt dans le Burren, mais nul ne peut prétendre qu'elles ne soient pas rares. C'est un signe. C'est ici, là où elle est, que nous devons procéder à l'expérience. Attendez, je vais apporter les aconits. Et peut-être du lait. Si nous répandions du lait, en libation ? Les gens du pays le faisaient. »

Marcus s'assit sur l'herbe et contempla la gentiane rare. Lucas vint déposer les autres plantes, l'aconit, la mercuriale et la fougère, autour de la gentiane. Il versa du lait de la Thermos dans une petite timbale qu'il posa à côté de la fleur. Réflexion faite, il entrecroisa quelques-unes des tiges de quelques-unes des fleurs. Il dit à Marcus, « Il me faudra aussi une de vos pièces de monnaie. Avec une des miennes, nous aurons une offrande. On emportait une obole dans le séjour des ombres. Et je suis sûr d'avoir lu quelque part que les gentianes sont les torches des morts. »

La fleur bleue avait une apparence très impalpable de plante de plein air. Marcus dit, « Je ne crois pas que nous devrions invoquer les morts.

— Non, non, il ne s'agit pas de ça. Nous cherchons une entrée, un passage, vers une autre dimension. Je veux seulement une lumière pour voir. Et maintenant, comment ? Que faisaient-ils, les sages d'autrefois, en de tels lieux ? Ils dansaient. Ils dansaient assez vite pour entraîner le cosmos dans la danse avec eux, avec une partie d'eux-mêmes, jusqu'à ce qu'ils distinguent la danse des particules… C'est pour cela que les derviches tournent, pour libérer l'esprit, pour gagner du pouvoir sur les parties solides – »

Marcus baissa sa tête jaune paille. Il dit, « Je ne peux pas tourner comme un derviche ». Il fixa le petit cercle de fleurs. Qui avait l'air idiot. L'air brillant et révélateur. Lucas croisa les poignets et tendit les mains.

« Si nous nous tenons les mains – en les croisant – au-dessus de cet endroit précis. Alors, voyez-vous, nous formerons votre figure intersectée – et si c'est bien un Lieu de Pouvoir, nous sommes juste au-dessus d'une autre intersection – la rencontre de deux royaumes – nous nous alignerons sur les pouvoirs de ce lieu –

— Owger –

— C'est un nom. Vous pourriez aussi bien dire herbe, gentiane, mercuriale, aconit, terre, air, eau…

— Je me sens ridicule.

— Je vous en prie, essayez. Je vous en prie, essayez toujours, après toute cette peine. »

Marcus tendit ses mains, longues et décharnées, et elles furent étreintes dans celles, larges et charnues, de Lucas. C'était la première fois qu'ils prolongeaient délibérément un contact tactile, de quelque ordre que ce fût, depuis le début de l'expérience. Marcus, inerte, était serré dans une poigne de fer ; Lucas serrait.

« Penchez-vous en arrière. Videz totalement votre esprit. Et maintenant… »

La prise se resserra puis se tendit. Leurs pieds tournèrent de plus en plus vite. Le ciel sombre pivota et bascula, le coteau vacilla et plana, leurs pieds tassaient, piétinaient, frottaient, tourbillonnaient. Marcus s'entendit éclater en rires nerveux et effrénés ; Lucas poussait d'étranges hululements ; dans leurs oreilles l'air se mua en un bourdonnement aigu et haut perché. Ils augmentèrent de vitesse ; de temps en temps, au centre du cocon tournoyant de sa vision, de la rotation de lignes de gris, de brun, d'or, de vert et de chair, Marcus apercevait le point bleu de la fleur. Extérieurement, s'il y avait eu quelqu'un pour les regarder, ils ressemblaient moins à des derviches tourneurs qu'à des enfants jouant au tourniquet dans une cour de récréation en formant des huit architendus pour s'étourdir, pour éclater de rire, pousser des cris, tituber, stopper et voir l'école, les grilles en fer et les poteaux de but tourner solennellement en rond.

Ils tournoyèrent tant et si bien qu'ils passèrent de l'hilarité à un silence haletant. Le rythme de leurs pieds devint délicatement automatique. Ce qui se produisit alors posséda le caractère peu concluant de bien des comptes rendus d'expériences d'occultisme. Ils ne se rappelèrent ni l'un ni l'autre la fin du tourbillonnement. Ce qui est sûr, c'est qu'ils se réveillèrent chacun à un bout du monument, avec l'impression d'avoir dormi profondément. Marcus ouvrit les yeux dans le noir sur le versant glacé, aussi crut-il, pendant ce qui parut un long moment, qu'il faisait nuit, sans parvenir à se rappeler où il était. Il regarda fixement les ténèbres, qui prirent l'aspect d'un tunnel quand il vit un disque blanc grandir et miroiter dans sa direction, opaque et laiteux, jusqu'au moment où, cessant d'en discerner le pourtour, il vit une pâleur indifférenciée du même ordre que l'obscurité indifférenciée précédente. Alors, peu à peu, comme dans un brouillard qui se lève, il distingua le décor environnant, le monticule marqué de stries, les maigres prés, l'entrée du monument, la porte de pierres levées contre laquelle il s'appuyait. Il se remit droit et retourna d'un pas mal assuré à l'endroit où ils avaient tourné en rond. La gentiane était toujours là. La timbale était vide. Il y avait une pièce d'une demi-couronne, sans doute jaillie d'une poche, sur les fleurs. Lucas arriva en chancelant de l'autre bout du monument. Les oreilles de Marcus sifflèrent, ou bien ce fut l'air, ou peut-être encore le tumulus – une modulation musicale stridente dans sa tête. Lucas mit les mains sur les épaules de Marcus ; Marcus fit solennellement de même ; ils restèrent, tête baissée, à respirer péniblement. Ils se penchèrent et ramassèrent la timbale, ainsi que la demi-couronne que Lucas mit dans sa poche.

Ils mangèrent leur pique-nique à quelques kilomètres de là. Des sandwiches au rosbif salé, une Thermos de potage à la tomate, des pommes, du fromage et un solide cake se révélèrent très fortifiants. Marcus, en regardant derrière lui au moment d'ouvrir la portière, avait vu une épaisse colonne torsadée de lumière d'une couleur différente, ambre peut-être, du gris ardoise du ciel, et qui, tel un dessin de trombe ou de cyclone dans un livre d'enfants ou le tronc enraciné d'un immense arbre transparent, s'élevait de plus en plus haut au-dessus de la butte tout en allongeant d'impalpables radicelles exploratrices entre la crevasse et la pierre, le long de la crête et sous la corniche. Il n'en dit rien à Lucas sur le moment. Il ne voulait ni que Lucas sache les mots pour dire ce qu'ils avaient fait, ni qu'il soit incapable de les trouver. Au bout de quelques minutes de mastication frénétique il nota qu'outre le rosbif il percevait une odeur de peur, sur Lucas, dans la petite auto. Alors il dit avec douceur, « Je ne crois pas que nous devons parler de tout cela pour l'instant, ni peut-être jamais ». Le visage rond et en sueur de Lucas se releva de son sandwich. Marcus dit, « Je sais que nous ne devons pas en parler, je le sais ». Il espérait rendre ainsi les choses plus faciles à Lucas. Sinon, il n'y avait rien qu'il pût faire.

De retour au collège, ils s'aperçurent que ni l'un ni l'autre n'avait vérifié la durée des ténèbres à sa montre.

27

Le couronnement

Avant le 2 juin de cette année-là la plupart des gens rassemblés dans le salon de Mme Thone n'avaient jamais vu d'émission de télévision. Parmi eux il y avait tous les membres de la famille Potter, Felicity Wells, les Parry et Lucas Simmonds, lequel était très excité et avait dit à Marcus que le couronnement et la télévision pouvaient, l'un comme l'autre, susciter des expériences fructueuses de transmission d'énergie. Il y avait là six petits garçons, dont certains des parents possédaient un poste, et les Ellenby, gens évolués, car ils s'étaient déjà trouvés en visite chez divers paroissiens qui n'avaient pas éteint leur poste tout en offrant le thé ou le xérès au pasteur. Il y avait aussi Alexander, qui avait espéré être invité par Crowe à Long Royston et ne l'avait pas été. Au milieu de la matinée Mme Thone alla répondre à un coup de sonnette et trouva sur le pas de la porte Edmund Wilkie et une étrange fille. Wilkie déclara suavement qu'il avait entendu dire qu'elle tenait maison ouverte. Voici Caroline, ajouta-t-il en demandant s'ils pouvaient entrer faire une petite visite. Toutes les rues de Calverley et de Blesford étaient désertes, désolées, comme frappées de mort ou de calamité, et eux-mêmes avaient grand besoin de compagnie. Ils étaient venus pour les festivités de Crowe dans la soirée mais se trouvaient un peu en avance. Il passa devant Mme Thone et pénétra dans le vestibule, tirant sa belle par la taille et laissant choir une longue écharpe et un casque de moto sphérique sur le coffre en chêne de Mme Thone. Elle le fit entrer au salon. Il avait été le cauchemar du Dr Thone. Il avait enfreint tous les règlements ; il avait été l'instigateur de factions émotionnelles, intellectuelles et morales tout en ne se souciant de personne que de lui-même. Il avait proclamé avec éclat que ses succès éclatants avaient été acquis en dépit et non pas en raison des efforts du Dr Thone et du collège dans son ensemble. Basil Thone éprouvait néanmoins une affection perverse et assez communément répandue, non pour l'intelligence de Wilkie, dont il se défiait, mais pour la pure difficulté qu'il présentait. Comme beaucoup d'enseignants il était forcé d'aimer le cas le plus complexe, pas les quatre-vingt-dix-neuf autres brebis du troupeau. Comme beaucoup d'enfants prodigues Wilkie revenait périodiquement restaurer, exhiber, exiger et rejeter cette déraisonnable attirance. Laquelle n'était pas partagée par Bill. Bill admirait les capacités intellectuelles de Wilkie, méprisait ses grands airs, jugeait de sa moralité à sa valeur intrinsèque et ne s'inquiétait guère de ce qu'il devenait. Cela tenait pour une large part au fait que Bill déniait à la psychologie droit de cité dans la hiérarchie culturelle. Aussi, quand Wilkie fit son entrée dans le salon rose et argent de Mme Thone, le Dr Thone, qui lui-même avait le teint rose et une masse de cheveux argentés que les élèves tenaient sans preuve pour une moumoute, se leva-t-il pour l'accueillir avec joie. Bill grogna et se renfonça dans son fauteuil. Wilkie, sans lâcher son amie, distribua de joyeux saluts à ses connaissances, Bill, Alexander, Stephanie, Frederica et Geoffrey Parry. D'une voix qui couvrait la grandiloquence de Richard Dimbleby, il leur nomma Caroline. Caroline était brune et mince, avec les cheveux coupés à la gavroche et les os grêles et saillants alors en vogue, une démarche sautillante et de petites ballerines qui faisaient paraître ses chevilles minuscules et ses mollets arqués. « Regardez, dit Frederica, la reine sort.

— Quelle mascarade, franchement », dit la petite amie de Wilkie.

Mlle Wells laissa échapper une exclamation de détresse.

« Asseyez-vous, dit sévèrement Alexander à Wilkie. Allons ! »

En ce temps-là les règles, tant publiques que privées, de la civilité adaptée aux inquisitions de la caméra et aux indiscrétions de l'écran n'étaient pas établies. Le rapport officiel de la BBC sur la couverture du couronnement se demandait, « N'y aurait-il pas quelque inconvenance s'il advenait qu'un spectateur regarde cette grandiose et solennelle cérémonie avec une tasse de thé à portée de la main ? – la question n'est pas sans soulever de graves doutes... » Le gros de la presse était aussi démocratiquement que statistiquement au septième ciel. « Le Couronnement confère sa légitimité au petit écran, en fait une fenêtre sur Westminster pour cent vingt-cinq millions de gens... Tous ces millions de téléspectateurs, de Hambourg à Hollywood, verront le carrosse royal tintinnabuler à travers Londres en liesse *le jour même...* Huit cents micros sont en place, à la disposition des cent quarante envoyés spéciaux qui annonceront au monde entier qu'Elisabeth est couronnée. Mais aujourd'hui est le jour de gloire de la télévision. Car, en liaison directe avec les sujets de la Reine, c'est la télévision qui donnera une vérité nouvelle à la Reconnaissance du Monarque en ce jour de son Couronnement... "Et la Reine, debout devant le Trône du Roi Edouard, se tournera et se montrera au Peuple..." »

Tous l'appelaient le petit écran et tous appelaient la reine, à tout propos, avec délectation, une petite silhouette, admirant, à tout propos également, son inaltérable vaillance à se tenir droite en dépit des fatigues de la longue cérémonie, du poids de tous ses atours et de l'extraordinaire lourdeur de sa couronne. Diminutifs et superlatifs proliféraient tandis que tous regardaient les frémissements des ombres grises et blanches, les scintillements du métal et des pierres précieuses, une petite poupée mate et scintillante, d'un, deux ou cinq centimètres de haut, un visage de peut-être vingt centimètres de large, grave ou gracieusement radieux, une image souriante en noir et blanc de linon plissé, de drap d'or et de chatoyantes broderies aux teintes nacrées – rose, vert, améthyste, jaune, or, argent, blanc, galons brodés de gouttes de cristal doré, de diamants et de perles en ordre croissant. Des cheveux noirs frisés en boucles serrées et une bouche noire probablement fardée de rouge à lèvres rouge puisque en ce temps-là une bouche sans fard était nue. En carrés de la taille d'un timbre-poste, de la taille d'une enveloppe, des ribambelles d'hommes à tête d'épingle en procession, de jolis parterres de fleurs brodées au petit point, mouchetures indifférenciées de visages et de chapeaux en foules continues, semblables et dissemblables, prolonges d'artillerie, minuscules pairs du royaume en culotte de Cour et couronne nobiliaire, vitraux, choristes, insignes royaux, tournoyant dans une symphonie de gris, au son grasseyant et ronflant des gloses de Dimbleby, dans un fracas de psaumes et de cantiques accompagnant toute cette affluence dont les rangs se formaient, se dispersaient, se reformaient.

Qu'y comprenaient-ils vraiment ? La presse usait suavement de termes lyriques, spasmodiquement archaïques, pesamment exhortatifs, pour évoquer un Nouvel Âge élisabéthain.

« La radieuse promesse de demain est celle d'un Second Âge élisabéthain où les ressources croissantes de la science, de l'industrie et de l'art seront mobilisées pour alléger le fardeau de chacun et produire de nouvelles opportunités de vie et de loisir.

« Pourtant le temps présent est celui où les premiers nuages atomiques ont plané entre le soleil et nous. S'il est une chose claire, c'est que maintes générations se verront privées d'avenir à moins que ne soit établie une paix durable… »

La rhétorique de Winston Churchill possédait sa propre note de certitude archaïque, lourde de rythmes hérités et usés.

« Qu'on ne croie pas que l'âge de la chevalerie appartienne au passé. Voici, au point culminant de notre communauté universellement reconnue, la Dame que nous respectons, parce qu'elle est notre Reine, et que nous aimons, parce qu'elle est elle-même. Gracieuse et noble sont des termes qui nous sont familiers à tous dans le langage courtois. Ce soir ils ont un son nouveau parce que nous savons qu'ils sont vrais, s'agissant de la figure lumineuse que la Providence nous a donnée en des temps où le présent est difficile et l'avenir voilé. »

Le doute s'insinuait étrangement dans les affirmations de promesse et de haute importance. Le *Daily Express*, dans un éditorial impérial, citait sonorement et incongrument :

> *De notre sang et notre État les gloires*
> *Sont des ombres dépourvues de substance,*

et commentait cette triste pensée en expliquant que c'étaient des ombres, certes, à moins que le peuple et la reine ne se consacrent à de « vastes desseins » et les poursuivent avec une « résolution inébranlable ».

Le *News Chronicle*, à propos de l'Éverest, hésitait entre un tonnerre malaisé d'acclamations et des contorsions d'embarras verbal et moral. Il invoquait lui aussi un distique d'une ambiguïté intempestive, issu de la grande poésie anglaise, cette fois de Browning :

> *Ah ! si la main tendue excédait sa portée,*
> *Ou, à quoi sert un ciel ?*

Il était lyrique, s'agissant « du froid, du beau, du cruel et du désirable pic de la Terre, hors de portée de l'homme – décennie après décennie ». Il n'était pas vraiment prêt, quoiqu'il en caressât obscurément l'idée, à dire que le couronnement et la conquête de l'Éverest indiquaient l'avènement du nouvel Imperium, le Ciel sur la Terre, l'âge d'or, Cléopolis ou tout autre conjonction analogue de l'imperfection temporelle et de la satisfaction éternelle. Au lieu de cela, il ruminait :

« Ces îles palpitent de drapeaux, et désormais un nouveau drapeau palpite à l'autre bout du monde, sur la plus haute cime de la terre. C'est le même emblème.

« Qu'y a-t-il dans cette nouvelle qui doive éveiller l'ardente fierté d'une nation ? C'est le sentiment que tout est possible. C'est l'allégresse de savoir que l'âge d'Elisabeth II s'ouvre grandiosement et magnifiquement. Raille qui veut railler, mais il est une qualité dans cette nouvelle qui l'exalte à un plus haut degré que les gros titres qu'elle inspire.

« En un temps plus ancien on l'eût nommée un Signe. N'étant pas assurés du sens de ce terme, nous avons tendance, au temps où nous sommes, à être embarrassés par de telles extravagances de langage. »

En 1973 Frederica vit Alexander, lors d'un programme éducatif pour adultes à la télévision, faire une conférence sur le changement de style dans le domaine de la communication publique, illustrée de textes et d'images choisis, comme les extraits ci-dessus, parmi les événements de juin 1953. Alexander analysait avec perspicacité, pensa Frederica, le vocabulaire inconsistant, les sentiments inventés de toutes pièces et délibérément flamboyants qui accolaient des mots désormais inacceptables, comme étincelant, flottant, visionnaire, tintinnabulant, miroitant, et cetera, le style courtois et déjà fade à l'époque de Churchill, aux nouvelles et malhabiles ferveurs technologico-utilitaristes envers les « ressources » de la science, l'industrie et l'art, tous trois « mobilisés » pour alléger le fardeau de chacun et produire de nouvelles « opportunités » de vie et de « loisir ». Si l'allégement des fardeaux, disait Alexander, remontait en ligne rhétorique continue, *via* Bunyan, jusqu'au Christ, avec une pesanteur morale chargée de sonorités mortes, « ressources » « mobilisant » et « loisir » étaient de nouvelles abstractions souhaitablement vagues pour conjurer dans leur propre jargon leur propre reconversion symptomatique de mots anciens utilement dotés d'un sens plus restreint et plus précis. La vérité, disait Alexander en 1973, en invoquant certaines abstractions de son cru, et de ce temps-là, était que l'immense et malencontreux effort nostalgique d'archaïsme avait été une véritable ombre de notre sang et notre État, une réelle chimère et supercherie de la renommée. La vérité était aujourd'hui et avait été hier que la fête était et avait été finie. Il termina son émission, comme de juste, avec l'impressionnant dessin humoristique de Low qui montre des drapeaux du Royaume-Uni brisés, des poupées flasques, des ballons dégonflés ou crevés, des verres vides et un écran aveugle. Le nouveau langage et l'ancien, dit-il, et leur difficile mariage, étaient d'une vacuité absolue, ainsi que l'avait prouvé la suite des événements.

Frederica, en 1973, pensa qu'il simplifiait à l'excès. Ce qu'il disait participait du mouvement de repli du narcissisme omniprésent des médias, leurs jeux de miroirs se reflétant à l'infini, et leurs marges interminablement commentées par les commentateurs. En 1953 Alexander essayait d'écrire, de discourir, en vers, sur l'histoire et la vérité. En 1973 il analysait, en prose, les modes de communication. Il existait d'autres vérités. Il avait existé, considérait Frederica, une sorte d'innocence dans la liesse de l'époque (où elle avait, à dix-sept ans, l'esprit vif mais la vue courte). Ce n'était pas de la duplicité, mais seulement une nostalgie véritablement futile et contrariée pour l'enthousiasme dévot des commentateurs. Et les gens avaient simplement espéré, parce que c'était la période qui succédait à l'effort de guerre et à la rigueur de l'austérité, et leur espoir, malgré la construction spasmodique de parcs de loisirs et de palais du festival, n'avait eu, hélas ! comme le désespoir d'Hamlet, aucune corrélation objective. Mais ils avaient été naturellement lyriques. Leur lyrisme s'était avéré divaguant et rebattu, mais rien ne l'avait remplacé ou suivi. Après la lyrique rebattue était venue la « satire » rebattue, une antirhétorique molle et pondéreuse, la passion fastidieuse de rabaisser presque tout. Low s'était montré sévère, mais par la suite ce n'avait surtout été que glapissements.

Elle ne pensait pas cela sur le moment, en 1953. À l'époque elle partageait en grande mesure l'opinion de l'amie de Wilkie, « Quelle mascarade ! » – saisissant aussitôt que c'était la réaction « juste ». C'était ce que les contemporains diraient et penseraient de l'événement. « Contemporain » était en ce temps-là synonyme de « moderne » comme jamais avant, comme jamais aujourd'hui (1977). Contemporaine était ce qu'elle voulait alors être, et elle était certainement assez intelligente pour percevoir, non seulement que le couronnement n'inaugurait pas une nouvelle ère, mais que ce n'était pas même un événement contemporain. Un an plus tard, à la parution de *Jim-la-Chance*, Frederica pleura d'un rire hystérique en lisant avec quelle hargne Jim Dixon matraquait la Joyeuse Angleterre, et pourtant elle était également assez fine pour percevoir qu'Amis et Dixon auraient partagé ses sentiments ambivalents à l'égard des réjouissances publiques de Matthew Crowe, ce soir-là. Crowe était assez riche pour engager de vrais musiciens pour jouer de la vraie musique élisabéthaine dans de vrais jardins élisabéthains, et du vrai jazz pour mettre de la variété, tandis que des gens en vrais habits de soie boiraient une assez grande profusion de vraies boissons, champagne ou bière brune de Newcastle. L'argent avait une réalité vraie pour les railleurs contemporains, et tandis que le carrosse resplendissant conduisait la vraie reine en ses atours de drap d'or dans la cour du palais de Buckingham, l'âge de l'abondance, bourse bien garnie et accoutrement rutilant en fibre synthétique, débordait en pétillant du verre de grand cru ou de whisky de Kingsley Amis, se faisait photographier pour les suppléments en couleurs, s'habillait de cothurnes en vinyle argenté et de drapeaux en plastique, et s'attelait à la fabrication et la définition des gens illustres des illustrés.

Le vrai paradis, a dit Proust, est toujours le paradis perdu. C'est seulement quand Frederica fut assez vieille pour mettre en équation les minces espérances aux tons pastel de 1953 et sa compréhension pour ainsi dire adulte du fait que tout est toujours un nouveau début, que pour elle la réalité vraie fut l'avenir et qu'elle se mit à éprouver la nostalgie de ce qu'à l'époque elle diagnostiquait hardiment comme une vague illusion. D'une manière proustienne également, elle se mit, en prenant de l'âge, à associer son obsession des *Quatre Quatuors* au couronnement, aux gestes que le couronnement avait tentés en faveur de l'Angleterre, l'histoire et la continuité. Le couronnement avait essayé sans succès d'incarner à la fois le présent et l'Angleterre. Il y avait eu d'autres échecs pires. Au sens où tout essai est par définition le contraire de l'échec, puisque le présent était bien le présent et que la reine était, quoi qu'en pensât le peuple, couronnée, c'était bien le présent, et l'Angleterre. À ce moment-là.

Quant aux autres, ils avaient leurs propres pensées. Les Ellenby étaient ravis et rassurés, comme si le monde entier avait, brièvement et significativement, un air de dimanche. Felicity Wells était dans un état d'extase culturelle, voyant dans les voûtes de l'abbaye et leur imitation des inhumaines perspectives des espaces célestes, et dans l'humain petit visage blanc de la reine au-dessus de sa robe de sacre aux broderies emblématiques, une promesse de rénovation. Eliot avait dit, et elle s'en souvenait, que « l'incroyant Anglais se conforme aux pratiques du christianisme à l'occasion de la naissance, de la mort, et de la première aventure nuptiale… ». En ce jour une nation entière se conformait à un rite chrétien antique et national. C'était une vraie Renaissance.

Daniel et Stephanie ne remarquèrent pas grand-chose. Stephanie regardait Bill, Daniel regardait Stephanie, et Bill regardait la télévision, prenant apparemment un plaisir enfantin et inattendu à ses mécanismes. Jennifer Parry regardait Alexander, et Geoffrey regardait Thomas, qui était sanglé dans une petite chaise posée par terre. Mme Thone était peu émue. Son intérêt pour l'avenir et son intérêt réel pour le monde extérieur avaient pris fin avec son fils. Après avoir précisément compris qu'entre un bon petit déjeuner et la cloche de la fin de la récréation un petit garçon peut courir, tomber, se cogner, se convulser, cesser pour toujours de bouger et commencer à se putréfier, elle comprit aussi que rien n'est remédiable, aucun raid aérien, aucun camp de la mort, aucune genèse monstrueuse, et que la seule chose importante, en ce qui la concernait, était qu'elle n'avait pas beaucoup de temps et que ce qu'elle en faisait avait peu d'intérêt. Au lieu de se miner, car elle avait malheureusement une forte dose de vitalité que cette compréhension n'avait pas diminuée, elle s'était mise à se faire une vive et inutile gloire de sauver les apparences. Le couronnement était une apparence qui, pour le moins, était joliment sauve. (Les efforts de Winifred pour le compte de Stephanie en étaient une autre – d'où l'invitation.) Le feu roi était enterré et sa fille était son avenir. Pour elle ce décès était simplement un autre point de repère, une indication supplémentaire du fait que sa vraie vie, y compris tout avenir virtuellement précieux, appartenait au passé. Elle servit des friands et de l'orangeade aux petits garçons. Elle aimait les avoir chez elle. Elle trouvait parfaitement correct qu'ils ne puissent ou ne veuillent la regarder en face. S'ils connaissaient ses pensées, ils devaient en être incapables.

L'obsession d'Alexander pour le passé le rendait fortement critique à l'égard du présent. Il fut extrêmement irrité que Richard Dimbleby choisisse de faire ressortir ses louanges dithyrambiques d'Elisabeth II par un vif dénigrement d'Elisabeth Ire.

« Une fois encore les destinées de l'Angleterre sont frêles, mais avec la personnalité de la Reine combien plus favorablement débute la seconde ère élisabéthaine. Sa personnalité est bien connue de tous ; c'est le fruit d'une enfance heureuse, fondée sur les principes moraux et chrétiens les plus élevés, empreinte de la sérénité que procurent l'amour et l'unité d'une famille.

« Par contraste, la première Elisabeth, avec le robuste et impérieux Henri VIII pour père et l'intrigante Anne Boleyn pour mère, ne fut peut-être pas sans mériter le titre de "fille du diable" que lui décerna l'ambassadeur d'Espagne. Elle pouvait alléguer les circonstances atténuantes d'une enfance en comparaison de laquelle la plupart des foyers brisés du vingtième siècle, auxquels les forfaits des jeunes délinquants sont si souvent attribués, paraîtraient hautement respectables. Cette sinistre enfance favorisa le développement de ses artifices et de sa cautèle… » Les sentiments qu'Alexander éprouvait envers la « jeune épouse et mère » exaltée par Dimbleby étaient, au mieux, tièdes. La jeune épouse et mère était, en outre, connue pour ne pas aimer celle qui l'avait précédée sur le trône et s'était montrée cruelle envers son ancêtre, Marie Stuart. Alexander rumina les pieuses considérations sociales néofreudiennes implicites dans le panégyrique de Dimbleby, et puis se rembrunit en pensant que sa pièce aussi offrait de pieuses considérations néofreudiennes touchant les pulsions de la Gloriana originale. Il n'avait pas réellement traité de son gouvernement, seulement de sa vie de famille. Du couronnement d'Elisabeth Ire un contemporain avait dit, « Dans la pompe cérémoniale réside un secret de gouvernement ». Elisabeth s'était « spontanément » adressée au peuple, dans la Cité de Londres, sur le chemin du couronnement. Alexander avait incorporé ses paroles dans le patchwork de sa pièce.

« Et comme votre requête est que je reste votre Dame et Reine, soyez assurés que je me montrerai aussi bonne envers vous que jamais reine ne le fut envers son peuple. Nulle volonté en moi ne peut manquer, et j'ai espoir qu'il n'y manque aucun pouvoir. Et persuadez-vous que pour votre sûreté et repos à tous je ne me ferai faute, s'il en est besoin, de verser mon sang. Dieu vous remercie tous. » « Que cette harangue ait soulevé de merveilleuses acclamations de liesse n'a rien pour nous émerveiller, vu tout ensemble sa chaleur si prodigieuse et ses mots si justement tissus. »

Non, pensa Alexander ce jour-là, il est très apparent que nous manquons tout ensemble de chaleur et de mots justement tissus. Des années plus tard, avant le succès de sa conférence sur les commentaires du couronnement, il écrivit un scénario parodique sur le couronnement, où il essayait de rendre son sentiment qu'il s'était agi d'une atteinte au style en un temps sans style, une fade nostalgie radieuse conçue en rythmes amollis, sinueux, languissants mais encore palpitants, assurément sujets à une sorte involontaire de chute fatale. Il ne se trouva aucun producteur pour s'y intéresser. Son scénario, dirent les producteurs avec un suave absence de tact, manquait d'actualité et de mordant.

Lucas avait dit à Marcus que des millions d'énergies mentales seraient concentrées sur ce seul lieu, sur ce seul événement. Marcus devrait essayer de se raccorder ou de se brancher sur ces forces. De réelles connexions électriques feraient que des pouvoirs invisibles généreraient des signes et symboles visibles, l'onction avec l'huile et les opérations des rayons cathodiques. Il parla de flux, de balayage et de bandes de fréquence. Marcus eut l'impression confuse que leurs efforts d'attention porteraient sur la production d'un flux régulier de formes nouvelles avec l'aide des gestes rituels des princes et des évêques, des lords spirituels et temporels. Lucas était assis de l'autre côté de la pièce, par rapport à Marcus installé avec les autres garçons sur des tabourets en velours gris perle au premier rang. Lucas avait dit qu'il valait mieux que leur travail passe inaperçu. De temps en temps Marcus sentait passer sur lui, clignotant et aveuglant comme le pinceau lumineux d'un phare, le regard de Lucas.

La plupart du temps, son observation consciencieuse ne produisait rien d'autre qu'une vision géométrique du panneau de verre fourmillant de points, de bâtons, de vers, de globules, d'éclaboussures, de battements et entortillements rythmiques. Cependant, alors que la reine allait recevoir l'onction, moment auquel Lucas l'avait adjuré d'accorder une attention particulière, il réussit soudain à discerner l'image comme une image, à l'instant où la chape d'or à la luisance grise était enlevée, et il put voir la minuscule femme, quinze mètres d'étoffe blanche à petits plis croisés sur son sein opulent, assise sur l'incommode trône antique, les mains posées l'une sur l'autre, comme l'étaient ses propres mains. Alors l'écran se mit à sauter, tressauter, sursauter, pendant qu'il voyait cette scène, et les images à se décoller par en dessous, à disparaître par en haut, pieds par-dessus tête par-dessus pieds par-dessus tête, ainsi devenues bidimensionnelles.

Peut-être Lucas avait-il espéré qu'il verrait descendre la colombe ou, comme l'avait fait une voyante, les pieds et les genoux de la statue-colonne de l'ange de l'abbaye s'élever, translucides et gigantesques, et traverser la charpente du toit.

Ce qui se produisit était plus proche du déploiement. Pendant un instant les doigts de Marcus tirèrent sur l'étoffe blanche qui lui glaçait les épaules et la poitrine. Le paisible et frais salon de Mme Thone s'arqua et trépida. Marcus se leva, marmonnant des paroles incohérentes, et s'approcha à l'aveuglette de la télévision, qui abandonna immédiatement la représentation du corps humain pour celle d'une houle de fils de fer vibrant dans une tempête de neige. Les autres lui dirent de s'asseoir. Il recula d'un pas ou deux et, dès qu'il recula, l'écran, toujours grésillant, reprit la retransmission de ses images. Lucas Simmonds se mit debout. Daniel fit de même. Lucas, voyant Daniel, se rassit, l'air apeuré et furieux. Marcus tourna lentement sur lui-même. Daniel le saisit par le bras. Il est à noter que du moment où le corps de Daniel s'interposa entre le garçon et l'appareil, le grésillement cessa et Sa Majesté se stabilisa et reprit son radieux sourire. Marcus, qui souffrait, envisagea de mordre Daniel, que ne voyaient pas ses yeux embrumés mais qui lui donnait l'impression de l'enserrer comme un boa constrictor. Daniel, après avoir regardé son visage, le pinça violemment au coude, ce qui était le choc le moins visible qu'il pouvait lui administrer, et dit à Stephanie sur le canapé, «Pousse-toi, fais-lui de la place». Entre eux deux, dans la chaleur de leurs corps, Marcus s'affaissa et frissonna. Daniel le pinça une seconde fois, presque brutalement, ce qui lui fit fermer brusquement sa bouche béante. Puis il ferma les yeux, aussi, et se reposa contre la chaleur sèche et noire qui semblait passer de Daniel à Stephanie, en un circuit qui le protégeait de tout ce que d'autres forces brassaient dans la pièce.

Stephanie, un instant tirée de la trop paisible léthargie qui était sa défense contre le grésillement de Bill, se rappela que c'était l'inquiétude que lui causait Marcus qui l'avait menée chez Daniel en premier lieu, et qu'elle, que tous deux avaient oublié Marcus au milieu de leurs propres ennuis. Entre-temps elle s'était mise à dormir comme une morte, de façon à ne pas penser, don qu'elle partageait avec son frère. Elle ignorait s'il continuait ou non à pleurer la nuit. Elle jeta un coup d'œil à Lucas Simmonds. Il arborait un sourire satisfait et conciliant, enfantin, rouge drapeau sous ses boucles, et des larmes perlaient au coin de ses yeux. Quand il aperçut son regard, il se livra à une série de petits hochements de tête raides et probablement affables, glissa les main sous les fesses et s'assit dessus, donnant l'impression de s'appliquer à une forme ardue de maîtrise de soi.

Les cortèges s'ébranlèrent en serpentant. Dimbleby souligna le génie magnifique des Anglais pour le cérémonial, plusieurs fois. Tant d'hommes marchant comme un seul homme, tant de cœurs battant comme un seul cœur. Frederica observa qu'elle avait horreur des émotions de masse, que ce qu'elle craignait réellement c'étaient les grandes multitudes qui se déplacent comme un seul animal. Cela parut inspirer à Edmund Wilkie l'envie de faire un discours. À un moment des opérations où les rues de Londres étaient noires de pluie, il avait chaussé une paire de grosses lunettes roses, derrière lesquelles il se mit alors à sourire au spectacle et à dire qu'il avait rencontré un psychanalyste des plus intéressant, du nom de Winnicott, qui avait des idées réellement fascinantes sur les pulsions inconscientes qui se cachent derrière la démocratie. Tous les êtres humains, dit Wilkie, sont, selon Winnicott, en proie à une peur inconsciente de la femme qui rend très difficiles aux femmes elles-mêmes, naturellement, d'acquérir et de manier le pouvoir social ou politique. Les gouvernants sont des parents de substitution, et les hommes et les femmes pareillement refusent d'accepter des femmes dans cette position, parce que dans la jungle de leur inconscient rôdent de monstrueuses et incoercibles figures féminines fantasmatiques. Selon Winnicott cela explique la terrible cruauté à l'égard des femmes dans la plupart des cultures. Les gens ont peur de la femme parce qu'ils ont tous, un jour, au commencement, dépendu totalement d'elle, et qu'ils ont dû créer leur individualité en niant cette dépendance. Les dictateurs, selon Winnicott, traitent cette terreur de la femme en prétendant maîtriser la femme et agir pour elle. C'est pourquoi ils exigent, non seulement de l'obéissance, mais de l'amour. C'était peut-être pour cela que Frederica avait si peur des émotions collectives, amour ou haine.

Chacun sonda furtivement son inconscient, dans la mesure où l'on pouvait le dire accessible, à la recherche de la peur de la femme et, notons-le, l'y trouva comme de juste. Bill Potter dit à Wilkie que tout cela lui semblait être un ridicule tissu d'âneries sur mesure, et Frederica lança : bon, et la reine, alors, et l'affection que nous lui montrons ?

— Ah, dit Wilkie, la Couronne ne pose pas problème parce qu'elle est héréditaire et au commencement d'une chaîne de parenté symbolique, ainsi que la première Elisabeth l'avait intelligemment perçu. Les communes sont les parents du peuple, les lords ceux des communes, et le monarque celui des lords. Si le monarque parvient à croire en Dieu, alors la chaîne se déploie commodément jusqu'à l'infini et elle est tout à fait sûre et stable. Ainsi, dit Wilkie, Winnicott démontre-t-il que les mythes du dieu mourant et du monarque éternel sont toujours à l'œuvre dans notre culture à ce moment-là. La reine nous protège de la peur de la femme parce qu'elle est un bon parent, distant et non menaçant, et ainsi avons-nous notre monarchie démocratique. »

Bill dit qu'il en avait par-dessus la tête que tout soit ramené à la sexualité et à la famille. Wilkie dit qu'il en était d'accord, mais qu'à notre époque on était obligé d'être freudien, on n'avait pas le choix, et que les tropismes psychologiques universels avaient toujours l'air faux si on les étalait au grand jour, ce qui n'était pas leur place, puisqu'on leur résistait et qu'on les réprimait, sinon ils ne seraient pas ce qu'ils sont. C'était, dit Bill, l'ennui avec la psychanalyse ; c'était un cercle fermé, et tout désaccord était simplement attribué à une résistance, ce qui renforçait le point de vue initial. Aux yeux des croyants. Telle était la nature de la foi. Il préférait ne pas s'y frotter. Et si Wilkie voulait connaître le fond de sa pensée, il estimait que le danger réel pour les individus ne venait pas de la femme mais de cet insipide petit... de ce simple petit... de cet universel petit écran. Qui évincerait évidemment la lecture, la conversation, les distractions collectives, les arts et la vie.

Wilkie dit qu'il pourrait ne pas avoir pareil effet, mais que s'ils avaient vu les expériences qu'il avait vues en matière de suggestions subliminales – donner à un homme une soif dévorante en incluant à un rythme accéléré une série d'images invisibles d'un verre d'eau glacée au milieu d'un film sur un sujet entièrement différent – ils auraient peur de ce que pourrait faire un Hitler avec des images de juifs aux yeux torves en train d'étrangler des enfants affamés. Mais la télévision était là pour longtemps, et il avait personnellement l'intention de s'y investir, parce que c'était là que résidait le foyer de l'énergie dans notre culture, et ou bien vous en faisiez usage, ou bien vous restiez assis sur votre derrière et regardiez. Ce dictum, au moins Frederica et Alexander le prirent à cœur et s'en souvinrent, et pourtant Wilkie paraissait à cette occasion possiblement fat et inconsistant, avec ses yeux ronds et roses et le petit bout de barbiche bourgeonnant sournoisement qu'il tentait de laisser pousser pour Ralegh.

Des années plus tard, après sa pièce et les répercussions de sa pièce, après son scénario mort-né et sa sévère conférence, le souvenir du jour du couronnement dans ses moindres détails visita Alexander, un soir où il était occupé à écrire un article de cinq cents mots sur un événement télévisuel très différent, l'interrogatoire en règle de la nouvelle Jan Morris par Robin Day et un panel de femmes – psychologues, féministes, féroces ou favorables à son égard. Durant cet exercice avait été montré un film du beau James Morris jeune, penché au-dessus des blanches étendues scintillantes du sommet virginal nouvellement conquis – ce n'était pas encore un Signe – dont il proclamait avec allégresse la soumission. Là, en personne, était un signe, pensa Alexander, même s'il était difficile à interpréter, féminin de sexe, masculin de genre, subissant une automutilation positivement attique pour se muer en analogue de l'emblème de la première Elisabeth, le phénix régénéré, le *mysterium coniunctionis* de l'alchimie, Hermès et Aphrodite, mère et père, telle la nature ovidienne de Spenser. Il pensa au mythe occulte qui veut que la première Elisabeth ait été un homme, ou une femme avec des attributs masculins. Le règne de la seconde, comme le montrait la suite des événements, avait été inauguré par Hermès sur une montagne, qui s'était mué en Aphrodite appréciant le geste anachronique des chauffeurs de taxi qui lui donnaient une tape sur le derrière à Bath. Robin Day piégeait et cuisinait ce personnage ambivalent mais digne, en recourant à des images-surprises d'elle, ou de lui, sous sa précédente incarnation. On était loin de l'hommage grandiloquent de Richard Dimbleby à la Jeune Femme.

Alexander passa un temps exagérément long à essayer d'écrire une spirituelle et sibylline méditation métaphysique sur Mlle Morris et M. Day, et y renonça, pour des motifs de courtoisie, de bon goût et de légalité. Ce qu'il publia était, ô ironie ! un hommage quasiment digne de Dimbleby à la grâce toute en jambes et l'urbanité rauque de Mlle Morris.

Dans son tiroir il conserva une douzaine de strophes spensériennes sur la nature, le génie, le monde carré de la petite lucarne, que peut-être seule Frederica eût entièrement comprises. Mais il n'avait pas l'intention de les lui montrer jamais.

28

De l'interprétation des rêves

Trois ou quatre fois déjà dans sa vie Stephanie avait eu des rêves accablants et flamboyants, d'une nature différente de ses autres rêves, des visions et énigmes prémonitoires ou enchanteresses. Ce tout dernier rêve était à la fois fascinant et insultant, comme s'il lui avait été infligé.

Elle marchait le long d'une longue grève blanche. La mer était très basse et d'indolentes vagues roulaient silencieusement sur le sable lointain. Elle n'avait ni chaud ni froid mais frissonnait. Elle avait conscience de n'avoir pas envie d'être là où elle était.

Elle marchait lentement. Elle était retardée par une certaine inertie dans la nature des choses, comme si le monde était épuisé. Les choses paraissaient décolorées, et pourtant certaines avaient des traces de coloration possible, diluée et pâlie comme sur un négatif surexposé. Le sable était d'argent cendré transparent, recouvert d'une mince pellicule jaune sale. Les falaises nacrées étaient barbouillées par endroits d'une spectrale couleur chair. Le ciel était blanc avec des raies crème comme des pliures de papier fort. L'eau était laiteuse et les rochers dans le lointain étaient blancs comme les épaves desséchées de carcasses marines.

Silencieux, le cheval et la cavalière venaient des falaises, enfermés dans leur propre brise qui agitait les nombreuses épaisseurs de vêtements dont ils étaient enveloppés. Le cheval, cheminant pesamment sous un caparaçon festonné qui palpitait, tendait un doux museau blanc à travers un camail blanc. Ses oreilles étaient couchées, sa bouche écumait, sous son harnachement ses yeux n'étaient pas visibles. La cavalière était emmitouflée dans des voiles plus ou moins dorés et blancs qui battaient et claquaient derrière elle, et elle les serrait à deux mains sur sa poitrine en même temps que la boucle des rênes festonnées et un objet indistinct lui-même enveloppé. Son visage, immobile parmi les étoffes frémissantes, avait une blancheur d'ossement.

Elle les regardait s'éloigner en direction de l'onde et poursuivait son chemin avec difficulté. La plage était presque sans air maintenant qu'ils avaient emporté leur brise avec eux. Elle avait à chercher quelque chose dans les rochers, ou bien sous les rochers. Elle était sûre qu'elle se souviendrait de quoi il s'agissait une fois arrivée. Puis son assurance se dissipait et elle savait qu'elle avait trop présumé d'elle-même. Elle avait la tête vide.

Derrière elle le poney revenait en pataugeant péniblement à la lisière de l'eau qui avait monté, rapide et scintillante, frangée de crêtes maintenant et ballottant avec vigueur, tout près d'elle.

Elle tendait la main et saisissait les rênes. Le contact de la chair chaude, des lèvres douces à peine velues, des naseaux plissés, lui causait un choc. Elle lâchait prise. L'animal approchait, tête penchée. Il n'était ni si sauvage ni si flamboyant que cela, somme toute – mais plutôt lourd, le ventre rond comme une barrique, les fanons touffus. La cavalière était affaissée sur sa selle. Elle se sentait chargée d'une responsabilité ; elle devait les remettre en route, à tout prix. Et elle était en proie au sentiment originaire et primitif de se trouver dans une histoire qu'on ne désire ni partager ni regarder jusqu'au bout.

Elle levait les yeux vers le nœud d'étoffes et de doigts sur la poitrine de la cavalière et lui demandait s'il ne vaudrait pas mieux se remettre en marche. La cavalière, recroquevillée, ne disait rien, mais distillait la panique. Le conteur primitif lui communiquait que l'urne devait être enterrée, que le monde était en train de se noyer. Ce sur quoi elle donnait une tape sur la robuste croupe du poney, et il s'ébranlait et s'éloignait au trot dans l'eau.

Elle regardait par derrière et voyait le remous scintillant de la marée, qui avait si rapidement gagné la baie, avancer vers elle.

Elle se mettait à courir, sans arriver nulle part, et les flots agiles montaient uniment derrière elle.

Dans les rêves, si le poursuivant rattrape le poursuivi, l'histoire reprend simplement ailleurs et autrement, faute d'un réveil.

Elle grattait de ses mains mouillées au pied des falaises près des rochers, versant quelques larmes, ayant bien trop chaud maintenant, creusant un trou dont le fond se nappait d'une flaque clapotante et pailletée et dont les parois cédaient et glissaient perpétuellement. Enfoncée jusqu'aux coudes elle forait un tunnel, jusqu'au moment où elle atteignait l'orifice d'un tuyau en fer rouillé et un anneau d'écume blanche apparaissait sur le fond noir uni de son trou. Elle s'asseyait sur ses talons et considérait son ouvrage. Ce n'était pas l'urne, c'était un égout, qui devait être recouvert. L'urne ne devait pas être cachée mais multipliée. Elle creusait au mauvais endroit. Rien n'était bien. Elle allait se faire punir.

Elle courait sur les rochers. Le désir de ne pas faire partie de cette histoire était plus fort, mais elle avait le sens du devoir. Il y avait des rayons dans les rochers où, comme dans une pharmacie, s'alignaient des rangées d'urnes, pots et vases en albâtre, certainement multipliés, scellés avec des bouchons et des couvercles, étagés parmi des frondes matelassées de fucus vésiculeux et ces luisants carrés ballonnés à coins pointus que pondent les chiens de mer et qu'on nomme oreillers de mer ou bourses de sirène. Elle ne pouvait pas toucher ces récipients, tous semblables sans qu'aucun ne fût identique. Elle s'asseyait sur un monceau de cette algue qui ressemble à de la vieille et résistante toile écrue dont le grain vivant paraît tissé, et dont les bords festonnés rappelaient en plus petit le caparaçon du cheval. L'air avait une blancheur brumeuse, laiteuse, et l'enveloppait. Elle avait perdu l'urne qui avait contenu tout ce qu'il y avait à sauver, mais les rochers étaient hérissés de pots à couvercle contenant on se savait quelles cendres ou quels onguents. Elle aurait dû se tenir tranquille. Elle n'avait pas accompli quelque chose d'essentiel. Elle ne pourrait jamais rebrousser chemin sur ces étendues chuintantes de fucus. L'onde blanche montait, susurrait, léchait les rochers anguleux et froids.

Elle se réveilla en pleine terreur et s'aperçut qu'elle avait le visage mouillé et glissant de larmes, et la vessie prête à éclater.

À son retour des cabinets, il lui fut impossible de se replonger dans le sommeil, et c'est pour cette raison, parmi d'autres, qu'elle fut en mesure de fixer son rêve dans sa mémoire avec une telle clarté. De tels rêves, en tout cas, d'après sa propre expérience, se prolongent en état de veille et de raison. C'était juste après le point du jour, gris-violet pâle. Elle serra son édredon sur ses épaules et se redressa dans son lit pour appliquer son esprit à l'étude du problème.

Des terminaisons de vers s'enroulaient et se lovaient dans le vide, comme des bouts de fil à coudre, comme des brins de fil de la Vierge qui luisent en voltigeant. Les cacher c'est la mort. De fragiles lignes courbes d'écume crème. Froide pastorale. Les flots agiles d'un monde qui se noie. Silencieuse forme, tu suspends nos pensées... Venaient ensuite les belles formes du beau langage, spectrales carcasses grammaticales de périodes oubliées, de cadences imparfaitement mémorisées et de mélodies jamais entendues dont les vers se déroulaient en rythmes chantants. Elle en aurait pleuré, qu'ils fussent décolorés et évanouis, tous de la même blancheur vide.

Il y avait d'autres émotions en jeu. L'une était purement de la fureur devant ce qui avait été fait, bon gré mal gré, d'un souvenir réel, complexe et vigoureux. Le vent mugissant et la mer tumultueuse, la configuration précise et la passion véritable de la journée à Filey figuraient dans ce rêve, sans qu'elle l'eût voulu, unifiés, intériorisés, purgés, édulcorés. Du grand art – des fragments modernistes de grand art allusif échoués sur le rivage, débris, épaves d'une culture en voie d'effondrement – en avait été fait, mais ce n'était pas elle qui l'avait fait. Elle avait évoqué le spectre impuissant de la poésie anglaise, mais n'avait pas de sang à lui offrir pour lui faire proférer des mots.

C'était aussi un affreux canular freudien, qui fonctionnait avec la simplicité réductrice, l'indiscrétion significative de son langage pictural animé. Délicatement, méticuleusement, elle tria les frondes, pour ainsi dire, de cette flore psychanalytique.

Primo : le fucus vésiculeux, pour qui souffrait habituellement de cystite postcoïtale, était, avec ses petites vessies, un jeu de mots particulièrement pénible.

Deuxio : l'assemblage matrice-tombe-urne était intellectuellement insultant dans sa simplicité, et lourdement renforcé par les algues et les trous. Il faudrait traiter à mots couverts, allusifs, ténébreux, ce qui, dans un rêve réel, appréhendé comme un événement réel, un objet voluptueux ou un motif d'agir, réduisait aux larmes, à la frénésie, à la terreur.

Tertio : en creusant frénétiquement pour repérer ou peut-être enterrer l'urne précieuse entre toutes, elle avait créé un trou profond, mouillé et ensanglanté, et y avait découvert une parodie écumeuse et rouillée du membre viril. Les associations ainsi suscitées étaient particulièrement écœurantes, à cause de la présence, sur la plage réelle, de réels tuyaux d'égout écumeux et rouillés ainsi que de réelle argile couleur de sang.

Elle fut aussi épouvantée – et à la vérité réussit presque à ne pas y prendre garde – par une association qu'elle n'avait que trop nettement opérée, entre les anneaux d'écume sur le sable et les traces de blanc autour du trou étroit et enragé de la bouche de son père.

Puis il y avait le message didactique. Comme dicté par une pythonisse livresque d'après des *sortes Virgilianae* anglaises. «Les cacher, c'est la mort», c'était Milton parlant de la littérature et de sa disparition, parlant de la cécité, comparant sa propre inertie à la terrible histoire du serviteur infidèle qui enterre lâchement son talent au lieu de le multiplier. Il y avait l'Urne grecque. Épouse encore inviolée de la chasteté. La sensualité non voluptueuse de l'esprit. L'Urne funéraire de Sir Thomas Browne. L'albâtre monumental. Poli tel l'albâtre monumental. C'était sûrement tiré par les cheveux, extirpé d'un texte trop lointain. Les associations tressaient des boucles d'éléments qui n'avaient rien à voir les uns avec les autres. Blanc, pâle, froid, urne, cheval, ciel, mer.

Le cheval avait des antécédents, dont la mort sur un cheval pâle était un avatar lointain et incertain. Il y avait un archaïque palefroi qu'elle n'arrivait pas à situer, exhalant la peur, et une autre image littéraire très précise, un cavalier qui se hâtait d'aller enterrer un trésor. Elle l'attendit, l'esprit vide, l'invoquant avec l'expression « les flots agiles d'un monde qui se noie », avec une sorte de contre-image rémanente de son rêve, un coursier noir bossu cheminant pesamment sur une étendue de sable noir, pas blanc, le dromadaire du rêve de William Wordsworth.

Elle évoqua quelques autres singularités verbales – dues à Melville avec *Moby Dick*, à Wallace Stevens avec *L'Idée d'ordre à Key West*, à Matthew Arnold avec *La Plage de Douvres*, et aux ultimes combats tennysoniens dans la brume. Mais le centre didactique, elle le savait, était Milton, Wordsworth et l'urne funéraire. Elle prit son vieux *Prélude* de Cambridge. Le rêve de Wordsworth survient au milieu du décevant livre V, intitulé *Livres*. Dans ce rêve, le cavalier, qui n'est ni un Arabe ni Don Quichotte, fuit l'ultime déluge pour enterrer une pierre et un coquillage, qui sont, dans le rêve, une Ode passionnée et les éléments d'Euclide, le langage et la géométrie.

Stephanie se mit à lire. Certaines passions forment régulièrement le sujet des œuvres de fiction, et d'autres, qui n'en sont pas moins certainement des passions elles aussi, sont plus abstruses et impossibles à décrire. La passion de la lecture se situe quelque part au milieu : elle peut se suggérer mais non se dire intégralement, car décrire une lecture passionnée de *Livres* occuperait bien plus de pages que *Livres* n'en compte et ferait décroître l'intensité dramatique. Il n'est pas non plus possible, à l'exemple du poète de Borges, d'incorporer *Livres* dans le texte, et pourtant sa peur de la noyade des livres et sa détermination à donner une substance fictionnelle à une forme vue dans un rêve pourraient prêter une espèce de force wordsworthienne au récit. Dans le rêve de Wordsworth et celui de Stephanie le narrateur indifférencié rend claire la nature des événements. Il n'est pas si facile de décrire comme un événement une lecture consciente et attentive. Ce que Stephanie trouva dans *Livres*, c'est une peur superflue, une peur de la noyade, de la perte, des puissances ténébreuses, une peur ambivalente qui ne savait ni si la destruction était due à la vie ou à l'imagination, ni où toutes deux fusionnaient, c'est-à-dire où, à supposer qu'il le fasse, le narrateur indifférencié raconte une histoire solide. Ce qu'elle crut penser, en versant quelques larmes, consciemment, dignement, c'est qu'elle ferait mieux de ne pas se marier, qu'elle avait perdu, ou enterré, tout un monde en acceptant de se marier, qu'elle ferait mieux de retourner à Cambridge et d'écrire une thèse sur la peur des livres qui se noient chez Wordsworth. Puis elle pensa que c'était ridicule et se mit à rire hystériquement. Puis elle pensa qu'elle avait personnellement peur d'être au même endroit que son attention, son corps et son imagination en même temps, et que Daniel l'exigerait d'elle, et qu'il ne resterait plus de place pour l'urne et le paysage, dans ces conditions, qui seraient les leurs. Mais si les cacher était la mort, c'était aussi, et à coup sûr, la mort de s'emmurer avec eux. Elle n'avait pas la réponse, alors elle choisirait la conduite la plus facile, la solution déjà bien arrêtée, et se marierait. Elle se reporta au début du livre et commença à le lire en entier, comme si son être en dépendait tout entier.

29

Le mariage

Les commentaires du couronnement prodiguaient les superlatifs sur le génie anglais du cérémonial. Les éléments constituants du mariage Potter se caractérisèrent par le désordre, la rogne et le dénigrement du service religieux. Bill attendit que les préparatifs fussent pratiquement terminés, puis il annonça que naturellement l'on comprendrait qu'il ne puisse accorder sa sanction en mettant les pieds dans une église quelle qu'elle soit. Juste au cas où l'on se serait imaginé qu'il allait conduire sa fille à l'autel. Winifred dit que non, naturellement, mon cher Bill, et s'en fut coopter Alexander. Comme bien des personnes résignées elle prenait des résolutions décisives lorsqu'elle y était poussée. Elle négligea de consulter Stephanie, et Stephanie fut remplie de confusion. Mais Alexander, qui aimait les cérémonies, avait déjà accepté fort gracieusement.

Le sentiment général était que la mariée ne manifestait guère d'enthousiasme pour tout ce qui se préparait. Elle nourrissait des pensées aigres-douces à propos des solennités. Comme la plupart des petites filles elle avait joué au jeu rituel, lascif et narcissique de « mon mariage ». Comme la plupart de ses concitoyens elle tendait le cou et plongeait le regard dans le fond des voitures enrubannées de blanc pour voir fugitivement passer « la mariée », dactylo, duchesse, monitrice d'équitation ou maîtresse d'école méconnaissable qu'elle ne reverrait ni ne reconnaîtrait jamais plus. Les sociétés primitives ont des cérémonies pour la circoncision, la puberté, la chasse à bruit, la chasse à tir, la pêche, la naissance, le mariage et la mort. Les corps s'ornent de bosselures, entailles, boursouflures, peintures, feuilles, fleurs et plumes. Des gens défilaient dans le sillage de la reine, les joues balafrées sous des chapeaux et des casques anglais. C'était l'usage. Son aversion pour les procédures de l'Église était, comme celle de sa famille, suscitée par la présomption que Daniel croyait en l'efficacité réelle du rituel. Nul Dieu, pour Stephanie, ne regardait du haut de la poutre maîtresse. Nul Dieu n'imprégnerait l'anneau nuptial d'une magie véritable, n'unirait les mains étreintes et les regards radieux. Pourtant elle serait là, et murmurerait la prose de Cranmer dans un nuage de tulle blanc. Ses pensées flirtaient obstinément avec le blasphème et l'inconvenance. Il y avait la brutale réalité de l'amie dont le nouvel époux, après un trajet inconsidéré de Keswick à Douvres le soir des noces, avait enfilé son pyjama et, tandis que son épouse se battait au petit coin avec un diaphragme glissant et récalcitrant, avait à nouveau rituellement enlevé son pantalon et s'était effondré sur la courtepointe, en veste rayée et les fesses à l'air, dans des ronflements torpides dont il n'avait pu être tiré par aucun moyen. Chacun s'obstinait à raconter à Stephanie ce genre d'histoire. Elle se réjouissait que, matériellement aussi bien que métaphoriquement, il fût au moins certain que personne ne pourrait suspendre ses draps de noce à la fenêtre mal ajustée de sa HLM.

Elle avait toujours imaginé qu'elle quitterait le foyer paternel dans l'ambiance d'intimité et de solidarité d'une famille unie en rangs serrés. Quand le jour de ses noces se leva, la maison avait un air dénudé, dévasté, et il y avait un grand vide dans les rangs. Le petit déjeuner eut lieu de très bonne heure et les trois femmes descendirent en robe de chambre, mal peignées. Bill n'était pas là, ni, comme on le découvrit par la suite, nulle part ailleurs dans la maison. Sur l'assiette de Stephanie était posée une enveloppe brune. C'était un chèque, établi à l'ordre de Stephanie Potter, d'un montant de deux cent cinquante livres sterling. Cela mit tout le monde très mal à l'aise.

« Elle ne s'appellera plus Potter quand elle le touchera, dit évidemment Frederica.

— Je pense que la banque y est habituée », dit Stephanie. Marcus, en pantalon de flanelle et gilet de corps à mailles, se glissa silencieusement sur sa chaise.

« Où croyez-vous qu'il soit allé ? » dit Frederica. Personne ne répondit. Stephanie repoussa son œuf à la coque intact. Winifred versa le thé.

« Croyez-vous qu'il va assister à quoi que ce soit ? » dit Frederica. Personne ne répondit non plus.

Il y eut un long silence. Frederica dit, « Eh bien, si personne ne brille par sa conversation, je crois que je vais aller prendre un bon bain ».

Winifred sortit de sa torpeur.

« Attends une minute, veux-tu, ne te précipite pas comme ça, il faut y réfléchir. C'est Stephanie, le bain de Stephanie, qui compte, il faut y penser, ainsi qu'à la chaudière, établir soigneusement un horaire, prévoir si…

— Oh, maman, ne dis pas de bêtises, tout le monde peut y aller quand il veut, nous n'avons rien à faire, tous autant que nous sommes, et il reste une immensité de temps mort dans l'intervalle parce que tu as absolument tenu à tout faire hier, alors nous voilà tous condamnés à rester plantés sur nos chaises à nous ronger les ongles pendant toute une éternité, juste pour le cas où la chaudière exploserait, ou que les bouquets n'arrivent pas et que nous ayons à faire l'aller-retour pour Blesford à vélo, ou encore…

— Personne ne m'a de reconnaissance d'essayer d'organiser les choses comme il faut, murmura Winifred entre ses dents. Tout le monde semble croire qu'elles s'organisent d'elles-mêmes.

— Non, non, c'est précisément ce que nous ne croyons pas le moins du monde. Nous nous plaignons de la programmation tyrannique d'heures d'attente et d'ennui…

— Ça m'est égal, à quelle heure je prends mon bain », dit Stephanie. Winifred nota le ton de sa voix et la regarda anxieusement. Stephanie fit un effort. « En fait, je deviens

toute rose, rose vif, alors il faut que je me baigne suffisamment tôt pour perdre cette couleur avant...

— La mariée rosissante, dit Frederica.

— Boucle-la », dit Marcus, étonnamment. Tout le monde se tourna pour le regarder. Il se leva et monta à l'étage, dans la salle de bains.

« Eh bien, dit Frederica, j'irai après Stephanie, et comme ça je pourrai tremper et chanter tout mon soûl afin d'être fraîche et dispose.

— Personne, dit Winifred, n'a le temps de tremper, ma chère Frederica. »

Ce n'était pas vrai. Frederica avait raison, il y avait bien trop de temps à tuer. Une voiture de fleuriste livra les fleurs, Mme Thone téléphona pour dire que le buffet était arrivé, Bill resta invisible, et rien d'autre ne se produisit. Les trois femmes déambulèrent dans la maison en robe de chambre, se faisant d'inutiles tasses de Nescafé, regardant de temps à autre par la fenêtre. La maison était remplie de paquets entassés et de vides provisoires, là où une chaise, ou une pendule, était partie meubler le logement HLM. Frederica savait qu'elles auraient dû être en train de rire ou de pleurer ensemble, mais Winifred et Stephanie étaient silencieuses et renfermées, et ses plaisanteries maladroites semblaient monstrueusement agressives ou vulgaires, aussi alla-t-elle au bout d'un moment s'enfermer pour de bon dans la salle de bains, où elle chanta avec une lugubre liesse *Une âme lâche n'est pas mienne*, *Reste en moi*, *Seigneur* et la petite chanson glaciale de Feste dans *La Nuit des rois*. Après que Winifred eut nerveusement éjecté Frederica, Stephanie prit un bain rapide – elle ne voulait pas regarder son corps – et, rose, humide, légèrement bouclée, elle regagna sa chambre, où elle s'assit sur le lit et attendit le moment de pouvoir décemment commencer à s'habiller – moment encore éloigné de plusieurs heures.

La chambre, qui avait toujours été très sommairement meublée, était à présent dénudée. Ses livres, les bibelots de sa cheminée, le tabouret, la table de chevet avaient été emportés à la cité Askham. La penderie ne contenait plus que des vêtements trop petits, usés, ou dont elle ne voulait plus. Pour essayer d'occuper sa nervosité, elle avait dégarni le lit et plié les couvertures sur lesquelles elle était à présent assise, tranquillement, ne reconnaissant plus ces lieux qu'elle ne pouvait pas quitter puisque sa chambre était déjà partie. Elle enviait Frederica qui désirait toujours quelque chose, qui s'était bel et bien emparée de certains des objets qui avaient été laissés, un coussin en tapisserie, une coupe à épingles à cheveux, une reproduction du *Printemps* de Botticelli dont la place vide sur le mur, d'un vert plus pâle que le reste, lui donnait un air poussiéreux. Elle songea à son enfance, et cette période de sa vie n'eut aucun rapport avec elle. Elle songea à Daniel, et décida que mieux valait s'en abstenir. Elle songea à Wordsworth, et éprouva un soulagement passager. Winifred frappa à la porte et parut, arborant sous sa robe de chambre une gaine-combinaison flambant neuve. Elle apportait encore une tasse de Nescafé.

« Tu te sens bien, ma chère Stephanie ?

— Je ne suis pas malade. »

Winifred parcourut la chambre du regard. « Ça a l'air un peu nu. J'ai pensé que nous pourrions en faire un bureau, pour lui. Je suis désolée qu'il se conduise ainsi.

— Ce n'est pas de ta faute. Il n'y a pas à s'en étonner, en fait.

— C'est ton grand jour. Et il essaie de le gâcher. »

Stephanie s'aperçut qu'elle pleurait à chaudes larmes.

« Je voulais que tout se passe bien, pour toi, un vrai mariage en famille, pour toi…

— Tout se passera bien. »

Elles se regardèrent avec la même patience désespérée reflétée dans leurs yeux. Les mains de Winifred étaient enfoncées dans les manchettes de sa robe de chambre, entourant sa taille, pour se rasséréner. Stephanie pensa : une femme, une maison, « une vraie famille ». Désirait-elle créer un « foyer » pour Daniel ? Que désirait-elle ? Frederica fit irruption, vêtue de la fameuse popeline jaune, les cheveux retenus en arrière par un long ruban chocolat. Elle dit :

« Grouille-toi. Je vois Alexander qui traverse le Bout de Là-bas, absolument tout de gris perle paré, en haut-de-forme, tu te figures cette beauté, et toi, tu es encore en petite tenue. La fête commence. Est-ce que je peux emprunter le rouge à lèvres neuf que tu as acheté, Steph, d'un coloris si tendre ? Les miens sont tous infiniment trop voyants pour ce beurre frais, il y faut de la subtilité, tu ne voudrais pas d'une demoiselle d'honneur qui ait l'air d'une fille de mauvaise vie, évidemment. Tu ne me prêterais pas aussi un peu de ton ombre à paupières vert pastel ? »

Stephanie désigna sans mot dire sa commode et regarda Frederica s'appliquer prestement sur la figure son maquillage de noce intact. Elle eut honte d'éprouver le sentiment que ces choses étaient à elle, auraient dû être utilisées par elle. Comme un petit enfant le jour de son anniversaire, pas une femme adulte, se dit-elle en regardant Frederica cracher expertement sur son mascara et passer la brosse sur ses cils roux. L'ombre à paupières faisait assez bon effet sur Frederica.

« Voilà – en moins de temps qu'il ne faut pour le dire. Et maintenant je peux faire entrer Alexander pendant que tu te fais belle. Maman a aplati les plis pour toi. Je vais aller chercher La Robe, d'accord ?

— Je pense que oui. »

Frederica lui lança un long regard vorace de propriétaire et ressortit dans un flamboiement froufroutant de jupons de tulle et de jupe de coton apprêté. Au bout d'un moment elle revint avec la housse de plastique blanche et flasque qui contenait la robe et l'accrocha à la porte.

« Si tu as besoin d'une cámeriste, crie. Le voici qui remonte l'allée du jardin, je vais ouvrir, j'espère qu'il ne jugera pas ce jaune juvénile… »

Restée seule, elle approcha de son miroir l'ampoule nue de sa lampe de chevet – l'abat-jour avait également été emporté à la cité Askham. Dans la lumière crue de théâtre ainsi produite elle se fit rapidement un maquillage réduit au minimum, quitta sa robe de chambre, contempla ses seins nus pendant un bref instant de froide colère, et se lança dans un tourbillon d'agrafes et de fermetures éclair. Elle se brossa trop furieusement les cheveux, tant et si bien que des mèches humides protestèrent en se dressant en tortillons serrés intempestifs, après quoi, aussi impitoyablement que possible, elle planta, épingla et aplatit la petite coiffe blanche à armature et le nuage de tulle sur sa tête. Tout cela était absurde. Une fois, deux fois, elle enfonça les talons dans ses souliers de chevreau blanc, et fit une sortie dédaigneuse et froufroutante sur le palier. Dans le vestibule Frederica courait çà et là à la recherche d'un gant perdu, et Winifred, toute militaire en bleu marine lustré, se battait avec un casque en toile de lin plissée.

« Ah te voilà. Ah bien. Tu as l'air ravissante. Alexander est au salon avec les fleurs. Si lui – si ton père – revient – dis-lui – oh je ne sais pas – dis-lui – mais – pour rien au monde – n'attends pas – quoi que tu fasses. N'attends pas. Est-ce que mes cheveux sont bien, par-derrière ? Ai-je l'air bête ?

— Ravissante, tu as l'air ravissante.

— Ça n'a pas d'importance, de toute façon. Peut-être cela vaudra-t-il aussi bien qu'il ne se montre pas du tout. Ma chérie – je te revois à l'église.

— Je l'espère », dit Stephanie, toujours dans l'escalier. Frederica passa dans un tourbillon en agitant une poignée de bleuets et de boutons de rose.

« Je vais te dire une chose. Alexander est de loin le plus bel...

— Je me sens bête, dit Stephanie.

— Forcément », dit Frederica d'une voix apaisante sans y penser, et elle se précipita vers son carrosse. D'un air guindé, Stephanie entra dans le salon.

Alexander se leva du canapé des plus gracieusement, gris fumé gris perle, gris nacré, s'inclina à demi et dit, « Ah laissez-moi vous regarder, laissez-moi voir ». Elle resta immobile comme une statue dans l'embrasure de la porte. Il fit un geste de la main. « S'il vous plaît, avancez vers moi. Je suis si honoré d'avoir été requis. Pourriez-vous relever légèrement la tête ? Faire de plus grands pas ? Pardonnez-moi. C'est ravissant. »

Troublée, elle faillit trébucher sur le cordon du fer à repasser qui traînait par terre. Elle saisit une pointe de sa traîne, se baissa maladroitement, dans un bruissement blanc, pour débrancher la prise.

« Laissez-moi faire, dit Alexander.

— Le feu peut prendre ainsi.

— Voici le feu évité. » Il mit le fer sur l'étagère. Il mit la planche derrière le canapé. La pièce était dans un état de chaos abominable. La robe de chambre de Frederica abandonnée sur le tapis, des tasses à café sales sur la cheminée et sur la table, des traînées de copeaux d'emballage. Au milieu de tout cela Alexander lui prit les mains.

« C'est une robe ravissante.

— Je me sens bête.

— Pourquoi ? » Il était excité. Il avait absolument horreur des maisons en désordre. Il n'aurait jamais recommandé le port d'une veste rouge vif et d'un pantalon blanc moulant les fesses. Mais une femme parée d'un voile blanc, d'une longue et ample jupe et d'une large ceinture à nœud bouffant le captivait comme jamais une femme en tablier – dans la vie privée – n'y parviendrait. Il répéta, « Pourquoi ? Montrez-vous à la hauteur des circonstances. Avancez un peu. » Il l'examina d'un œil exercé. Certaines coutures faisaient des faux plis, une agrafe et son anneau étaient cousus de travers à la taille, la rudesse avec laquelle elle s'était habillée avait fait dépasser la couture de sa taille sous le bord de sa ceinture, et il y avait quelque chose qui n'allait pas dans sa coiffure. Il lui serra les mains un bref instant et dit :

« Si je puis me permettre – je pourrais juste arranger votre ceinture. Tirer un peu sur le voile. Puis-je ? »

Elle hocha la tête sans mot dire.

« Vous avez l'air tellement ravissante. » Ses mains s'affairèrent autour de la taille, tirant, plissant, fronçant. « Avez-vous des petites épingles dorées ? Il y a un point ici. » Elle remua brusquement, avec l'impatience immédiatement réprimée de ceux à qui l'on demande de ne pas bouger et de se laisser palper par des aides. Les mains s'arrêtèrent un instant, fermes, sur sa taille. Elle commença à habiter sa robe. Elle redressa les épaules. «Des petites épingles dorées», dit la belle voix d'Alexander, amusée, désapprobatrice, insistante.

«Ah, des petites épingles dorées. À côté du miroir dans ma chambre. J'y vais.

— Non, non, ne bougez pas. J'y vais. »

Elle resta comme une colonne blanche, à l'écouter, lui, Alexander, rôder dans sa petite chambre nue et redescendre promptement. Il la reprit entre ses mains, tournant, s'inclinant, enfonçant délicatement une épingle par ici, rentrant un pli par là. Il refit le nœud de la ceinture, promenant les deux mains le long de ses côtes, et une sur ses fesses, suggérant, en quelque sorte, la posture qui donnerait au vêtement son tombé. Il la fit tourner face à lui. Pensivement, il tira sur son col, considérant le chaste décolleté en V. Il lui mit la main sous le menton et lui releva le visage.

«Avons-nous le temps ? Je pourrais faire quelque chose à vos cheveux. Votre jolie petite coiffe est tout de travers. Stephanie, vous vous mettez délibérément au supplice avec toutes ces pinces et ces épingles à cheveux. Vous êtes une belle jeune fille, tout en courbes douces et lignes arrondies. Il ne faut pas tirer ainsi sur vos cheveux, mon petit chou, ça ne va pas. Puis-je ?

— Me laissez-vous le choix ?

— Vous savez que je m'y entends mieux.

— Je le sais. »

Il ôta les épingles en quelques secondes, sortit un peigne flambant neuf de sa poche de poitrine, lissa, bomba et remit en place la petite coiffe, puis l'épingla. Une ou deux zones sensibles sur son crâne endolori lui donnèrent une sensation de douce chaleur et disparurent. Elle respira profondément. Il recula pour la regarder, se rapprocha à nouveau et examina son visage. Elle se demanda s'il allait proposer de lui refaire son maquillage, mais il se contenta de hocher la tête d'un air approbateur, lui effleura doucement la joue d'un seul doigt et lui rentra une boucle derrière l'oreille.

402

« Je savoure ces instants, dit Alexander. Je suis si content d'avoir été invité. Je vais chercher vos fleurs. »

Il s'éloigna à grands pas et revint avec le bouquet blanc et or – cascade en surface, carcasse en support – roses et jasmin de Madagascar, freesias et fleurs d'oranger, chaque corolle piquée sur sa tige métallique formant une composition dense, ferme et fraîche, parfumée.

« Je ne saurai pas comment le tenir.

— Je vais vous montrer. »

Il lui donna le bouquet. Elle le tint gauchement, saillant et pendillant pesamment devant elle.

« Non, il faut le tenir serré contre vous – non, non, pas là – à la hauteur de la taille – et rentrer les coudes. Au-dessus de la ceinture. »

La cascade avait l'air si légère, si aérienne, et sa carcasse était si rigide.

« Comme une ceinture de chasteté, dit-elle vaguement.

— À la façon dont vous le teniez, il eût été plus expédient de lui donner un nom plus obscène », dit Alexander, et ils rirent tous les deux. « Allons, il ne faut pas rester plantée raide comme la justice, il faut avancer avec légèreté. À longs pas coulés, à partir de la hanche, et faire onduler la jupe. Essayez donc. »

Elle avança. Les mains, les yeux d'Alexander dessinaient son corps. Elle retira de son corps un bref sentiment de satisfaction. La sonnette retentit. Le chauffeur était revenu de l'église pour son ultime chargement. Ils sortirent ensemble dans le petit vestibule. Boiseries crème, murs fleuris, table de téléphone, patères, coffrage en isorel de la rampe d'escalier. Elle songea à l'emplacement des maisons à construire, marqué par des briques d'angle, des lames de bois, du béton. Une maison occupe si peu de terrain – quelque pas onduleux en robe blanche et vous l'aviez franchie, de bout en bout. Un enfant joue dehors, sautille une minute, et survole la cuisine et la salle de séjour, dépasse vite l'équivalent de l'espace habité. D'une certaine manière cette image était liée à l'idée troublante d'Alexander, dans sa chambre dénudée, fouillant dans sa coiffeuse à la recherche de petites épingles dorées, la chambre où, en ses rêveries, elle l'avait si souvent fait apparaître dans le décor parfait d'une maison garnie de rideaux et de tapis pour se protéger contre la nuit et le froid. Ce n'était qu'entretoisement, rembourrage et amortissement, une maison. Elle resserra sa petite main gantée de blanc sur le bras d'Alexander. Il se pencha et lui baisa les lèvres, puis il souleva son voile et lui en couvrit le visage. Avec aisance, d'un même pas, ils franchirent l'allée et montèrent dans la voiture enrubannée.

La phase suivante dura une éphémère éternité. Ils restèrent assis en silence dans la voiture et des petits groupes de gens regardèrent et même saluèrent de la main au coin des rues, comme sur le passage d'une princesse. Comme un rêve de blancheur elle progressa précautionneusement sur les pierres inégales du cimetière, la main d'Alexander sous son coude. Sous le porche un homme armé d'un appareil photo s'accroupit, sourit, s'agita et la supplia de sourire encore et encore. Ennuagée de blanc, elle tourna la tête de droite et de gauche. Un bedeau vêtu de noir lui fit signe d'avancer dans l'obscurité, et elle retrouva la forme jaune de Frederica qui sondait la pénombre d'un œil étincelant. Entre le porche et l'église était tendu un rideau de velours noir, tout contre lequel le bedeau l'aposta, de sorte qu'elle y resta les yeux collés tandis que Frederica et Alexander tiraillaient son voile et faisaient bouffer ses jupes. Le bedeau dit que lorsque les orgues retentiraient il tirerait le rideau d'un coup sec et donnerait une méchante poussée à cette porte qui coinçait. Qu'elle prenne bien garde à la marche, une mariée s'était étalée l'autre semaine et avait convolé avec des lunettes cassées et un magnifique œil au beurre noir. Frederica dansait comme un carrousel d'un seul cheval tenu de court. Alexander arrangea le bras de Stephanie sur le sien. Il se fit un bruit rauque et poussif de soufflerie, et puis soudain de la musique. Le bedeau tira le rideau, Alexander franchit la marche sans encombre, Frederica suivit. Le pasteur, à la répétition, lui avait recommandé d'adresser à Daniel un large sourire. Il se tenait sous l'aigle en cuivre poli du lutrin. Leurs regards se croisèrent, brièvement, vaguement. Il avait son air renfrogné et concentré.

L'assistance ondulait comme un jardin sous le vent, inclinant têtes chapeautées et fleuries pour voir la mariée. Tous ces gens jugeaient la robe, sentaient leur gorge se nouer, se rappelaient leur propre grand jour ou l'imaginaient par avance, dépouillaient en pensée la femme de ses vêtements, et supputaient ce qu'elle savait et ce qu'elle ne savait pas. Elle était leur équivoque innocence, leur expérience passée, présente ou à venir. Sous une toque à la Peter Pan de pétales gris et mauves enchevauchés, les joues flétries de Felicity Wells étaient mouillées. Alexander se demanda pourquoi les gens sont si larmoyants dans les mariages. Lui-même éprouvait une certaine satisfaction devant son œuvre. Il s'avança pour donner cette femme en mariage à cet homme, et admira l'efficacité de ses travaux de soutènement.

Ils se tenaient devant M. Ellenby et il les voyait de dos, l'une blanche, l'autre noir, l'une aérienne et mousseuse, l'autre sombre, épais, légèrement luisant. Ils étaient tous deux très solides. La robe de Stephanie était simple, sans dentelle ni bourre de soie, monacale sous le triangle tombant du voile. Mais elle avait de gros seins ronds sous son corsage et de fortes hanches accentuées par un tour de taille raisonnablement étroit. Un corps taillé pour les maternités, pensa Alexander en partageant l'impression générale. Il fut ému par l'échange des vœux, les mots anciens et clairs, les rythmes inflexibles. Daniel parla d'une voix bourrue, et Stephanie d'une voix claire et basse. M. Ellenby fit preuve de sollicitude au lieu d'entonner des platitudes pastorales. Il avait longuement réfléchi aux quelques paroles qu'il se sentait obligé de prononcer en la circonstance. Il avait relu et écarté ses remarques habituelles sur les devoirs et les joies d'un véritable mariage chrétien, au bénéfice de propos neufs et vaguement littéraires en l'honneur de la mariée, mais rappelant fermement toutefois au marié, du moins il l'escomptait, les autres vœux qu'il avait prononcés. Avec ce qu'il espérait être une aimable sorte de tact, M. Ellenby partit de l'épithalame de Spenser et de la célébration que peint Milton de la félicité conjugale d'Adam et Ève, pour arriver aux unions bibliques mentionnées dans le service de mariage, dont cette union originelle, la première. Ève est la chair de la chair et l'os des os d'Adam. L'homme et la femme sont une seule chair. Le service de mariage compare explicitement cette union à l'alliance de Dieu et de l'Homme dans l'union du Christ et de son Épouse, l'Église. « C'est ainsi que les maris doivent aimer leur femme comme leur propre corps », dit saint Paul, et ses paroles sont incorporées dans le livre de prières. « Celui qui aime sa femme, s'aime soi-même. Car personne n'a jamais haï sa propre chair, mais il la nourrit et l'entretient, comme le Seigneur le fait à l'égard de l'Église ; parce que nous sommes les membres de son corps, étant de sa chair et de ses os. » Daniel, quand il avait été ordonné, avait été enrôlé pour servir et protéger l'Église et la Congrégation qui étaient l'Épouse et le Corps du Christ. « Les deux ne seront qu'une seule chair », poursuit saint Paul. « Ce mystère est grand ; je dis cela par rapport à Christ et à l'Église. » D'une manière on ne peut plus anglaise, personne ne regarda personne pendant cette exhortation. Descendant son escalier en colimaçon pour regagner la terre, M. Ellenby songea à la façon impénétrable dont Daniel avait accueilli en privé ses remarques sur saint Pierre, « lui-même un homme marié » selon Cranmer, et dont le vigoureux avis sur la conversion d'un époux païen était également inclus dans le service de mariage. « Afin que s'il y en a qui n'obéissent pas à la parole, ils soient gagnés, même sans la parole, par la conduite de leur femme. » Ou de leur mari, avait-il dit à Daniel, qui avait acquiescé, brusquement, sans rien ajouter. M. Ellenby soupçonnait parfois Daniel d'être plus qu'à moitié païen. La jeune fille, qu'il appréciait, était paradoxalement mieux à même de comprendre la portée de ses analogies par paraboles, ou plutôt celles de saint Paul, que son féroce vicaire. Assise dans son bureau, elle avait parlé avec sagesse du *Temple* de Herbert. Elle avait en elle l'essence de la chose, elle devait l'avoir. Par un divin paradoxe, encore un, sa chaste conduite parviendrait peut-être à christianiser son fruste mari. C'est à cette fin qu'il fallait prier. Il considéra avec bienveillance sous son voile blanc cette tête fugitivement traversée de pensées furieuses contre la fourberie essentielle des raisonnements par analogie. Il bénit le couple, gracieusement.

Marcus, dans le fond de l'église, appuyait le visage contre la colonne froide derrière laquelle Stephanie avait observé l'office pascal. À plusieurs moments de la cérémonie il consulta sa montre. La synchronie était essentielle. Il voyait les magnifiques vieilles peintures au-dessus des arches. Il voyait les dos de Stephanie et de Daniel. Il sentait l'odeur forte du jasmin de Madagascar, de la pierre et de l'encaustique en ce lieu. Il entendait en partie le pasteur. Il regardait distraitement les taches éteintes, charbon, ocre, jaune et rouge, blanc et cobalt strié. Serpent qui rampe, Ève qui proteste, Enfant couché, Mère douloureuse, Christ en croix, Christ en courroux et en gloire, Bouche de l'Enfer, béante et bordée de dents. Il bâilla. La tension nerveuse lui donnait toujours envie de dormir. Il vérifia de nouveau son petit cadran. Récemment, depuis qu'ils s'étaient soumis à l'apparente incohérence de leur façon d'opérer, Lucas et lui avaient remporté quelques succès étonnants dans la transmission d'images mentales extrêmement détaillées. Dans dix minutes environ il devait se faire récepteur, antenne, conducteur. Et après, transmetteur. Maintenant, cela s'accomplissait rapidement et simplement. Pieds joints, mains jointes, yeux clos, esprit épuré, yeux ouverts dans le vague. Alors la figure était évoquée et captée, captée et retenue, géométrique et pure. Au bout d'un certain temps l'image s'élevait, à travers la figure, en travers de la figure, une image consécutive sur l'écran de l'œil intérieur, une projection. Si possible, elle était notée avec un crayon et du papier. Sinon, mémorisée.

Ils n'avaient eu aucun succès ni dans la transmission de mots, ni dans le transfert de pensées. Lucas le ressentait comme une défaillance. Ils devaient être capables de communiquer des pensées. Marcus, pour sa part, avait du mal à définir les pensées, dans la mesure où elles différaient des mots. Une pensée, selon Lucas, pouvait se décrire comme une vérité relative à la Biosphère, à la nature de la conscience, ou au Plan mental de l'évolution de l'espèce. Marcus demandait comment une pensée de ce type pouvait se formuler en vue d'être transmise et, mieux encore, appréhendée. Lucas se récriait que ce qu'ils arrivaient effectivement à faire était à un tel point dénué de sens, tellement oiseux presque exprès. À quoi bon le détail d'une courtepointe fleurie du Centre artisanal de Calverley ? Ou les treuils et les herses à la Piranèse, transmis par Marcus et clairement captés et dessinés par Lucas, de l'intérieur du grille-pain de Winifred, disjoint et partiellement démonté pour être réparé ? Marcus avait découvert, depuis l'épisode de la Fontaine Larmière et Owger's Howe, qu'il avait sur Lucas une certaine autorité qu'il prenait un plaisir tranquille et limité à exercer. La vérité était que, avec ou sans message, les choses captées étaient, dans leur limitation, maîtrisables et agréables. Elles n'avaient pas cette extension infinie qui le terrifiait tant dans la géométrie, dont néanmoins l'inhumaine clarté le consolait si bien également. Elles étaient exemptes de l'embrouillement verbeux, pâteux, boiteux et bafouillant de la théorie humaine dont Lucas semblait parfois véritablement tabasser son esprit. Elles étaient partagées mais à part, réalisées en détail mais dénuées de sens. Il les préférait ainsi. Il déclara donc à Lucas qu'il les croyait voulues, et que ce qu'elles voulaient dire leur serait révélé tant qu'ils ne feraient rien, ni l'un ni l'autre, pour perturber le processus. Ils avaient, après tout, découvert que ce qu'ils transmettaient devait leur parvenir au hasard, car le succès ne devait pas être délibérément sélectionné pour des raisons expérimentales ou didactiques, mais en quelque sorte enregistré presque à la dérobée et de biais, au lieu d'être chamboulé par des regards inquisiteurs. Cela était si vrai que Lucas fut forcé de concéder qu'ils devaient continuer comme ils le faisaient. Il avança peu après l'hypothèse qu'ils subissaient un entraînement afin de se rappeler, le moment venu, une ébauche mentale tellement précise, neuve et complexe qu'un esprit non préparé serait incapable d'en effectuer le relevé ou l'identification. Marcus fut partiellement satisfait de cette idée. Une si extrême exigence de précision, en s'emparant totalement de lui, le soulagerait de bon nombre de ses angoisses actuelles. Il doutait encore, sans en rien dire, de la possibilité de nommer aucune de ces choses.

L'idée de transmettre des choses dans l'église ne lui disait rien qui vaille. Lucas avait identifié les lieux de pouvoir avec une assez grande sûreté, quoi que l'on puisse juger de sa façon d'utiliser ladite connaissance. Les colonnes et les armoiries de pierre avaient leur propre chant géométrique, qu'il était à même de percevoir et discerner comme une puissante structure tridimensionnelle de lignes et de proportions entrecroisées, une structure qui renfermait un espace et un nœud d'intersections, mais qui n'en était pas moins fuyante aussi, portes, toits, bas-côtés et lignes de percées des arches s'éloignant à l'infini. Une boîte sans fin est inquiétante. Et puis la prairie de têtes fleuries était un champ de forces susceptible de puissamment intensifier, supputait-il, ou déformer tout message. Qui sait, pensa-t-il, en entendant sans entendre M. Ellenby proclamer saint Paul, ce qui, en fait, est susceptible de se manifester ? « Seigneur qui dans Ta toute-puissance as créé toutes choses de rien », disait le pasteur, « et qui as également (après d'autres choses mises en ordre) décidé que de l'homme (créé à Ton image et selon Ta ressemblance) la femme prenne son commencement... »

L'aiguille des minutes atteignit l'heure convenue. Marcus réunit et exclut son corps, plongea ses regards dans les ténèbres et vit la figure planer dans son non-espace. Le silence s'approfondit. Il attendit.

Il vit des plantes. D'abord, fugitivement, il vit ce qu'il identifia comme un arum tacheté, casque pointu vert pâle penché sur le spadice brun-pourpre. L'arum fut remplacé par des herbes brillantes et claires, une grosse poignée pliée dans une grande feuille verte, laissant dépasser et pendre très bas leurs épis venus à graine. Il y en avait diverses variétés, fétuque, ray-grass, chiendent, pâturin, glycérie aux courbes soyeuses. Elles étaient vert argenté, vert doré, pâles et translucides, claires, d'un vert de feuille d'orme naissante et d'un vert plus sombre, amer, de marécage. De fines lignes le long de leurs tiges chatoyaient comme des poils hérissés. Leurs articulations finement gonflées étaient lustrées et vernissées. S'il avait traversé un pré, parcouru une lande, longé une rivière, il en aurait piétiné des milliers. Dans le cas présent elles paraissaient presque impossibles dans leur complexité et leur dissemblance. Belles aussi. Marcus ne se souciait pas de beauté. Il avait de bonne heure répudié la beauté dans la bourbe de son monde imaginaire. On lui avait souvent demandé de l'identifier, et il avait détourné ses regards. Il ne fit pas usage de ce mot dans le cas présent – de toute façon, ce qui l'occupait était simplement de voir – mais le plaisir accompagnant le fait même de voir était l'intense récognition de quelque chose qui le satisfaisait par sa couleur, sa variété, sa forme. Une ou deux fois, ce que Lucas lui avait transmis avait pris cette forme particulière que possèdent une variété d'objets naturels d'un même ordre, œufs, vertèbres, pierres, coquillages. Chaque fois il avait éprouvé en plus un plaisir esthétique intense. Il ne savait pas cette fois-ci – à dire vrai, il ne se posa pas la question – si l'impression avait été transmise avec les herbes, si elle provenait de Lucas ou de lui-même. Tandis qu'il les regardait, les herbes s'estompèrent et, durant un certain temps, l'étrange transparence de leur ombre de verre demeura en suspension, frémissante, chaque tige arrondie à présent en un cylindre incolore et translucide par la lumière de sa circonférence, chaque graîne, cosse effilée ou épillet pendant apparaissant nettement dans son minuscule balayage complexe de particules. En ne faisant pas le décompte de pareilles choses, on arrivait fréquemment, Marcus réussissait fréquemment, à se rappeler une grande quantité de nombres exacts – de brins, d'épis, ou même d'épillets. Lucas aurait voulu conserver ces herbes à des fins de vérification.

Quand l'œil intérieur eut fait le vide, la géométrie primitive revint, sue plutôt que vue. C'est-à-dire que Marcus eut la sensation de sa forme un peu comme s'il l'avait entendue, ou comme dans le sens où l'on *sait* une chaise avant de s'y asseoir, ou un obstacle à éviter dans le noir. Il aurait pu la matérialiser, torsades ou surfaces planes de fibre enroulée, d'entrelacs, de lumière, mais il choisit de ne pas le faire et chercha des yeux une chose à renvoyer par son canal. Son regard se posa sur la bouche de l'enfer peinte sur le mur en face de lui. Déjà il l'explorait, la calquait, l'absorbait, quand il douta en un éclair de la convenance d'un pareil sujet en un moment parcil. Mais à cet instant la chose s'était elle-même choisie. Elle bâillait énergiquement, son ovale se muant en carré, en crevasse rouge, profonde, entre les deux broches fortement recourbées de sa herse. Au-dessus d'elle, des naseaux de dragon flamboyaient et fumaient, et les cercles noirs des yeux se dilataient, braqués sur lui. Autour des mâchoires inférieures des démons gambadaient en foule, silhouettes noires à la queue arquée et la fourche crochue. Entre les dents, en nuages de plus en plus petits, de minuscules formes voltigeaient comme de la balle de grain, ou gisaient en ballots, en attendant d'être engouffrées. La vision eidétique de Marcus s'ajusta pour inclure ce qu'elle n'avait pas noté auparavant. Des nuées de créatures à l'allure d'insectes pullulaient avec réalisme sur les oreilles et les naseaux, comme s'il s'était agi d'une vache couchée dans un pré en été. Les oreilles velues se dressaient au-dessus du portail et les poils noirs sur la peau ocre ressemblaient aux hachures de la pluie dans les dessins d'enfants. Le choix était un peu prévisible, mais ferait malgré tout l'affaire : Lucas n'allait pas savoir laquelle de ces célèbres peintures lui-même pouvait sélectionner, même s'il les avait en bloc à l'esprit. Ayant fixé les contours et les détails, Marcus continua à regarder avec persistance, sans prêter attention à rien d'autre, et fit le vide en lui-même, le néant, façon de procéder qu'il avait trouvée particulièrement efficace mais dont il lui fallait ensuite se remettre. Ce fut précisément le cas. Lorsque, subitement, la force d'attraction entre la bouche de l'enfer qui s'estompait et lui-même se relâcha, il eut la sensation que l'église était froide et pesante ; ce qui s'y déroulait, éliminé jusqu'alors, devint oppressant.

On chantait *Enseigne-moi mon Dieu et Roi*, que Stephanie avait choisi parce que c'était de Herbert. Marcus dirigea son attention sur les mariés, tout en sentant sa main et sa joue moites contre la pierre à présent tiède.

Il essaya de trouver un sens géométrique – une forme solide – à l'enchevauchement des fins triangles froncés des plis du voile. Son œil était toujours particulièrement attiré par les superpositions de transparences. Mais aucun sens ne put être établi. La chose produisit la frustration aléatoire de certaines plaques numéralogiques de voitures ou d'autobus dans lesquels il lui répugnait de monter, des nombres vagues, presque anémiques, ni des nombres premiers, ni des nombres particulièrement variables, mais qui comportaient une ou, au mieux, deux occasions de relations à resserrer. C'était un cocon dépourvu de signification. Rétrospectivement, une insatisfaction analogue le frappa à propos des intersections des lignes des herbes de sa vision. Elles refusaient de fonctionner. Il n'avait nullement la capacité de procéder à une petite rectification mentale, un petit tracé personnel, en utilisant ce matériau, pour le faire fonctionner. Tel il était, tel il le voyait. Il commença à se sentir mal à l'aise entre ce réseau flou et le réseau hyperstructuré de la géométrie de l'église, fermée pour donner une impression d'ouverture, lourde pour suggérer la légèreté. Il fixa d'un œil morne le large dos noir de Daniel, qui brusquement l'émut, comme le jour du couronnement. Le noir absorbe la lumière sans la refléter. Le noir émet une chaleur rayonnante, il est sombre et chaud. Les lignes d'énergie, le bruissement des forces, pénétraient cette chair solide et s'arrêtaient, se lovaient, se reposaient, du moins en apparence. Il observa carrément les omoplates de Daniel qui, sans s'incurver ni remuer, formaient une légère bosse sous le tissu. Il cessa de penser. Il sentit la faim. Il bâilla. Il se trémoussa dans son plus beau costume et ses chaussures neuves et se leva pour suivre la famille à la sacristie.

Dans la sacristie ils se pressèrent tous les uns contre les autres et se mirent à jacasser. Alexander s'approcha de sa protégée et dit, «Embrassons la mariée». Daniel dit, «Moi d'abord», releva le voile et l'embrassa avec conviction. La sacristie était petite, tout en pierre, avec une étroite et haute fenêtre à minuscules carreaux. Marcus pensa qu'il allait ressortir, pour laisser de la place. Winifred essuya quelques larmes quand Daniel embrassa Stephanie.

Ils signèrent le registre, d'une plume grinçante, en pattes de mouche. Daniel Thomas Orton. Stephanie Jane Potter. Morley Evans Parker. Alexander Miles Michael Wedderburn.

Stephanie s'aperçut que la mère de Daniel avait les yeux levés vers elle. Mme Orton agrippa de sa petite main le bras blanc et dit confidentiellement, d'une voix de poitrine chuchotée, «J'aime ça quand on parle clairement. J'sais bien que not'Daniel a beaucoup d'entraînement. Mais vous avez parlé bien joliment.»

Stephanie la considéra. «J'ai beaucoup d'entraînement, moi aussi, dans mon métier.

— Ouais, j'crois bien que c'est le cas. Moi, j'étais si timide à mon mariage qu'j'ai pas pu sortir mieux qu'un murmure, tellement qu'j'avais la gorge nouée et qu'j'tremblais comme une feuille. Mais vous avez gardé la tête froide.

— Cela ne me semble pas encore tout à fait réel», dit Stephanie conventionnellement et sincèrement. Elle ne voulait pas s'émouvoir. Elle aurait aimé pouvoir se dégager des petits doigts qui lui serraient le bras. Ils étaient gainés de Nylon transparent gris à pois, à travers quoi la chair prenait d'étranges nuances de brique, brun et bleu violacé.

«Ouais, le fait est qu'on s'rend compte peu à peu, dit la mère de Daniel avec une certaine dose de macabre satisfaction. On peut pas compter qu'on va tout piger d'un coup, pour dire.» Elle imprima une petite secousse péremptoire au bras de Stephanie, en prélude à une confidence, et Stephanie pencha la tête vers elle. Elle avait découvert – c'était en fait la seule chose qu'elle sût de la mère de Daniel – que c'était une femme qui voyait la vie à travers un flot d'anecdotes indéfiniment suscep-tibles de refaire surface, indéfiniment relatives à sa propre personne.

« L'aut'nuit, j'ai rêvé qu'j'étais d'nouveau jeune. J'étais la môme Clarrie Rawlings et il y avait Barry Tammadge – un jeune type que j'fréquentais dans c'temps-là – et nous étions d'sortie et il était très insistant, pour dire – et j'di-sais : eh bien j'sais pas – et aussi : ça peut s'faire – et : y faudra voir, tu crois pas – et pendant tout c'temps-là j'sa-vais qu'y avait une raison que j'pouvais pas, vous savez c'que j'veux dire, une chose qui m'était sortie d'la tête, pour dire. Et quand j'me suis réveillée j'ai cherché, et ça m'a bien pris cinq minutes pour le moins avant qu'j'trouve qu'j'étais mariée. Et veuve, avec le papa à Dan mort et enterré depuis treize ans.

« J'me suis mariée en 1922 et ça m'était complètement sorti du crâne. C'est drôle, ça. C'était tellement naturel d'êt'jeune et d'fréquenter, comme si rien d'reste s'était passé. Comme si j'avais pas vraiment réalisé mon mariage malgré qu'Brian est parti d'puis si longtemps. Des fois j'regarde mes mains et j'pense à qui qu'elles sont, c'est des mains de vieille. Mais c'est comme ça. Ça lui aurait fait drôlement plaisir de voir not'Dan marié, à papa, pour sûr. Nous on se demandait si s'déciderait un jour, lui qu'est si croyant, ça aurait tendance à dégoûter les gens, et telle-ment gros par-dessus le marché, c'qui bien entendu l'a rendu timide, pour dire. Mais c'est un bon gars à sa façon, c'est pas moi qui dirai l'contraire, et son papa aurait été fier comme tout d'le voir si bien établi. »

Stephanie continua à rester bêtement penchée vers cette nouvelle mère, incapable de penser à un mot pour répondre à ces confidences. Elle fut secourue par M. Ellenby qui formait le cortège de sortie. Il rangea à la file les couples incongrus autour de la table de la sacristie – les mariés, Morley Parker et Frederica,

Alexander et Winifred, Marcus et la mère de Daniel –, fit signe à l'orgue, et donna l'ordre du départ.

Daniel souriait à la ronde. Il avait le sentiment que l'église était davantage à lui durant cette unique procession où il était le marié, que lorsqu'il descendait la nef pour aller serrer des mains en sa qualité de vicaire les jours ordinaires. Il se sentait conquérant. Il avait triomphé. Contre toute attente. Sa femme marchait à pas mesurés à côté de lui dans ses vêtements tombants. Lui-même avançait à grandes foulées dégagées, presque élastiques. Il tournait la tête de droite et de gauche, passant en revue ses paroissiens, souriant à demi de l'immense plaisir élémentaire de les voir tous là, et tels qu'ils étaient, endimanchés, tous différents, corpulents et sveltes, gris et reluisants, avides et mélancoliques. Ils étaient tels qu'il le fallait, ils étaient là où il le fallait. Il leur distribuait des signes de tête à chacun et des saluts de gratitude ravie. Il vit Mme Thone, assise parfaitement immobile, les mains jointes sur les genoux, en robe de twill, le visage figé et glacial sous un chapeau sombre à larges bords. Il remarqua cette immobilité, cessa de sourire et lui adressa un bref regard bourru qui témoignait qu'il l'avait vue, puis se remit à sourire avec une délectation inaltérée aux civilités et courbettes de l'infirmière du lycée assise derrière elle.

Ils atteignirent le porche, où ils s'arrêtèrent un moment, par deux, par trois, en groupe, pour les photos. Pendant ce temps Daniel dit à Stephanie :

« J'ai entendu ma mère t'expliquer le pourquoi et le comment.

— Elle semblait penser qu'on ne croit pas qu'on est marié tant qu'on – tant qu'on n'est pas mort – ou à peu près.

— Ça dépend des tempéraments. Je ne crois pas qu'elle ait vraiment voulu savoir. J'ai dans l'idée que ça va nous prendre un petit bout de temps pour savoir ce qui nous est arrivé. Mais pas si longtemps que ça, j'espère. En tout cas, pour l'heure je suis ravi et enchanté.

— Vraiment ?

— Bien sûr que oui. Ça se passe à merveille. C'est très amusant. »

Elle lui prit la main et le regarda, et tous les appareils photo se déclenchèrent à propos.

Daniel incluait sa mère dans le plaisir que lui causait la présente impression de solidité des gens qui l'entouraient. Curieusement, il n'avait ressenti ni inquiétude ni gêne en l'entendant parler de sa graisse et de ses croyances avec Stephanie. Plutôt une grande, véhémente et cocasse jubilation. Il se tenait là, marié selon ses vœux, et elle était sa mère. Sa petite bonne femme de mère, avec son épais bourrelet de chair saillant dans le haut du dos, et son petit corps, aujourd'hui informe, dressé sur ses jambes grêles et arquées et ses chevilles empâtées. Il était amusé par la structure de son visage tremblotant, grisonnant, marqué de petites taches brunes, avivé par le spectre de sa joliesse disparue dans la moue de la bouche et les pattes d'oie au coin des yeux. Elle arborait une espèce de soupière luisante et molle de paille violette irréelle, ornementée d'un bouquet de boules de houx en plastique, de bleuets en tissu, de reines-des-prés avachies et de plumes émeraude en bataille. Sur son crâne ses cheveux clairsemés étaient permanentés en frisettes rigides. Il se souvenait des soyeuses boucles blondes très admirées, des cheveux qui à sa génération lui avaient valu d'être qualifiée de « beauté » avant d'avoir son mot à dire. Elle était drapée dans une robe vieux jeu en crêpe imprimé de grosses fleurs pourpres et blanches, avec une modestie en dentelle tuyautée et un manteau d'hiver d'un noir rouilleux. Il n'aimait pas sa mère. Mais en une tout autre partie de lui-même il était purement et simplement ravi de la voir là, telle qu'en elle-même, et enchanté d'en être conscient. Il était même ravi et enchanté de savoir que les frisettes grises avaient jadis été, et ô combien, des boucles d'or.

30

Le jardin des Maîtres

Alexander se retrouva seul devant l'église, à attendre que la voiture aux rubans blancs revienne le chercher. Il se sentait heureux. Il se sentait anglais. Les cloches carillonnaient, ramage limpide, limité et répétitif dont les notes cascadaient avant d'être captées. L'herbe entre les tombes, émaillée de pâquerettes, était moelleuse et silencieuse. Alexander était un homme capable de faire un détour pour être seul en de pareils lieux de verdure, de silence et de pierres, un homme qui se sentait révérencieux sous les porches des églises, un homme qu'émouvaient les pierres tombales tapissées de mousse, rongées par la pluie, déplacées et adossées à des grilles et à des murs. Les cimetières tiraient le meilleur parti d'Alexander. Il se mit à flâner dans une allée bordée d'ifs en fleur. Tennyson avait écrit que les ifs, les mâles en tout cas, plantés en rang, dégagent une fumée de pollen si on les frappe. Par désœuvrement autant que par curiosité, Alexander donna à l'un d'eux une tape au hasard et constata que l'affirmation était vraie, qu'une fumée vivante montait bel et bien dans l'air si calme de l'été, tournoyait un peu et se déposait sur le drap lustré de sa jaquette.

Quelqu'un, un badaud, un jardinier, un invité en retard, traînaillait dans le fond du cimetière. Alexander franchit délicatement, sur ses longues jambes gris pâle, deux tertres jaunissants, fraîchement gazonnés. L'air était si dense, si lent, qu'il n'aurait pas pu appeler de loin.

L'homme portait un costume d'été froissé, d'une couleur intense qu'Alexander estima bleu électrique sans savoir quelle teinte de bleu l'électricité peut vraiment avoir, et complété par un panama à haute calotte qui n'était plus tout jeune. Il était accroupi tout contre la dalle d'une tombe victorienne et grattait avec une baguette pointue les incrustations de mousse masquant l'inscription. Il ne leva pas les yeux à l'approche d'Alexander. Ses chaussures brunes en peau brute étaient boueuses.

« Bill », dit Alexander en se demandant s'il n'aurait pas mieux fait de repartir sans mot dire, sur la pointe des pieds, comme il était venu.

« Je présume que c'est terminé, dit Bill sans cesser de picoter la pierre. Cela a duré une éternité. Je suppose qu'il n'y a pas eu d'anicroche.

— Non.

— Des accents un peu mous d'allégresse se sont de temps en temps répandus entre les tombes jusqu'à moi qui rôdais dans les parages. J'ai pensé que je ne pouvais décemment m'approcher de plus près. » Il fourragea avec sa baguette dans les trous d'un porte-bouquet en faux marbre contenant des dahlias brunis et des bleuets presque raidis. Il donna lecture du fruit de son ouvrage :

Sainte paix qui nous vient des êtres disparus,
Nous te goûtons en chœur dans le sein de Jésus.

« Ambigu, vous ne trouvez pas, et pas totalement cohérent. Je suppose que j'ai même espéré que quelqu'un se dresserait avec force pour proclamer une juste cause d'empêchement. Mais je crois comprendre que la chance n'était pas de la partie.

— Non », dit Alexander. Bill se balança sur ses talons et lui brandit son ustensile sous le nez.

« Je gage que vous pensez que j'en fais trop. Je gage que vous pensez que la voix du sang doit parler. Je gage que vous pensez que j'aurais dû renoncer à mes profondes croyances et entrer là-bas. Je ne gage pas que vous compreniez que ce m'était impossible, purement et simplement impossible.

— Je n'ai rien dit de tel.

— La politesse anglaise des saintes-nitouches d'abord et avant tout. Quels moutons. Au moins je prends ça au sérieux.

— C'était très émouvant », dit Alexander en s'appuyant avec grâce contre une dalle de marbre assez neuve, pour éviter des salissures vertes sur sa manche nacrée. « J'ai été ému.

— C'est bien vous. Tout vous émeut. Je vous ai vu toquer les arbres. *Ton chagrin s'embrase à tes pointes/Et redevient sombre chagrin.* Souvenez-vous-en, dans vos nuages de fumée féconde, ou que sais-je. Sombre chagrin. Sombre chagrin. C'est ce que je vois.

— Bill, ils étaient très heureux.

— Comme des moutons, comme des moutons, des moutons en sursis. Je voulais pour elle quelque chose de réel. »

Alexander crut presque entendre bouillonner et fuser sa colère. Il se rappela sa perpétuelle image de Bill Potter en feu couvant dans les profondeurs d'une meule de paille. Il se sentait vaguement responsable du soin d'éteindre ce feu-là et ne savait comment s'y prendre. Il dit, « Je ne vois pas pourquoi cela vous met dans un tel état ».

Bill se tourna vivement vers lui. « Vous ne voyez pas ? Vous pensez que j'exagère ? Vous pensez que je fais mon numéro ?

— Non, non, dit Alexander d'une voix apaisante.

— Je voulais pour elle quelque chose de réel, de ré-el. » Piqué, irrité, Alexander dit, « Daniel est un homme réel. Je dirais sur tous les points.

— Vous le diriez ? Eh bien c'est ce dont je doute, ce dont je doute sincèrement, si c'est possible. Dans ce monde-là. Les zombies embaumés. Le Christ. Personne ne s'intéresse à cet aspect du problème, tout le monde me croit sans éducation, c'est un garçon assez sympathique selon ses lumières, sérieux et tout. Ce n'est pas une question d'éducation. La panacée anglaise, les bonnes manières. Les bonnes manières, elles sont moribondes, elles sont mortes. Non, non. C'est une question de vie. Et la vie, il n'y en a pas là-dedans. » Il pointa son bras échauffé et fripé dans la direction de l'église et faillit perdre l'équilibre.

« Vous pensez que je devrais tendre une main aimante et danser à la noce ? »

Alexander n'était pas du tout certain de ce qu'il pensait sur ce sujet. Tout ce qu'il pouvait dire, cependant, était, « Oui, bien sûr.

— Je ne le veux pas. »

Alexander le regarda gravement.

« Cependant, vous m'avez convaincu. Je vais venir avec vous. Vous y alliez, je présume.

— Oh certes », dit Alexander.

Ils montèrent ensemble en voiture, non sans encore un délai, le temps que Bill enjoigne au chauffeur de replier et remballer ses rubans blancs. « Le comble de l'incongruité », dit-il à Alexander en se calant sur les coussins gris et en abaissant son panama pratiquement sur l'arête de son nez. « Nous ne sommes ni des vierges, ni des gâteaux, ni des cœurs en fête. Certainement pas des cœurs en fête. Des agneaux qu'on mène à l'abattoir, pourrait-on dire, mais nous irons tranquillement sans rubans et rubettes, je pense. »

Le jardin des Maîtres possédait des éléments du dernier jardin dans *Alice*, avec sa porte close dans le haut mur. Comme tout le monde Bill et Alexander descendirent l'allée en pente qui partait du collège et s'arrêtèrent pour regarder à l'intérieur. C'était un clos rectangulaire. Alexander était perpétuellement irrité par l'imagination limitée dont témoignait son agencement. Contre le mur du fond s'étendait une sorte de terre-plein bordé de dalles et planté, d'un côté, d'un buisson de seringa et, de l'autre, d'un saule pleureur privé d'eau. C'était là qu'il avait monté *La dame ne brûlera pas*, c'était de derrière ces fourrés incongrus qu'il avait surgi en collant écarlate et pourpoint noir. Aujourd'hui des tables à tréteaux garnies de nappes damassées, et cent fois lessivées, du collège, étaient installées sur les dalles. Et sur elles étaient disposés un buffet froid, deux fontaines usagées pour le thé et pour le café, et un gâteau blanc bleuté, à deux étages et colonnes doriques. Alexander aurait planté des lavandes et des juliennes, du thym et du romarin, des pêchers et des poiriers en espalier. La porte à claire-voie aurait dû crouler sous des masses de clématite et d'églantine. Mais les parterres uniformes autour de la pelouse étaient garnis de rangées, tirées au cordeau, de pieds de sauge rouge, lobélie bleue et alysse blanche, en rayures patriotiques, plus deux ou trois touffes de pétunias aux tons aigres. Alexander n'aimait pas le puce, ni les violets plus criards. Sur le bord des allées ratissées trottinaient des serveuses du collège avec des bouteilles qui moussaient et des coupes.

Bill risqua un coup d'œil au coin de la porte, puis fit une entrée furtive. Alexander ne savait que faire ; il demanda s'il devait aller chercher Winifred, ou bien Daniel et Stephanie. Bill dit que non, non, il ne faisait qu'une simple apparition, et une simple apparition était tout ce qu'il entendait faire. Il se bornerait à faire quelques pas à l'écart, qu'Alexander ne s'inquiète pas. Alexander ne s'inquiéta pas. Il fit signe à une serveuse qui passait avec un plateau.

« Vous avez raison, dit Bill. Buvez mon vin, allez-y. C'est moi qui régale. Ils ont décidé de limiter mes activités à cette utile fonction. Décision fort sage, à n'en pas douter. Qui de nous deux va faire le discours, le père de la mariée ou l'ami de la famille ? Avez-vous pris quelques notes ? J'espérais bien que vous étiez allé jusque-là. Je laisserai tout cela entre vos mains capables. Je déteste faire des laïus. Je tirerai le plus grand plaisir à vous entendre me suppléer. Cela me divertira. Et maintenant allez-vous mêler à la compagnie. Je vais, quant à moi, me promener par-ci par-là. Je vous en supplie, ne vous faites aucun souci pour moi. » Il vida un verre de vin, en prit un autre et s'éloigna précipitamment, le chapeau à présent rejeté en arrière, ressemblant à s'y méprendre à un excursionniste.

« Et merde », dit Alexander, et il découvrit que Frederica se tenait à côté du seringa. Il fut presque content de la voir.

« J'ai trouvé votre père dans le cimetière.

— C'est ce que je vois. Je parie qu'il a tiré tout le profit qu'il y avait à tirer du fait de ne pas être là, alors maintenant il essaie de voir ce que ça donne d'être là. Vous auriez dû l'enfermer dans la sacristie ou que sais-je.

— Je ne comprends pas très clairement s'il veut faire un discours.

— Bof! Il en fera un si ça lui chante, et il n'en fera pas si c'est pire, il n'y a rien à y faire. Si j'étais vous, je m'écarterais de son chemin et je boirais comme un trou. »

Alexander trouva une autre serveuse pour remplir leurs deux verres. Il aperçut Stephanie qui circulait, assez rondelette, parmi les invités.

« J'espère que rien ne lui gâchera cette fête. Elle a l'air si heureuse.

— Vous croyez? (D'un ton acerbe.)

— Pas vous?

— À quoi cela se voit-il? Je sais bien qu'il se conduit odieusement, mais au fond il a raison. Qu'y a-t-il dans ce monde-là, pour elle?

— J'aime beaucoup Daniel.

— Oh, moi aussi j'aime beaucoup Daniel, je suppose. Daniel est très bien. Par certains côtés. Mais je ne comprends pas qu'elle puisse croire qu'elle le connaît.

— Connaître n'est peut-être pas, en tant que tel, nécessaire pour aimer.

— Aimer, dit Frederica. Aimer. C'est vous qu'elle aimait jusqu'à ces toutes dernières semaines, dans la mesure où aimer a un sens. Et puis ceci. »

Alexander se retourna involontairement pour observer la mariée, qui à cet instant se tenait encore penchée vers la mère de Daniel en écartant son voile de son visage d'une main consciente de porter une alliance. Elle lui parut soudain très secrète et intéressante. Il se souvint d'avoir promené les mains sur sa taille le matin même. Frederica le regarda regarder Stephanie. Il dit, « C'est absurde. En réalité, c'est à peine si elle me connaît…

— Vous venez juste de dire vous-même que connaître n'est pas nécessaire. Vous avez suffisamment occupé ses pensées, quoi qu'il en soit. Vous étiez un grand sujet de conversation. Et de spéculation. Et de passion. Si penser avait eu quelque chose à voir avec connaître, vous seriez à présent radiographié de part en part. »

422

Alexander se sentit stupide et, comme elle l'avait voulu, mal à l'aise. Elle dit, «Vous fûtes une belle passion sans espoir. Elle est très timide. Et vous n'avez rien remarqué.

— Non, rien, je dois le dire.

— Comme de bien entendu», dit Frederica d'un ton péremptoire. Alexander s'irrita de son attitude, qui était devenue très légèrement condescendante vers la fin de ce dialogue. Une image jaillit et disparut comme un éclair dans son esprit, les deux sœurs, tête contre tête, le soir, parlant de lui avec ardeur, jusqu'à faire de lui une ombre informe. Il se redressa, se ressaisit, et toisa Frederica. Elle eut un petit sourire.

«En tout cas, ça a réglé un problème en ce qui me concerne, dit-elle.

— Quoi donc?

— Le service religieux. Je ne peux pas. Je ne pourrais jamais en passer par là. Avec ce corps je te vénère, ça va, mais c'est saint Paul que je ne peux pas digérer. J'ai été frappée par la fureur qui m'envahissait. Je ne veux pas être aimée parce qu'un homme aime son propre corps, c'est ridicule. Et le truc sur le Christ et l'Épouse. Trouvez-vous le moindre sens dans tout cela? C'est un grand mystère, mais je parle à propos du Christ et de l'Église. Et le truc sur la soumission semblable à celle du corps à la tête. C'est horrible. C'est dégradant.

— Vous devez avoir, historiquement parlant...

— Je l'ai, je l'ai, mais j'ai aussi le respect des mots. Et, ceux-là, il est hors de question que je les supporte personnellement. Dire "obéir" est le moindre d'entre eux. Il serait même concevable que je puisse obéir, mais pas question de laisser débiter de telles analogies sur mon corps, mort ou vif.

— Vous êtes très véhémente.

— Je sais. Je m'étonne moi-même. Parlons d'autre chose.»

Stephanie passait parmi les invités, les remerciant de leurs cadeaux. Ses dons de mémorisation jouaient pleinement, elle visualisait chaque saladier, petite cuiller ou serviette, elle formulait sa gratitude avec tous les détails appropriés. Soudain, au loin, elle aperçut son père, dans ses horribles vêtements, qui regardait au milieu des garçons du club des jeunes de Daniel. Elle fit un signe. Il feignit avec ostentation de ne rien voir. Elle avança de quelques pas et fit un autre signe. Il commença à s'esquiver vers la porte, derrière les buissons et les groupes de gens. Sans réfléchir, elle retroussa à pleines mains les plis de sa robe blanche et se mit à courir droit devant elle sur la pelouse, enveloppée dans ses voiles et donnant l'impression de flotter. Le soleil rayonna brusquement derrière un nuage fugace. Les gens rirent sur son passage, comme si elle accomplissait un rite de fête primitive. Bill battit en retraite derrière le tertre où les tables étaient dressées. Stephanie, les traits tendus par l'inquiétude, sauta d'un bon sur le tertre et se précipita de l'autre côté, et ses voiles flottants restèrent suspendus un instant, puis retombèrent légèrement.

« Arrête », dit-elle. Bill s'arrêta et lui fit face, mais ne dit rien. Puis il se mit à reculer encore. Involontairement, elle dit, « Oh, ne t'en va pas.

— Je ne suis pas officiellement là. Je fais juste une apparition.

— S'il te plaît, ne t'en va pas.

— Je ne peux pas dire que je me sente vraiment bienvenu. Je ne peux pas dire que je me sente franchement comme chez moi.

— Ton chèque nous a fait très plaisir.

— Je fais ce qu'il m'est possible de faire.

— C'était très généreux.

— Je ne voudrais pas ne pas l'être.

— Écoute, reste s'il te plaît, viens voir maman... Daniel... maintenant que tu es...

— Je voulais seulement voir à quoi mes fonds avaient été employés. »

Même lui sembla s'alarmer, là-dessus, de la muflerie dont il faisait preuve dans cette dernière remarque. Il racla ses semelles sur le gravier de l'allée. Son visage se ferma et il eut l'air d'une marionnette mue par des forces malhabiles. Elle fut tentée de s'avancer et de l'embrasser, mais fut retenue par une très claire image mentale de lui la repoussant férocement et s'esquivant une fois de plus.

424

« Oh, pourquoi es-tu comme cela ?

— Je ressens, dit-il. Je ressens… »

Daniel gravit le talus et descendit pesamment de l'autre côté. Bill sortit de sa torpeur et resta les yeux fuyants, comme en présence d'un policier sur le point de procéder à une arrestation.

« Content de vous voir, dit Daniel laconiquement.

— J'en suis sûr, dit Bill. J'allais partir. Je suis juste venu jeter un coup d'œil, juste pour… Je ne suis pas vraiment là. Je m'en vais.

— Vous êtes là, dit Daniel. Nous vous voyons. C'est l'heure de découper le gâteau. Venez-vous ?

— Je n'ai aucune part à tout ceci. »

Daniel se sentait des envies de meurtre. Il aurait aimé empoigner Bill Potter et lui écrabouiller la figure, le panama et tout le reste sur le gravier. La silhouette dans l'allée le submergeait sous un déferlement brûlant de colère impuissante. S'il avait été seul en cause, il l'aurait planté là. Il dit, « S'il vous plaît, venez. Nous souhaitons que que vous veniez. »

Bill ouvrit et referma la bouche comme un casse-noix. Daniel dit, « Stephanie », et se mit à remonter tranquillement la pente du tertre. Il lui aurait bien pris la main, mais il sentit que ce geste de propriétaire aurait jeté de l'huile sur le feu. Elle se tourna vers Bill, le visage décomposé.

« Tu es mon aînée », dit Bill dramatiquement, farouchement, d'un air de détresse qui se prenait pour cible. « Tout compte fait.

— S'il te plaît, dit-elle consciencieusement. S'il te plaît. »

Ensemble, ils gravirent le monticule et, ensemble, se placèrent devant le gâteau, entre les fontaines chuintantes. Du haut de cette faible éminence Bill inspecta les invités qui s'agglutinaient en demi-cercle, balançant entre la furie et une allégresse de lutin.

« Ne faites pas attention à moi », dit-il à Alexander qui se tenait là, le verre à la main, pour porter le toast. « Je ne suis pas vraiment là. Je viens juste jeter un coup d'œil. Je me fais une joie d'écouter votre petit discours. Je ne veux pas le différer plus longtemps. »

Alexander parla brièvement et gracieusement. Inhibé par la présence de Bill, il trébucha sur les raisons de sa propre participation à la cérémonie. Il eut quelques paroles admiratives pour le travail de Daniel, quelques autres pour la sagesse et la beauté de Stephanie. Il compara la mariée à une rose blanche. Il leva son verre, le liquide d'or pâle en biais, et ressentit l'agréable trouble suscité par les confidences que Frederica lui avait infligées. Il cita l'épithalame de Spenser, clair et tarabiscoté. Ce qui à son tour réveilla en lui sa passion tennysonienne pour le passé, le sentiment d'autres moments de perfection ou d'exaltation disparue. Il parla de l'agréable conjonction des larmes et des rires. Il demanda à tous de boire à la santé de l'heureux couple.

Les bonnes manières demandaient une réponse de Daniel. De fait, il avait déjà tiré de sa poche de poitrine une carte postale sur laquelle il avait pris quelques notes. Mais Bill Potter fit un pas en avant entre les fontaines, redressa son chapeau et ses épaules, remonta son pantalon bleu sur ses hanches, et annonça son intention d'éloquence. Il n'était pas, comme tout le monde le savait sans doute, officiellement là du tout, mais quelques paroles non officielles de bonne volonté seraient peut-être acceptables. Il dit qu'il lui était difficile de croire que cette vision de rêve était sa fille, qui lui paraissait à peine sortie de l'âge des doigts poisseux, des élastiques incertains et des culottes en serge sales. Il marqua une pause pour les rires. Il décrivit sa petite fille partant à l'école en veste rebiquant sous les bretelles de son cartable cabossé. Il cita ses bulletins trimestriels et les commenta. « Participe utilement à la vie du lycée » signifiait élève-monitrice conformiste, archistricte sur la discipline – ce qui lui serait utile dans sa nouvelle vie. « Indubitablement douée quand elle s'intéresse à ce qu'elle fait » signifiait têtue comme une mule et souvent paresseuse, mais ayant la tête sur les épaules. Eh bien, cette tête l'avait menée à Cambridge. En temps voulu elle avait échangé culottes de serge, jupes poisseuses et fidèles esclaves barbouillés d'encre contre une ribambelle de jeunes gens énamourés, indiscernablement solennels et tous enclins à «juste entrer dire bonjour» à Blesford Ride sur le chemin de Bristol à Cambridge ou l'on ne savait quelle autre route tout aussi peu directe. (Il pensait qu'elle avait trouvé le temps de faire une apparitions ou deux à la bibliothèque.) Il n'avait jamais réussi à identifier l'un de ces jeunes gens avant son remplacement par le suivant. Et maintenant il y avait Daniel – dont le moins que l'on pût dire était qu'il était identifiable, à des signes indubitables. Il avait bon espoir que Daniel serait heureux. Il espérait qu'il n'était guère nécessaire de le prévenir que l'enfant est la mère de la femme, et que, quoi que l'Église de Daniel pût dire de l'obéissance, il avait personnellement trouvé que sa fille était plutôt une force irrésistible dans les domaines où sa parfaite intelligence s'exerçait. Mais il fallait bien reconnaître qu'il existait des gages de l'immuabilité de Daniel. Il leur souhaitait d'être heureux, assurément.

Il fut généralement jugé que Bill s'était acquitté de cette allocution avec beaucoup de bonne humeur.

Daniel tira sa carte postale et remercia tout le monde, au galop, Winifred, les Ellenby, les Thone, Alexander, Frederica – et Bill, avec raideur, pour ses paroles de bonne volonté, en reprenant les mêmes mots. Il réussit à ne faire aucune référence ni à lui-même ni à sa femme. Puis il reprit sa place.

Alexander sentit un coup lui cingler le bas de l'omoplate. C'était l'omniprésente Frederica. Elle lui siffla, «J'ai presque cru qu'il allait dire: Elle a trompé son père, pourquoi pas toi? Pas vous? Franchement, quelle exhibition. Un tissu de mensonges, vous savez. Elle n'a jamais, jamais, été sale, pas Stephanie, et sa culotte a toujours bien tenu, quant à ses petits amis, s'il y en a eu, jamais ils ne sont venus ici, pour des raisons évidentes. Ça règle le problème. Si jamais je me marie, il n'est pas question qu'il soit là en aucune façon, ce sera un mariage secret, civil, et à cent lieues du Yorkshire. J'ai bien aimé ce que vous avez dit. Même le Spenser, quoique je préfère Donne. Allez chez lui trouver l'Évêque, À sa façon fera l'union qui de diverses Façons doit se parfaire. N'êtes-vous pas sensible à toutes ces couches de grammaire qu'il étale. J'aime les choses qui sont distinctes.»

Alexander se fit la réflexion que cette abominable fille avait en quelque sorte réussi, à force de persistance, à lui imposer un ton de confidence bien établie et consentante, auquel il était trop bien élevé pour mettre le holà. En outre, il serait très difficile d'en reconnaître assez l'existence pour y mettre le holà sans en quelque sorte l'exacerber. Et pis encore, ce qu'elle disait avait son intérêt.

«Réellement pas vrai? demanda-t-il en regardant derrière lui pour voir si l'on pouvait l'entendre.

— Pas un traître mot. Voyez-vous, c'est juste une kyrielle de clichés d'un genre dont quiconque la connaît tant soit peu saurait que rien ne pourrait lui déplaire davantage.

— Je regrette de ne pas l'avoir empêché de venir.

— Il faut l'avouer, le cachet dramatique est sensationnel!»

Le gâteau à colonnes fut démantelé et découpé. Les fleurs de la mariée et de la demoiselle d'honneur gisaient au soleil auprès de ses ruines friables. Elles étaient un peu avachies et meurtries à présent; les étaux de l'armature se voyaient. Les gens commencèrent à engager les mariés à s'en aller. Ils partirent à pied, par le guichet, descendant le chemin en pente vers le Bout de Là-bas et l'allée des Maîtres, où ils devaient se changer. Comme ils n'allaient nulle part, puisqu'ils n'avaient pas d'argent pour un voyage de noces, les invités agitèrent la main en signe d'adieu à la porte du jardin; seule la famille, plus la mère de Daniel, les accompagnait. Alexander partit avec eux mais, arrivé au pont du chemin de fer, il s'arrêta et décida de rebrousser chemin. Il n'était ni le père, ni l'époux, ni un parent de personne. Il n'était pas nécessaire, et il en avait soupé.

Alors il resta à les observer, échelonnés sous le soleil, se hâter, trottiner ou baguenauder tout en traversant le Bout de Là-bas, en longeant la Mare Croupie et en passant sous les poteaux de but pour atteindre l'autre côté du terrain. Daniel tout noir, Stephanie toute blanche,

Frederica, mince et sautillante silhouette dorée, Winifred inclinant sa tête lasse sous son casque sombre, Bill faisant mille tours dans le champ tout en faisant dévier les autres, la petite Mme Orton se dandinant péniblement, les épaules saillantes et le chef branlant. Marcus fermait la marche, grand échalas en costume sombre, ses cheveux jaune paille bien lissés. Frederica se retourna pour regarder Alexander et il agita la main, montrant la direction derrière lui, indiquant ses intentions sans équivoque. Il se rappela s'être tenu exactement au même endroit, le jour où sa pièce avait été acceptée, et avoir perçu que rien de tout cela, aucun de tous ces gens, rien ni personne de tout ce monde, n'avait plus désormais ni à le concerner ni à le confiner, et que par conséquent il leur avait trouvé de l'intérêt. Aujourd'hui il était resté avec eux trop longtemps, trop près. Il était presque devenu une partie d'eux, et avait presque perdu tout intérêt. Au fur et à mesure qu'ils rapetissaient en s'éloignant sur le terrain de sport, en franchissant le portillon du jardin, hauts comme trois pommes, lui respirait profondément, grandissait, gagnait en substance. Il se rappela d'autres lieux, un jardin à Oxford, une terrasse à Grasse, les hauteurs crayeuses du Dorset, le bois de Boulogne. Non, malgré tous les plaisirs fortuits des roses blanches, du pollen des ifs et de la prose de Cranmer, il y avait bien plus, bien mieux à faire que de se contenter des rectangles uniformes de l'allée des Maîtres. Il se rappela le désordre féminin sans mystère du petit cube nu de la chambre de la mariée ce matin même, et il se rappela le moment où il avait regardé, à travers les jolis rideaux imprimés de la chambre de Jenny, un tout petit carré de ciel bleu. Il s'en irait. Il était presque sûr de prendre ses dispositions pour s'en aller après sa pièce, advienne que pourra. De l'autre côté du terrain de jeux une petite silhouette jaune caracola et agita quelque chose de blanc. Il ôta son haut-de-forme, le brandit une dernière fois dans un sens puis dans l'autre, le remit sur sa tête et s'en retourna dans l'allée.

31

Lune de miel

Daniel s'était imaginé l'obscurité, mais c'était le plein été et le jour n'en finissait pas. Morley Parker les conduisit en voiture de l'allée des Maîtres à la cité Askham, par des rues en arc de cercle délabrées et dès rangées de maisons ouvrières uniformément adossées les unes aux autres, lugubrement compactes sous leur toit d'ardoise d'où s'échappait de la fumée de charbon. La cité se composait de six bâtiments disposés en deux rectangles de trois côtés autour de ce que le plan d'urbanisme décrivait comme deux tapis de gazon plantés d'arbres en fleurs. En fait ces périmètres se limitaient à de l'argile boursouflée et à des allées fissurées en béton, et les tracteurs avaient laissé la marque de leurs chenilles sur les grosses mottes où poussaient plantain, épilobe, millefeuille et laiteron. Leur logement était au rez-de-chaussée, à l'arrière ; les logements du rez-de-chaussée avaient un jardin de derrière, petite parcelle de tuf retourné et coagulé, entourée d'un grillage, avec des poteaux en béton et un portillon métallique grinçant. Les gens des étages avaient un balcon en béton avec une balustrade en fer et un étendoir pour le linge. De la minicuisine on voyait un pneu en caoutchouc noir au bout d'une corde à nœuds pendant à une espèce de portique, et une aubépine, vieil arbre tordu, balafré, noir d'écorce et, à ce moment précis, scintillant et vaporeux de feuillage vert. L'arbre était plus vieux que la cité. Il avait été épargné quand les bulldozers avaient fait une irruption fracassante pour préparer le chantier.

Mme Ellenby leur avait préparé un dîner froid, pour qu'ils n'aient rien besoin de faire – un poulet, une salade dans un saladier de cristal taillé sous une assiette et un torchon humide, une salade de fruits dans un autre saladier couvert, une bouteille de vin du Rhin. Il y avait des petits pains au lait et une miche de pain frais croustillant, une boîte de café Lyons, un paquet de thé, deux bouteilles de lait, un camembert et un morceau d'édam. Il y avait aussi un gros bouquet de glaïeuls rouge feu dans un cylindre en verre sur un napperon de dentelle sur la table, et un petit mot disant que la betterave était dans une soucoupe à part pour qu'elle ne risque pas de déteindre sur les œufs durs, et que Mme Ellenby espérait qu'ils allaient bien se reposer et passer d'excellents moments dans leur nouveau foyer. Côte à côte, ils notèrent tout cela, en clignant légèrement des yeux. Les jardins et le Bout de Là-bas avaient été très lumineux et leurs couleurs, trop vives ; et le petit logement, avec ses petites fenêtres aux épais rideaux en filet, était sombre et manquait d'air. Stephanie n'aimait pas les rideaux en filet, mais reconnaissait tout de même la nécessité de leur protection impénétrable en ces lieux. Les murs étaient très minces, et elle se surprit à se déplacer avec précaution au cas où sa présence serait perçue.

Il était environ sept heures. Daniel, en considérant son foyer et, de biais, sa femme, se demanda s'il aurait dû organiser un dîner avec un certain nombre de gens, en ville. Elle promenait paisiblement ses regards autour d'elle, sans les fixer sur lui.

« Qu'allons-nous faire ? dit-il.

— Nous pourrions nous asseoir et manger toute cette nourriture.

— Ouais.

— Ou bien ouvrir les paquets sur le canapé.

— Ouais.

— Mais je n'ai pas très faim, après tant d'amuse-gueule, de petits-fours et de vin.

— Moi non plus. »

Il se rendit compte qu'il avait dû penser qu'ils iraient tout droit dans la chambre, fermeraient les rideaux, ôteraient les beaux habits qu'ils venaient de revêtir, et se mettraient au lit. Il comprit que cela ne se passerait pas comme cela. Elle s'était éloignée de lui et tripotait sans raison des objets posés sur le buffet de la cuisine, boîtes en métal, ciseaux et presse-citron neufs. Elle dit, en maniant les ciseaux comme s'il s'agissait d'un ustensile méconnaissable dont il lui fallait deviner l'usage les yeux bandés, « Ce que je veux vraiment, c'est ôter mes chaussures. Juste ôter mes chaussures. »

Il considéra l'inflexion du mot « juste ». Il le reprit à son compte.

« Pourquoi tu ne le fais pas ? Nous avons besoin de repos. Juste de repos. Je suis claqué », dit-il faussement. Elle se pencha, à ces mots, et glissa les pieds hors de ses chaussures. Sans les talons aiguilles elle eut l'air boulotte, entre deux âges, dans le tailleur de toile un peu mastoc et le chapeau rond de son Départ de la Mariée.

« Tu pourrais ôter ton chapeau, aussi bien », dit Daniel en l'observant avec intérêt. Elle ne le regardait toujours pas. Elle ôta effectivement son chapeau, découvrant des rouleaux impeccables de cheveux blonds. Daniel pensa que ses cheveux étaient, ou avaient été, plus longs. Si l'on tirait dessus, les verrait-on se déployer, ou se retendre comme un ressort métallique, ou bien y en avait-il simplement moins ? Dans un mois, dans un an, il connaîtrait ses cheveux. Cette pensée lui causa un plaisir simple et fort. Elle entra dans la chambre, chapeau et chaussures à la main, et Daniel la suivit. Elle laissa des empreintes humides, sombres et élégantes, sur le linoléum. Daniel en fut troublé. Dans la chambre, elle posa son chapeau sur la commode et ses chaussures à côté du lit, puis ressortit, rapidement, Daniel la suivant toujours à pas de loup. Elle s'assit sur le canapé et leva les pieds en l'air, tortillant orteils et chevilles.

Tout paraissait terrible à Stephanie, terrible, sombre, sans appel. Tous ces ustensiles neufs, le filet et la dentelle inhabituels, la solidité des affaires de Daniel, partout, de gros souliers noirs usés dans le placard, la vaste robe de chambre ballonnant derrière la porte de la chambre, le livre de prières sur la commode, à côté de la brosse à cheveux d'homme où de rêches cheveux noirs restaient pris. Elle leva les yeux et regarda autour d'elle, à la recherche de bouches d'aération dans cette boîte. De tous les côtés et par en dessus divers postes de TSF braillaient ou fredonnaient divers airs. Dehors retentit un martèlement de pas et des voix aiguës piaillèrent brusquement :

> *La p'tit' Gloria est un' grand' sotte*
> *Sur l' tabouret comme un' marmotte*
> *Quand l' tabouret s'a écroulé*
> *Dans son dos les puces z'ont roulé*

Un bref sourire clignota sur le visage de Stephanie. La chanson se répéta. Se répéta encore une fois. Et une autre fois encore. Stephanie aurait voulu que Daniel cesse de la regarder. Cela ne lui laissait nulle part où poser les yeux.

« Pourquoi ne pas t'étendre ? suggéra-t-il. Fermer les yeux. Dormir un peu. » Il voulait dire : Je ne te toucherai pas – mais cela heurtait une certaine idée qu'il se faisait de ce qui convient à un jour de noces. « Vas-y », dit-il en rendant sa voix volontairement neutre. Il la vit réfléchir. Elle dit, « D'accord », d'une voix sans timbre. Elle se leva et alla dans la chambre. Là, il y avait juste de la place pour le lit, une chaise, la commode, un petit tapis. Il la regarda faire glisser sa jupe, son chemisier, sa veste. Il la contourna et ferma les rideaux. Elle se mit rapidement au lit et s'étendit de tout son long, en combinaison et bas, jeta un coup d'œil à Daniel et ferma les yeux. Un moment après, il ôta une partie de ses vêtements et se coucha avec précaution auprès d'elle. Elle était crispée, paupières, bouche, petits poings sur l'oreiller contre sa joue, même ses pieds sous ses bas. Il poussa à dessein un énorme soupir et lui déposa un rapide baiser sur le front, croisa les mains sous la tête et fixa tristement le plafond obscurci. Après quoi, ce qui l'étonna par la suite, il s'endormit.

Ils se réveillèrent, après un certain laps de temps, à la nuit tombée, une nuit poudreuse d'été. Ils avaient roulé l'un contre l'autre sur le lit neuf, dans un creux dû au poids de Daniel. Il la sentit s'efforcer vaguement de se redresser et il étendit pesamment le bras et l'immobilisa. « Là, dit-il, je suis là. » Elle tourna la tête de côté, entre leurs deux oreillers, et il vit ses yeux brillants regarder paisiblement dans le noir. « Allons, dit-il, n'aie pas peur. » Les amoureux parlent un langage qui oscille entre un babillage farfelu et une clarté totalement explicite, selon simplement qu'on l'entende ou non tel qu'il est dit. Il était impossible à Daniel, absolument impossible, de dire si elle écoutait. « Je t'aime », dit-il avec confiance. Elle émit un léger son. Ses lèvres, pensa-t-il, remuaient. « Hem », fit Daniel. « Je t'aime », dit-elle d'une voix ténue. Il n'eut aucune idée de ce qu'elle voulait dire par là. Il tira sur les bretelles de ses vêtements. Elle ne résista pas. Maladroitement, en silence, accompagné par un piano qui tintait au-dessus de sa tête, et par Glenn Miller à quelques mètres du bout du lit, conscient d'écraser de son poids le corps menu encore que bien en chair de son épouse, ainsi que les ressorts neufs qui vibraient, Daniel consomma son mariage. Il y eut un instant, durant ce temps, où leurs visages furent l'un sur l'autre, les joues sur les joues, le front sur le front, le lourd crâne sur le crâne que recouvraient la douce peau et l'encore plus douce chair. Il pensa : Les crânes séparent les gens. En ce sens-là, je pourrais dire, on pourrait dire, que je me perds en elle. Mais dans cette boîte osseuse elle pense, elle pense sans cesse, comme je pense dans la mienne, des choses que l'autre n'entendra pas, ne peut pas entendre, même si nous continuons ainsi pendant soixante ans. Que pense-t-elle que je suis ? Il n'en avait aucune idée. Il n'avait aucune idée de ce qu'elle était. Dans la solitude du presbytère il avait eu une idée, il s'était adressé à une image assez claire d'elle, qui riait, et répondait, assise sur son lit, sur sa chaise, en balançant des jambes imaginaires. Il ouvrit précipitamment les yeux pour voir l'extérieur du visage de Stephanie au lieu de l'intérieur pourpre et noir de son propre visage, sombre et flamboyant. Il vit des cils fermés, un front moite plissé, des lèvres rigoureusement jointes, une série de signes indiquant la clôture. Tout de même, pensa-t-il, je suis là, je suis là. Je suis là quoi qu'elle pense. Ce fut le point le plus proche du triomphe qu'il atteignit.

Après quoi elle fut prise d'une animation surprenante, comme si elle se remettait à comprendre les manières établies de se comporter. Elle se redressa vivement.

« Nous devrions peut-être manger le dîner de Mme Ellenby.

— Nous ne sommes pas forcés.

— Oui, mais c'était gentil de sa part, il me pèsera sur la conscience si nous le laissons traîner.

— Je croyais que tu n'avais pas faim.

— Si, maintenant, j'ai horriblement faim.

— Bon, en ce cas, nous allons évidemment le manger. »

Alors ils se lavèrent et s'habillèrent, s'attablèrent l'un en face de l'autre et mangèrent le poulet et les deux salades, la verte et celle de fruits, et burent du vin. Pendant ce repas elle bavarda. Il ne l'avait encore jamais connue bavarde, mais à présent elle jacassait sans discontinuer, avec une intimité mondaine bien différente de ses habituels silences paresseux ou pensifs. Elle fit des remarques enjouées sur la noce, les chapeaux, les chichis, les anicroches, les énormes fontaines à thé, la pièce montée maintenant dans une boîte dans la cuisine, l'arrangement de leurs livres et tableaux, la vue de la fenêtre de la cuisine, le placard qui coinçait toujours, la nécessité de remplacer l'horrible suspension par un éclairage plus doux et plus chaleureux. Elle disposa les noyaux des cerises au marasquin de la salade de fruits tout autour de son assiette, et même les compta avec des refrains de comptines et d'antiques formules magiques. Un, deux, trois, je vais dans les bois... Il dit oui, puis non, fit même une tentative hésitante pour lui donner la réplique, car il avait la faculté pastorale d'arrondir les angles des commérages comme on lisse un coussin cabossé, mais il se sentait obscurément traité en femme, abreuvé pour tout potage de papotages ancillaires, nié, neutralisé.

Il n'avait pas vécu dans une famille. Il n'avait ni l'expérience ni le don de ce type de communication qui consiste à convertir en menus propos les menus faits bruts, sans rapport les uns avec les autres, de la journée qu'on a subie. Il l'avait entendu pratiquer, mais sans en avoir le temps, il préférait, et rencontrait, l'extrême. Il n'avait jamais vraiment entendu la voix anonyme récapituler sans fin au déjeuner et toute la soirée. Raconter ce qui est su ou sera oublié. Dire : une demi-douzaine d'œufs, alors que j'avais clairement dit une douzaine, c'est incroyable tout de même, un très joli ton de rose, un peu comme ton chemisier, pas celui que tu as mis samedi dernier, l'autre, celui que je n'ai pas vu depuis six mois, avec de la dentelle, le gaz vaut bien mieux que l'électricité, à mon avis il n'y a rien de tel, tu le montes, tu le diminues, c'est très économique même si les surfaces sont beaucoup, beaucoup plus difficiles à ravoir, j'ai vraiment insisté pour avoir de la tranche mais il ne restait que de la poitrine, c'est ce que tu es en train de manger en fait, c'est un peu gras, je pense que tu seras de mon avis, mais il n'y avait réellement pas le choix, alors j'ai mis un peu plus de poivre, les meilleurs morceaux sont généralement plus goûtus dans la poitrine même si c'est plus gras, ou peut-être justement parce que c'est plus gras...

Elle parlait, parlait, parlait. Pourquoi diable lui disait-elle que les glaïeuls étaient rouges et que le rouge ne lui plaisait pas tellement, alors qu'il était parfaitement capable de voir qu'ils étaient rouges et qu'il savait depuis des mois qu'elle n'aimait pas cette teinte ? Une profusion de paroles déréalise et cependant intensifie une profusion de choses. Il ne conçut pas exactement cette pensée, il avait le cerveau embrumé, il mâcha son poulet. Elle continua à parler avec vivacité. Ce qu'elle touchait avec des mots était pour elle désamorcé, neutralisé – acceptable. Elle suivait verbalement les contours intérieurs du logement, adoptant, de cette manière primitive, un miroir dont elle ne voulait pas, en le déclarant de la bonne taille pour donner l'air plus vaste au petit vestibule, se raccommodant avec les carreaux de la salle de bains, dans cette minuscule pièce sans fenêtre, grâce à des mots tels que concombre et avocat, et l'espoir formulé qu'ils seraient moins criards avec un tapis de bain et des rideaux assortis, du même coloris, mais en bien plus foncé. Il dit qu'elle avait sûrement raison. Elle fit nerveusement glisser avec sa cuiller ses noyaux de cerise et ses pépins de raisin autour de son assiette à dessert. La salade de fruits lui montait à la tête à cause d'un vin sombre et entêtant dans le sirop. Elle lui demanda si c'était du xérès ou du porto, et il dit n'en avoir aucune idée, peut-être bien le madère de l'Union des mères chrétiennes, en tout cas pas le vin de messe qui était sans corps et aigrelet. Celui-ci est corsé, dit-elle. Cela aussi, il n'avait pas besoin qu'elle le lui dise.

Elle fit la vaisselle, avec une sorte de cérémonie, et il l'aida. Elle tordit plusieurs lavettes et astiqua l'égouttoir pendant qu'il la regardait. Elle prépara du café et il en but un peu. Elle fit des allées et venues dans la salle de bains et la chambre, se livrant à des opérations qu'il ne sut pas identifier et auxquelles il ne s'intéressa pas. Au fur et à mesure qu'elle en touchait la circonférence le logement lui devenait, à elle, tolérable, mais au fur et à mesure qu'elle le faisait ce même logement se refermait sur lui. Il songea aux rues, là dehors. Il se leva, au bout d'un moment, et alla dans la cuisine où il resta dans le noir à regarder au-dehors. Deux lumières, la lune du cœur de l'été et un cube de sodium sur un poteau en béton, éclairaient les surfaces lisses et découpées des mottes d'argile, les faisant scintiller comme les vagues immobiles d'une mer épaisse et tranquille. Le tronc de l'aubépine et l'anneau noir du pneu étaient charbonneux, mais la surface des feuilles de l'arbre était tavelée, mouchetée de blancheur lunaire, tachée d'orangé acide. Il enfonça les mains dans les poches, redressa les épaules, s'installa dans le silence.

Finalement elle s'approcha tranquillement de lui, parderrière.

« Daniel…

— Hem.

— Que fais-tu dans le noir ?

— Je ne sais pas. » Plus fort. « Je ne sais pas du tout. »
C'était une déclaration.

« Je croyais que tu étais sûr de le savoir. »

Elle posa la main sur son bras et il se déroba. Elle
recula et resta parfaitement immobile. Après un certain
temps elle dit, « Tu étais le seul, tu étais absolument le
seul, à savoir ce qu'il faisait ».

Il ne répondit rien. Elle le voyait indistinctement,
grosse masse noire contre une vitre noire. Elle se rappela ses brusques accès de colère au presbytère. Ce
fameux jour dans la chambre de Mlle Wells. Il avait tout
fait, tout était de son fait. Elle lui saisit à nouveau le
bras, se haussa sur la pointe des pieds et embrassa sa
joue ferme. Il détourna la tête ; elle sentit sa colère cré-
piter sur sa peau. Elle essaya encore de l'embrasser, avec
un léger chuchotis câlin qui n'était pas prémédité, qui
n'avait pas lieu d'être, puisque lui-même avait maintenant capté son attention, sauf que cela le rendait
furieux. Il se retourna et chercha à la saisir, la broyant
entre ses bras, lui tordant les cheveux et lui écrasant le
visage sous le sien. Ils titubèrent à travers le logement
jusqu'à la chambre. Il se rappela à cette minute que la
première fois qu'il l'avait vue il avait eu envie de la briser. Il lui donna une espèce de coup sur les épaules. Elle
s'affaissa. Il pensa encore une fois, je suis ici, ici.

Plus tard il dit : je te fais mal, et elle cria, furieuse :
non, non, non, tu ne me fais pas mal. Encore plus tard,
il se sentit perdu et, ouvrant les yeux, la vit assise, nue,
qui le regardait, leurs deux visages ruisselant de larmes
et de sueur, leurs deux chevelures trempées. Il avait les
traits trop tirés par la fatigue pour sourire. Elle avait le
faciès rigide d'un masque, exacte réplique, s'imagina-
t-il, du sien. Il toucha son sein brûlant et hocha la tête.
Elle posa la main sur la sienne.

Encore plus tard il s'éveilla, et l'éveilla, et lui fit l'amour
pendant un long moment, tranquillement. Même s'il ne

savait pas qui elle était, son désir était excité, ils étaient tous les deux en un même lieu, c'était tout. Ils étaient anonymes, il faisait nuit, il ne savait pas ce qu'ils éprouvaient l'un et l'autre, mais il l'éprouvait. Il n'y avait plus maintenant de musique adventice.

De son côté elle eut la pensée, exprimée avec des mots, que c'était véritablement le seul instant de sa vie où son attention tout entière s'était concentrée sur un même point – le corps, l'âme, la partie, quelle qu'en soit le nom, qui rêve ou qui fabrique des images. Alors les images prirent le relais. Elle s'était toujours très vaguement représenté les espaces internes de son corps, la chair sombre au-dedans, pourpre noir, noirceur pourprée, flexible et changeante, plus vaste qu'elle-même s'imaginait l'être du dehors, sans aucune sorte de perspective saisissable, sans limites apparentes. Si Daniel les définissait en se mouvant parmi leurs cavités ductiles et leurs échappées aveugles, ces espaces ne renfermaient pas plus cette définition qu'elle-même ne les renfermait. Ce monde intérieur avait en propre un paysage clair. Il s'accroissait avec une assurance précise, la clarté s'élevant de l'obscurité, le saphir montant du pourpre noir, vaguant par des cavernes bien ancrées, eau vive transparente et bleue circulant entre les sillons creusés dans le basalte avant de sourdre dans des prés fleuris aux tiges vert clair, aux feuilles vaporeuses, aux fleurs chatoyantes qui dodelinaient et dansaient en lignes ondulantes et oscillantes jusqu'à l'herbe éventée d'une falaise surplombant une grève pâle et scintillante au-delà de laquelle miroitait la pâle et scintillante mer. Ils ont leurs lumières, a dit Virgile du séjour des morts, et l'espace intérieur, si resplendissant fût-il, d'une clarté plus vive que celle d'un jour d'été, se voyait à sa propre lumière tout en se sachant vu sur un fond de ténèbres, s'était dressé hors des ténèbres, était dans les chaudes ténèbres. Il se voyait, non pas avec l'œil dont use la mémoire dans le souvenir ou la récognition, mais avec la vision de l'enfant aveugle, et la lumière s'en répandait, était en lui, transparaissait à travers les tiges de fleur et l'eau vive, dans l'ondoiement des inflorescences et des épis de blé, une mer sans soleil regorgeant de son propre feu, des nuages de sable blanc sous un ciel de nuit juste au-delà de la vision. Elle était ce monde et elle y marchait, vagabonde, attardée, hâtive, entre la ligne des feuilles, la ligne du sable et la ligne de l'onde pure, la ligne perpétuellement brasillante et brisée, perpétuellement renouvelée.

TROISIÈME PARTIE

REDIT ET VIRGO

32

Saturnales

Les jardins de Long Royston se remplirent de voix et de corps, de palanquins dorés et de projecteurs aux câbles flexueux. Les chambres à coucher, les cages à lapins sous les combles où dormaient jadis d'invisibles armées de domestiques, étaient à présent occupées par des acteurs, des techniciens, des accessoiristes et des parasites. Des bus et des autocars ouverts transportant des foules, des orchestres, des danseurs et, en fin de compte, des spectateurs, arrivèrent de Calverley, York, Scarborough, et de localités au nord, au sud, à l'ouest et à l'est aussi loin que la mer. Ces bataillons étaient convoqués par Matthew Crowe, qui reportait leurs déplacements dans l'espace et dans le temps sur des cartes d'état-major et des calendriers dans la grand-salle. C'était un sorcier aux brillantes punaises multicolores. Il établissait des graphiques des répétitions avec différentes encres de couleur, émeraude, outremer, vermillon, sur de grandes feuilles de papier millimétré. Il en expliquait aux gens les complexités à l'aide d'une férule de maître d'école empruntée par Alexander à Blesford Ride. Il indiquait aussi le tracé de son propre domaine, le jardin d'agrément, le jardin d'hiver, le jardin de simples, le jardin d'eau, le vieux labyrinthe dit romain mais bien plus ancien. Il en avait fait dresser le relevé par hélicoptère, et l'avait fait restaurer avec du sable et des petites haies de buis.

Des paniers de roses en papier et des caisses de haches d'armes et de rapières arrivèrent dans des camions de livraison et furent entreposés dans les étables et les arrière-cuisines désaffectées. La bière débarqua tout au début en grande quantité, et le champagne en quantité moindre. Des sons, des airs étranges montaient dans les coins retirés et les bosquets. Dans la roseraie un contre-ténor offrait l'assurance répétée qu'ici ne rôde nul serpent, nul ours dévorant. Dans le potager un accent espagnol se battait avec les bredouillis sibilants d'anathèmes improcanonçables. Des nymphes et des bergers suaient sang et eau à danser la ronde sur les pelouses au-delà du haha.

Crowe dit à Marina Yeo, qui dormait sous les couvre-lits lunaires au-dessous de Cynthia descendant des cieux, que l'affaire prenait les proportions de l'un des voyages d'apparat de la reine vierge. Mlle Yeo, le regardant royalement en buvant son champagne sur sa terrasse dans le crépuscule doré, dit qu'elle présumait que c'était bien ainsi qu'il l'avait voulu. Crowe avoua un faible pour les grandes occasions. « Le feu d'artifice arrive demain. Je partirai dans une pétarade, sans une jérémiade, avant que les étudiants piétinent et saccagent mes pelouses. J'aime à voir un grand concours de peuple assemblé en un même lieu pour se livrer à ce que je nomme art, et non à ce qu'ils appellent vie. » Mlle Yeo observa qu'aucun nouvel arrivant ne semblait jamais repartir, ce qui fut en effet une caractéristique de ces trépidants mais néanmoins lucides mois de juillet et août. Le soleil brillait, ceux qui avaient à répéter répétaient, ceux qui n'avaient pas à le faire restaient pour une raison ou une autre, pique-niquer sur l'herbe et les marches de pierre, changer les décors, enfoncer des clous, dormir, regarder, se quereller, boire, faire l'amour.

Alexander s'arrêta, un après-midi, près d'un jardin d'hiver d'où sortaient d'assez indolents éclats de rire et de voix. On ne voyait rien derrière les haies à l'épais feuillage vernissé protégeant des vents d'hiver. À l'étroite entrée se trouvait un putto en pierre sur un socle dorique et, appuyé là contre, entourant les rugueuses fesses grises de son bras brun, se tenait Edmund Wikie en chemise ajourée bleu ciel et lunettes bleu ciel sur un short moulant en cloqué blanc. Il sourit à Alexander et dit, « Le génie à la porte du jardin », ce qu'Alexander prit momentanément pour une forme de compliment avant de subodorer que Wilkie faisait sans doute référence à sa propre personne.

Wilkie poursuivit, « Ben a bien du mal à tirer quoi que ce soit de structuré de ces trois-là, je puis vous l'assurer. Cette gamine a drôlement besoin qu'on lui fesse ou qu'on lui pince le postérieur. Peut-être devrais-je m'y employer. Ou bien vous.

— Il n'y a pas grand-chose à se mettre sous la main », dit Alexander, prenant la position, si l'on peut dire, de contre-voyeur de l'autre côté du portillon. « Et je ne me sens aucune envie de pincer le peu qu'il y a.

— Non ? dit Wilkie. Même pour l'amour de l'art ?

— Non », dit Alexander. Il était presque impossible, en regardant Wilkie donner une imitation grassouillette de Hillyard, de ne pas prendre soi-même une pose. La conscience de ce fait le poussa à une désagréable rigidité de soldat de la Garde, et à la réflexion que le postérieur de Wilkie, dans une dizaine d'années, approcherait, quant à lui, de la stéatopygie. Il remarqua que, du bout des doigts, Wilkie caressait doucement les dures petites verge et bourses de pierre du putto. Il dirigea son attention sur ce qui se passait dans le jardin.

La première grande scène d'Elisabeth, la première grande scène d'Alexander, la première grande scène de Frederica, était celle où la princesse courait en tous sens dans le verger, poursuivie par ce satyre amorphe et rusé de Thomas Seymour, et par sa marâtre, Catherine Parr, qui tous deux lui taillaient ses vêtements, tout en riant à gorge déployée, en mille morceaux. Alexander avait, espérait-il, utilisé cette scène pour laisser délicatement entendre les contradictions de la sexualité de son héroïne telle qu'il la concevait : le flirt féroce, la peur paralysante, la soif de pouvoir, le sentiment de solitude. Dans cette scène la princesse exprimait une panique qui était, au cours de la pièce, fréquemment évoquée mais jamais ouvertement renouvelée, puisqu'elle avait intelligemment décidé de ne pas se le permettre. À cette répétition, rien du texte d'Alexander n'avait encore été audible. Lodge tentait d'apprendre à ses acteurs, qui apprenaient lentement, à crier, à rire et à courir. Thomas Seymour était joué par un assez brutal bibliothécaire de la région, nommé Sidney Gorman, qui avait, comme Frederica, une grande ressemblance physique avec son prototype. Catherine Parr ressemblait davantage à la bourgeoise de Bath, des *Contes de Cantorbéry*, qu'à la reine puritaine et tristement passionnée. C'était la femme d'un avocat et elle jouait depuis des années les braves femmes maternelles dans les spectacles d'amateurs de la région.

« Courez, disait Lodge. Pour l'amour de Dieu, courez, courez pour de bon. »

Il y avait un petit bassin au centre du jardin d'hiver, où un mince filet d'eau tombait d'une conque tenue à l'envers par une sirène lovée au petit sourire espiègle. Frederica se mit à courir autour de ce bassin, suivie par Gorman, lui-même suivi par Joanne Plummer. Elle essaya assez désespérément de rejeter la tête en arrière et posa la main sur la hanche sans grâce ni naturel. Elle fit une halte théâtrale pour lancer un regard provocant à ses poursuivants qui, tout près d'elle, eurent beaucoup de mal à s'empêcher de buter contre elle. Lodge cria, « Non ! non ! » Il dit, « Tu étais très sexy d'une drôle de façon à l'audition. Qu'est-ce qui t'est arrivé ? » Gorman, en se frottant un tibia qui avait heurté la margelle du bassin, regarda ostensiblement comme s'il avait du mal à croire une chose pareille. Wilkie dit à Alexander, « C'est quand elle parle qu'elle est sexy. Je l'ai remarqué. » Frederica demanda à Lodge, « Est-ce que je ne peux pas dire mon texte ? »

Elle était désespérément affligée par son incapacité à se déplacer. Tiraillée entre l'arrogance et la soumission enfantine, elle avait cru tout à la fois qu'il lui suffirait de venir aux répétitions pour affirmer sa supériorité naturelle d'actrice et de reine, et qu'elle était censée être un matériau neutre et malléable auquel l'imprésario insufflerait la vie, l'animant sous la forme de son choix. Elle ne savait plus, à présent, si elle devait épater la galerie ou bien marcher comme une marionnette quand elle en recevait l'ordre. Elle en voulait à Lodge de ne pas lui expliquer comment courir, et se sentait humiliée qu'il ne s'aperçoive pas qu'elle ne savait pas s'y prendre naturellement. Quant à Gorman et à Joanne Plummer, elle ne les prenait pas en considération. Physiquement, elle les exécrait tous les deux d'une manière très sensible à Lodge, habitué à se dépêtrer de telles réactions chimiques. C'était également sensible à Wilkie, que cela amusait. Elle ne regardait pas Gorman et Plummer quand ils parlaient, ce qui, d'un côté, correspondait à son personnage et, de l'autre, causait des ravages, car cela rendait leur jeu à tous plus maladroit et incertain.

« Dis un peu ton texte si tu veux. Prends à la réplique de Tom Seymour sur les flammes et la crème. Essaie de te rappeler que tu es en train d'essayer le jeu du flirt royal – tu as la trouille que ça ne marche pas. Rappelle-toi ce que Marina fait de cette pointe d'agacerie dans la grande scène du masque. Essaie de donner une imitation maladroite de ça. Marina a trouvé le ton à la perfection. Et quand il se jette sur toi, cours. Cours, regarde en arrière, et cours de plus belle. Rappelle-toi qu'une part de toi-même veut être attrapée. Laisse-le te flanquer par terre, cependant, ne tombe surtout pas de toi-même. D'accord ? Attention au bassin. Pas besoin de lentilles d'eau. Ce que je veux, c'est franchement de la turbulence. Cette scène, c'est du vrai de vrai, vois-tu – elle est traduite formellement par une espèce de poursuite dansée, de farandole, dans la grande scène du masque. Mais pour vous trois, il faut une mêlée et de la turbulence. Compris ? »

Frederica était certainement assez intelligente pour comprendre ce qui était demandé. Elle manquait simplement de capacité d'expression corporelle pour y faire quoi que ce soit. La voix de Lodge ronronnait et menaçait en même temps. Bien des actrices, Marina Yeo y compris, sentaient leurs seins et leur vagin s'émouvoir à ce type de menaces feutrées. Frederica était glaciale, son anxiété était intellectuelle. Gorman la saisit par les épaules et recommença. « Vois, petite lionne, petite rose piquante... » Son haleine empestait puissamment la bière et les oignons au vinaigre. Elle plissa son nez aquilin. Ses seins menus se gonflèrent, non d'émoi, mais de détresse et d'inaptitude.

« Vous ne croyez pas que nous améliorerions les choses en cessant de nous cacher et en allant grossir l'auditoire ? dit Wilkie.

— Nous les rendrions bien pires.

— Absurde. Vous faites apparaître le paon rudimentaire en cette cruellement virginale créature.

— Je n'ai pas demandé à Ben de lui donner le rôle.

— Bel illogisme. Vous savez qu'elle sait ce que vous voulez. Et vous savez qu'elle veut tellement faire ce que vous voulez. » Il donna une ultime chiquenaude aux petits avantages de pierre du putto. « Venez, monsieur, rendez-vous utile. »

Ils prirent place sur un banc de pierre, à une certaine distance de Lodge, qui paraissait sombre. Frederica, plus crispée, dit quelques vers avec vigueur, trébuchant sur certains mots et recouvrant farouchement sa dignité avec une tension dramatique qui pouvait être due, soit à la qualité voulue de son jeu, soit à la conscience de la présence d'Alexander. Lodge se redressa sur son banc. Gorman bondit sur elle avec tiédeur et onction. Lodge se leva en hurlant. Wilkie ricana juste perceptiblement. Frederica, empourprée de confusion, les roses rouge et blanche écartelant sa face, tomba sur la margelle du bassin et se mit à saigner abondamment à la cheville. Lodge réclama un mouchoir propre dans l'assistance et le plus propre fut, inévitablement, fourni par Alexander. Alexander s'agenouilla pour le nouer soigneusement autour de la mince jambe poussiéreuse.

« Je ne sais pas me déplacer. Je ne suis bonne à rien. Je vous trahis.

— Ça va venir.

— Vous n'en pensez pas un mot. Vous ne l'avez jamais fait. Vous aviez absolument raison. » D'un air piteux, Alexander essuya ses doigts tachés de sang sur son mouchoir immaculé.

« Mais si, je l'ai pensé, mentit-il, et je le pense encore. Est-ce que cela vous faciliterait les choses d'avoir une vraie jupe longue ? » Il avait souvent constaté, en montant des pièces au collège, que cela aidait les garçons.

« Peut-être.

— Ça doit pouvoir s'arranger. Voulez-vous que j'essaie ? »

Elle renifla une larme, à cette gentillesse, à sa propre humiliation. Alexander parla à Lodge, qui parla à quelqu'un, qui fournit une espèce de jupon en papier renforcé, et, après quelques discussions, arma Joanne Plummer des grands ciseaux de coupe de l'habilleuse. Alexander aida, avec des épingles de nourrice, à attacher le papier flottant à la chemise de sport que portait Frederica. Lodge leur fit reprendre la scène. Sur ces entrefaites plusieurs acteurs de la scène qui devait être répétée ensuite et qui incluait le masque, arrivèrent. Parmi eux, Jennifer ainsi que Matthew Crowe, lequel avait réussi à se faire donner le rôle de Francis Bacon en robe de velours bordée de fourrure.

Cette fois-ci, la scène marcha mieux. La colère, le contact d'Alexander, la présence entraperçue des brunes épaules nues et des cheveux fraîchement lavés de Jennifer, mirent beaucoup d'animation dans les invites et les rebuffades énigmatiques de Frederica. Le jupon lui donnait quelque chose à faire de ses mains encombrantes. Joanne Plummer, de son propre chef, posa la main sur l'épaule maigre de la jeune fille pour la retenir, et Frederica réagit avec un tressaillement aussi royal que convaincant et lança ses feintes réprimandes dans le vide, quelque part entre Sid Gorman et Alexander Wedderburn. « Je n'ai pas usage qu'on use ainsi de moi », dit-elle, et sa voix eut enfin ce mélange d'impatience acerbe et d'impudeur involontaire qui avait enflammé Lodge le jour de l'audition. Gorman, éperonné, se livra à une véritable agression ; il fit tomber la jeune fille, assez lourdement, comme dans un plaquage au rugby, et Joanne Plummer, excitée par les ciseaux qu'elle brandissait au-dessus de sa tête, se mit à rire et taillader, et encore à rire et taillader, en pleine hystérie, agitant les ciseaux en l'air entre chaque estafilade, tandis que Gorman lacérait assez posément le papier entre les jambes de Frederica. Des lambeaux et des débris voltigeants de papier blanc, tels des pétales tombés, se posèrent sur le bassin et les pelouses. Frederica se tortilla, se dégagea, pressant sa jupe contre son bas-ventre et psalmodiant violemment, vigoureusement, intelligemment, ainsi qu'Alexander l'avait souhaité, le cri de la vieille femme dans l'antique ballade. « Dieu m'ait en sa merci, ce n'est en rien moi. » L'assistance applaudit. Wilkie dit à Alexander, « Voyez-vous la phase finale en maillot chair ou avec une épaisseur de jupon ? » Et Alexander dit, prenant au sérieux ce qui était pour lui une question sérieuse, « Je veux ses cheveux défaits et quelques lambeaux d'un truc en coton entre catin et nymphe – un petit bout de baleine de corset – quelques fleurs plantées là par Seymour… – Lady Chatterley, dit Wilkie. – Grotesque, dit Alexander. – Les fleurs sont une touche heureuse n'importe comment », dit Wilkie.

La scène suivante, non pas dans l'ordre chronologique mais dans celui des répétitions, était la grande scène du masque. Elle se déroulait, dans la pièce, à la fin de l'acte II. Il peut, à ce stade, être utile d'indiquer brièvement la structure de la pièce d'Alexander, à la fois comme il l'avait conçue et comme Lodge l'élaborait à présent.

Chacun des trois actes était précédé d'un dialogue méditatif entre Ralegh et Spenser, assis sous le faisceau d'un projecteur sur la terrasse obscure, jouant éventuellement aux échecs et devisant, en vers, de problèmes pratiques d'intérêt permanent, tels que l'armement des navires, les cannibales de Guinée, la bestialité et la totale déraison de la paysannerie irlandaise ; ou bien de considérations théoriques touchant les lunes et la vision, les tubes optiques et la question de savoir si des yeux rougis ou étirés à l'oblique voient des mondes rougis ou étirés à l'oblique, sujet sur lequel Ralegh, à la suite de Pline, avait écrit son traité du *Sceptique*. Ils devisaient aussi un peu de la reine, la vraie reine et l'impératrice éternelle, la Cynthia de l'Océan, la Gloriana de *La Reine des fées*, l'Idée de Drayton et de Platon.

L'acte I comprenait Marie Tudor, l'emprisonnement d'Elisabeth, l'accession. L'acte II incluait les périls et l'âge d'or : l'Armada, la mort de Marie Stuart, les pour-parlers de mariage. Son finale était le masque de cour, la descente d'Astraea, la vierge juste, la dernière des immortelles à quitter la terre à l'aube du bestial âge de fer, la première à revenir pour annoncer le nouvel âge d'or. *Redit et virgo, redeunt Saturnia regna.* Comme l'écrit Virgile. L'acte III observait le déclin de la reine, la rébel-lion d'Essex et les triomphes dans les marais des rudes Irlandais. Il s'attardait sur l'entrevue avec l'archiviste de la tour, à qui elle avait dit, « Je suis Richard II, ne le savez-vous pas ? » *Le Roi Lear* pointait ici, en écho, en citations subreptices, souvent seulement dans l'inclusion fortuite de termes puissants, criste-marine, le cauche-mar et ses neuf pouliches, germes et moules, le bouton trop serré, le miroir et la plume de la fin du monde pré-dite, ou l'image de cette épouvante. Parfois Alexander pensait qu'il aurait dû les supprimer. Souvent Lodge les supprimait bel et bien, arasant et aplanissant le texte. Alexander les regardait comme une flore naturelle, jaillie d'elle-même dans son esprit, un bois sacré. Lodge disait que d'où qu'elles vinssent elles seraient prises pour des fioritures vulgaires et ostentatoires, collées sur le tout.

Chaque acte comportait un prisonnier solitaire, Eli-sabeth, Marie Stuart, Essex abject et dégénéré. L'épi-logue était confié à Ralegh, également emprisonné dans la Tour, après quinze années de captivité, la terrible expédition de l'Orénoque et l'*Histoire du monde* encore à venir. Le sage et sérieux Spenser était mort à cette époque, son château de Kilcolman incendié par les sau-vages en même temps que plusieurs volumes perdus, croyait-on, de l'interminable *Reine des fées*, et lui-même inhumé, dans l'indigence, à côté de Chaucer dans l'ab-baye de Westminster, par les soins d'Essex. Quand cette lumière-là s'éteignait, dans la pièce d'Alexander, les ombres commençaient à s'allonger et à se refroidir.

Les monologues des captifs alternaient avec les scènes de foule turbulente et les cérémonies somptueusement élaborées par Lodge. Sur ce fond de danse arrivaient du monde extérieur divers messagers noirs qui racontaient le supplice de Lopez pendu, écartelé et rompu sur son gibet, la digne et ridicule mort de Marie Stuart emperruquée, Essex et son horrible traversée solitaire de la Cité. Les messagers d'Alexander avaient, espérait-il, l'importance essentielle des messagers de la tragédie grecque, et ils s'exprimaient, espérait-il, en vers particulièrement solides et bien musclés. Lodge ne cessait d'y pratiquer des coupures. Selon lui, ils détournaient l'attention de l'action. Alexander disait qu'au contraire ils étaient en eux-mêmes l'action et devaient agir par la poésie sur l'imagination du public, tandis que les personnages d'argent et d'or du masque tissaient leur labyrinthe de plaisir et de vertu, et que les poètes demeuraient assis sur les marches de la terrasse. Lodge estimait que les spectateurs ne manqueraient pas de remuer, de s'agiter, par les soirées froides, malgré leur provision de couvertures et de thermos, et qu'il fallait vraiment que les choses ne traînent pas. Alexander, disait-il, imaginait d'interminables soirées claires et embaumées, la lune haute dans le ciel, les étoiles voguant, mais il avait personnellement vu trop de pièces en plein air chuter précisément pour cette raison-là. En secret il pensait que l'ouvrage d'Alexander était un peu comme le corps de Frederica Potter, intelligent et statique. L'un comme l'autre avaient besoin d'être un peu bousculés et assouplis.

Le masque d'*Astraea*, la pièce enchâssée dans la pièce d'Alexander, coïncidait alors avec l'annonce de la mort de l'autre reine, offrant à la vision d'un monde idéal, de cycles révolus, de moisson éternelle, un sinistre contrepoint. Lodge avait voulu faire descendre Astraea et ses suivantes sur des câbles d'or, mais cela s'était avéré impraticable. Leur danse cérémonieuse, dans le style des masques, incluait néanmoins toute la Cour pour finir, y compris Ralegh, Spenser, Bess Throckmorton, ainsi qu'un antimasque de petits satyres cornus et velus joués par des jeunes garçons, et culminait avec une saturnale mi-réglée mi-déréglée et le fameux dialogue « *douceuralteur messiralteur* » extrait d'Aubrey dans sa beauté originelle. Wilkie-Ralegh était un élégant Dionysos. Marina Yeo, incrustée de pierreries, siégeait sur un trône élevé où elle restait un point fixe, jusqu'au moment où elle était finalement incitée, elle aussi, à se joindre à la danse, avec une noble prestance.

Astraea et ses suivantes étaient jouées par Anthea Warburton et les jolies filles qui avaient naguère causé le désespoir de Frederica ; leur rôle de visions était pratiquement sans paroles. Anthea avait un visage de Vénus de Botticelli, un corps de reine de beauté, et une contenance pleine de dignité. Elle savait porter une gerbe de blé en adoptant diverses poses classiques également charmantes. Elle savait balancer ses bras blancs, ou incliner sa lourde tête couleur de blé mûr, et déclencher chez les spectateurs, et en Lodge, un sourire involontaire, tant le geste était parfait. La cohorte des grâces et des jeunes demoiselles d'honneur qui l'escortaient répandait une atmosphère toute féminine de santé, innocence, bon vouloir et émerveillement devant le prestige des acteurs, qui devint une composante de plus en plus essentielle de l'atmosphère de bacchanale qui s'instaura. Elles pouffaient en avalant les sandwiches qu'elles tenaient en réserve dans leurs casques, elles succombaient à des coups de cœur pour les vedettes, Max Baron, Crispin Reed, Roger Braithwaite, Bob Grundy, sans ni savoir ni ignorer l'effet produit par leurs tendres et sottes exaltations.

De cette cohorte Frederica, en vertu de son rôle, et plus encore de sa nature, se trouvait exclue. Elle ne savait pas pouffer de rire. Aucune ne se tournait vers elle dans un brusque torrent de larmes pour chercher du réconfort. Aucune ne lui confiait s'être emparée d'un mouchoir de Braithwaite brodé à son chiffre. Il fut vite de notoriété publique qu'elle en pinçait pour Alexander Wedderburn, mais, pour une raison ou pour une autre, cela fut considéré comme une folie, une aberration et même, elle le soupçonna tristement, une lubie pathétique. L'espèce de rage que le doux babil de la Cohorte allumait en elle joua un rôle dans la suite de cette histoire.

La Cohorte produisait aussi un effet sur Jennifer. Elle avait appliqué son intelligence au problème de son amour et décidé que de tout l'été Alexander ne devrait ni entendre parler du lave-linge ni apercevoir le petit Thomas. Cela exigeait des trésors d'organisation, car le petit Thomas et le lave-linge étaient certainement toujours bien là. Elle s'occupait de l'un et de l'autre le soir, et faisait appel à des amies de la Cohorte pour garder son bébé. Elle se rendait à Calverley, se faisait coiffer et s'achetait des robes bain de soleil et des jupes froufroutantes. Ce jour-là, vêtue de popeline pêche avec des rubans pour bretelles, elle était assise plus ou moins avec la Cohorte, l'air plus jeune, moins blême et moins brusque. Cela toucha Alexander, qui alla s'asseoir à ses pieds. Il fut suivi de Wilkie, qui assura Jenny qu'il attendait avec une vive impatience leur entrée dans la danse.

Lodge disposa la Cohorte en attitudes harmonieuses à un bout de la terrasse, les petits satyres dans des buissons propices, et les personnages de la Cour au centre, échelonnés de marche en marche vers le trône. Les filles avancèrent en dansant et en jetant des guirlandes imaginaires. Les garçons s'élancèrent en rebondissant acrobatiquement sur leurs petites jambes. Lodge incorpora les seigneurs et les dames à ce mouvement général, les faisant traverser à pas mesurés l'espace où ils allaient sautiller et gambader. Il n'y avait pas de musique ; l'ensemble instrumental n'était pas encore venu aux répétitions. Frederica était assise auprès d'Alexander ; elle n'avait aucune raison de ne pas rentrer chez elle, sinon la crainte de manquer quelque chose. « Ah ! bel et tendre Robin… » dit Marina Yeo à Max Baron. « À toi, Wilkie », dit Lodge. Wilkie poussa Jenny contre une colonne en rocaille – « Ce devrait être un arbre », dit Alexander en se penchant en avant – et enfonça un genou rebondi dans les plis épanouis de la robe pêche. « Non, doux Sir Walter, messire Walter », s'écria Jenny avec conviction. Wilkie posa le visage sur le sein de Jenny au-dessus du décolleté volanté de sa robe bain de soleil. Elle piqua un fard et bredouilla de façon très convaincante sa réplique. « Épatant », dit Lodge. « Nos plus beaux jours sont des ombres, dit Marina Yeo, mon Robin, et nos gestes, les mêmes et encore les mêmes, se roidissent un peu, quoique toujours neufs. »

« Alexander, dit Frederica, pourquoi les actrices rou-
coulent-elles toujours ainsi les mots ? Pourquoi ne peu-
vent-elles juste parler distinctement ?

— Chut, dit Alexander.

— Bel et tendre Robin, dit Frederica en une imitation
vibrante.

— Chut. »

Le genou de Wilkie était enfoncé plus avant, son bras
serrait. « *Douceuralteur messiralteur* », dit Jenny. « Stop !
dit Lodge. Pas de fausse honte, une espèce de stridence
démente, si tu peux y arriver, mon chou.

— Une espèce d'orgasme, dit Wilkie.

— C'est certainement très drôle si c'est juste au même
moment », dit Frederica à Alexander qui ne répondit pas.
Wilkie empoigna les épaules nues de Jenny et parut
murmurer d'un air féroce à son oreille. Cette fois-ci le
doux Sir Walter s'acharna avec un ardeur implacable et
le douceuralteur messiralteur mérita assurément le nom
de stridence démente. Lodge applaudit, Wilkie embrassa
Jenny, Alexander fit taire Frederica avec irritation, et la
reine se dressa, flamboyante de colère virginale, avant
que toute l'assemblée se disperse dans les rires.

Plus tard, ce même après-midi, la première note du
chœur des bouteilles, qui devait atteindre de si glorieuses
et hideuses proportions, retentit. Edmund Wilkie, qui avait
vidé une bouteille de bière, souffla dans le goulot en émettant une note méditative, un chant murmurant, hululant,
de hibou, que répercutèrent avec une force surprenante la
pierre et les troncs d'arbre. Il essaya encore une fois sur le
rythme de l'une des danses. Alexander se mit à rire et à
souffler dans une bouteille plus pleine à l'autre bout de la
terrasse. Crowe agita magistralement sa férule et les deux
autres improvisèrent, mi-flûtant mi-sonnant, une sorte de
mélodie. Lodge leur fit une courbette, cria « Bis ! » et revint
à la danse. Les jours suivants, Wilkie forma un octuor de
bouteilles, et ensuite un orchestre, combinant bouteilles
de champagne et de cidre, canettes et quarts de bière, flacons de whisky, enrôlant des batteurs aussi bien que des
souffleurs, tambourinant, chantant, soupirant. Plus tard

encore arriva le moment où les accords dissonants sombrèrent dans une cacophonie effrénée et un tam-tam inepte. Mais, ce jour-là, Alexander sur la terrasse fit un signe de tête à Wilkie et marqua la mesure avec le pied ; Anthea agita sa crinière et ses poignets ; Thomas Poole, ayant trouvé une bouteille de Guinness pleine et, l'ayant presque entièrement vidée d'un seul trait, se mit lui aussi à hululer, et le duo se mua en trio. La Cohorte pouffait. À la fin du tableau Alexander entraîna Jenny dans une danse le long de la terrasse et disparut avec elle dans la grand-salle ; la Cohorte leur emboîta le pas ; Frederica, qui n'était ni musicienne ni gracieuse, fut laissée pour compte à Crowe, lequel fourra sa badine sous son bras à la militaire, lui offrit son autre bras et la mena à l'intérieur.

Crowe offrit à boire. Max Baron s'assit sur une table et régala la Cohorte d'une dissertation sur le secret d'*Hamlet* où il avait été un Claudius très remarqué. Alexander et Jenny étaient assis ensemble à une fenêtre. « Que diable ce type t'a-t-il dit ? » dit Alexander. Wilkie présentait à deux mains, d'une manière infiniment spectaculaire, une grande coupe de vin à Marina Yeo. « Il m'a seulement dit, "Attendez que j'y fourre la main". C'était pour rire. – C'était un gamin répugnant. – Ce n'est plus un gamin aujourd'hui. Et il n'est plus répugnant. Mais tu n'as pas besoin de le prendre tout à fait au sérieux. » Elle était rouge de plaisir et de bonheur ; c'était de nouveau la récréation. Alexander lui pressa la main.

« Alors j'ai su, j'ai su, disait Max Baron à la Cohorte, j'ai su sans conteste que Claudius avait séduit Ophélie avant le début de l'action. Ça explique absolument tout. Le fait qu'il est le foyer de corruption, c'est à lui et à personne d'autre qu'elle s'adresse quand elle chante tous ces trucs sur la virginité… »

Anthea Warburton, à l'insigne surprise de Frederica, entonna d'une voix claire et froide de soprano :

> *Alors il se leva et ôta ses habits*
> *La porte de la chambre ouvrit*
> *Puis fit entrer la jeune fille*
> *Qui ne ressortit jeune fille.*

Il y eut un moment de pur silence, puis la Cohorte pouffa à l'unisson. «Exactement, dit Max Baron. Et elle le chante à lui, au roi, dans la scène des fleurs – c'est la dernière trahison désinvolte du pauvre Hamlet...

— Qui n'est pas là, dit Frederica d'un ton bourru.

— Ce n'est pas la question. La vraie question, c'est qu'il y a quelque chose de pourri, et que Claudius en personne...

— Je ne pense pas que cela puisse être juste, dit Frederica.

— J'ai su sans contredit, quand elle est arrivée avec ces fleurs, que lui savait, que Claudius savait, et que, moi, je savais... qu'elle devait être jouée en jeune friponne chevronnée qui sait que c'est sa faute à lui, qu'elle est sa créature...

— Je trouve ça génial, dit Anthea Warburton.

— C'est absurde, dit Frederica qui avait voulu murmurer entre ses dents mais s'entendit parler avec la voix de stentor de son père.

— C'est une théorie fascinante, dit Crowe doucettement à côté d'elle.

— Non, c'est absurde. Il était meilleur dramaturge que cela. S'il avait voulu une chose pareille, il l'aurait clairement signifiée. Laërte pense que Hamlet, je dis bien Hamlet, peut avoir conquis les faveurs de sa sœur. Mais pour le reste, c'est absolument impossible.

— Je ne vois pas pourquoi. Je vous le dis, je l'ai tout bonnement su.

— Ce que vous avez su, dit Frederica scrupuleusement, pertinemment, impardonnablement, c'est ce que vous ressentiez.» Ignorant Crowe, elle se tourna vers Alexander. «Alexander. Alexander – il était à l'évidence meilleur dramaturge...»

Alexander, le bras tranquillement passé autour de Jenny, laissa complètement tomber Frederica. «C'est le texte le plus énigmatique de tous», dit-il. Il s'en voulut, puis il pensa : Je ne suis pas en classe – et resserra le bras autour de sa bien-aimée.

Crowe dit à Frederica, «Vous n'avez rien à boire.

— Non.

— Il vous faut boire.

— M'avez-vous jamais entendu refuser?» Ce fut mal dit. Elle avait le visage en feu. Crowe lui donna une boisson fraîche et dit, «Venez, j'ai quelque chose à vous montrer».

Ainsi se retrouva-t-elle une fois de plus dans son salon privé, et il lui montra les dessins pour les danseurs du masque, hommes encornés et femmes feuillagées, et ses petites mains dodues lui enserrèrent la taille.

«Petite grincheuse raide comme un échalas. Un peu de souplesse, un peu de souplesse.»

Le salon était presque entièrement plongé dans l'obscurité. Un tube fluorescent au-dessus du Marsyas, le disque lumineux de la lampe de bureau.

«N'empêche qu'il a tort, tout simplement tort, son interprétation du texte est fausse.

— Oui, bien sûr, mais quelle importance?» Il avait apporté la bouteille fraîche ainsi que des verres. «Asseyez-vous, regardez mes Inigo Jones…»

Elle s'éloigna et s'assit. Il la suivit à pas feutrés, visage poupin d'angelot, tonsure argentée, petite bedaine. «Je pourrais faire de vous une vraie femme, Frederica.

— Il serait plus indiqué de faire de moi une vraie princesse vierge. Il faut que je sois bonne, puisque ça ne sert à rien d'être intelligente, que je n'ai aucun talent comme le chant et la danse et que, pour dire les choses franchement, je ne suis pas assez au fait pour voir ce que vos tableaux ont de spécial, sinon qu'ils sont vieux, les gens sont toujours à me montrer des choses et encore des choses, et je suis tout simplement trop ignorante pour savoir pourquoi ces choses inspirent ce qu'elles inspirent. Et quand je dis ce que je sais, je me fais huer.

— Ma chère enfant, ma très chère enfant, je veux seulement que vous vous souveniez dans dix ans d'avoir vu ces choses – mes dessins au trait, mon Marsyas sanglant, mon Hyacinthe mûr, je veux que vous vous souveniez, vous incarnez qui doit se souvenir. Encore un peu de vin. Vous pouvez rester indifférente aujourd'hui, mais vous vous souviendrez avec clarté. Quand je serai mort ou sénile.

— Absurde.

— Après avoir si récemment claironné absurde pour une si bonne cause, ne mentez pas à présent. Quel âge me donnez-vous ?

— Je n'en ai pas la moindre idée.

— Vous me trouvez vieux ?

— Comparé à moi.

— Ah, eh bien, oui. » Il s'assit sur le bord de son fauteuil. Il glissa la main dans son corsage et entreprit de lui pincer les seins. « Pas assez vieux pour être nécessairement repoussant ?

— Non. » Et pourtant il l'était, ou cette activité particulière l'était, à ce moment précis.

« Mais pas irrésistible comme Alexander Wedderburn.

— Je l'ai aimé toute ma vie. Ou presque. Vous le savez.

— Je ne le sais pas. En dépit de ses autres – intérêts.

— Ce n'est pas sérieux.

— Vous parlez avec une effroyable certitude. Et savez-vous » – en lui tordant le sein presque sans ménagements à présent – « ce qui est vraiment sérieux, avec lui ? »

Elle commença à dire qu'elle croyait le savoir, voulant dire par là qu'elle-même sérieuse, quand le moment serait venu et qu'elle y parviendrait, ce qui, de fait, ne s'était pas encore produit, et puis, sentant le danger, elle ferma la bouche. Elle commença de nouveau à dire que sa pièce l'était, et de nouveau ferma la bouche, comme si elle laissait voir quelque chose de vulnérable en Alexander, ce qui était ridicule, étant donné que Crowe devait savoir, mieux qu'elle, ce que sa pièce signifiait pour Alexander. Elle tourna un visage silencieux et farouche vers Crowe, qui lui picora puis lui mordit quasiment les lèvres. Après quoi il lui fit franchement mal, en même temps qu'il lui caressait les seins. Elle se demanda si elle ne devait pas lui rendre sa morsure. Elle continua à parler.

« Ça ne sert à rien, je ne suis pas cultivée, j'en connais juste un peu plus en littérature que la plupart des filles de mon âge.

— Racontez-moi.

— Eh bien je connais *Phèdre*, *Le Misanthrope* et *Vol de nuit*, ainsi que *Hamlet*, *La Tempête* et le *Paradis perdu*, chants IX et X, et Keats (1820), *Les Hauts de Hurlevent*, *Kubla Khan*, les poèmes choisis de Goethe, ainsi que *Tonio Kröger* et *Aus dem Leben eines Taugenichts*, et je connaîtrai *Persuasion* et une œuvre de Kleist parce que c'est à mon programme du baccalauréat. Oh, il y a aussi de l'Ovide, du Tacite, et *L'Énéide*, chant VI. Et puis j'ai lu », ajouta-t-elle tandis que Crowe glissait la main sous sa jupe et la picotait assez haut avec ses ongles pointus, et qu'elle pensait sinistrement à Ed et à Goathland, « j'ai lu *L'Amant de lady Chatterley* et tous les autres Lawrence exigés par papa. Mais je puis vous dire », dit-elle en regardant d'un air mauvais les gouttes de sang dans les muscles entrelacés du Marsyas, « que cela ne sert à rien pour la culture qui est la vôtre, pour ce que vous êtes toujours à me montrer.

— Des petites pommes bien dures, dit Crowe, et des petits œufs de poisson tout doux. Vous êtes une charmante créature, dure et tendre, et vous saurez, si vous ne le savez déjà, que le chant VI de *L'Énéide*, *La Tempête*, *Phèdre* et *Tonio Kröger* ont directement à voir avec ce que je vous montre, et que si vous utilisez les mots avec la moindre pertinence quand vous dites "connaître" ces choses, vous êtes condamnée à n'avoir d'autre espoir que de comprendre tout le reste aussi. Voulez-vous que je vous raccompagne, ou que j'engage Alexander à vous prendre en surnombre avec Mme Parry ? Ce qui vous incitera à revenir vous asseoir sur mes genoux et à m'en montrer un peu plus pendant que je vous en montrerai un peu plus.

— Alexander, s'il vous plaît.

— Vous ne serez pas la bienvenue.

— J'y suis habituée.

— Croyez-vous que vous finirez par obtenir ce que vous voulez ?

— Je ne sais pas. Cela ne semble pas être la question.

— J'admire votre résolution.

— C'est tout ce que j'ai.

— Pas tout à fait. Des pommes, des œufs de poisson, une base minimale de culture. Mais je ne crois pas que vous découvrirez que ce que vous voulez est bien ce que vous voulez une fois que vous l'aurez. Il y a une brosse à cheveux dans mes cabinets, et un miroir. Je m'en vais de ce pas exécuter vos ordres. »

Jenny était heureuse. Lodge était élogieux, Alexander était attentif et Wilkie flirtait juste ce qu'il fallait. Elle pensait, non à Thomas, mais aux symboles de l'existence de Thomas : la porte d'entrée, une assiette sale décorée d'un Pierrot Lapin, le jour filtrant à travers les rideaux de coton fermés. Elle avait horreur des rideaux fermés, mais il le fallait bien pour les bébés. Crowe approcha et dit que Frederica avait trop bu et qu'il lui avait promis qu'Alexander la raccompagnerait chez elle. Alexander répondit qu'il avait d'autres projets. Crowe dit qu'ils pouvaient attendre. Jenny ajouta que cela n'avait pas d'importance. Son ton était si différent de son aspérité de ces derniers temps, qu'Alexander la serra rapidement dans ses bras et fut inondé de chaleur et de bien-être, sensation qui persista lorsque Crowe revint avec une Frederica légèrement frénétique. L'intimité est souvent renforcée par la présence indésirable d'une tierce personne. Ce fut le cas cette fois-là. Jenny prit place à côté d'Alexander, le touchant de la cuisse, de l'épaule et de doigts baladeurs. Frederica, secouée à l'arrière, broyait solitairement du noir. Au moment où ils franchissaient les grilles au sol contre le passage des bestiaux, elle se rappela sa vision des corps affalés sur cette même banquette à Goathland, et Alexander, au même instant, se rappela le visage outrageusement fardé à l'affût derrière la vitre par laquelle il regardait maintenant. Il fit une dangereuse embardée sous un cèdre. Jenny éclata de rire. Frederica dit, « Mince alors, regardez où vous allez ». Alexander lança, « Pour l'amour de Dieu, la ferme, Frederica ».

33

Annonciation

Stephanie se trouvait dans la cabine téléphonique au centre des chenilles circulaires sur la mer de boue de la cité Askham, et essayait de donner un coup de fil. Il faisait chaud. La cabine sentait le tabac froid, l'urine évaporée, le métal chauffé. Les enfants cabriolaient et se laissaient choir autour des pneus noirs de leurs portiques. Les annuaires aux couvertures arrachées étaient gondolés et patinés de graisse brun-gris. Dans sa colonne d'air fétide elle déchiffrait d'un air de dégoût un numéro sur un petit bout replié de papier blanc. Daniel l'observait de leur fenêtre. Une silhouette rose et blanche entre des barreaux écarlates, penchant l'oreille, pointant le doigt, pressant le bouton A.

Le déclic se fit. Ses genoux tremblèrent. « Ici Mme Orton. Vous m'aviez dit que si j'appelais vers cette heure-ci vous sauriez peut-être quelque chose.

— Je vais vous le passer. Un moment, je vous prie. »

Nouveau déclic. Bourdonnements sur la ligne. Bourdonnements dans l'esprit qui attend.

« Ah oui, madame Orton. » Une voix tonnante et péremptoire. « Je suis heureux de vous annoncer que les résultats sont positifs. » Heureux n'était pas un terme approprié ; le médecin s'exprimait davantage comme un juge que comme un porteur de bonne nouvelle. « Vous feriez mieux de venir me voir le plus tôt possible. Vous aurez à prendre certaines dispositions, retenir un lit et ainsi de suite… Madame Orton, vous êtes là ?

« — Oui, bien sûr.

— Vous avez entendu ce que je vous ai dit ?

— Oui. J'ai entendu. »

La voix chercha ses mots et demanda tout doucette-ment, « C'est une surprise ?

— Oui.

— Allons, soyez raisonnable, madame Orton, il faut venir me voir et vous organiser. Vous n'êtes pas seule en cause.

— Je sais.

— Alors je vais vous donner un rendez-vous. Quel jour vous conviendrait ? »

Le papier grésilla, le rendez-vous fut pris, l'écouteur raccroché. Elle demeura dans la cabine, les yeux fixés sur sa paroi opaque. Elle croisa les bras sur son ventre.

Elle essaya de penser. Elle était complètement abrutie par Daniel, son poids, sa chaleur, son être, qu'il fût présent ou non. Ce qui ne l'avait pas empêchée d'avoir d'autres activités. Elle avait enseigné avec succès jusqu'à la fin du trimestre et se livrait maintenant avec ravissement, le soir, à une lecture minutieuse du *Prélude*, malgré les batailles entre bandes rivales dans l'escalier, les sonnettes stridentes, le vacarme chronique des postes de radio, le verre brisé. Tout était illuminé par Daniel, comme si la clarté de la lecture était son offrande, ou une offrande des plaisirs de la chair, et à lui, à eux, dès l'instant où il revenait de l'église, d'une visite ou de l'hôpital, elle faisait l'offrande de sa pleine et entière attention. Il était si fort, si ingénieux, si intensément présent. Sans doute avait-elle su qu'il était ainsi, sinon elle n'aurait jamais pu faire une chose si contraire à ce à quoi elle croyait tenir. Comme beaucoup d'intellectuels elle ne se possédait plus de joie et d'étonnement d'avoir suivi son instinct et agi à bon escient. Elle avait pensé avec son corps, elle l'avait certainement fait, et en était récompensée par un pur plaisir, d'un ordre dont elle croyait vaguement que la plupart des gens n'ont pas le privilège de le connaître.

Elle crut se rappeler le moment de la conception. Ensoleillé et translucide, comme du verre soluble, et elle-même à demi endormie, forcée d'écouter ses mécanismes organiques, les cellules entrant en action, comme la levure dans la pâte, si bien qu'elle reprit haleine. Ils n'avaient pas souhaité cela. Probablement, pensa-t-elle, tenant toujours son ventre sans bouger, avec le sourire secret qui appartient aux plages passées du plaisir – probablement y avait-il simplement eu trop de Daniel pour que sa chair, son sang ou n'importe quel dispositif en caoutchouc puisse y résister. Elle pensa être désolée. Ce devait être le début de la fin de l'extravagance, et jamais auparavant elle n'avait été ou voulu être extravagante. Les cellules implantées en grappe ne résisteraient peut-être pas davantage que le caoutchouc à cette énergie extravagante. C'était étrange avec quelle vitesse s'acquérait un instinct de protection de cette chose non voulue. Mais elle était bien là. Les sens avivés par Daniel, elle en prenait acte. Dix minutes, en son cas, suffisaient apparemment.

L'argent poserait problème, Daniel savait si bien ce qu'il voulait, et n'avait pas dit vouloir des enfants. Certains hommes, elle le savait, écoutent les battements de cœur à travers la paroi du ventre, et d'autres s'irritent contre ces intrus. Que devait-elle dire à Daniel ?

Il traversait la boue, en col d'ecclésiastique, mastoc. Il tapa à la vitre. Elle le regarda fixement. Il ouvrit la porte.

« Alors, dit-il. L'Annonciation.

— Comment le sais-tu ?

— Eh bien tu as l'air de tous ces tableaux de la Vierge à sa table, et tout aussi ébaubie que si tu avais vu un ange. Non, non, ce sont les bras. Toutes les femmes font ça, elles se serrent le ventre comme ça, on le voit tout de suite. Et puis leurs cheveux deviennent affreux. » Il toucha les boucles d'or et, tout noir comme toujours, lui fit un grand sourire. « Tu ne peux pas être toute retournée, nous avons bel et bien pris des risques, fait des exceptions par-ci par-là. Ça ne peut tout de même pas être un coup de tonnerre. Steph ?

— Je m'inquiétais de ce que tu allais ressentir.

— Je me sens malin. La plupart des gens y arrivent

s'ils essaient, et la plupart se sentent malins. Je me sens malin. Tu ne veux pas sortir d'ici ?

— Daniel, ce n'est pas malin, c'est une erreur, c'est un affreux problème.

— Je sais. Mais j'estime que nous nous en tirerons, non ? C'est très intéressant. Tu as l'air complètement différente.

— Je me sens complètement différente.

— Eh bien, tu l'es. Dix minutes, et nous voilà complètement changés. Rentre donc. »

Ils rentrèrent. Daniel ne cessait de la regarder comme si elle était vraiment transfigurée. Ce qui lui parut, peut-être parce qu'elle se sentait effectivement transfigurée, follement drôle. Elle se mit à rire. Daniel hurla de rire. Tout de même, pensa-t-elle, c'est la fin d'une époque, les choses ont changé, nous avons changé, nous n'avons pas compris cela. Mais il leur était impossible d'arrêter de rire.

34

Le dragon de Whitby

L'extraordinaire succès des expériences de transmission effectuées pendant le mariage Orton-Potter sembla galvaniser Lucas Simmonds et le lancer dans une nouvelle et différente phase d'activité. Le succès des expériences ne faisait aucun doute : le vase de laboratoire rempli d'herbes, vu par Marcus dans l'église Saint-Bartholomew, était à l'évidence posé sur la table de travail de Lucas. Lucas avait dessiné une gueule lippue et munie de crocs, environnée d'une nuée de particules, qui était manifestement une esquisse grossière de la porte de l'enfer de Saint-Bartholomew. Il avait même ajouté une sorte de halo ébréché au crayon rouge, tant il était certain que la couleur avait de l'importance. Ce qu'ils avaient accompli, déclara Lucas rose et rayonnant, était la preuve irréfutable qu'ils étaient tous deux capables de capter et d'émettre des images et des messages complexes. À présent ils devaient, ils devaient absolument, établir le contact avec les intelligences extérieures latentes. Il n'y avait, dans son esprit, aucun doute que cela adviendrait, et à très brève échéance. Un peu de contemplation et un peu de recherche produiraient une technique appropriée. Il avait toute confiance, toute confiance. Il éclata d'un rire sonore, apparemment déclenché par un excès d'énergie physique.

Marcus, sans opinion mais curieux, remarqua le comportement de Lucas durant les quelques jours qui suivirent. Il semblait animé d'une santé et d'une vigueur presque diaboliques ; il marchait de long en large pour expliquer une question, au lieu de rester assis ; il faisait d'interminables allées et venues pour aller prendre ceci ou cela ; il se déplaçait ordinairement à une allure proche de la course dans le cloître. Ses joues rouges luisaient comme des pommes mais il était à l'évidence de plus en plus mince, sinon maigre, de taille et de cuisses. Son pantalon godaillait de plus en plus et il le remontait à pleines mains de temps en temps. Une part de son hésitation devant son disciple s'était évanouie – il ne demandait plus à Marcus des indications sur la direction à suivre avec le regard de chien qui cherche une piste dont il avait jusqu'alors usé. Il semblait recevoir pour son propre compte des messages qu'il gardait pour lui d'un air réjoui et affairé. Il cherchait des signes, des fétus de paille dans le vent, des coïncidences, et il en trouvait. Il s'excitait en découvrant des corrélations entre des volumes saisis au hasard sur les rayons de la bibliothèque et semblait consommer de vastes quantités d'ouvrages imprimés : Freud, Frazer, Jung, les bulletins de la Société de recherche psychique, l'*Herbier* de Gerard, J.W. Dunne, Gerald Heard. Il les utilisait tous, ainsi que le *Guide rouge* des Landes du Nord-Yorkshire, la Bible, ses guides de terrain de la faune et la flore britanniques, et la Mère Shipton, indifféremment, comme une espèce d'éclectiques et universelles *sortes Virgilianae*. Les jeux de mots, ou les sens multiples des termes, l'excitaient terriblement. Il régala Marcus d'une longue dissertation incompréhensible sur le mot Mercure, mythique, chimique, alchimique et botanique. Ils avaient trouvé une mercuriale, ou chou-de-chien, à Knaresborough, ce qui avait une signification. Il fit une incursion dans les doctrines hermétiques, les vases hermétiquement scellés sous vide et l'hermaphrodite alchimique qui était le symbole humain de l'Œuvre parfaite, la matière spiritualisée, *lumen novum*, la Pierre.

Marcus resta sur sa chaise à écouter tout cela, laissant la plupart de ces propos lui passer au-dessus de la tête sans essayer de les saisir. Sa défiance à l'égard des mots s'en trouva confirmée, quand il y pensa, ce qu'il fit en se servant d'une assez paisible image mentale : un globe

strié, transpercé et enserré de lignes aboutissant et diver-
geant aux pôles et au centre ; de tels langages peuvent
tous être lancés à une vitesse vertigineuse pour coïncider et concorder, si c'est ce qu'on se propose d'en faire.
Marcus pensa : Dire « la lumière était trop pour moi »,
c'est parler un langage différent, auquel il ne paraît pas
s'intéresser. Il regarda par la fenêtre du laboratoire le
petit soleil blanc qui scintillait péniblement, et il pensa
que la relation entre la lumière, qui le gênait, ses
organes de perception, cette masse de gaz et de matière
en fusion et n'importe quelle autre intelligence, n'était
peut-être pas la corrélation d'un seul tenant dont ce travail sur les mots, joli mais réducteur, lui donnait l'apparence. Mais il n'était pas mécontent. Lucas avait cessé,
au moins provisoirement, d'essayer de faire usage de ses
visions hypnagogiques à des fins divinatoires, et ainsi
pouvait-il dormir davantage. Et le travail sur les mots de
son ami, et plus encore sa belle humeur corporelle, le
consolaient et le protégeaient s'il ne pensait pas.

Ce fut une curieuse coïncidence entre ses lectures de
Psychologie et Alchimie, de Jung, et la description de l'abbaye de Whitby dans le *Guide rouge*, qui conduisit Lucas
à sélectionner les ruines de l'abbaye comme site d'expérimentation. Il choisit Whitby en partie parce que c'était
là que Caedmon, le vacher illettré, avait été visité par un
ange qui lui avait donné la faculté de chanter un *Chant
de la création* anglais. À un moindre degré, il fut très
impressionné par le mythe rapporté dans le *Guide rouge*
et illustré par une citation de Sir Walter Scott tirée de
Marmion, concernant les dons de la fondatrice de l'abbaye, la féroce sainte Hilda.

> *Elles dirent qu'en leur couvent dans sa cellule*
> *Vivait une princesse saxonne autrefois,*
> *La charmante Edelfled ;*
> *Que de mille serpents chacun*
> *Se changeait en anneau de pierre*
> *Tandis que priait sainte Hilda ;*
> *Souvent, en leur sainte clôture,*

Elles avaient trouvé leurs replis pétrifiés ;
Elles dirent aussi que les oiseaux de mer
En survolant les tours de Whitby ploient de l'aile,
Se laissant choir par faibles battements
Ils rendent hommage à la sainte.

Elles pensaient, bien sûr, dit-il à Marcus, que les ammonites étaient des serpents pétrifiés, changés en pierres par la sainteté d'Hilda. Mais la vérité est autre – les ammonites sont les vestiges de la *véritable* histoire de la création et la signification secrète du serpent pétrifié, son rapport *réel* avec la sainteté se trouve dans l'analyse que fait Jung, dans *Psychologie et Alchimie*, de Mercure en tant que dragon. Il en lut toute une page à Marcus, avec une excitation croissante :

Le dragon symbolise la vision et l'expérience de l'alchimiste travaillant dans son laboratoire et « théorisant ». Le dragon lui-même est un *monstrum* – un symbole combinant le principe chthonien du serpent et le principe aérien de l'oiseau. Il est... une variante du Mercurius. Mais le Mercurius est le divin Hermès ailé se manifestant dans la matière, le dieu de la révélation, seigneur de la pensée et psychopompe par excellence. Le métal liquide, *argentum vivum* (« argent vivant », vif-argent) était la substance merveilleuse qui exprimait à la perfection la nature du στιλβων, de celui qui brille et vivifie intérieurement. Lorsque l'alchimiste parle du Mercurius il désigne extérieurement le vif-argent, mais intérieurement l'esprit créateur du monde, dissimulé ou emprisonné dans la matière... Les alchimistes répètent sans cesse que l'*opus* naît de l'*Un* et ramène à l'Un, que c'est en quelque sorte un cercle semblable à un dragon qui se mord la queue. C'est pourquoi l'*opus* était souvent appelé *circulare* (circulaire) ou *rota* (roue). Le Mercurius se trouve au début et à la fin de l'Œuvre : il est la prima materia (matière originelle), le *caput corvi* (tête de corbeau), la *nigredo* (noir) ; dragon, il se dévore lui-même et meurt pour ressusciter sous la forme du *lapis* (pierre). Il est le chatoiement des couleurs de la *cauda pavonis* (queue de paon) et la division entre quatre éléments. Il est l'être primordial hermaphrodite, qui se divise pour former le couple frère-sœur classique, et qui s'unit lors de la *coniunctio* (union des contraires) pour apparaître à nouveau à la fin sous la forme rayonnante de la *lumen novum* (lumière neuve) du *lapis*. Il est métal et cependant liquide, matière et cependant esprit, froid et cependant ardent, poison et cependant remède – il est *un symbole qui unit tous les opposés*.

Lucas estimait, dit-il, que le passage de Scott contenait plus de sagesse que Scott ne le savait lui-même, les traces d'un symbole primitif ou occulte, puissant mais corrompu, dans l'alliance du serpent et de l'aile qui ploie précisément à l'abbaye de Whitby, parce que, *ensemble*, oiseau et serpent forment le cercle fini, le dragon qui se mord la queue, la réunion de la terre et de l'air qui était justement ce que Marcus et lui voulaient, bien sûr, l'exhaussement de la terre à l'état fluide de la lumière, moins actualisée que la terre, et ils pourraient compléter les quatre éléments des Anciens, ajouter aussi le feu et l'eau, s'ils se montraient très habiles, oui, et le vif-argent et le morceau de mercure végétal, le mercure du chou-dechien. Il n'y avait plus à douter du site ; quant à la nature exacte de l'expérience, ou du rite, selon la terminologie qu'on préférait, elle demandait encore réflexion.

Il y avait un garçon, un joueur d'échecs qui, un jour, révéla que son don consistait en partie dans une claire vision intérieure des mouvements potentiels des pièces, vues chacune comme un objet muni d'une queue scintillante et mobile de lumière colorée ; il voyait un diagramme sous tension de mouvements potentiels et les sélectionnait selon que ces mouvements rendaient le diagramme plus net et les tensions plus fortes. Ses erreurs se produisaient quand il ne sélectionnait pas les lignes de lumière les plus solides mais les plus belles. Une chose de ce genre se produisit dans l'esprit de Marcus pendant qu'il écoutait Lucas jacasser comme un standard de lignes téléphoniques en interférence. La toile d'araignée avait sa beauté, mais elle était ténue,

ténue. Marcus ne vit pas là matière à s'inquiéter : il y avait bel et bien un diagramme, même s'il était composé de lignes pointillées d'éclairs intermittents. Ce n'était pas son rôle de faire des remarques sur l'exiguïté des fils invisibles. Peut-être qu'en ces domaines la toile d'araignée intérieure de chacun avait de toute façon ses propres épaisseur et tension, nécessaires et différentes. Peut-être celle de Lucas était-elle comme une trame d'acier.

Ils partirent, donc, pour Whitby, dans la voiture de sport, côte à côte, par un chaud dimanche ensoleillé. Dans le coffre se trouvaient des paniers, au nombre de deux, l'un contenant un pique-nique copieux et l'autre, un assortiment de matériel secrètement emballé par Lucas et enveloppé dans un assortiment de serviettes, mouchoirs et écharpes de soie. Il portait un foulard de soie blanc à pois rouges, allègrement noué dans le col ouvert de sa chemise blanche, sous un blazer bleu marine. Marcus avait comme d'habitude une chemise aérée et son blazer d'uniforme orné d'une tourelle brodée en fil doré sur la poche de poitrine, avec la devise « *ad caelum hinc* ». Aucun professeur de latin n'appréciait vraiment la formule, qui avait été composée par l'ancêtre de Crowe : la tourelle, censée représenter le collège comme une puissante tour, était nommée dans la salle des professeurs la tour de Babel, ou la tour penchée.

Ils prirent vers le sud, puis vers l'est, franchirent les landes, dans une certaine quiétude, et finirent par descendre les hautes collines vers la route côtière qui borde les falaises, en contournant les landes de Goathland par la route où Frederica, la cuisse et le sein rudement tâtés par le vigoureux Ed, avait ruminé l'alexandrin, afin d'atteindre l'abbaye proprement dite à pied, par les falaises au sud, en évitant complètement la ville.

Au sommet des collines le ciel était tel qu'ils l'avaient espéré, comme Lucas le dit à Marcus, bleu, profond, vide, le soleil haut, la brise de mer soufflant légèrement. Ils gagnèrent l'abbaye par des prés fleuris de boutons-d'or, de cerfeuil sauvage et de véroniques qui les constellèrent

471

de poussière blanche et jaune. Les arcs de soutènement qui n'avaient plus rien à épauler se détachaient, blancs et nus, sur le ciel, et les fûts de pierre semblaient être seulement des images virtuelles en état d'apesanteur, comme Lucas le fit à nouveau remarquer, bien que froids au toucher du côté de l'ombre. Il fut contrarié de voir des excursionnistes déambuler dans le chœur nu ou parcourir les compartiments vides du plan de l'édifice ; pour une certaine raison, crut comprendre Marcus, il s'était attendu à se retrouver seul au pied de l'autel, ou de son ancien emplacement, et les petites filles chantants et courant, les vieux messieurs chargés de sacs à dos, les motards traînant leurs jambes bottées en laissant pendre leurs lunettes au bout de leurs mains gantées, le déconcertaient. Marcus et lui, leur tournure élégante évoquant les joueurs de réserve d'une équipe de cricket en déplacement, leurs paniers impeccables à la main, contemplèrent les lieux, les murs percés de meurtrières et de fenêtres qui traversait la brise de mer, le pavement ancien entouré d'herbe marine rase. Marcus se souvint de la géométrie oppressante de l'enceinte de Saint-Bartholomew et se plut à en compléter et prolonger intérieurement les courbes et rythmes brisés. La lumière du soleil dansait sur la houle, les pierres polies, les brins d'herbe, l'émail des boutons-d'or. Des filets de lumière coulaient, tels des courants de convection visibles, en mille tourbillons partout entre le sol et le ciel, en menus éclaboussements, rejaillissements et sillages de scintillement. Lucas Simmonds, avec la précision d'un défilé militaire ou d'une procession, fit le tour de l'édifice, comme s'il effectuait le tracé d'un terrain de cricket ou de football au Bout de Là-bas. Il portait le mystérieux panier. Marcus, l'acolyte, le suivait avec Thermos, bouteille, gobelets en bakélite, pain, viande, pommes, gâteaux et vin.

Et pourquoi, après tout, dit Lucas dans un murmure pressant, ne pas faire ce qu'ils avaient à faire aussi bien seuls par là-bas dans un simple pré qu'ici, où il y avait tant d'interférences. Il désigna d'un geste les petites filles qui grimaçaient et chantaient en jouant à Tom Tiddler, comme si c'étaient des parasites matérialisés. Marcus dit avec irrévérence qu'après tout ils auraient peut-être la chance de tomber sur l'emplacement de l'étable de Caedmon, là où l'ange était effectivement venu, et Lucas dit avec grand sérieux que l'herbe devait être celle que les vaches de Caedmon paissaient, sans aucun doute. Pas exactement la même herbe, dit Marcus. Pas si différente que ça, dit Lucas, remontant son pantalon ballottant et changeant son panier de main. Ils se remirent en marche au bord de la falaise, et dépassèrent la station météorologique et son rudimentaire jardinet. Au bout d'un moment ils trouvèrent un endroit idéal, assez abrité pour accueillir, non pas de l'herbe rase et drue, des scabieuses ébouriffées et des panicauts maritimes, mais un épais tapis jaune de boutons-d'or, estompé par la dentelle du cerfeuil sauvage. Dans une telle profusion de graminées et de pollens Marcus songea un instant à son asthme, prit une inspiration à titre expérimental, éternua du pollen, mais ne sentit aucun mécanisme d'étouffement ou de spasme se déclencher en lui, seulement une sensation, cuisante et hébétée, d'exubérance de la végétation. Il entendit un écho du refrain des fillettes – « Dans le camp de Tom Tiddler, Ramassons l'or et l'a-a-argent » – et se rappela un cantique qu'on chantait quand il était petit : « Notre argent est pâquerettes, notre or est boutons-d'or. C'est là tout notre trésor, en ce jour et pour toujours. » Lucas sortit un plaid du panier et l'étala sur l'herbe, soulevé et hérissé par le vent qui se coulait par dessous. « Et maintenant, commençons », dit Lucas. L'estomac vide, comme à Owger's Howe.

Malgré Owger's Howe, Marcus ne s'attendait pas exactement à ce qu'il se passe quelque chose. D'une certaine manière, dans son esprit, la précision et la surdétermination humaines de la planification de Lucas en diminuaient les chances. Il avait un peu peur, mais c'était surtout d'être amené à faire quelque chose de ridicule ou d'aberrant. Lucas sortit une partie du contenu de son panier, étala une grande serviette blanche sur le plaid et disposa sur la serviette une ammonite fossile, une touffe d'herbe sèche dans du papier de soie, un sachet en Cellophane de fleurs pressées, une éprouvette avec son bouchon de liège contenant une boule de mercure, quelques disques de verre fumé, une grosse loupe ronde et un mouchoir. Il y avait aussi un instrument qui ressemblait à un bistouri.

Lucas expliqua. L'objet de l'exercice était d'établir le contact avec la Noussphère, opération entravée, comme de bien entendu, de l'aveu de tous les sages de tous les temps, par la trop forte actualisation de l'homme en tant qu'entité physique. Il semblait ainsi que la transmutation du Vivant en Spirituel impliquait la combustion de la matière en pure essence. C'était selon toute vraisemblance ce que les Anciens voulaient accomplir symboliquement, et matériellement en partie, en brûlant des offrandes. Lui, Lucas, avait aussi été frappé, profondément frappé, quand Marcus décrivait les photismes et la figure des cônes entrecroisés, s'il pouvait s'exprimer ainsi, par ses références récurrentes au verre ardent, ce qui prenait rétrospectivement pour lui valeur de Signe. Aussi proposait-il, en bref, de faire brûler une offrande, en se servant de verre ardent, et de libérer de la Matière en Lumière et en Énergie grâce à la communication de l'énergie du Soleil, source de nos lumière et chaleur terrestres. Il avait décidé d'offrir, bien sûr, les plantes qui étaient déjà des Signes, ainsi que la mercuriale, les aconits et la gentiane cueillis dans le voisinage de la Fontaine Larmière – pour les muer non pas en Pierre, mais en Lumière, *lumen novum*, autre Signe. Il avait aussi apporté avec lui une ammonite, symbole minéral de la Création et de l'Œuvre – elle venait, hélas ! de Portland Bill, pas de Whitby, mais c'était une bonne ammonite qui lui avait été donnée dans son enfance – une ammonite, donc, comme symbole de l'Œuvre parfait, et du mercure pour représenter l'esprit prisonnier de la matière, dans une éprouvette bouchée, et il devait clairement y avoir de la chair aussi bien que de l'herbe, pour compléter l'offrande, surtout si l'on considérait qu'Abel sacrifiait à Dieu de la chair et Caïn, des fruits de la terre, et que le Seigneur n'avait égard qu'à Abel et à son oblation. Lucas pensait que la chair devait être leur chair. Il avait pensé à apporter des vers de terre ou des choses comme cela, mais réellement il fallait que ce soit leur chair, et Marcus était sûrement du même avis. Marcus, sautant de Caïn et Abel à Abraham et Isaac, inspecta les boutons-d'or chatoyants à la recherche d'autres signes de vie que lui-même, mais n'aperçut que des papillons au loin, citrons et lycènes. Des cheveux et des gouttes de sang suffiraient, dit Lucas, il avait apporté un couteau. Marcus croyait-il que quelque chose de plus était nécessaire ?

Marcus regarda les boutons-d'or et la laine colorée du plaid, écouta le soupir des herbes qui ployaient sous le plaid, et répondit que non. Sauf, peut-être, une chose provenant de l'endroit où ils se trouvaient, de cet endroit précis. L'étable de Caedmon. Il eut un pâle sourire. Lucas observa qu'Abraham et Abel avaient tous deux des troupeaux, et Marcus dit qu'il n'y avait pas de vaches. Mais il y a du lait, dit Lucas, du lait dans la Thermos, et ils pouvaient cueillir une plante dans le pré et l'ajouter au lait. Quelle excellente suggestion.

Ils cherchèrent dans la haie une plante convenant à une offrande ; les fleurs jaunes étaient en quelque sorte en trop grand nombre pour être prises en considération. Ce fut Marcus qui trouva quelque chose d'inhabituel, une plante assez haute, à petites fleurs en corolle d'un bleu intense teinté de rose. Les feuilles étaient plutôt foncées, avec des piquants. Lucas, appelé pour l'examiner, déclara que c'était une borraginée, la vipérine, et qu'elle conviendrait très bien, car c'était encore un serpent ou dragon végétal transmutable. Il l'arracha par la racine et la déposa, dans une poignée de terre, à côté des autres plantes, la gentiane et la mercuriale.

Puis il prit le petit scalpel. « Tendez la main, dit-il à Marcus. Je veux faire tomber trois gouttes de sang – ou à peu près – le mieux serait exactement trois – sur ce mouchoir. Trois gouttes chacun, mêlées. » Marcus fit un mouvement de recul involontaire. « Il est stérile, l'assura Lucas en tendant sa propre main. Je vous assure qu'il est stérile. » Marcus imagina la même petite lame triangulaire en train de dépouiller de sa peau annelée la chair ondulante d'un ver de terre. Il laissa mollement prendre sa main. Lucas la saisit, tourna la paume vers le soleil et pratiqua sans plus attendre une petite incision sur la partie charnue du pouce. Le sang jaillit et coula. Considérablement plus que les trois gouttes réglementaires. Lucas rit immodérément et enfonça la lame dans son propre index. Son sang coula sur celui de Marcus, sur le linge blanc. Il y eut une petite flaque de taches rouges, rondes et irrégulières. Lucas releva la main et trancha une boucle dressée sur son propre front et puis, un instant, tint la tête de Marcus dans sa main ensanglantée et faucha une fine mèche de cheveux flasques, couleur de foin. Il entortilla les deux mèches et déposa la petite tresse plate sur le sang. Après quelques réflexions il mit l'ammonite sous le mouchoir, sous les plantes. Il ne serait pas réaliste, dit-il, de s'attendre à ce que l'énergie solaire consume une ammonite. Mais elle pouvait lui être communiquée et la transformer d'une manière ou d'une autre, sans aucun doute. Et maintenant Marcus n'était-il pas d'avis qu'il leur fallait danser comme à Owger's Howe, en répétant la figure qui leur avait si bien réussi cette fois-là? Il tendit la main, saisit celle de Marcus, le sang souillant le sang, et le hissa sur ses pieds. Il lui donna un morceau de verre fumé. «Pour regarder à travers. Pour regarder en face. Pour saisir tout indice de changement, toute intention, toute... »

Ils tournèrent en rond. Marcus se sentait stupide, malade, pris de vertige, irréel, hors de lui-même. Ils sautaient, écrasaient les boutons-d'or, retombaient, martelaient la terre. Quand ils s'arrêtèrent les fleurs viraient en cercles concentriques couleur de beurre et de crème, et les raies vertes du plaid sinuaient comme la mer. Lucas éleva son verre fumé, considéra dans l'azur le resplendissement d'or, le ducat d'or, l'hélium flamboyant, s'inclina solennellement et s'assit sur les franges du plaid. Marcus imita rapidement ces gestes. Lucas brandit la loupe. Il dit, «Croyez-vous que nous devons nous adresser à Eux d'aucune façon?

— Non.

— Non, c'est aussi mon sentiment. Les mots sonnent creux. Je crois que nous devrions nous donner la main ».

Ils demeurèrent assis en se donnant la main, puis Lucas éleva le disque de verre, capta le prisme de lumière pendant un instant et le réfléchit sur la serviette, après quoi il le tint immobile.

Difficile de voir s'il y avait une flamme blanche ou seulement de l'air liquéfié ; il n'y avait pas un mouvement ; il n'y avait pas de langues de feu ; il y avait seulement ce qui était exposé, qui était rongé, ratatiné, carbonisé. Les brins d'herbe transmis s'élevèrent en une fine cendre, une ombre qui conserva une forme éphémère, puis frémit et retomba en poussière, et la gentiane fit de même. La Cellophane contenant la mercuriale éclata un instant en flammes d'or et de platine, se caramélisa, puis noircit, et disparut. Les cheveux sur le sang craquetèrent, se convulsèrent, se calmèrent et s'évanouirent en fumée noire, et le sang sous les cheveux subit le même sort. La vipérine siffla, bouillit, se tordit. Le plus étonnant fut l'éprouvette de mercure, qui émit un cri grinçant, vola en éclats et libéra une multitude de gouttelettes argentines bien distinctes qui passèrent à travers les fils du tissu carbonisé et se perdirent dans la terre brûlée. Sur la serviette un cercle carbonisé, une trouée noire, s'évasa en silence, rongeant l'éphémère flamboiement doré là où le noir grandissait. Il y eut une odeur, animale et végétale, de matière consumée qui se rebelle. Sur la bosse de l'ammonite le tissu cloqua, charbonna et se déchiqueta, laissant des nervures noires et visqueuses sur les spires pierreuses. Marcus regardait de tous ses yeux ; il se rappelait l'expérience précédente ; c'était la preuve concrète du pouvoir qui peut se concentrer dans une lentille ; flamme ou air chaud, il dansait, ce pouvoir blanc, tellement blanc, d'un blanc épais et transparent ; il semblait n'y avoir rien et, si l'on mettait le doigt, on serait très douloureusement anéanti.

« Tenez la loupe, dit Lucas, tenez la loupe sans bouger et observez. Je vais terminer avec une libation de lait et de vin. » Il fouilla dans le panier de Marcus, versa un peu de lait d'une bouteille dans un couvercle en fer blanc, se battit un court instant avec un tire-bouchon et une bouteille de nuits-saint-georges. Il répandit dans le cercle carbonisé du vin qui y fuma, flamba, sentit et disparut. Le lait dans le couvercle en fer blanc se réduisit en cire foncée, puis en traces et en bulles brunâtres, dégageant une odeur de brûlé particulièrement fétide qui rappela à Marcus ses années de classe, quand il avait cinq ou six ans et que les garçons agglutinés autour du poêle aspergeaient la fonte en soufflant dans une paille des bulles de lait de leur ration d'un demi-litre. Lucas ajouta une nouvelle dose de vin, une modeste flaque sur laquelle flottèrent des fragments carbonisés, et que la terre but lentement.

Marcus posa la loupe brûlante, qui était véritablement brûlante au toucher. Il regarda autour de lui l'air non liquéfié, puis abaissa les yeux sur la trouée noircie en forme de soleil qui était le résultat final de leurs actions. Cela avait été une extraordinaire démonstration du pouvoir de forces qu'on n'avait normalement pas à prendre en considération. Le visage et les cheveux de Lucas étaient trempés de sueur.

« Et maintenant ? dit Marcus.

— Maintenant nous nous asseyons et attendons. Nous avons lancé notre appel, nous avons indiqué ce que nous voulons. Maintenant nous attendons. »

Marcus regarda la lumière passer doucement sur les boutons-d'or et se demanda ce qu'ils avaient indiqué vouloir. Être consumés ardemment et disparaître ? Devenir invisibles ? Des résidus noirs et des papillons citron tourbillonnèrent et se posèrent. Ils attendirent. L'après-midi suivait son paisible cours.

« Prenez un peu de vin », dit Lucas. Il versa. Quelques instants plus tard il dit, « Encore un peu de vin ». Marcus, qui n'était pas habitué à l'alcool, avala d'un trait. Lucas, tendu, comme s'il attendait une langue de feu sur son front ou une voix dans la voûte azurée, but à petites gorgées rageuses dans sa timbale en bakélite. Il offrit à Marcus un sandwich au rosbif et une pomme. Marcus les accepta. Lui-même ne mangea rien. Après deux grands gobelets de vin Marcus s'allongea, la tête sur le plaid, et croisa les bras sur sa figure pour faire le noir. La lumière qui l'avait délibérément envahi dans le Bout de Là-bas était remarquablement absente. Ici il y avait le soleil, du verre ardent, un trop vaste dessein, une migraine. Après quelques instants le corps de Lucas s'installa à côté du sien. Posant l'éternelle question, la voix demanda, « Qu'est-ce qu'on fait ?

— On attend. » D'une voix épaisse, dans le pli du coude. « On attend quoi ?

— Comment le saurais-je ? C'est vous qui avez déclenché tout ça. »

Après encore quelques instants son ami dit d'une voix humble, « Je vous demande pardon.

— Vous n'avez pas besoin de me présenter des excuses. Je n'ai jamais cru que les cieux allaient s'ouvrir. Nous avons réellement fait brûler un certain nombre de choses, pourtant, c'était extraordinaire.

— Non, pas extraordinaire. Simple. »

Marcus comprit qu'il avait été réinvesti de son autorité ambiguë. Il se mit en colère.

« Vous avez vu, de vos yeux vu, ce qui est arrivé à toutes ces choses. Vous l'avez vu. Vous devriez savoir à présent ce qui me fait si peur, vous devriez y aller prudemment. J'ai peur que mon cerveau se mette à bouillir dans ma tête comme la vipérine. Vous n'avez pas l'air de comprendre qu'il y a là une chose à la fois simple et réelle dont on peut réellement avoir très peur. Vous devriez être effrayé, pas contrarié, de n'avoir pas pensé, je dis bien pensé. Voulez-vous être sublimé en une colonne d'air chaud et répandu sur la mer par convection, le voulez-vous ? ou bien réduit en cendres comme les jolies plantes ? Voulez-vous n'être rien, le voulez-vous vraiment ? Jusqu'où voulez-vous aller ? Je ne pense pas que vous sachiez à quoi ça pourrait ressembler. Moi, je le sais. Ce que vous avez fait était à tout le moins une illustration de ce qui me fait peur, mais vous ne m'auriez jamais laissé dire que c'est terrible, vous n'avez pas arrêté de dire que c'est merveilleux. Que voulez-vous que cette chose produise? Comment savez-vous si cette chose a seulement pris garde à vous, si elle est intelligente, si vous seriez capable de résister à son attention. Non, rester en dehors de tout cela, rester tranquille, est tout ce que nous pouvons faire. »

Il y eut un long silence. Puis Lucas dit simplement, « Je suis tellement malheureux ».

Marcus détourna la tête et puis, les yeux toujours obscurcis, tendit sa main entaillée à Lucas, qui la prit, puis la serra violemment. Leurs corps se rapprochèrent. Il se produisit un étrange cliquètement. Marcus prit conscience que Lucas claquait des dents. Il se retourna sur lui-même et, passant le bras autour des épaules de son ami, le serra étroitement en empoignant la flanelle chaude. Il sentit l'odeur de la sueur, de la panique. Il frictionna le corps de Lucas, comme un sauveteur qui empêche quelqu'un de mourir de froid grâce à sa propre chaleur. La petite voix morne dit :

« Je suis tellement malheureux. Je n'ai rien, pas d'amis, rien de ce que je fais n'est réel. Et de temps en temps je vois presque quelque chose, presque – et puis c'est le désastre.

— Vous m'avez, moi, dit Marcus en tremblant lui-même d'une douceur inaccoutumée.

— Je ne vous fais pas de bien. Vous vivez dans le monde réel. Je passe par des phases de fantasmagorie. Je devrais le savoir, je devrais me surveiller, quand je maigris c'est un Signe. Je devrais vous protéger, vous êtes sous ma responsabilité, et non pas…

— Non. Vous avez changé ma vie. Et, monsieur – ce que nous avons vu était réel, les plantes et l'image, cette chose-là n'est pas nulle et non avenue, elle prend peut-être tout son temps pour agir, et il y a eu Owger's Howe – vous avez fait beaucoup – beaucoup de choses – qui étaient réelles – qui sont réelles. »

Il ne voulait pas que ce monde clos soit nul et non avenu. Lucas Simmonds était sa protection contre l'importunité de l'infini.

480

« Je ne suis pas pur. Voilà ce qu'il y a. En partie. De la terre, terrestre, malgré l'odeur, et je hais cette odeur, je hais tout cet affreux gâchis. Je hais mon corps, je hais tous les corps, je hais ce qui est chaud et lourd… Vous êtes pur. Il suffit de vous voir. Vous êtes un être propre, vous voyez proprement. Vous êtes… »

Marcus ne voulait pas savoir ce qu'il était. Il se rapprocha encore, en tirant sur la veste et le poids du corps sous la veste. Il dit, comme à un enfant, « Chut, allons allons, ça ne fait rien. Il est vraiment arrivé quelque chose, il faut rester tranquille. Vous m'avez, moi. Je suis là. » Et quand sa présence avait-elle apporté de l'aide ou du réconfort à qui que ce soit, auparavant, se dit-il, sans se souvenir des jours de son enfance, ou des moments partagés avec Winifred dans une intimité muette à la maternité. Il dit, ainsi qu'elle aurait pu le lui dire en femme à l'enfant nerveux et agité, « Allons, allons, ça ne fait rien ». Et tout à coup Lucas Simmonds sombra dans un sommeil fiévreux, la bouche humide et entrouverte, le visage tourné vers Marcus qui releva légèrement la tête et vit de la sueur reluire à la naissance du nez, petites perles brillantes entre les poils des sourcils. Sans lâcher la main de Lucas il ferma les yeux et s'endormit d'un lourd, d'un sombre sommeil, comme si l'inconscience était ce qu'il y avait à désirer le plus profondément.

Quand ils s'éveillèrent, ils désunirent leurs bras et leurs jambes en silence et, en se tournant le dos, ramassèrent leurs affaires, la couverture sur l'herbe écrasée, le trognon de pomme, le couteau, les remballèrent et se mirent en marche. Marcus se sentait terriblement mal. Des disques indigo, comme des images rémanentes du soleil, dansaient devant lui en spirale, trois par trois, sur l'herbe rase, voltigeaient en pente vers la mer, planaient dans le ciel. Lucas ne disait rien et marchait si vite que Marcus dut allonger le pas puis se mettre à trotter pour suivre le rythme.

Scarabée luisant, la voiture, garée sur le bas-côté herbeux de la route, était torride, dehors comme dedans, une petite fournaise d'où montait un halo de chaleur visible, comme peut l'être l'ombrelle d'une méduse flottant dans l'eau froide, ondulant. Lucas jeta les paniers sur la rudimentaire banquette arrière et s'installa rapidement à l'avant, claquant la portière et baissant la vitre. Marcus le suivit, se passant la main autour du cou sous sa chemise. Ils ajoutèrent leurs vestes sur le tas à l'arrière. Marcus jeta un coup d'œil à Lucas, qui se renversa sur son siège sans le regarder, les yeux fixés sur le pare-brise. La chaleur les enveloppa.

Lucas dit, « Il y a un tas de choses que je devrais dire, des choses que vous devriez savoir, des choses dont je n'ai jamais soufflé mot.

— Non, non... » Avec embarras. « Ça ne fait rien.

— Comment le sauriez-vous ? Il y a des choses qui me concernent, que vous devriez savoir, sans doute – et pourtant j'avais espéré que ce n'était pas essentiellement une affaire personnelle, je l'avais espéré. Mais je vous ai trompé d'une certaine manière, il y a des choses qui arrivent – qui m'arrivent – et que vous pourriez vous juger en droit de savoir, au cas où elles arriveraient encore. Je vous les dirai, je vous les dirai, en temps voulu. Nul ne peut être blâmé de craindre d'être transformé, transféré ou incarcéré, comme c'est arrivé, par le passé, je dois l'avouer. Ça a commencé avec le destroyer. Dans le Pacifique, quand je servais sur ce destroyer. Il y a eu une histoire, pour des antennes et des messages, là aussi, et un conseil de guerre, j'ai été traduit devant un conseil de guerre, et puis je suis resté enfermé dans une cellule blanche pendant un très long temps. Ils m'ont alors dit de ne jamais avoir d'enfants, de ne pas même envisager l'idée d'avoir des enfants, au risque de transmettre... J'ai eu l'impression qu'ils m'avaient mis sous surveillance électronique pour voir si je me livrais à des – activités – de ce genre, pour s'assurer qu'il n'y avait pas d'enfants. Tout ça n'était peut-être qu'une illusion. Ils étaient tous en blanc et les chambres étaient blanches, ça aurait pu être n'importe où, à bord du destroyer, hors du temps et de l'espace, j'ai cru diverses choses à divers moments en ce qui concerne l'endroit précis où ces événements ont eu lieu, et je n'ai réellement repris connaissance que quelque part à Greenwich où je n'étais certainement pas pour commencer. Peut-être ai-je volé. Peut-être m'ont-ils fait voler. Peut-être le temps s'était-il arrêté. Personne ne m'a rien dit. Ils ne pensaient pas, je suppose, que j'étais apte, que mon état, plutôt, me rendait apte à comprendre des explications. Mais je n'ai pas arrêté de penser pour cette raison-là, absolument pas, j'ai formé des hypothèses sur l'endroit où j'étais. Je pense, je n'en suis pas sûr, je sais qu'à un moment j'ai pensé qu'ils avaient placé des électrodes dans mes lobes cervicaux, et dans mes… Pour s'assurer. Peut-être l'ont-ils fait. Ils sont capables de choses pareilles. Vous seriez étonné si je vous disais certaines des choses que je leur ai vu faire avant… avant mon départ.

« Je vous l'ai raconté, ils voulaient que je fasse des cours d'éducation sexuelle dans cette école, en complément à la biologie humaine, mais j'ai dit non, non, non, faites venir une bonne dame de l'Assistance avec son chapeau pour faire ça, ou une fille saine et tout sourires ; je ne m'occupe pas du Ver éternel, dans mon état, les jolis et anonymes vers de terre hermaphrodites sont mon maximum, des bêtes accommodantes qui ont peu de problèmes, du moins à l'œil nu. Je traite les amphibiens et les lapins, mais ce grand amphibien qu'est l'Homme, je ne m'en occupe pas et je souhaite de tout cœur que nous évoluions de telle sorte que la question devienne superflue, leur ai-je dit, ou non, selon qui m'écoute et comment on m'écoute, naturellement. Il y a des voies menant à la vie éternelle qui ne sont pas ouvertes aux organismes supérieurs, vous savez, même Freud l'a dit. Il a dit que la mort est liée à notre méthode sexuée de perpétuation de l'espèce. Si les cellules corporelles parvenaient à se diviser en soma et en plasma germinatif, dit-il, une durée illimitée de Vie individuelle deviendrait un luxe totalement inutile. Un luxe totalement inutile. Quand cette différenciation s'est produite dans les organismes multicellulaires, la mort est devenue possible et expédiente. Le soma meurt, le protista demeure immortel. Le grain qui ne meurt pas. Mais ils m'ont dit de ne jamais envisager... je l'ai déjà dit. Une autre chose que Freud a dite, c'est que la reproduction n'a pas commencé seulement quand la mort l'a fait. Oh non ! C'est un caractère premier de la matière vivante, comme la croissance. La vie est continue depuis sa première apparition sur Terre. Il y a un mystère. C'est uniquement l'organisme supérieur individuel qui est sexuellement divisé et qui meurt. Pas la Biosphère, d'un côté. Ni l'hydre hermaphrodite, de l'autre, qui se divise et se divise et devient un plus grand nombre d'exemplaires de la même forme, quelque part entre le végétal et l'animal.

« Il y avait un livre que j'ai été amené à lire récemment, un vieux bouquin bizarre de Heard, pas un de ses ouvrages sur les preuves de l'existence de Dieu, un livre intitulé *Narcisse – Anatomie des vêtements*. Il m'a plu parce qu'il voyait dans les vêtements que nous portons notre manière de modifier notre anatomie – les corsets, les rasoirs – et plus tard la chimie et la pharmacie – le contrôle de la glande pituitaire, la suppression des poils et des cheveux qui ne nous plaisent pas – Heard voit en tout ça une tentative évolutionnaire de réduction de notre masse corporelle. J'ai pensé que c'était très intéressant. Il disait que les maisons, les placards, les boîtes à outils sont des moyens de mettre de côté la fourrure, les clous, les dents. Il disait qu'un régime scientifique nous débarrasserait en temps voulu de la maladroite distillerie de nos replis intestinaux. Il disait que nous devrions devenir comme les Martiens de Wells, des cerveaux tentaculaires dans des machines, sauf que nous ne trouverions pas cela repoussant mais beau, un homme sans sa machine nous répugnerait alors, comme un homme sans vêtements dégoûte les dames aujourd'hui, ou la vue d'un joli cerveau sans son étui de cheveux et de peau nous répugne encore irrationnellement. Il disait que nous devrions devenir des nuées de petits organismes mécaniques comme des boîtiers de montre, avec de minuscules corps opalescents au cœur des ressorts. Ça s'accordait dans mon esprit avec le Jung – sur

Mercure et la *prima materia* – parce qu'il disait que nous pourrions revenir à notre point de départ – une idée emprisonnée dans la matière –

«Vous avez demandé là-bas si je voulais n'être rien. Comme les plantes, avez-vous dit. Eh bien, oui, je le veux et ne le veux pas. Lisez-vous beaucoup de poésie?»

Marcus dit que non, il n'en lisait pas beaucoup. Il ajouta qu'il avait d'abord été allergique à la poésie qui traînait partout chez lui depuis sa naissance comme de la poussière ou du pollen, absolument partout, et que maintenant il se considérait comme désensibilisé. À cette remarquable et éclairante confession Lucas ne prêta pas l'oreille, ou fort peu, car il en était déjà à expliquer qu'il avait récemment été amené à lire aussi une énorme quantité de poésie, et particulièrement les œuvres d'Andrew Marvell, qui semblait comprendre le désir d'exister sans les limites de la sexualité et les problèmes de la chair. Il avait écrit un très joli poème intitulé «Le Jardin», dans lequel il parle de l'annihilation de tout ce qui existe. En une pensée verte dans une ombre verte. Mon amour végétal, dit Lucas d'un air songeur et apparemment hors de propos. Après une nouvelle pause il dit, «Je voudrais pouvoir simplement enseigner la botanique, je voudrais qu'il soit possible de s'en tenir à une pensée verte». Après un autre silence il ajouta, «Je ne suis pas homosexuel, vous savez, je ne suis rien du tout.

— Ça ne ferait rien», dit Marcus, s'embarquant dans une protestation ou une assurance qu'il ne put terminer. Il n'avait pas suivi le fil des propos de Lucas; il· luttait contre ses propres peurs, obscurément incarnées dans les souvenirs à moitié formés de Lucas sur la réalité actuelle; mais plus fortement il se sentait ému par sa gentillesse. Lucas l'avait nourri, instruit, admiré: quelque chose était dû en retour. Il voulait offrir du réconfort, et n'avait pas assez d'expérience pour savoir comment ou pourquoi consoler. Alors, comme tant d'entre nous, il s'offrit en personne à la place.

«Monsieur – Lucas – moi, je suis concerné. Je suis vraiment concerné. Je suis là. Ne puis-je rien faire?»

Lucas tourna vers lui un visage rougi par le soleil et la honte.

« Vous pourriez me toucher. Juste toucher. Un contact. »

Lentement Marcus tendit de nouveau sa main. Lucas la prit dans la sienne, qui paraissait bouffie et maladroite, et après un moment il posa leurs deux mains sur ses genoux. Ils gardèrent le silence, sans se regarder, les yeux fixés sur le pare-brise. Lucas plaqua leurs deux mains sur son bas-ventre. Marcus eut un geste involontaire de recul et Lucas serra plus fort.

« Ne dites jamais, dit-il d'une voix suppliante et sentencieuse en respirant avec effort, ne dites jamais, au grand jamais, que tout cela n'était que sexuel. Mais si seulement vous pouviez… sans faire plus que toucher, je vous l'assure. »

Avec une maladresse éperdue il défit sa braguette tendue, et soudain, brûlant, raide et soyeux, jaillit le pénis. Marcus recula la main ; Lucas la serra sans lâcher prise.

« Je sais que je ne devrais pas, dit Lucas. Mais si seulement vous pouviez, si vous pouviez vous résoudre – juste à toucher – je serais connecté. »

Marcus regarda de côté, de son côté, puis, mû par la pitié, la gêne, l'honneur, la complicité, il avança sa mince et pâle main et la posa, inerte, sur l'organe brûlant, sans serrer ni caresser. « Ah ! dit Lucas, ah ! » – et la souche dure s'épanouit prodigieusement, abondamment, et se flétrit lentement aussitôt, laissant pleine la main de Marcus. « Ah ! dit encore Lucas en frémissant sur le siège du conducteur, je ne voulais pas ça. Je vous demande pardon. C'est un échec de la volonté. »

Il leur était impossible de se regarder.

« Ça ne fait rien, dit Marcus à mi-voix. Ça ne fait rien, Lucas. »

Mais ce n'était pas vrai. Un instant, il avait, en sympathie, été lui-même troublé, puis Lucas avait été convulsé, et lui se retrouvait là où il avait toujours été, seul, à part, à l'écart. Il s'essuya les doigts sur son mouchoir, son pantalon, n'importe quoi.

« Ce n'est pas vrai, dit Lucas. C'est un désastre. C'est

486

le commencement de la fin. » Il dit cela d'une voix calme et dogmatique, en se reboutonnant tout en parlant, et attendit une réponse. Marcus n'en trouva aucune à lui faire. Lucas enfonça la clé et démarra avec une violente secousse sans regarder son passager, fit marche arrière sur l'herbe et se lança dans la descente.

Ce qui suivit, la traversée des landes, fut un cauchemar. Marcus, avant de cesser de penser, pensa qu'il n'aurait pas dû être possible de conduire aussi vite. L'air, la bruyère, les murets de pierres sèches fonçaient à toute allure ; les virages hurlaient et lui donnaient des haut-le-cœur ; la parallaxe oscillait, s'entortillait sur elle-même comme un cocon, se centrait entre ses yeux qu'il ferma. Il essaya de parler et sa bouche était sèche ; ils sautaient par-dessus les collines et flottaient ou chutaient dans les trous d'air ; les carrefours défilaient avec le claquement de barrières ou d'arbres ignorés et non respectés. Marcus finit par s'agenouiller et enfoncer la tête dans son siège, risquant un seul coup d'œil sur la forme rigide et pétrifiée de son ami dont le visage rose demeurait impassible sous ses boucles d'or, les yeux plongés, par-dessus le volant, dans le vide. Voulez-vous nous tuer, voulait demander Marcus, mais il ne pouvait parler, ni répéter non plus, voulez-vous n'être rien. Il s'accroupit, le regard fixe, perdit conscience, la retrouva pour voir le ciel tourbillonner et referma les yeux une nouvelle fois.

35

Reine et chasseresse

Le soir de la répétition générale arriva. Et c'est notre dernière chance, dit Lodge, haranguant premiers rôles et figurants du haut du tabouret de pied royal sur le gravier de la terrasse, tandis que dans les arbres une bouteille questionnait, musicale et fort mélancolique : Quel est celui ? Quelle est celle ? C'est notre dernière chance d'unifier le tout, de rendre parfaitement la magie, et nous sommes tellement près de la réussite. Il agitait les bras en psalmodiant d'une manière qui ne lui ressemblait pas, avec les inflexions et les sonorités musicales du véritable acteur, charmant, cajolant, menaçant, et tous, en perruque et robe de fourrure, en vertugadin et chausses rebondies, poussèrent des soupirs et des rires, et rassemblèrent leur jupe et leur courage.

Frederica était assise sur une couverture à côté d'Edmund Wilkie sous une lampe à arc accrochée à un arbre. Wilkie, en velours noir ornementé de rais de menues perles, image vivante du Ralegh en petite cape du musée du Portrait, faisait de minuscules et fines opérations sur du papier millimétré avec un crayon. Il avait plusieurs feuilles de ce genre, couvertes de diagrammes d'éprouvettes, de grosses bouteilles trapues, de dame-jeanne ; et aussi de diagrammes bizarrement tracés de serpents cosmiques traversant les sphères célestes, d'Apollon avec un pot de fleurs, des Grâces. Ces dernières semaines il avait dépensé des trésors d'ingéniosité pour faire du chœur des bouteilles, scientifiquement, un art. Il mesurait des colonnes d'air sur des colonnes d'eau, exécutait des graphiques de vitesse et de fréquence des sons et des mélodies réverbérés dans les cavités des globes de verre ou sifflés dans de fins tubes de verre. Il avait constitué un ensemble de garçons plus ou moins fiables, choisis parmi les faunes de l'antimasque, et les faisait répéter pendant les moments de liberté dans la grand-salle. Maintenant ceux-ci tenaient pressés sur leur pourpoint, mathématiquement étiquetées, des bouteilles diamantines, ambrées ou smaragdines, à vin, bière ou boisson gazeuse. Ils savaient, quand Wilkie en donnait le signal, jouer *Giles Farnaby amoureux*, *When the saints come marching in*, le *Paradis* de Dowland et Campion, ou *Brumeuse, brumeuse rosée*, avec des embellissements et un tintamarre amplifié conçus par Wilkie lui-même. Cet homme aux nombreux talents écrivait à présent, dit-il, la véritable musique des sphères, selon un système qui se trouvait dans la *Practica Musica* (1496) de Gafurius, lequel avait dessiné une série de correspondances entre les modes dorique, lydien, phrygien et mixolydien, les planètes dans les cieux et les muses. Wilkie dit à Marina Yeo qu'il créerait un véritable ordre apollonien à partir d'une cacophonie dionysiaque – et tout cela afin de pouvoir se dresser sur la terrasse et s'exclamer : La musique des sphères, écoute, mienne Marina !

« Comment cela se peut-il ? demanda Frederica sceptique, quand personne ne sait que tu as ajusté toutes ces octaves planétaires, toutes ces notes transcendantales ?

— Tu sais. Marina sait. Les petits bouteillers savent, je le leur ai dit. Ils jacassent, ils s'esclaffent, mais ils savent. N'importe comment, les gens auront l'intuition d'un ordre, si ordre il y a, même s'ils sont incapables de le nommer, lui ou les principes dont il découle. »

Il était difficile de savoir jusqu'à quel point il se prenait au sérieux. Il aimait certainement l'ordre, une pluralité d'ordres perceptuels, c'était un monteur-ajusteur et un orchestrateur.

« Ils ne le feront pas, dit Frederica. Ils n'auront aucune intuition de rien, et moi non plus, malgré toutes tes informations, parce que je n'ai pas d'oreille. »

Cette information-là sembla faire grand plaisir à Wilkie. « Tu n'as pas d'oreille ? C'est merveilleux. Tu corrobores ma théorie sur la voix monocorde des gens qui n'ont pas d'oreille. Cela explique pourquoi tu donnes si bien une impression de froideur quand tu parles. » Il imita un vers ou deux de sa façon de réciter la tirade de la Tour d'Alexander. Il y réussit parfaitement. « Monocorde, dit-il. Monocorde en demi-tons, avec ces sautes de ton incohérentes. Comme un carillon musical qu'on ferait sonner faux et sans harmonie. Comme un paon. Il ne nous est pas donné à tous de chanter la musique des sphères. Mais vous, ma chère Marina, vous, quelque chose me dit que vous avez presque l'oreille absolue.

— Je l'ai eue », dit Marina Yeo, assise au-dessus d'eux, reposant des jupes aussi vastes qu'un empire sur deux chaises de bal dorées. « Mais ce n'est plus aussi net depuis quelque temps.

— Cela se perd avec l'âge, dit Wilkie avec élan. Mais lentement, quoique sûrement, vous serez heureuse de l'apprendre. Voulez-vous que je vous écrive une chanson, Marina, à chanter sur la musique des sphères de mon chœur des bouteilles ? Chanteriez-vous avec mon invisible chœur ? Tu pourras écouter, Frederica chérie, mais tu n'entendras pas. "Une si sobre certitude d'extase éveillée", comme l'a dit Huxley avec tant de justesse pour décrire la bonne musique. Comment fais-tu sans elle ?

— Je médite, dit Frederica avec aspérité, et souvent je voudrais qu'elle s'arrête. »

Wilkie lui fit un sourire potelé et malicieux, car Lodge avait atteint la fin de sa péroraison, et il pointa son mince poignard en direction des joueurs de bouteille qui gonflèrent les joues comme le Zéphyr de Botticelli et s'embarquèrent dans *Règne, Britannia*.

« Ce qu'il nous faut, ce sont des tambours. Tu les entendrais, fillette, les sourds les entendent. Les sifflements comme les battements de cœur. Voyons, quelle sorte de tambours, pour la musique des sphères ? Saviez-vous, gentes dames, que le pentamètre ïambique incarne, si je puis dire, le nombre des battements du cœur entre inspiration et expiration ? Le vers de Shakespeare est le temps humain. Mais pour la musique des sphères il faut un battement de tambour réglé sur une mesure inhumaine, un mécanisme non anthromorphique, une horloge à eau, une pulsation astronomique…

— Tais-toi, Wilkie, dit Lodge. Je veux commencer. Dégagez, tous ceux qui ne sont pas du début, ou bien asseyez-vous, taisez-vous et faites l'auditoire. Wilkie, tais-toi une bonne fois pour toutes et viens dire ton Prologue. Silence, SVP. Lumières, SVP. »

Et dans chaque arbre, comme des fruits d'or scintillants, des lumières jaillirent, chaudes, rondes, claires sur la verdure. C'était la fin de l'après-midi, gris, bleu sombre, mais pas obscur. La nuit complète devait tomber au dernier acte, dans lequel Lodge, inspiré par les Mystères d'York de 1951 où, énorme et sanglant, le vrai soleil s'était couché derrière le Christ en croix personnifié et l'abbaye en ruine et ses rajouts de planches, avait utilisé la tombée du jour pour mettre en valeur les rayons mourants de Gloriana. Wilkie tira sur son mantelet, sauta lestement sur la terrasse et rejoignit nonchalamment Thomas Poole/Spenser pour commencer son Prologue.

Jenny, en retard parce qu'elle avait dû calmer Thomas grincheux, courait en tous sens dans les anciennes cuisines, qui abritaient les loges des actrices, suppliant quelqu'un de l'agrafer dans le dos. Dans une arrière-cuisine dallée de pierres elle trouva Alexander. Qui dit qu'il l'agraferait lui-même. Cela leur rappela à tous deux leurs premières étreintes dans la fosse d'orchestre sous la scène du collège. Alexander glissa les mains sous les baleines flexibles, autour des seins moelleux. Ah ! les rangées de petites agrafes. « Crowe a-t-il proposé ?… » Elle rit. « Il a proposé. C'est un Pandar, un vieil entremetteur. Et un pape des fous. J'ai dit oui, évidemment, j'ai dit oui. »

Crowe avait offert le boire et le manger, le gîte et le couvert, à qui le voulait ce soir-là, et à Jenny expressément. Geoffrey avait dit qu'il ne voyait vraiment pas pourquoi elle ne pouvait pas rentrer à Blesford. Il viendrait la chercher. Elle avait répondu qu'il devrait s'occuper de Thomas. Elle ne rapporta pas cette altercation à Alexander.

« Et si je reste, si je reste ce soir, est-ce que tu… est-ce que nous… ?

— Évidemment.

— Et tout ira bien.

— Évidemment. »

Il avait l'impression de parler d'une voix sucrée. Il n'était pas du tout aussi sûr de son fait qu'il le laissait entendre. Il se rappela les petites épingles dorées de Stephanie Potter et ses nuages de voile. Il se demanda comment on pouvait vouloir patouiller du bout des doigts dans les cavités d'un autre corps. Il voulait une chambre vide, blanche et propre, et le silence. Il ne voulait ni boire ni danser.

« Jenny, il faut que j'y aille, je suis dans mes petits souliers, il faut que je fiche le camp. Je te verrai après.

— Évidemment, dit-elle avec sa nouvelle assurance calculée. Après. Embrasse-moi. »

Il toucha sa bouche rouge, effleura sa fraise vaporeuse et rigide. Elle était l'image qu'il avait conçue, un petit oiseau en jupes à ramages et manches de tulle. Ce qu'il ressentait ne pouvait être la nostalgie de sa planche à dessin, ni davantage celle du mannequin sur lequel la robe avait été réalisée par les après-midi d'été dans les ateliers de couture du lycée de jeunes filles de Blesford.

Il y avait à présent un hémicycle de travées en gradins sur la grande pelouse de Crowe, qui rappelaient quelque peu les tribunes jalonnant le récent parcours du couronnement. Alexander ne se joignit pas à Lodge, Crowe et les autres. Il s'assit tout à un bout, tout en haut à l'ombre des arbres, pour écouter Spenser et Ralegh se renvoyer des mots, les siens, les leurs, sur un fond de mélodies invisibles dans les buissons.

Il se rappelait ses premières idées. Une renaissance du langage, d'un langage flamboyant, somptueux, musculeux. L'être intouchable et complet, femme-homme sous l'armature des baleines. Métaphore élaborée, saisie trop tôt dans l'écriture, le sang qui sourd de la pierre. D'invisibles couleurs pures, rouge et blanc, vert et or.

Et puis tout le dur labeur pour rendre la complexité, l'incarnation solide, toute la matière factuelle incorporée. Diplomatie, cape et épée, hydromel, grains, perles, mythographie néoplatonicienne, déterreurs de scandales, fauxculs, verjus et pouliot, *Polyolbion*, la *Reine des fées*, la boucherie en Hollande et les tourbières détrempées en Irlande. Le vertige des mots et des choses. S'il écrivait «coupe», le mot contenait tout ce qu'il savait du vin des Canaries, des biens meubles, de Circé, de *Comus*, des présents offerts durant les voyages royaux. Les roses et le carnage, la rose rouge et blanche écartelant sa face, la funeste boucherie comme dans le cas du Dr Lopez, dont la mort sinistrement décrite en détail avait été si pudiquement écourtée et estompée par Benjamin Lodge.

Il avait déjà éprouvé, à cause de sa précédente pièce, l'impression réductrice de solidité qui accompagne l'incarnation de l'idée. Cette fois c'était pire, car il avait vu si distinctement sa pièce en l'écrivant, dans une sorte de *stereopticon* ou de *camera obscura* intérieure, éclatante de couleur et de caractère. On gagnait souvent à ce que les acteurs, les metteurs en scène, apportaient aux espaces aérés laissés dans le texte pour eux, une vision nouvelle, une chose inimaginée, inattendue. Jusqu'à présent, avec cette pièce, cela ne s'était pas produit. Ses personnages avaient acquis une enveloppe corporelle et une appellation localisée, Max Baron, Marina Yeo, Thomas Poole, Edmund Wilkie, Jenny et, ce qui était très déroutant, Frederica Potter. Il était difficile de ne pas trouver à redire aux personnifications grossières que ces acteurs tenaient pour des interprétations originales. Marina Yeo avait tendance à parler de sa «création» d'un rôle. Peut-être leur avait-il laissé trop peu à créer ou à rendre. Ce qu'il avait fait était si dense ; riche, comme toutes les bonnes pièces en vers

des années cinquante, en images subtiles où se bouscu-
laient soleils et lunes, cygnes, fils de la Vierge, fleurs et
pierres ; et riche encore de la spécificité de l'imagination
visuelle d'un dramaturge qui créait ses propres costumes,
velours châtaigne ou aurore, plissé soleil et couture au fil
doré, dont l'exécution ne pouvait être qu'un vague simu-
lacre.

Et Lodge dans son travail s'était régulièrement affranchi de cette complexité fournie de chair pour s'intéresser
aux ossements mis à nu des obsessions primitives, sexualité, danse et mort ; mort, danse et sexualité. Lodge récri-
vait des vers – beaucoup de vers – à la requête des acteurs
qui les trouvaient difficiles ou délicats à dire. Marina Yeo
était coutumière du fait. Alexander savait que ces vers
pouvaient être dits, il avait entendu leur claire et fluide
musique dans le théâtre de sa tête.

Et sous le sentiment de la dégradation de son somptueux palais imaginaire couvait plus profondément le sentiment qu'il avait voulu affirmer sa passion du passé, offrir
pipeaux et tambourins, la folle extase, Tempé et la vallée
d'Arcadie. Ce qu'ils en avaient fait n'était pas des immor-
tels marchant d'un pas majestueux sous les ombrages du
jardin des Hespérides, mais du sex-appeal en robes bain
de soleil, des sandwiches dans des casques en papier-
mâché doré, les extravagances du chœur des bouteilles
d'Edmund Wilkie.

Le prologue se déroula. Lodge coupa encore un vers,
une réflexion de Ralegh, pas d'Alexander, sur l'inconstance de la froide planète. Le soleil de fin d'après-midi
montra les galopades et les ciseaux brandis dans le verger de Catherine Parr. Alexander observa avec satisfaction la lente chute voltigeante des lambeaux déchiquetés
de la jupe de la jeune fille sur ses jambes nues écartées.
Son corps était raidi d'exactement le bon mélange de
colère, de solitude intransigeante et d'excitation. Elle
savait, pensa-t-il, ce qu'elle faisait, parfaitement. Sa chevelure rousse fut déployée avec furie sur les pâquerettes
et le gazon. Alexander se sentit percé par un désir mani-

feste et instant. Il se dit que c'était pour sa pièce, pour son personnage. Frederica se dressa, lança un rire strident, aboya, « Dieu m'ait en sa merci, ce n'est en rien moi », rugit un juron, s'enfuit. Quelques applaudissements crépitèrent, dont elle tira une immense satisfaction.

C'est seulement la dernière semaine des répétitions, quand Lodge dit à Frederica qu'il croyait que son interprétation s'était « charpentée », qu'elle comprit vraiment à quel point il avait douté de cette éventualité. Elle avait, en dépit de sa panique corporelle, persisté dans la présomption facile et confortable que ce qu'elle faisait avait, sans grand effort, des chances d'être de toute façon meilleur que ce ferait n'importe qui d'autre. C'était vrai de son travail scolaire. Ce l'était aussi de ses lectures à haute voix en classe, à son avis, parce que sa grammaire était plus sûre et son vocabulaire plus étendu que celui de n'importe qui d'autre. Elle se disait qu'elle comprenait cette pièce. Et que la compréhension devait se voir.

Ce qui sauva son interprétation, cependant, ne fut pas la compréhension mais l'impopularité. Elle n'était pas aimée au lycée, mais croyait que cela lui était égal. Elle n'aimait pas les filles de son âge. Mais ici, parmi les artistes, les beaux esprits et ce qu'elle prenait innocemment pour des bohèmes, elle avait cru être appréciée à sa juste valeur. Peut-être son appréciation de sa « juste valeur » n'avait-elle pas été juste. Les vrais acteurs s'amusaient des filles de la Cohorte et avec elles, ils les chahutaient dans les buissons et leur faisaient des petits cadeaux. Elles entouraient Marina Yeo de murmures idolâtres et d'hommages. Quand Frederica parlait, elles prenaient, en règle générale, un air irrité. Elles riaient de son adoration pour Alexander, mais pas avec elle, pas comme elles riaient toutes ensemble du béguin d'Anthea pour Thomas Poole, homme sérieux et secret, en rassemblant leurs têtes scintillantes couronnées de perles. Elle n'avait pas la manière de leur parler, et cependant sa vie imaginaire avait été remplie de rires sophistiqués et de taquineries aux allusions cordiales, comme elles en partageaient assurément. Elle fut sauvée du désespoir, ainsi qu'elle devait fréquemment l'être plus tard dans la vie, par la rage de la compétition à l'état pur, émotion hideuse mais efficace. Libre à elles de ne pas l'aimer, soit ! mais il faudrait bien qu'elles l'admirent.

Elle y parviendrait par la volonté. Elle demanda conseil à Crowe et à Wilkie. Elle agita les bras et les jambes devant la glace jusqu'à n'avoir plus l'air d'une statue, d'un piquet, ou simplement d'une sotte. Elle joua avec acharnement pour une monstrueuse, une infaillible, une inexorable Frederica intérieure. Son rôle étant ce qu'il était, cela marcha dans une large mesure.

Par une ironie qui mérite sans doute d'être rapportée dans ce contexte, alors qu'Alexander, peut-être pour avoir trop intensément imaginé un monde irréel et disparu, peut-être plus simplement parce qu'il était déjà trop vieux, que sa mémoire était trop longue et trop pleine et que ses visions ou ses espérances de gloire dataient de dix ou vingt années en 1953 – alors qu'Alexander ne devait jamais être capable de voir rétrospectivement ce grand moment de sa carrière comme une sorte d'âge d'or archétypal, Frederica le fit aisément. Une fois encore, cela fut peut-être simplement dû à son âge. À dix-sept ans le monde était tout entier devant elle, immaculé, quoi qu'il pût devenir, quoi qu'il fût déjà condamné à être. Délivrée, dans les années soixante, de la difficulté d'avoir dix-sept ans, d'être vierge et de se faire rabrouer, elle fut capable de meubler son théâtre de mémoire d'une brillante et solide scène qu'elle polit et dora au fur et à mesure que celle-ci s'enfonçait dans le passé, fourbissant l'image du génie de Marina Yeo, après la lente et douloureuse mort de l'actrice d'un cancer de la gorge, se représentant les filles de la Cohorte, alors que ces dernières se muaient en ménagères, profs de gym, assistantes sociales, vendeuses, et en un cas une alcoolique, en un autre cas une actrice morte elle aussi, comme autant de créatures véritablement radieuses, encore nimbées de lumière et d'or, voyant les pelouses, les avenues, les lampions dans les branches et la lumière clignotant sur des bouteilles musicales à demi cachées, dans l'inaltérable lumière éternelle qui éclaire les immuables perspectives infinies que nous créons, dès l'âge d'un an, avec des jardins de banlieue et des parcs municipaux en été, avec des horizons et des allées dont le gazon se déploie à perte de vue, et que nous espérons toujours revenir voir, redécouvrir, habiter dans la vie réelle, quoi que ce terme signifie.

Le premier acte s'acheva sur la tirade de la Tour. L'imitation que Wilkie avait faite de son intonation de personne qui n'a pas d'oreille, avait renforcé le soupçon qu'elle s'était formé après une remarque qu'il avait laissée échapper plus tôt, à savoir que cette pièce, en fait, sacrifiait avec récidive à la propension foncière d'Alexander à cultiver des fantoches métaphysiques, comme dans *Les Ménestrels*. Elle se demanda si sa tirade n'était pas dangereusement jolie. Elle se demanda comment retrancher la note rhapsodique de ce très prolixe renoncement à la biologie. Elle supprima les mouvements tournants que Lodge lui avait enseignés, demeura épaisse et lourde, se montra sardonique à propos de la fontaine scellée, lança un rire convulsif et abrégea le tout. « Je ne saignerai pas. » Lodge s'écria, en colère, « Tant pis ! » quand elle sortit de scène. Alexander, qui avait commencé par s'offusquer de cette manière de tripatouiller ses accents toniques, finit par suspecter que sa tirade se débitait trop facilement, et qu'elle réglait le problème à sa place. Il décida de descendre de son perchoir et de la rassurer.

Lodge les harangua comme une équipe de foot dans les vestiaires, leur dit qu'ils lambinaient atrocement et y seraient encore au lever du jour, et demanda à Frederica avec aigreur si elle avait les muscles ligaturés. Ce mot lui faisait toujours penser dans l'abstrait aux marmoréennes figures idéales de Blake, dont les longues lanières, tranches et boules de chair étaient précisément des ligatures. Elle répondit que non, que ça lui avait juste paru mieux ainsi, était-ce important ? Je croyais t'avoir dit de ne jamais rester en place, dit Lodge, et voilà que tu remets ça. Aie l'obligeance de courir dans tous les sens à l'avenir.

Alexander se glissa sur le siège à côté d'elle. L'Old Spice d'Alexander effleura ses narines. La voix aux inflexions suaves d'Alexander murmura, non, sûrement pas les muscles ligaturés, mais les nerfs enchaînés dans l'albâtre et elle, une statue, ou comme Daphné prenant racine en fuyant Apollon. Cela ressemblait donc à cela, interrogea Frederica, et puis elle ajouta qu'il y avait quelque chose qui n'allait pas, quelque part, quelque chose. Il dit qu'il craignait que ce ne soit ses vers. Elle hocha la tête et continua à se tracasser pour des questions de charme et de grammaire.

Même avant l'incident, ou le désastre, il y eut quelque chose de frénétique et d'incontrôlé dans l'acte II. Les acteurs édulcoraient leur jeu ou bien forçaient la note, vociférant de sages conseils comme s'ils publiaient l'imminence du jour du Jugement dernier, réagissant à la présentation de l'ordre d'exécution de Marie Stuart comme si on leur avait offert une tasse de thé tiède. Les danseurs du masque étaient incapables de coordonner leurs mouvements. Wilkie donna le fou rire à la Cohorte en prenant des attitudes de reine des fées, armé de l'épée dorée d'Astraea, et les petits garçons de l'antimasque déboulèrent sur la scène et les uns sur les autres comme les hôtes d'une fourmilière mise à sac. Alexander et Frederica étaient assis sur les gradins, tous deux en surnombre désormais, et regardaient Lodge talocher les petits démons et houspiller les nonchalants seigneurs et belles demoiselles pour les former en groupes artistiques d'où ils s'égaillaient à nouveau automatiquement. Quelqu'un cassa une bouteille de bière sur une balustrade en pierre au moment où les accords de l'harmonie céleste résonnaient à la va comme je te pousse pour la troisième fois. Le grand moment de Jenny arriva, l'épisode du *douceuraltueur messiraltueur*, et à l'instant où Wilkie, avec son imperturbable entrain, s'approchait d'elle et commençait à la tâter d'une main experte, un nouveau bruit rehaussa le crincrin des violons, le glouglou du luth, les hululements des bouteilles, les cris étouffés et les gloussements de Bess Throckmorton assaillie. Il se fit entendre de loin, au coin du manoir, cliquetant et crissant comme si un enfant faisait rouler par à-coups un cerceau en fer sur le gravier, craquant comme le piétinement sourd des légions en marche. Entre Astraea en position et le baron Verulam habillé de fourrure, pénétrant à une allure folle sur la terrasse et manquant abominablement d'huile, déboucha un landau bringuebalant. Et derrière le landau Geoffrey Parry. Qui fit halte dans la lumière dorée braquée sur l'étagement de la Cohorte, scruta comme un hibou à travers ses lunettes à monture d'écaille pour réparer sa femme dans l'ombre, et avança sur elle, arborant, au-dessus de sa veste de tweed bruyère et son pantalon de flanelle bien repassé, un sourire rationnel peu naturel.

« J'en ai marre », dit-il aimablement en saisissant la main de Wilkie et en la retirant distraitement du décolleté de Jenny. « J'ai fait plus que ma part, et maintenant ça suffit. Ou tu rentres, ou tu prends ton bébé. J'ai du travail à faire. Je suis censé être un intellectuel. Je refuse de chanter *Fais dodo, Colin mon petit frère*, ou *Trente et une, c'est la lune*, une fois de plus. Ou tu rentres, ou tu prends d'autres dispositions. Me suis-je bien fait comprendre ?

— Tu te rends ridicule, dit Jenny. Je ne peux pas rentrer, c'est la répétition générale, c'est évident. Tu ne peux pas…

— Oh si je peux. ». La fureur est toujours en partie comique. Frederica poussa un grognement de rire. Plusieurs gamins pouffèrent dans les broussailles. Geoffrey Parry arracha les couvertures du landau et saisit son fils Thomas, qui beugla. Geoffrey était pourpre. Thomas était pourpre. « Il fait ça sans arrêt », dit Geoffrey. Thomas se tortilla et hurla. « Tu rentres, oui ou non ?

— Évidemment non », dit Jenny, fixant tour à tour Crowe, Wilkie et le beau regard indifférent d'Anthea Warburton. Elle ne regarda pas Alexander. Crowe et Wilkie arboraient un large sourire qu'elle interpréta comme de la malveillance masculine.

« D'accord, dit Geoffrey aimablement. Compris. » Il donna à Thomas une petite secousse et puis le lança, d'un geste énergique et précis, à travers la scène, visant la poitrine de Jenny, contre laquelle elle le serra de traviole, le souffle coupé et flageolante. Thomas haleta et beugla, encore plus cramoisi. Geoffrey considéra le landau. Il considéra la terrasse et la troupe. Il flanqua au landau un coup de pied féroce et bien ajusté en direction des plus hautes marches de la terrasse, où la petite voiture oscilla, branlant sur ses ressorts, avant de dégringoler par saccades et de verser sur la pelouse. Un biberon, plusieurs petits pots, un paquet de couches et un ours en peluche en roulèrent.

« Eh bien voilà, dit Geoffrey. Maintenant je peux me remettre au travail. Tu seras mieux avec maman, hein, Tom ? » finit-il suavement, vicieusement, d'une voix dont personne ne l'aurait cru capable d'user. Il s'enfonça dans les ténèbres au coin de la maison, et au bout d'un moment on l'entendit démarrer.

Les acteurs se mirent à glapir, à caqueter, à mugir. La poitrine de Jenny se souleva en prélude à des larmes. Lodge fit signe aux habilleuses et leur demanda d'essayer de prendre l'enfant. Frederica dit distraitement à Alexander, « Il semblerait plus censé de ne jamais se marier. — Oui », répondit Alexander en pensant que ces événements l'avaient mené considérablement plus près du mariage qu'il n'avait cru l'être. Il jeta un bref regard à Frederica qui l'observait avec un amusement attentif, et puis, parce qu'il était bien élevé, tout compte fait, et que Jenny était dans la peine, il déroula ses longues jambes et s'en alla la consoler. Jenny fondit sur lui et sanglota que tout irait bien maintenant, il n'y aurait plus de problème, tout le monde pouvait se remettre au travail, Thomas connaissait Alexander, il serait très bien avec Alexander, Alexander pourrait tenir le bébé.

Alexander fit sauter le bébé sur ses genoux pendant tout l'acte III, l'ayant offert à Frederica, qui avait simplement dit qu'elle n'aimait pas les bébés, merci bien. Il avait le sentiment lugubre que l'honneur l'exigeait de lui, et pourtant, lorsqu'il croisa, une fois ou deux, le regard furieux de Thomas, il éprouva une envie irrépressible de le pousser sous la tribune et de déguerpir tout seul dans sa voiture à Calverley et n'importe où dans le Nord. Frederica resta à côté de lui, à l'étudier. Elle demeura inhabituellement silencieuse, ce qui fit qu'il se demanda, pour la première fois depuis qu'ils se connaissaient, ce qu'elle pensait. Thomas troubla la mort silencieuse de Marina Yeo avec d'étranges petits cris étranglés et d'obscurs bruits liquides. La nuit tomba. Le poète Spenser avait sombré dans son obscure mort : noir, flamboyant, s'apprêtant à ses longues disgrâce et incarcération, Wilkie prononça son épilogue. Jenny vint alors, et prit l'enfant dans ses bras, où il recommença à pousser des hurlements de rage. Lodge entreprit ses appréciations et commentaires. On se mit à boire sérieusement. On dansa, au son du chœur des bouteilles, du gramophone et de l'ensemble élisabéthain, sur les pelouses et les terrasses. Il y eut des quantités de pilaf de poisson et des parties de cache-cache dans les buissons. Jenny dit qu'elle avait à parler à Alexander. Frederica, comprenant que personne ne raccompagnerait ni Jenny ni elle à Blesford, alla demander à Crowe si elle pouvait, tout compte fait, rester pour la nuit. Crowe dit qu'elle pouvait non seulement rester, mais dormir dans l'un des grands appartements, si elle le voulait. Wilkie apparut à côté de Frederica et dit, « Reste donc, reste et danse, prends du bon temps ».

Bien plus tard, cette même nuit, quand Jenny eut provisoirement disparu pour installer Thomas dans son landau, Alexander se retrouva en train de se promener avec Frederica et Wilkie dans les allées gazonnées, éclairées par la lune, du vieux jardin de simples. Wilkie tenait Frederica par le bras ; leurs pas étaient silencieux ; nasillements et stridences semblaient très éloignés. Ils sentaient le parfum du romarin, du thym, de la camomille. Alexander pensa qu'il lui faudrait bientôt rentrer retrouver Jenny, qui avait une petite chambre de bonne cloisonnée sous les toits. Il était un peu gris, mais semblait saisir clairement que le moment tant imaginé avançait. Il se surprit à se poser des questions sur Frederica. Qu'allait-elle faire ? Il se souvint d'elle, échauffée et rose à la lumière du feu, sur les genoux de Crowe, il jeta un regard au corps grassouillet de Wilkie marchant du même pas qu'elle. Peut-être aurait-il dû la ramener à Bill Potter. Ce n'était pas son affaire. De pâles digitales grises montaient la garde à la porte du jardin de simples. Wilkie dit, « Si vous sortez ici et tournez brusquement à droite par cette petite allée, il y a un massif fantastique d'arbustes odoriférants qui serait plaisant à cette heure de la nuit. » Ils le suivirent dans un dédale de hautes haies taillées, toujours plus profondément dans l'obscurité et le silence. Alexander pensa qu'il serait plaisant, plus que plaisant, juste de s'asseoir là sans bouger de toute la nuit au milieu des feuilles âcres et des simples silencieux. Il vit un pied nu et blanc, qui dépassait d'un laurier, et ne sut pas, un instant, si c'était le pied d'un être de chair ou d'une statue. Tournant le coin de l'allée, ils se retrouvèrent tous les trois en train de contempler deux corps enlacés et fort peu vêtus, un tas de vêtements froissés et une bouteille de champagne qui miroitait.

Ce que Frederica distingua, avant de noter le mouvement rythmique de cuisses féminines blanches et de fesses masculines d'un blanc plus sombre, ce fut le visage tourné vers le ciel de la femme, ou de la fille, qui était Anthea Warburton. C'était un visage aussi inexpressif dans son abandon violent et insoucieux qu'il l'était, sur scène, dans sa grâce régulière et intangible – les cheveux blonds striés de noir par la moiteur sous la lune qui les blanchissait ; les immenses yeux scintillants et vides ; la bouche, un cri muet et noir de volupté ou de souffrance extrême. Le corps de l'homme, entrevu sous une chemise, se suspendait et se tendait, la sueur coulant sur les cheveux blonds qui cachaient les yeux. Ce fut Alexander qui perçut que ce type tout entier au plaisir était son ami Thomas Poole, homme secret, civilisé et fade qui professait de paisibles cours sur l'univers moral de *Mansfield Park* tout en faisant des moulinets méditatifs avec un brûle-gueule, et puis rentrait dans ses foyers retrouver une heureuse et ronde épouse et trois enfants florissants. Il eut le sentiment qu'il était obscène, non pas que lui, mais que Frederica, voie cela. Il étendit la main pour la faire reculer ; quand il toucha son épaule osseuse elle tressaillit furieusement, le regarda un instant avec une expression qu'il ne put traduire que comme du mépris ou de la haine, se dégagea et s'éloigna en courant dans l'allée. Le bruit de son départ dérangea Poole et Anthea, qui se pressèrent défensivement l'un contre l'autre et regardèrent les spectateurs restants. Poole ramassa ses lunettes dans l'herbe, les essuya sur le pan de sa chemise, et regarda, sévèrement, Alexander. Le joli minois d'Anthea reprit lentement ses douceurs d'écolière. Tous gardèrent le silence. Alexander fit une courbette et se retira. Wilkie fit un entrechat et le suivit. Poole et Anthea restèrent assis sur l'herbe, les jambes nues étendues, épaule contre épaule, leurs deux têtes lourdes penchant l'une contre l'autre.

« Je ne savais pas, dit Wilkie, que c'en était arrivé là. Et vous ? Je les prenais tous deux pour des rêveurs, parfaitement satisfaits de se regarder dans les yeux. »

Alexander n'avait rien pensé du tout. Il était profondément troublé.

« C'est l'effet d'un charme très puissant, dit Wilkie songeusement. Si j'avais cru qu'on pouvait obtenir ça de cette fille, j'aurais tenté ma chance. Mais elle semblait tellement statique. Pas les muscles ligaturés comme notre amie envolée. Statique et sommeilleuse. Bah ! l'erreur est humaine. Vous ne croyez pas que vous devriez vous mettre en quête de Frederica ? Elle m'a paru bouleversée.

— Elle aurait dû rentrer chez elle, dit Alexander avec une certaine violence. Et quoi qu'il en soit, je ne suis pas responsable d'elle. J'ai d'autres choses à faire.

— M'est avis que maître Poole a maintes occasions de s'exercer sur ses tristes étudiantes, dit Wilkie avec volubilité.

— Oh, Wilkie, taisez-vous, de grâce.

— Peut-être vais-je, quant à moi, tenter ma chance avec Frederica.

— Faites ce qui vous plaît, ce n'est en rien mon affaire, laissez-moi seulement tranquille.

— Vous dites ça sérieusement ?

— Non. C'est un bébé. » Le visage d'Anthea Warburton surgit dans sa pensée. « Ou bien c'est moi qui vieillis. Elle me paraît être un bébé. Vous devriez me le paraître aussi, mais ce n'est pas le cas.

— Peut-être feriez-vous mieux d'aller retrouver votre vrai bébé », dit Wilkie d'une voix moelleuse. Alexander s'éloigna à grands pas. Wilkie rit, cueillit un brin de romarin et retourna vers la musique.

Alexander gagna ce qui avait été l'étage des domestiques. Là, de grands dortoirs avaient été divisés en un terrier de petites cellules à cloisons de bois et plafond chaulé où, plus tard, les étudiants privilégiés de la nouvelle université allaient être entassés. Avait été attribuée à Jenny une petite chambre sous les combles à l'angle du bâtiment, près d'un minuscule office abritant un réchaud sur lequel elle avait fait chauffer du lait, un petit pot de foie et riz, un autre de flan aux pommes et aux pruneaux, pour un Thomas éperdu et barbouillé. La nacelle amovible de Thomas avait été détachée des roues et posée sur le plancher. Jenny était assise à côté, tapotant le dos de son fils pour tenter d'apaiser ses soupçons et de l'endormir.

Alexander frappa ; Jenny se leva d'un bond, le fit entrer et retourna en toute hâte auprès de la nacelle qui déjà se soulevait et se secouait convulsivement. Une femme avec un bébé en colère qui n'arrive pas à s'endormir est un pantin sous la contrainte, dont les fils sont tirés par chaque menu bruit, grésillement, raclement, rythme respiratoire, le non-son de la surveillance intensive de l'invisible non-dormeur aux aguets. Alexander ne détecta rien de cela. Il entra dans la chambrette et dit d'une voix empressée et retentissante, « Voilà, j'ai réussi.

— Chut ! dit Jenny.

— Une chose très étrange est arrivée dans le jardin, juste à l'instant.

— Oh, tais-toi donc », murmura désespérément Jenny, chaque muscle tendu. Alexander se tut de bonne grâce et alla se mettre à la fenêtre. Jenny entendit Thomas épier chacun de ses pas. Il y avait une banquette en bois devant la fenêtre sous la pente du toit. Alexander s'y assit et observa le jardin à travers les rameaux argentés et noirs. Il vit des gens prendre des attitudes. Lodge et Crowe dont les cigares rougeoyaient. Thomas Poole avec Anthea Warburton rajustée, blonde, immaculée.

« Chérie – dit-il.

— Chut ! Si je ne l'endors pas, je ne peux pas, nous ne pouvons pas… il ne se calmera jamais.

— Veux-tu que je m'en aille et que je revienne plus tard ? » dit Alexander, légèrement froissé. Il s'était armé de courage pour aller au-devant de la passion – sans trop prévoir s'il s'agirait de larmes fébriles ou d'effusions effrénées – mais pas pour faire face à cette exaspération concentrée. Sa proposition exaspéra Jenny encore davantage. Elle dit non, s'il consentait à se tenir tranquille une minute avec un grain de bon sens, Thomas s'endormirait à coup sûr, tandis que s'il ne faisait qu'entrer et sortir et claquer la porte comme ça, ils y passeraient sans doute toute la nuit. Puis elle reporta de nouveau son attention sur Thomas. Elle avait découvert qu'un bébé qui a vraiment très sommeil capitule parfois si on l'empêche de force de bouger. Mais c'est un problème délicat, car un bébé qui a un peu moins sommeil peut être mis hors de lui par le même traitement. Elle appuya sur le derrière et les reins de Thomas : il se raidit et se détendit, et au bout d'un moment le ton de sa respiration changea. Son visage brûlant et moite s'enfonça dans le drap du berceau. Sa bouche s'ouvrit. Elle se leva avec raideur et regarda Alexander d'un air mal assuré. Alexander avait gardé son calme en évoquant les douloureux plaisirs des premières ardeurs dont il avait brûlé pour elle. Il évoquait le vent et la banquette de la voiture à Goathland, quand il revit brusquement le visage inquisiteur de Frederica contre la vitre. Non, pas ça. Il s'imagina presque qu'elle allait s'élever dans les airs et mettre son nez pointu à cette haute fenêtre.

« Eh bien, dit-il à Jenny, nous y voilà. En fin de compte. »

Elle essaya de rire, et faillit sangloter. Elle vint s'asseoir à côté de lui devant la fenêtre. Il avait eu l'intention d'aller se procurer une bouteille de vin. Il sentit qu'il se ferait incendier s'il quittait encore une fois la chambre. Alors il commença, d'une manière assez neutre, à défaire les boutons de Jenny. Quand elle lui rendit la pareille et s'attaqua à sa chemise, il fut profondément troublé d'avoir à réprimer le réflexe de lui repousser la main.

Ils atteignirent le stade où Jenny était en soutien-gorge, jarretelles et culotte de Nylon, et Alexander toujours en pantalon et chaussettes. Jenny s'écarta de lui et alla éteindre la lampe de chevet. Alexander dit avec une tendre courtoisie, « Je voulais te voir ». Elle pleurait doucement, « Non, tu ne veux pas, je suis flasque et avachie maintenant, j'ai des marques partout. — Je veux les voir, alors, dit Alexander qui ne le voulait pas. Je veux te voir, toi.

— C'est vrai ? » dit Jenny, et elle enleva ses derniers vêtements, ôta ses épingles à cheveux et revint vers lui à pas de loup, se déhanchant sur ses pieds nus. « C'est vrai, ça t'est égal ? — Je t'aime », dit obstinément Alexander. Elle se rassit auprès de lui, la tête penchée, ses seins ronds et doux tombant très légèrement sur son corps car la peau n'en était plus tendue, plus entièrement élastique. Elle avait de fines craquelures argentées autour des mamelons, et quand il regarda, il en vit encore, tels des poissons ridant l'onde, telles des anguilles pâles, autour du ventre et des cuisses. « Je ne suis pas très neuve, j'ai servi », dit Jenny, et Alexander inclina la tête et effleura des lèvres les craquelures argentées avec une sorte de désespoir protecteur. Elle doit être aimée, pensa-t-il, elle le doit, et il lui caressa doucement la colonne vertébrale, et les genoux hâlés encore fermes.

« Allons nous coucher », dit Jenny. Alors Alexander se leva enfin, laissa tomber son pantalon et, longue silhouette blanche, alla fermer la porte à clef tandis que Jenny sentait la tête qui lui tournait au spectacle de sa désinvolte beauté et à la pensée qu'il pourrait réveiller Thomas.

« C'est merveilleux que ce soit dans cette maison, en fin de compte », dit Alexander d'une voix préoccupée en revenant. Jenny, également préoccupée, dit, pendant qu'il se glissait entre les draps à côté d'elle :

« Je ne peux pas rester avec Geoffrey après cela, tu sais, je ne peux pas vivre un mensonge. »

Le pénis d'Alexander, dont la rudimentaire reptation d'escargot l'avait inquiété par son insuffisance, se recroquevilla à ces mots et parut une rose totalement passive. Il s'allongea auprès d'elle, promenant distraitement les doigts sur les vergetures des zones obscures de l'aine. Au bout d'un moment elle posa la main sur la verge qui se rétracta et demeura désespérément amollie. Elle donna une petite secousse inexperte, et il grogna en signe de protestation. Il dit, « En un sens cela paraît gênant avec lui dans la pièce.

— Et après si longtemps, dit-elle. Ça ne fait rien. Reste juste immobile. Je n'arrive pas à croire que je suis ici, et que c'est toi. »

Il eut une vision du calme jardin de simples, silencieux au clair de lune entre ses haies taillées. Il eut une vision des cheveux tombants de Thomas Poole et du scintillement moite de son corps en action. Il mit la main avec espoir entre les jambes de Jenny et elle fut secouée d'un spasme de plaisir dont la violence l'alarma.

« Je suis désolé, Jenny.

— Mais non. Ça va aller.

— J'ai attendu trop longtemps.

— Je ne suis pas assez expérimentée, dit-elle en avouant son embarras. Embrasse-moi, tiens-moi juste et embrasse-moi. »

Il l'embrassa. Il se frotta, avec espoir, de tout son corps contre ce corps. Ses intentions étaient très positives. Thomas, entendant dans son sommeil ces remuements et préparatifs sans méthode, tourna son petit corps avec une totale maestria, et ils le virent contempler de ses grands yeux noirs leur nudité, sa tête en pain de sucre dépassant le bord de la nacelle et branlant sous l'effet d'une totale absorption. Il ouvrit la bouche pour gémir. Il poussa un cri strident. Jenny se leva, prompte comme l'éclair, et l'eut bientôt pressé contre son sein nu qu'il agrippa de ses minuscules doigts potelés, tordant avec colère ce qui avait été effleuré par l'ébauche de l'intérêt lointain d'Alexander. Ils s'assirent tous deux sur le lit et, après un moment, de pure fatigue, s'allongèrent tous deux, le petit corps chaud et rageur toujours cramponné à celui de Jenny, les petits pieds dodus quelque part sur la clavicule d'Alexander. « Si je le tiens un peu, dit Jenny, il va s'endormir, il le fait toujours. » Alexander hocha la tête, toujours poli, et la tourna vers le mur. Ce fut, mû par un profond désir de perte de conscience, Alexander qui s'endormit le premier.

Frederica était en proie à une folle colère. Tout dans la vie des émotions doit avoir une première fois et, quant à elle, cette année-là lui avait déjà fourni presque trop de premières fois et devait encore lui en fournir davantage : changements familiaux, sexualité, art, succès, échec, folie, désespoir, peur de la mort. D'aucunes par procuration. Ainsi que d'autres plus abstruses et perdurables : la vieille voix murmurant les commencements et les fins dans le coffret en noyer, « le Soleil à son lever », *Troïlus et Cressida*, *La Duchesse de Malfi*, Racine et Rilke. Comment peut-on, à l'âge mûr, vraiment imaginer la rencontre de telles formes pour la première fois ? Comment la jeunesse peut-elle vraiment imaginer les formes que cette connaissance nouvelle imposera, la limitant, l'augmentant, à la disposition d'esprit de toute une vie ?

Une telle incapacité à imaginer se produit aussi en matière de sexualité et d'identité. Les jours mornes et furieux des dernières semaines étaient devenus pour Frederica sa première expérience de la solitude voulue. La Frederica reflétée n'avait désiré et admiré que Frederica. Avant cela il y avait eu le trouble lascif à propos de Daniel et Stephanie. Et encore avant, elle avait voulu connaître Alexander. Comme certaines femmes peuvent d'abord désirer des acteurs inconnus, puis à travers eux Benedick, Berowne ou Hamlet, puis à travers eux un dramaturge mort. Après Goathland il parut à certains signes qu'un besoin de ce type ne suffisait pas. Ed,

Jenny, Crowe, Wilkie ne l'avaient pas laissée aimer un Benedick ou un M. Rochester. Ils avaient donné de la consistance à Alexander. Lodge, Elisabeth, l'anxiété touchant la joliesse des vers, l'avaient rendu à nouveau inconsistant, perfectionnisme et snobisme intellectuel se liguant contre lui. Et pour finir la fulgurante vision blanche de Thomas Poole et d'Anthea-Astraea avait ranimé cette avidité inassouvie. Si Anthea, lycéenne, pouvait... alors Frederica, lycéenne plus puissante, devait... Si le bon Poole pouvait être amené...

Elle ne savait pas alors qu'à l'époque où elle se ferait vieille, elle pourrait, tout en marchant dans une rue de Londres, se dire presque avec certitude : Je suis arrivée au bout du désir. Je voudrais vivre seule. Ni que, tremblant de désir à l'âge de quarante ans, elle saurait avec un très confortable désespoir que le désir échoue toujours, mais persisterait à trembler. À dix-sept ans, c'est la virginité qui était, telle la sauterelle, pesante. Et qui poussa Frederica Potter à boire des quantités de vin rouge, plus deux cognacs, et à partir à la recherche de quelqu'un pour l'en soulager.

Pour un temps, comme il prit soin de l'en informer, avec ce qu'elle reconnut seulement plus tard pour de la courtoisie, elle trouva Wilkie.

« Je peux te consacrer un peu de temps, ma chère, plus tard j'ai un... rendez-vous.

— Ce n'est pas toi que je cherchais.

— Non, non, je sais, mais il faudra que je fasse l'affaire, lui a d'autres affaires, juste maintenant. »

Frederica avala du vin. « Pourquoi ? parvint-elle à sortir.

— N'est-ce pas évident ? Une jolie femme, de la sympathie, un long amour sans espoir.

— Je ne comprends pas. Elle ne l'aime pas.

— Pas comme tu le ferais ? Mais ce qui devrait te tracasser à l'heure qu'il est, c'est si lui l'aime. Si tu me demandes si elle l'aime autant que tu le ferais, je dirais : Beaucoup plus. Si tu me demandais si lui l'aime, je dirais : Il a la trouille. Et s'en délecte. Il aime être raide de peur, si tu me pardonnes la plaisanterie. Et c'est là que tu as, si tu avais l'intelligence de le comprendre, un avantage certain. Parce que tu pourrais représenter la terreur brute. Et chez Jenny, la pauvre chérie, ce qui lui donne la trouille, ce n'est pas la sévérité, mais la banlieue, la hantise de notre génération, les tasses à thé, les couches, les cantonnières, le tapis à fleurs dans l'escalier, le cliquetis du loquet de la barrière miniature du jardin.

— Je viens de banlieue.

— Tu viens du repaire du napperon et du couvre-théière, je le sais, et moi itou, j'ai mangé des galettes avec ton paternel. Mais tu ne vas pas plus y rester que moi, et monsieur-notre-reine-vierge devrait être capable de voir ça, pauvre petit être timoré, si seulement il regardait. Arrête de t'en faire. N'importe quelle femme peut avoir n'importe quel homme, si elle y met de la persévérance et ne l'aime pas trop. Mais les femmes sont drôles. Elles refusent de se servir de leur tête.

— Arrête, Wilkie. Je n'ai pas envie que tu fasses ton petit malin. Je me sens mal. Parce que j'ai bu trop de vin, qu'il s'est esbigné avec elle, que je te parle d'amour, d'amour, et encore d'amour, et que rien ne se passe. »

Wilkie devint shakespearien. Il demanda ce qu'est l'amour, et se fit la réponse que rien de tel n'existe, non plus que l'honneur. Lui-même ne valait pas la peine d'être écouté. Il lui fallait, dit-il, l'aimer et la quitter, car il avait bel et bien, comme il l'avait dit, un rendez-vous. Il lui conseilla juste de s'assurer d'être raccompagnée à Blesford, lui décocha un profond salut et s'éloigna d'un pas nonchalant. Il paraissait inévitable, selon les us de ce bucolique royaume, qu'il fût remplacé par Crowe, lequel lui donna un troisième verre de cognac, s'inquiéta des cernes noirs sous ses yeux, et lui demanda si elle voulait dormir dans la chambre du Soleil, puisque Marina s'était déjà installée sous la Lune.

La tête lui tournait sous l'effet de l'alcool, de l'effort esthétique, et de l'amour. Elle dit qu'elle allait se coucher et suivit Crowe, qui choisit de lui fournir une bougie dans un bougeoir en verre et étain, dans l'enfilade des corridors.

L'éclairage de la chambre du Soleil, dit-il, était pour la montre, pas pour lire au lit. Elle trouverait sans doute quelque agrément à disposer d'une bougie. Derrière un panneau sculpté de la chambre du Soleil il avait dissimulé un rhéostat qui braquait théâtralement ses feux sur la carnation terre cuite d'Hyacinthe et d'Apollon au plafond, plaques imprécises aux froides teintes rouges dans les hauteurs obscures. Les rideaux étaient des stores à lamelles qui protégeaient les tentures de la lumière. Ici et là les bosselures de plâtre et les fils dorés de la tapisserie révélaient à la lumière de la bougie des contorsions et des excès discernés dans la pénombre. Crowe posa la bougie sur une table à dessus de marbre, rabattit minutieusement le couvre-lit et l'implora de ne pas fumer. Il ouvrit une porte lambrissée derrière laquelle apparurent des toilettes en acajou et un énorme lavabo aux robinets de cuivre.

« Aménagements de mon grand-père. Pour les juges des assises, qui dormaient ici. Je vais vous laisser à vos ablutions. Avez-vous besoin d'une chemise de nuit ?

— Non. » Elle fut à demi surprise lorsque Crowe, assez rapidement, s'en alla.

Elle se mit au lit en culotte de coton et corsage de popeline, ayant enlevé le soutien-gorge à armature qu'elle portait pour le spectacle et qui avait imprimé des marques rouges sensibles dans sa chair. C'était l'unique fois qu'elle dormait, ou essayait de dormir, sous un baldaquin. Les torchères pailletées et les soleils brodés pendaient autour de sa tête et scintillaient à la lumière de la bougie. Apollon, Zéphyr, Hyacinthe, la mare de sang et la fleur cramoisie étaient trop hauts pour êtres vus avec quelque précision, et encore assombris par les tentures. Elle découvrit que la chambre montait et descendait autour d'elle, comme les vagues de la mer, comme les longs tapis de Keats sur le parquet éventé. Elle fixa les yeux sur la bougie, qui montait et descendait à son propre rythme, la flamme s'enflant, tel un turban qui double de volume, dans le courant d'air. Le matelas moelleusement bombé faisait une bosse en son milieu, un dos de baleine sur lequel il lui était impossible de s'installer. En outre, elle n'avait aucune envie d'être malade dans cet antique lit. Elle soupira, croisa ses bras minces sur sa poitrine, se redressa et fixa la bougie.

Il se fit un grincement de fer, la lumière rouge augmenta et vacilla sur la blanche frise apollonienne et le rouge désert peuplé du plafond. Elle tendit le cou à travers les courtines pour voir ce dont il s'agissait, mais tourner la tête lui donna le vertige, aussi reprit-elle la position verticale. Crowe entra par une porte, enveloppé à présent d'une robe de chambre de brocart cramoisi et or, chaussé de pantoufles en velours brodé écarlate, une grosse bouteille et une assiette de fruits dans chaque main.

« J'ai pensé que vous auriez peut-être faim. Un festin de dortoir. »

Il versa un verre de champagne, dont elle savait qu'elle ne devait pas boire, et s'assit sans y être invité sur le bord du lit. C'était, après tout, son lit.

« Vous ne dormiez pas ?

— Non.

— Et vous êtes toute seule. Prenez du raisin. Une visite ne vous ennuie pas ? Je suis sûr que non.

— Je suis plutôt ivre, dit Frederica avec optimisme.

— C'est bien ce que je pensais. Cela pourrait même accroître votre appréciation de mes effets d'éclairage. Je peux faire le soleil levant, le soleil couchant, la lune flamboyante et un crépuscule assez infidèle. J'ai pensé que cela pourrait vous amuser. Le soleil dans la chambre au plus fort de la nuit. Brille ici sur nous et tu es partout. »

Il sauta du lit et manipula les commutateurs. Le désert fut inondé d'or et d'ambre. Il revint. Frederica nota qu'il ne portait rien sous sa robe de chambre. Elle mangea un grain de raisin, puis deux, et cracha les pépins dans le bougeoir.

« Puis-je te regarder ? » Ce n'était pas vraiment une demande. Il lui enleva son corsage et elle resta assise toute droite, rigide et immobile. Il rabattit les draps et tira doucement sur sa culotte. « Ôte-moi ça », dit-il, moins gentiment. Elle la fit glisser en se trémoussant. Elle resta impassible. Crowe la contempla, cou, seins, petit ventre dur, toison rousse, longues jambes minces.

« Encore du raisin ? Es-tu vierge ?

— Oui. » Elle était prise au piège insensé d'une politesse minimale. C'était le lit de Crowe, sa maison, son
initiative, son jeu.

« Quel désagrément.

— Je ne le serai pas toujours », dit Frederica en colère,
se rappelant Anthea. Dans l'abstrait, la virginité était un
très simple désagrément.

« Je pourrais t'apprendre beaucoup de choses.

— Ai-je envie de les savoir ?

— Oh, je crois que oui. Je crois que oui. »

Elle voulait en effet savoir. Elle voulait ne pas être ignorante. Mais le visage de Crowe, rubicond sinon radieux,
auréolé de la fausse tonsure de mèches blanches, devint,
en se figeant, légèrement ridicule, et Frederica avait des
difficultés à tolérer le ridicule.

« Allonge-toi », dit Crowe. Elle obtempéra. Il la caressa
de haut en bas, tout doucement ; elle ferma les yeux, ce
qui accrut le tournoiement de la chambre mais supprima le stupide visage luisant. Il tripota sa toison et ses
replis moites ; elle se rappela Ed ; son corps s'arqua de
lui-même ; elle se rappela le rythme concordant des
corps blancs sous les buissons noirs. Crowe la parcourut de tapotements. Il pencha la tête et effleura sa peau,
qui la picotait, avec la bouche, les yeux, les dents et des
cils en poils de chameau. Les sens de Frederica passèrent, par des tressaillements rapides et répétés, d'un
désir non localisé à une irritation extrêmement localisée. Il tira d'un coup sec sur son pubis et lui fit mal. Il
l'embrassa là où il lui avait fait mal, excitant tant de
désirs variés en cet endroit précis, de trouble total et
d'ivresse éblouie, qu'elle se cabra sans le vouloir, avec la
violence fulgurante d'un fouet qui claque. « Tiens-toi
tranquille », dit-il. Il était en train d'ôter sa robe de
chambre. Elle se redressa et aperçut le bas d'un corps
aux tavelures rouge cru et tonalités bleues, comme les
carnations du plafond, et le bout rouge enflammé de son
outil. Il s'allongea à côté d'elle et lui fit des suçons dans
le cou. Tous ses mouvements étaient précis et violents.

Il essaya de lui écarter les cuisses et elle les noua automatiquement, comme des racines.

« Ça ne fera pas mal. Ça ne fera pas mal, ou pas très, juste une bonne sorte de mal, celle que tu aimes réellement, qui aiguise… »

Elle aurait pu, distraitement, ou poliment, ou encore nerveusement, le laisser continuer s'il s'était resté silencieux. Mais le ton de « une bonne sorte de mal » la fit de nouveau se cabrer ; d'un genou mince, elle cogna contre son double menton.

« Ne te démène pas comme ça », dit-il avec humeur en se frottant le menton, mais elle avait cessé de recevoir des ordres. Elle se dégagea avec quelques contorsions et contempla froidement la panse blanche de ce Silène et ses attributs vermeils sur les draps.

« Je vais au petit coin, dit-elle en se laissant glisser du dos de la baleine et en bondissant comme un chat.

— Bien sûr », dit-il, de nouveau suave, mais sa voix mielleuse ne cadrait pas avec sa figure rouge comme une cerise et les bourrelets blancs de sa chair fatiguée. Frederica s'éloigna d'un pas raide, sous le regard brûlant du funeste désert ensoleillé, et s'enferma théâtralement dans le cabinet de toilette revêtu d'acajou. Là, assise sur le trône, elle s'avoua ne plus savoir à quel saint se vouer. Elle ne voulait pas ressortir, et ne pouvait pas rester là. Elle s'empara d'une grande serviette de bain et s'en ceignit comme d'une toge. Au même instant elle entendit une voix, qui n'était pas celle de Crowe, dire incongrûment, « Un brin de romarin pour garder souvenance », à quoi répondit un rire. Il lui apparut que ce qu'elle avait pris pour une porte de placard dans le cabinet de toilette devait donner sur l'appartement voisin. Même si celui-ci semblait être habité, il fournirait sans doute une voie pour s'évader préférable au retour dans la chambre où l'attendait, étalé sur le lit, le joyeux petit satyre féroce, prêt à mordre et à meurtrir. Elle essaya la porte, qui s'ouvrit. Sans bruit, pieds nus, elle la franchit.

Nus, sur le haut lit au-dessous de Cynthia descendant des cieux, dans une pose qui était une imitation forcée du

Baiser de Rodin, se trouvaient Marina Yeo et un homme en qui, lorsqu'il parla, Frederica reconnut Wilkie.

« Je t'ai apporté la camomille, ma belle, avec le romarin, ainsi que l'eufraise, la citronnelle, la bergamote, pour joncher ton oreiller.

— Pas de rue ?

— Pas de rue. Car elle provoque des allergies terribles. Nous ne voulons pas gésir ensemble dévorés de fièvre miliaire et de vilaines marbrures. »

Marina se remit à rire. Wilkie murmura quelque chose d'inaudible. La voix théâtrale dit, « Ah ! mais je suis une vieille femme, une vieille femme lasse, l'âge peut me flétrir ct m'a déjà…

— L'âge t'a rendue plus fragile et plus sage, et tu le sais. J'aime les femmes vieilles. C'est vrai que je les aime. Tant qu'elles veulent de l'amour.

— Tu es un jeune homme qui ne fait pas de distinction.

— Non, non. Je fais beaucoup de distinction. Mais je suis insatiable. Comme toi. Je l'ai reconnu immédiatement en toi. Avoue-le. »

L'actrice eut un rire de gorge. « Quand je serai un petit peu plus vieille, juste un tout petit peu plus vieille, il sera dangereux d'avouer cela, même à moi-même, mon joli.

— Mais ce soir – à moi –

— Ah, Wilkie, dit-elle avec une rupture de ton merveilleusement modulée, aime-moi ce soir, aime-moi…

— Tu verses de vraies larmes.

— Je peux les verser sur commande.

— Nul besoin de me les verser. Je serai si câlin avec toi, si tendrement câlin, toute la nuit, ma si belle femme vieille, et tu me montreras des choses dont je n'avais jamais rêvé – parce que tu es la meilleure…

— Tu es un petit cajoleur d'enjôleur… » dit Marina qui gloussa, et puis, au soulagement stupéfié de Frederica, la pose statuesque s'enroula de plus près sur elle-même et retomba sur l'oreiller, et les paroles se réduisirent à de petits gémissements et murmures avides. Frederica jugea que c'était le moment ou jamais d'agir. Cramponnant sa serviette, elle se glissa à pas de loup d'une porte à une autre, longeant le pied du lit dans la lumière qui tombait de la fenêtre sans rideau. En passant devant le lit ployant sous sa charge, elle se tourna involontairement pour en avoir une meilleure vue, et s'aperçut que les yeux bruns inexpressifs de Wilkie la regardaient, pardessus l'actrice enfouie et ondulante, fixement. Elle lui fit un signe de tête sévère, comme dans une sorte de rituel insensé de salutation. Un sourire éclaira le visage de Wilkie – lentement, soigneusement, il lui fit un clin d'œil, et pencha à nouveau la tête sur ce qui l'occupait, comme pour maintenir les yeux de Marina fermés sous ses baisers jusqu'à ce que Frederica eût atteint la porte.

Elle enfila rapidement les longues galeries, au clair de lune ou dans l'ombre, s'arrêtant un instant sous la représentation iconographique d'Elisabeth à la corne d'abondance. Elle refit le nœud de la serviette au-dessus de son épaule, qui tira comme l'Écosse sur celle de Polyolbion, et esquissa une révérence devant la silhouette accroupie. Elle-même n'avait ni fleuve, ni corne d'abondance, ni fruit d'or. Elle ferait également bien mieux de se débarrasser de sa toge. Elle se remit en route, descendit dans les grandes cuisines et se vêtit de quelques épaisseurs des jupons en papier dont elle se servait pour la scène du verger, et d'un corsage en mousseline déchiré, porté par une des femmes de la foule. Elle recouvrit le tout d'une cape en tissu vert. Elle envisagea de rentrer pieds nus à Blesford en cet équipage, et décida de n'en rien faire. Elle sortit dans le jardin.

Contournant la terrasse, elle regarda les fenêtres des greniers des domestiques. Quelque part là-haut Alexander était en train de... Elle aurait dû rester avec Crowe ; si elle l'avait laissé continuer, elle aurait fait un pas décisif, réussi un coup significatif dans la partie qu'elle jouait. Elle avait peur de Crowe. Elle se mit à courir.

Elle termina dans le petit jardin d'hiver avec son bassin où la nymphe souriait toujours d'un air rusé, mais sans eau pour lui glisser sur les doigts et les cuisses. Frederica s'assit dans l'herbe, les jambes croisées, assez dans l'attitude de la figure emblématique de Polyolbion, et contempla les haies gris fer, la lune, l'eau. D'abord elle regarda autour d'elle sans dessein, pendant dix longues minutes, et puis la scène se transforma en une sorte de vigile forgée de toutes pièces, que sa mûre délibération ne rendit pas moins réelle, et qui dura un temps considérable. L'aube se leva, et par les trous de la haie l'orée de la lande apparut là où plus tôt la nuit ne l'avait pas différenciée de la cuvette alentour. Sur la terrasse quelqu'un fit retentir le gong du petit déjeuner. Sur la lande un mouton poussa un bêlement grêle et sourd. Frederica se leva, silencieuse, et retourna vers la maison.

Un énorme petit déjeuner en commun avait été préparé pour qui était capable de manger : pilaf de poisson, saucisses, toasts et marmelade d'orange, fontaines de café et de thé. À la table de la grand-salle Crowe présidait, affable et pimpant, Marina Yeo auprès de lui. Frederica, qu'il ignora, ne s'assit pas. Elle vit Alexander et Jenny approcher de la terrasse en tenant chacun un côté de la nacelle de Thomas. Se rappelant ce que Wilkie avait dit, elle fondit sur eux avec empressement, faisant rouler le châssis du landau sur le gravier.

« C'est cela que vous cherchez ? Rentrez-vous à Blesford ? Pouvez-vous me ramener ? »

L'absence de sommeil et de compagnie l'avait rendue claire et nette. Eux étaient flous et bouffis d'anxiété. Alexander regarda Jenny d'un air penaud et répondit qu'il ne savait pas exactement ; Jenny dit vivement que c'était naturellement ce qu'il y avait de plus raisonnable, et qu'elle lui serait bien obligée de faire un peu attention à tenir son côté bien droit pendant qu'elle fixait les supports. Frederica inspecta Alexander, à la recherche de signes de félicité. Il avait la lèvre pendante, inhabituellement affaissée, mais elle n'était pas prête à l'attribuer à la félicité.

Wilkie, dodu, impeccable, fleurant le savon, apparut avec des plateaux de saucisses et des plats de pilaf. Il fit un clin d'œil à Frederica et la regarda des pieds à la tête.

« Pas de chaussures ?

— Je les ai égarées.

— Je pourrais peut-être te les récupérer.

— Non », dit-elle avec une violence inutile, et elle vit dans leurs regards assoupis une brève lueur de curiosité.

Alexander démarra, Frederica fermement reléguée à l'arrière. « Je vous dépose, dit-il dans les faubourgs de Blesford, et ensuite Mme Parry et Thomas.

— L'inverse serait plus pratique. Je peux aider à transvaser Thomas.

— Nous n'avons pas besoin d'aide.

— J'ai perdu mon sac à main également. Avec mes clefs. Je ne peux pas rentrer à cette heure-ci à moins de sonner. Je vais me faire massacrer. Vous me feriez une faveur en me laissant rester.

— Vous semblez avoir tout perdu, du jour au lendemain.

— Oui », dit Frederica, simplement.

Jenny dit d'un ton acerbe qu'elle pensait qu'il vaudrait infiniment mieux les larguer, Thomas et elle, avant Frederica. Alexander, ensommeillé, s'essaya à permuter les motifs de cette suggestion, variant du désir de duper Geoffrey en lui laissant supposer que Frederica faisait partie intégrante de l'expédition, à la rage suscitée par ses insuffisances amoureuses (et pourtant Jenny les avait excusées avec une tendre compréhension), ou à la jalousie et au dépit qu'il ne se soit pas résolument débarrassé de Frederica au départ. Il émit encore une faible protestation et fut une fois de plus remis à sa place par Jenny, qui semblait d'une humeur toute féminine et irrationnelle d'abnégation vengeresse. Au bout du compte ce fut Frederica dans son étrange accoutrement qui aida Jenny et Thomas à remonter l'allée du jardin, jonglant avec exubérance avec les roues et les petits pots de reste. Alexander savait qu'il aurait dû trouver le moyen d'exprimer une anxiété persistante à propos de l'humeur probable de Geoffrey, d'offrir refuge et consultation quand ils seraient, comme ils ne manqueraient pas de l'être, nécessaires. Il eut honte de son soulagement que cela s'avérât impossible.

Quand Frederica revint il se donna beaucoup de mal pour lui ouvrir la portière arrière. Elle monta en voiture d'un air assez soumis, et puis dit, « Cela vous ennuierait-il de me conduire jusqu'au collège et de revenir, ou bien n'importe où ailleurs, pendant que je réfléchis à la situation ? Il semble que je me sois fourrée dans de sales draps.

— Eh oui », dit-il d'un air plus entendu qu'il ne le voulait. Il pensa qu'il ne serait judicieux ni de la questionner ni de la sermonner, et pourtant il se sentait plutôt poussé à faire les deux. Il était, par surcroît, assez peu désireux de rentrer chez lui et de se mettre à réfléchir à sa propre situation. Il démarra et partit docilement. Après quelques instants, dans un craquement et un froissement de ses jupes de papier, elle commença à escalader le siège avant.

« Arrêtez.

— Pourquoi ?

— C'est dangereux. Et je ne veux pas de vous.

— Pourquoi donc ? »

Elle atterrit à côté de lui dans un enchevêtrement de bras et de jambes, se trémoussa et se remit droite. Il continua à rouler lentement. Au bout d'un instant elle posa carrément la main sur son genou.

« Frederica, il faut que cela cesse. Vous nous rendez tous les deux ridicules.

— Ça m'est égal.

— Pas à moi. »

Il s'arrêta. Ils se trouvaient alors, par un accident de l'habitude, à l'entrée de la vieille allée bétonnée qui conduisait aux baraques Nissen du peloton des EOR ainsi qu'à la Butte du Château. De grands ormes s'élevait l'absurde tapage du chœur matinal des oiseaux. La terrible fille se jeta furieusement sur lui et agrippa de ses doigts minces les cheveux de sa nuque. Pendant ce qui parut un très long moment il se débattit en vain pour se libérer. Elle était très forte. Finalement il réussit à desserrer son étreinte et la repoussa sur son siège, lui maintenant les mains sur les genoux. Il haletait. Elle lui avait griffé l'oreille et fait venir du sang.

« Ce n'est pas mon idée. Je ne veux pas de ça, Frederica.

— En êtes-vous bien sûr ?

— Je devrais le savoir.

— Eh bien, je gage que j'y ai pensé davantage que vous », dit-elle comme si cela expliquait son indubitablement supérieure intuition. Il la regarda : cheveux roux dépeignés et pendants, visage crayeux aux ombres bleues, front plissé, regard furieux. C'était une parodie de la vierge dans le jardin.

« Au nom du ciel, qu'avez-vous fait toute la nuit ?

— Diverses choses, certaines agréables, d'autres déplaisantes. Surtout déplaisantes, je dois dire. Je semble avoir involontairement joué le rôle de voyeur, entre autres choses. Je crois qu'on peut dire que j'ai appris quelque chose. Et vous, qu'avez-vous fait ?

— Rien que je choisirais de vous dire.

— Non, ah bon, rien de tout ça n'a vraiment d'importance maintenant. J'aimerais ne pas avoir perdu mes vêtements, pourtant. J'ai pensé que tout ce papier était ce qui ressemblait le moins à un vol, ce que je n'ai pu me résoudre à commettre. Je veux dire, il n'est pas réutilisable. J'ai eu une éducation très morale. Sur le chapitre du vol et de choses comme ça. Une éducation très bourgeoise aussi, bien entendu, sur le chapitre de la perte de ses vêtements. »

Alexander eut un rire bref, mi-excité, malgré lui, par la façon cavalière dont elle écartait son infructueuse nuit de passion, mi-amusé par la justesse avec laquelle elle exposait la moralité Potter, laquelle risquait bien de ne pas connaître de pertes éventuellement plus considérables que celle de vêtements. Il dit alors, d'un air sombre, « J'ai la vague impression que je devrais vous arrêter ou que sais-je. Je veux dire que je me sens responsable de tout votre cirque. Dieu sait pourquoi.

— Non, c'est exactement la question. Vous n'êtes pas du tout responsable, pas en ce sens, bien sûr que non. Je ne l'accepterais pas, n'importe comment. Je suis seule responsable, un point c'est tout. La seule chose, c'est que je vous aime.

— Oh, mon Dieu», dit Alexander. Quelque chose – démon de la politesse, sens de la situation, vérité passagère, volonté féminine – le poussa à ajouter, «Je crois que je vous aime aussi».

C'était un homme sensible aux mots. Dès qu'il eut prononcé ceux-ci, ils s'emparèrent de lui. Il comprit avec une espèce d'horreur hagarde qu'ils étaient vrais désormais, qu'il les avait rendus vrais. Que peut-être, mais malheureusement pas certainement, c'était seulement en ne les disant pas qu'il s'en était si froidement protégé.

«Non, ajouta-t-il misérablement en pactisant avec son crime, non que cela fasse quoi que ce soit, ou puisse faire aucune différence, à vous comme à moi, vous le comprenez. C'est impossible.»

Mais elle était déjà à califourchon sur ses genoux, pressant le visage contre le sien. Elle s'agrippa, se cramponna, se tortilla. Il donna une petite tape sur les plis en papier et vit un instant les lambeaux déchirés flotter et tomber dans l'air d'été sur la créature qui l'enfourchait. Incontestablement, sa propre chair ne restait pas insensible. Elle était encore plus impossible que Jenny l'avait jamais été.

«Arrêtez, intolérable créature, restez tranquille. Je ne séduis pas les enfants.

— Je ne suis pas une enfant. Et je n'ai pas besoin d'être séduite.

— Vous êtes une enfant pour moi. Et vous êtes vierge.»

Le long et doux visage atterré d'Alexander lui parlait de plus près qu'elle l'avait jamais imaginé possible.

«Non, non, je ne le suis pas, je ne le suis pas», clama Frederica au comble de l'audace. Après tout, pensa-t-elle en se rappelant les doigts d'Ed et les dents de Crowe, c'était purement par accident qu'elle était encore techniquement intacte.

Alexander sentit le monde chavirer. «Vous ne l'êtes pas?» dit-il; puis ajouta, «Ah, mon Dieu» une nouvelle fois. Il l'embrassa alors avec une certaine furie, déchirant sans le vouloir les jupes de papier. C'est elle qui se détacha de lui, le dévisageant d'un air où le défi péremptoire l'emportait sur l'adoration pâteuse qu'il avait redoutée. Elle grandissait, elle avait grandi, tambour battant. Il ressentit de la curiosité à propos du moment et du lieu de sa défloration.

« De mon temps, dit-il, nous avions, ou du moins les filles de votre âge avaient plus d'innocence. Ou moins d'occasions.

— Ce jour-ci est de votre temps », répliqua-t-elle, ajoutant, tel le vieux bonhomme démontrant à Henry James que qui trop s'écoute ne voit goutte, du moins en ce qui concerne la Grand'Rue de Windsor, « Vous y êtes ». Ils écoutèrent en silence le babil effréné des oiseaux.

« Et je ne supporterai pas un surcroît de complications. Vous êtes assez intelligente pour avoir remarqué que j'ai déjà des problèmes.

— J'y ai pensé, aussi. J'ai décidé que ça n'a rien à voir avec moi. Je ne suis pas un problème, quoi qu'il en soit. Je veux simplement que vous me voyiez, que vous me traitiez comme une personne.

— Il faudra bien que je le fasse. Mais je ne crois pas que ça soit tout ce que vous voulez.

— Je m'en contenterai, pour le moment. »

Il se jeta à nouveau sur elle et la chiffonna considérablement. Il n'avait aucune idée de ce qu'ils voulaient, l'un comme l'autre. Il pensa qu'il la laisserait décider. Il fut obscurément content et alarmé quand brusquement elle changea de position et tomba dans un profond sommeil, les cheveux innocemment étalés sur ses cuisses. Il la tint, en contemplant les arbres et les baraques Nissen, tandis que les oiseaux chantaient à perdre haleine. Il pensa tristement à de précédentes méditations sur la voix inviolable, alors qu'ils gazouillaient leurs simples modulations.

« Bordel ! dit-il, ah ! bordel ! » et il la tira par ses minces épaules pour l'empêcher de glisser loin de lui. « Ah ! bordel de merde ! »

36

Interludes dans deux tours

Marcus parcourait les couloirs de biologie, passant devant les coraux, les ossements, les fossiles. Le trimestre était à présent terminé, les élèves étaient rentrés chez eux, sauf un ou deux étrangers abandonnés. L'endroit avait perdu son odeur épaisse de vêtements sales et sentait le renfermé, le vide et le désinfectant. Marcus y faisait souvent des allées et venues à présent, sous la tour de Lucas. Depuis le retour en voiture de Whitby il ne savait pas vraiment si la grande expérience se poursuivait ou non – et, si c'était le cas, qui en avait la responsabilité. Pendant ce retour Marcus avait cru mourir ; accroupi sur le plancher de la voiture, le visage enfoncé dans le siège de cuir, le squelette vibrant et la chair trépidante, il avait sombré dans le noir et avait été physiquement choqué de se retrouver, sans parler de Lucas et de la voiture, à l'arrêt dans un nuage de fumée sur le parking du collège. Il avait dégringolé sans trop savoir comment sur le gravier et y était resté roulé en boule et silencieux. Lucas s'était éloigné d'un pas mécanique en direction du bâtiment, laissant les portières grandes ouvertes, sans un regard en arrière pour son passager, qui, au bout d'un moment, s'était relevé, les avait fermées soigneusement et avait déposé les clefs dans son casier au pied de son escalier en colimaçon. Des taches de soleil pivotaient devant ses yeux durant ce temps. Il avait jugé vraisemblable que Lucas ne veuille plus jamais reconnaître son existence, discernant sans y réfléchir, et sans expérience préalable, l'extrême désarroi sexuel de son ami, qui ferait d'une telle réaction la seule ligne d'action possible. Il ne se demanda pas si, pour sa part, il voulait reconnaître l'existence de Lucas ou poursuivre l'expérience. Il s'estimait engagé. Et responsable de Lucas. Ce qu'il avait clairement exprimé en posant la main, et plus encore en la laissant posée. Toujours à la frange de la pensée il avait conscience que, s'il consultait ses propres sentiments en la matière, il les trouverait situés quelque part entre une légère répulsion et un violent dégoût. Mais cela n'avait ou ne devait avoir aucune importance en dehors de la responsabilité et de l'engagement qu'il ressentait, et dont c'était la première et unique expérience dans sa vie curieusement insignifiante. Il avait involontairement, néanmoins, reçu une éducation morale assez forte pour reconnaître ce dont il s'agissait.

En fait, Lucas avait par la suite balancé, fluctué, entre reconnaître et ignorer les événements de Whitby, reconnaître et ignorer l'expérience et leur relation. Quelques jours après le retour, Marcus s'était senti forcé, lui qui d'habitude ne prenait jamais d'initiative, à frapper à la porte de Lucas. Il avait répondu avec assez d'entrain, « Entrez ! » mais, en voyant Marcus, s'était assis dans son fauteuil, les yeux fixés sur le mur, dans un silence rigide et pétrifié, jusqu'au moment où le garçon avait doucement refermé la porte et s'était esquivé. Il n'avait pas été capable de trouver quelque chose à dire, et avait compris que de toute façon Lucas s'empêchait physiquement d'entendre quoi que ce soit.

Deux jours plus tard ils s'étaient rencontrés, pas entièrement par accident, dans le cloître. Lucas avait dit, « Ah, bonjour, c'est vous, montez donc manger des galettes », et servi à Marcus un goûter typique de collégien, accompagné d'une souriante discussion avunculaire de ses résultats scolaires, comme si la préparation au baccalauréat était le trait le plus distinctif comme le plus profondément intéressant de son visiteur. Deux fois, après cela, tout de blanc vêtu, il avait croisé Marcus comme si Marcus était immatériel ; la troisième fois, il avait dit, « Tiens, vous voilà ! » comme si le garçon avait péché par absentéisme ou attentisme, et l'avait entraîné avec des airs de conspirateur dans le laboratoire, où il lui avait expliqué qu'ils étaient certainement tous les deux surveillés, en réalité espionnés, par des étrangers, des êtres dont la nature et l'intention précise lui restaient incertaines, mais que, dès que celles-ci seraient révélées, l'expérience entrerait dans une nouvelle phase à laquelle il s'était presque résolu. La quatrième fois, il avait proposé d'aller visiter le champ des mille cairns à Fylingdales, dans le Yorkshire, où il y aurait forcément une concentration considérable de pouvoir rayonnant. Marcus se rendit compte qu'il serait absolument terrorisé à l'idée de remonter dans cette voiture. Et que, s'il y était invité, il le ferait. Il commença à se demander s'il y avait une chose qu'il pouvait faire par rapport à Lucas, dont les sautes d'humeur ne conféraient pas plus de validité à ses théories qu'elles ne les entachaient de nullité : comme Lucas l'avait fait lucidement remarquer au début de cette entreprise, des hommes qui leur étaient supérieurs à tous les deux avaient craqué sous le genre de tensions qu'ils s'imposaient. Il ne réussit à penser sur le moment à aucune manière particulière d'agir, et donc commença ses rondes dans les couloirs, pour ouvrir l'œil, et le bon, selon les termes délibérément vagues qu'il se servait à lui-même.

Un jour qu'il approchait de la porte du labo Croupi, il vit, environ à un mètre devant lui, à la hauteur de ses yeux dans le couloir obscur, un cercle rouge orangé, ardent et flamboyant, qui avançait, lui aussi, vers la porte. C'était une chose solide qui donnait l'impression d'être distinctement opaque et sphérique sans avoir la qualité immatérielle évidente d'une simple image rémanente. Marcus cligna des paupières et, détournant les yeux, regarda le sol carrelé derrière lui. La chose perdit tranquillement de la hauteur, en diminuant de taille mais pas d'éclat, et se mit à le suivre sur le sol. Il continua à marcher. La chose, corrélée aux mouvements de ses yeux, devait être une illusion d'optique, et pourtant, quand il se retourna pour la regarder, elle était toujours là, traversant le couloir d'un côté à l'autre avec ce qui semblait être une assez grande autonomie de mouvement pour suggérer au moins une volonté propre. Il poussa la porte battante qui n'était pas, comme elle aurait dû l'être, verrouillée, et entra. La chose le suivit, prenant dans la lumière du soir une coloration éclatante, bleu martin-pêcheur. Elle resta à flamboyer sur un banc pendant un long moment, en diminuant, toujours très lentement, de taille, et se mua en un croissant qui continua à s'amenuiser tout en conservant sa nature solide. Une ultime et fine échancrure persista quelque temps, et puis, là où avait été la chose, Marcus vit, en quelque sorte, son ombre, perceptiblement circulaire, gris fumé, et, pour finir, nettement fonction de sa seule vision. Marcus avait vu des choses auparavant – indépendamment de ses problèmes de lumière ou des transmissions de Lucas – mais cette chose-là avait une différence perceptuelle. Elle avait autant de présence que les bocaux et les livres à côté desquels elle s'était posée. Les hallucinations, à ce qu'il croyait, ont toujours une insécurité perceptuelle qu'on peut repérer. Pas celle-là. Elle était, il devait en convenir pour autant qu'il fût à même d'en juger, dénuée de signification. Mais par ailleurs elle procurait des délices infinies et ravissait bien davantage les sens que presque tout ce à quoi il pouvait penser d'autre, et pourtant il n'avait jamais eu de prédilection pour la couleur orangée qui lui paraissait agressive et violente ; ses perceptions favorites avaient toujours été dans la gamme lavande, bleu et vert. Cet embrasement dépassait l'orangé.

Dans les premiers temps de l'expérience Marcus eût été impatient de décrire cette chose à Lucas, afin de la neutraliser ou de l'incorporer à leurs recherches. À présent il se sentait nettement réticent. La chose était ce qu'elle était, et il souhaitait simplement l'avoir vue, sans être forcé d'en discuter et d'y réfléchir. Elle allait avec un autre phénomène récent dont il avait plus ou moins décidé de ne rien dire à Lucas. C'était un rêve récurrent – seulement depuis Whitby – dans lequel il était simplement – intemporellement – dans le jardin des formes mathématiques qu'il avait perdues en essayant de les décrire à son père. Le jardin s'était assombri ; le ciel et la végétation mesurable étaient de la teinte bleu irisé d'une coquille de moule ; il n'y avait pas de lumières dans le ciel, ni d'horizon, mais, disposées à souhait en étoiles et en grappes ici et là, il y avait les formes, cônes, pyramides, spirales, antennes en réseau, en filigrane pâle, qui étaient un ordre et une source d'ordre. Les cônes et les pyramides – quiconque aime les comparaisons, ce qui n'était pas le cas de Marcus, aurait pu le dire – étaient comme du marbre poli et avaient une vie, ou du moins une énergie interne, qui excluait que leur reflet puisse être froid. De ce jardin, dans ce jardin, Marcus n'était pas exactement ; il lui était plutôt coextensif, et son esprit en était la véritable vue d'ensemble. Peut-être pour cette raison-là, peut-être pour d'autres, il ne voulait pas que Lucas, ou n'importe qui d'autre, y pénètre ou en ait connaissance. Ce furent le bleuté et la pâleur de ce lieu qui lui firent reconnaître à quel point il était saisi par la concentration flamboyante de ce qu'il nomma automatiquement dans son esprit « ce soleil du dedans ».

En entrant dans le laboratoire il s'attendait à la fois à le trouver vide et à y trouver Lucas, sans être pourtant en mesure d'imaginer ce que celui-ci pourrait bien y faire. Il était en fait devant les paillasses, en blouse blanche, manches relevées, portant des gants en caoutchouc brun oignon qui donnaient à ses mains une allure de chair nécrosée. Marcus avança avec précaution. Lucas dit, sans se retourner, « Il y a quelqu'un ?

— C'est moi.

— Je vous attendais », dit Lucas d'une voix accusatrice, comme si cette rencontre était arrangée d'avance et Marcus en retard.

« Pardonnez-moi.

— J'essayais de mettre ma maison en ordre. Avant que quelque chose n'arrive. »

Marcus approcha de quelques pas. Il y avait une forte odeur de formol et d'écœurantes émanations douceâtres.

Lucas transvasait par poignées des batraciens morts d'une bassine dans un grand bocal; leur chair marbrée et terne glissait et claquait. Dans une autre bassine flottait une variété de morceaux sectionnés et d'organes internes pâles et ondulants. Un boîte d'instruments de dissection était ouverte sur le banc à côté de lui. Lucas fit à Marcus un sourire amical et protecteur, montra le récipient et dit avec une jovialité résolue, « Si vous étiez assez superstitieux pour avoir envie de lire l'avenir dans ces entrailles, vous le trouveriez joliment grêle et gris, j'en ai peur. Avez-vous la moindre idée de ce qui poussait les gens dans l'Antiquité à croire que les entrailles leur donnaient des indications particulièrement fiables sur les événements du monde extérieur? Croyaient-ils que les poulets et les chèvres étaient des microcosmes? Vous pourriez lire votre avenir dans vos propres entrailles si vous pouviez les atteindre, et y trouver plein de sens, mais bien sûr vous ne le pouvez pas. Ou dans vos gènes et vos chromosomes qui ne peuvent être révélés avec les machines grossières dont nous disposons.

— Non », dit Marcus prudemment. Il renifla l'odeur de mort. Lucas essaya méditativement le tranchant de son petit scalpel triangulaire sur son pouce gainé de caoutchouc. Il montra les enroulements blêmes d'un bocal de vers.

« Quant à eux, leur intérieur est trop simple et trop uniforme pour servir d'augures. L'humble ver. Je suis l'humble ver nécessaire. Je les ramasse pour les troisièmes. Les vers ont maint usage, dont la dissection par les troisièmes n'est pas la plus importante. Tout de même, il est une multitude de vers à la surface de la terre, et je veux tout laisser en bon ordre avant…

— Avant quoi?, demanda Marcus avec audace et trouble.

— Avant ce qui va arriver. Quelque chose arrivera sous peu. Il y a des signes indubitables déjà. Je vais vous les dire. Par exemple, je savais que vous viendriez aujourd'hui. »

C'était peut-être vrai, mais l'autorité étincelante dont il avait naguère investi ses déclarations sur la préfigura-

528

tion des choses semblait avoir disparu. Lucas était gris, ses boucles brillantes, flasques, son front et son menton, poisseux et luisants. Marcus eut envie de ressortir, et sut qu'il ne le devait pas.

« Voulez-vous monter ? Il nous faut maintenant être parés à toute éventualité, bonne ou mauvaise. J'ai reçu des signes qui m'indiquent que j'ai laissé entrer des forces – qu'il y a conflit – dans les sphères extérieures possiblement – ma faute, mon échec – un défaut dans la surface cohérente – dont de grands gains ou de grandes pertes pourraient résulter. Je vous en prie, montez. Vous devez être mis en possession des faits, au cas où – avant – »

Marcus dit qu'il monterait. Lucas se frotta les paumes, qui couinèrent et déversa une nouvelle poignée de menus cadavres dans son bocal. Marcus regarda autour de lui, se rappelant le jour où la lumière l'avait mené en ce lieu, le début. Il observa les ossements empilés, les formes embryonnaires dans les bocaux, puis son regard se porta sur les images accrochées au mur de l'homme et de la femme. Elles avaient quelque chose de bizarre. Marcus s'aperçut que des petits morceaux avaient été découpés avec une grande précision sur les deux corps, à l'emplacement des organes génitaux, y compris, dans le cas des planches du dessous, les organes internes, les vésicules séminales, les trompes de Fallope, tout l'appareil reproducteur avec ses plissements, enroulements et renflements. Pour autant qu'il pût voir, les ouvertures résultantes étaient des carrés parfaits, des fenêtres sur un mur nu, ni ensoleillé ni décoloré. Il porta les yeux sur Lucas, ne doutant pas un seul instant que ce découpage était son œuvre. Lucas était alors occupé à enrouler sa trousse d'instruments de dissection, qu'il fourra dans sa poche blanche. Il replaça ses bocaux humides sur les rayonnages. Il fit signe à Marcus.

Dans le studio de Lucas, dans la tour, Marcus se tint d'un air embarrassé à la porte tandis que Lucas inspectait, au hasard, les coussins et les tringles, en faisant mystérieusement remarquer que les micros étaient toujours une probabilité à présent, que cela s'était déjà produit, qu'il avait certainement été déjà mis sur écoute, et que la raison commandait d'être à l'affût. Il y avait eu un dispositif de surveillance incroyablement sensible sur le destroyer dans le Pacifique. Marcus avait-il pensé au paradoxe implicite rien que dans cette simple expression factuelle, le destroyer dans le Pacifique ? L'océan était pacifique et le vaisseau construit par l'homme, même s'il était censé être en mission de maintien de la paix, était un destroyer, un destructeur. Récemment il avait eu une série de rencontres, presque de collisions en fait, avec une curieuse camionnette qui portait l'inscription « Stores & Pare-Soleil de Whitby » ct qui était certainement un signe. Elle avait un curieux symbole sur le côté, une sphère divisée par une ligne ondulée, qui était une grossière tentative de représentation du Yin et du Yang, l'océan de lumière fluctuant au-dessus de l'océan de ténèbres. C'était une part de cette lumière qu'ils avaient concentrée à Whitby grâce au verre ardent, au sang et au vin, sans aucun doute, mais il avait tendance à penser qu'ils n'étaient pas allés assez loin ce jour-là, qu'ils n'avaient pas offert assez, et que par la suite ils en avaient été punis par le manque de tact, ou de goût, dont il avait fait preuve personnellement. Marcus devait se rendre compte que tact et goût sont eux aussi des mots curieusement ambivalents. Marcus devait s'être demandé pourquoi ces mots sensuels s'appliquent à des questions de jugement souvent sans rapport avec la sensualité. Encore ce terrible univers anthropomorphique. À éviter à tout prix. Peut-être l'un des moyens consistait-il à s'en échapper par des formules magiques ou rituelles de caractère sexuel, qu'il aurait dû prononcer, mais cela s'accompagnait de tels dangers, tromperies et avantages douteux... Où en était-il ? Ah oui, la camionnette, la camionnette. Elle lui avait sauté dessus à des croisements de routes secondaires, ou s'était plantée en travers de son chemin à Blesford. Elle était conduite par une créature qui n'était visiblement pas de ce monde, un démon d'apparence angélique, doté d'une espèce de peau de cuir et d'une montagne de boucles blondes visiblement irréelles sur la tête. Cette créature souriait à qui mieux mieux, mais parfois aussi proférait indéniablement des menaces, et faisait toute sorte de gestes de salut ou d'exorcisme, malheureusement ambivalents aussi, que lui, Lucas, trouvait difficiles à interpréter. Et puis il y avait eu une bouteille de lait remplie de sang qu'il avait trouvée à la porte du labo, et qui avait certainement un sens, avait été déposée là par on ne savait quel visiteur pour on ne savait quelle raison. Et puis il y avait les guetteurs. Des visages, par exemple, à ces fenêtres, oui, celles-ci même, si haut dans la tour, des visages qui regardaient à l'intérieur en prenant leur temps et en souriant interminablement, pour être sûrs qu'il sache qu'il était sous surveillance. Si l'on fermait les rideaux, on pouvait encore les voir grimacer au pied de l'escalier. Et haleter. On les entendait haleter dans la pièce, comme si la tour se trouvait près de la pointe du poumon de l'univers, à supposer la tour anthropomorphique, ce que bien sûr elle n'était pas.

Tout cela fut débité d'une manière que Marcus ne put se définir que comme menaçante, et ponctué de coups sur le bureau pour souligner énergiquement les propos. Marcus se sentit accusé de provoquer ou de manipuler ces manifestations en personne. Il se dit à part lui : Il est fou. C'était terrifiant, non qu'il redoute que Lucas devenu fou agisse dangereusement ou le mette à mal, mais à cause de ce que cela faisait au canevas des événements précédents. Marcus avait lui-même eu peur d'être fou et s'était vu offrir une explication raisonnée des phénomènes qui le tourmentaient par un Lucas hautement sain d'esprit, avec qui il avait partagé des expériences, la transmission d'images par exemple, qui suggéraient qu'ils étaient à tout le moins sur la même longueur d'onde (oh ! ces écoutes !) et travaillaient sur des événements mentaux généralement non reconnus. Si Lucas était fou, lui, Marcus, se retrouvait seul avec les choses qui avaient initialement été presque trop pour lui, la géométrie de l'eau dans les trous de vidange, la terreur des escaliers, le déploiement, les champs de lumière. Si Lucas n'était pas tout à fait fou, il y avait alors au moins une hypothèse tenable, celle qu'ils avaient éveillé la furie de forces extérieures d'une nature indéterminée. Marcus avait toujours eu une attitude de scepticisme abstrait à l'égard des noms et des histoires que Lucas choisissait d'attribuer aux choses vues ou pressenties ; même si cette attitude masquait, dans une certaine mesure, une propension à la crédulité, du fait qu'il n'avait ni noms ni histoires à lui. Anges ou démons étaient précisément ce que ces formes n'étaient pas ; elles étaient perçues comme des cônes, des hélices et des spirales de lumière, comme des phénomènes magnétiques et des martèlements du cœur. Ce qui ne signifiait pas qu'elles n'étaient pas là.

Et, si Lucas était fou, Marcus était responsable. Responsable, en fait, de Lucas, parce qu'il avait accepté d'être son ami. Et responsable peut-être aussi des événements qui avaient mené à cette folie, à cause de ses photismes et de sa vision hypnagogique.

« Qu'allez-vous faire, monsieur ? » demanda-t-il d'une voix neutre et respectueuse. Lucas se laissa choir dans le fauteuil auprès du feu.

« Je vous ai appelé, dit-il en proférant spontanément encore un mot à double sens. Je vous ai appelé parce que j'ai une communication très importante à partager avec vous.

— Merci. »

Lucas resta assis dans un silence songeur, tentant apparemment de se souvenir de ce qu'avait été la communication. Il se frappa vigoureusement sur les cuisses et s'écria :

« Nous aurions dû être plus extrêmes. »

Puis, d'une autre voix, il dit, « Le savez-vous, il y a des hommes en prison, un très grand nombre d'hommes dans les prisons du roi, ou je dois maintenant dire de la reine, dont certains, à mon sens, ne méritent pas, à strictement parler, d'être dits délinquants, et pourtant beaucoup le peuvent certainement, des vieillards qui s'exhibent, qui surgissent des fourrés devant de sottes petites filles, ou tripotent, dans les parcs ou en rase campagne, ce qu'ils feraient mieux de cacher – un très grand nombre de ces hommes-là qui supplient, qui implorent qu'on leur fasse des hormones ou même des traitements plus draconiens, des interventions chirurgicales, et on le leur refuse. On ne l'aurait pas fait en d'autres temps, en d'autres cultures. Frazer raconte beaucoup de choses sur les prêtres des dieux antiques, Adonis, Thammouz, Atys, et rend assez explicite qu'ils se châtraient volontairement et joyeusement... Si le jeûne, le célibat, l'austérité mènent à une connaissance nouvelle et différente, pourquoi pas le couteau, me dis-je parfois, mais ce n'est pas pour vous dire cela que je vous ai appelé. »

Marcus sentit l'odeur de la peur, une odeur fétide qui l'emportait sur les vêtements de sport et le cacao dans la petite chambre sans air. Il dit, « Peut-être vaudrait-il mieux que nous renoncions. Peut-être est-ce trop pour nous.

— Je n'aimerais pas le croire. Toutes les bonnes choses sont dangereuses. Je crois que mieux vaut suivre les signes, les indications dont nous disposons, même jusqu'au désastre, si nécessaire. »

Marcus attendit poliment qu'il lui dise où les indications menaient.

« Sur la lande de Fylingdales, comme je vous l'ai dit, il y a plus d'un millier de petits cairns de pierres. Plus d'un millier. L'une des choses que j'ai découvertes dans mes lectures, c'est que les tout premiers dieux – et déesses – Aphrodite, par exemple – étaient juste des piliers, des cairns, des cônes de pierre. Je pense qu'il y avait un système pour appeler le pouvoir, un champ de force, de terminaux. Ce sont – ah – des pierres de touche », dit-il en souriant avec une touche de son ancienne vivacité à ce dernier exemple de double sens révélateur. « Nous devrions y aller. Je suppose que les forces obscures feront entourer cette lande d'un cercle. Nous pourrions y être réduits en cendres. Mais sinon, nous pourrions y aller.

— Comment ? souffla Marcus.

— Je vous y conduirai. Dans un jour, dans une semaine ou deux. Nous avons besoin de nous purger – ne pas manger de sang, ne rien manger après le coucher du soleil – rendre nos corps moins accessibles aux dévoreurs, aux sanguinaires. Je pense qu'apparaîtra clairement le moment d'y aller. Je pense que vous le sentirez, si je ne le fais pas. Vous le ferez ? »

Marcus hocha la tête, péniblement. Il regarda la fenêtre, mais aucun visage n'y était aposté, seul le soleil y brillait. Il regarda Lucas, dont les mains froissaient la flanelle de son pantalon. Il se rappela son jardin secret de formes et se sentit purement et simplement furieux que Lucas ait connecté dieux et électricité aux cairns et cônes de pierre. La connexion l'impressionnait, bien sûr, mais pas assez pour partager ce dont il était sûr et certain d'avoir seul connaissance, à savoir que leurs pensées à tous deux s'étaient une fois de plus superposées, qu'ils avaient tous deux, chacun selon sa méthode ou son système de signes, vu ce que l'autre avait vu. Lucas était un empoté, cela ne faisait aucun doute, qui bousillait la pureté, la propreté de ce que lui, Marcus, savait, avec tout ce fatras sur les dieux antiques, les démons, les corps d'homme ou d'hydre. Et Lucas était dangereux ; avec ou sans démons il apparaissait clairement à Marcus que s'ils partaient encore une fois ensemble dans cette voiture et que quelque chose arrivait, ils finiraient vraisemblablement morts. Il n'avait pas besoin de préciser quel genre de « chose » devait « arriver » – qu'elle soit sexuelle, religieuse ou mathématique, la fin serait la même, les cendres, qu'elle soit causée par une intervention démoniaque, l'essence qui s'enflamme, la lumière du ciel concentrée sur eux par n'importe quel verre ardent. Il savait aussi qu'il aurait beau ne pas parler à Lucas des formes mathématiques et de leur retour, il monterait dans la voiture, s'il en recevait la demande ou l'ordre, en dépit de toutes ses prémonitions. Il devait cela à Lucas. Il devait cela à la perspicacité de Lucas, malgré tout ce qui filtrait à travers les odeurs de sueur et les écoutes bourdonnantes des gardiens sur les destroyers. Il pensa qu'il lui fallait à présent, au bout du compte, parler à quelqu'un d'autre, et il prit une décision.

Dans l'autre tour Alexander était assis à son bureau, sur lequel il avait étalé le supplément pédagogique du

Times et une pile de formulaires de candidature qu'il s'était procurés. Un formulaire de candidature n'est ni un passeport pour un autre lieu ou un autre mode de vie, ni une copie d'examen : il est rassurant par son apparence ordinaire et vide, comme une fiche de recensement ou de sondage. Alexander pouvait consigner les détails de ses titres et intentions pour la BBC, à Londres et à Manchester, pour un collège de vieille renommée ou une école professionnelle moderne avec une bonne filière théâtrale, sans outrepasser les limites de l'imagination ou du désir de tels endroits. Il savait, de fait, qu'il serait idiot de prendre des décisions relatives à sa vie avant le début et la fin des représentations de sa pièce, comme l'avait dit Crowe. Le savoir contribuait simplement à ce que les formulaires aient l'air neutre de feuilles de papier ordinaire. Il se rappela, comme on le fait avec la gueule de bois, les événements de la nuit et du petit matin, tressaillit, et tira vers lui les formulaires de la BBC. Wedderburn, écrivit-il. Alexander Miles Michael. Un déploiement singulièrement retentissant et militant de prénoms pour quelqu'un d'aussi passif que lui, avait-il toujours pensé, et il considéra une fois encore cette anomalie en remplissant les petites cases, date de naissance, établissements scolaires et universitaires fréquentés, ascendance, nationalité, liste de publications, dirigeant sa manœuvre de retraite avec son unique arme, sa plume, et espérant qu'il s'agissait d'un repli stratégique, pas d'une déroute. Peut-être une fausse sortie était-elle seulement nécessaire. Il n'était pas obligé de poster tout cela. Peut-être suffirait-il, pour le moment, de s'assurer de la possibilité de le faire.

Il considéra sa singularité et son désarroi érotiques. Ce qu'il aimait, croyait-il, se rapprochait davantage de ce que la plupart des hommes aiment qu'ils ne sont prêts à l'admettre. Il aimait la délectation imaginaire. Il aimait le contact imaginé de femmes réelles et le contact réel de femmes imaginées. Il aimait sa délicieuse solitude, assurément, et il était bien décidé à ne laisser personne la violer. Mais aussi – ce qui était plus singulier, sans l'être très, assurément – il aimait la peur. Pas la peur outrancière. Il n'avait pas de fantasmes de chair lacérée, de talons acérés, de knouts tourbillonnants, et il était incapable, même par le procédé d'amplification des fantasmes dont il était effectivement coutumier, d'appréhender par l'imagination ce à quoi pourraient ressembler des désirs de ce type. Mais le frémissement de l'appréhension, les poils qui se hérissent sur la peau, l'impression de fuir en pleine panique dans le fracas des sous-bois et sous le fouet des feuillages, l'acuité olfactive et visuelle que procure un tressaillement de peur réelle, étaient ceux qu'il suscitait constamment. Gêne et humiliation ne lui procuraient aucune joie, ses aventures avaient donc toujours été transitoires, car il y mettait fin dès qu'elles survenaient, ce qu'elles faisaient toujours. Mais il aimait – son désir était le plus immédiatement excité par elles – les femmes menaçantes et féroces, quand elles étaient en colère. Il n'avait jamais éprouvé, même quand il était tout petit, de difficulté à comprendre le vers de Keats, *Quand ta maîtresse est terriblement en colère*. Ce plaisir abstrus lui semblait entièrement naturel.

Jusqu'ici tout allait bien. Il s'était épris de Jennifer parce qu'elle l'avait réprimandé, et de fait flanqué par terre, dans la fosse d'orchestre pendant *La dame ne brûlera pas*. Il avait goûté son plaisir accoutumé à apaiser cette colère et à en transformer l'énergie en désir. Il avait encore peur d'elle, à vrai dire, mais quand sa chair avait reculé devant le besoin qu'elle avait de lui, et qu'elle s'était montrée si compréhensive et si gentille, il s'était rendu compte que sa peur avait changé de nature. À présent il avait peur de l'amour de Jennifer, pas de sa colère, il avait peur de Thomas et de la prison d'une maison, pas de la qualité sauvage et indomptée de la femme. Alors que dans le cas de Frederica Potter un processus à peu près antithétique avait eu lieu. Il avait trouvé son attachement pour lui humiliant et gênant, avait craint des incidences familiales asphyxiantes, avait vu en elle une vraie peste, traînant dans son sillage les convenances banlieusardes de Bill.

Il n'avait pas une idée exacte du moment où cela avait changé. Pour une part, cela avait changé grâce à la princesse dans la pièce, qui représentait son désir d'avoir peur des femmes menaçantes, mais qui également, du fait d'être un autoportrait, partageait ce désir, et pas seulement lui, mais aussi sa propre solitude délicieuse secrètement avouée, qui était à la fois échappatoire, énergie et pouvoir. Elle savait être de pierre, cette fille, elle savait montrer la peur, la rage et la grâce. Il avait peur de ce qu'elle savait. Il avait peur d'elle. Quand elle l'avait empoigné et griffé, il avait éprouvé une peur des plus heureuses. Il regarda la ligne charmante et soumise du dos de marbre blanc de la Danaïde, sur le manteau de la cheminée, et commença à remplir les formulaires, assez vite. Il n'avait pas l'intention de s'empêtrer davantage de Bill Potter ou sa famille. Ou, se rendit-il compte plus tristement, de Geoffrey et Thomas Parry et des dissensions dans leur foyer. La pièce terminée, il entasserait tous ses objets, ses pierres, ses arlequins, ses livres, dans sa malle et partirait pour Weymouth et des villes du Sud. Il laisserait, pour Jennifer, une très grande plante en pot – il se mit à y penser –, un laurier dans une caisse en bois, un rosier blanc sorti de Nicholas Hilliard, ainsi qu'un livre ou un autre, un livre approprié, pas l'*Océan à Cynthia*, dont il n'existait en tout cas aucune édition convenable, mais un livre auquel il penserait plus tard. Quant à la terrible fille, il s'estimerait chanceux et elle troublerait ses rêves – mais il y avait un avantage à cela –, elle l'oublierait, très vite, grâce à son énergie qui ne connaissait ni trêve ni repos, elle tripoterait les cheveux d'un autre. Il ne resterait pas, à cause d'elle, en contact avec Bill, mais il conserverait des relations avec Crowe, il viendrait peut-être même le voir, après un intervalle convenable, avant que Long Royston soit remis aux autorités universitaires.

Il finit de remplir le formulaire du département des scénarios de la BBC et attaqua celui des programmes pédagogiques de la BBC. Son écriture le calma. Elle ressemblait un peu à l'italique élégante et efficace d'Elisabeth. Il entendit qu'on montait l'escalier en courant. Sa porte fut ouverte

537

sans cérémonie. Il imagina une apparition de Frederica en chasseresse et eut l'idée ridicule d'un homme acculé au sommet d'un tour, comme s'il aurait été plus faisable de s'enfuir d'une chambre située ailleurs. Cela le fit sourire à part lui, d'une manière qui parut irriter la personne qui venait le voir et qui était, en fait, Jennifer.

« Il fallait que je te voie, dit Jennifer. Il n'y a que toi.

— Était-ce raisonnable de venir ici ? » dit Alexander faiblement. Il avait toujours réussi à empêcher les femmes de venir le voir chez lui. C'était ainsi, entre autres choses, que lui et sa réputation à tout le moins de discrétion avaient si longtemps survécu.

« Tout le monde a sombré dans la démence. Et j'aurais cru la situation et tout le reste tellement publics désormais que la question ne se pose guère de savoir s'il était raisonnable que je vienne ici ou non.

— Je suppose qu'elle ne se pose pas », dit Alexander toujours aussi faiblement. Il se mit à glisser des copies sur ses formulaires. Jennifer ôta et jeta à terre son imperméable et son carré de tête.

« Tout va bien quand je te vois, dit-elle, tout se remet en place. Honnêtement, tu ne peux pas imaginer à quoi ça ressemble à la maison. Je voudrais que tu ne te fasses pas des sourires de conspirateur à toi-même. Il n'y a rien de drôle. Geoffrey a cassé des foules de choses, le service de table, le service en Spode, tu imagines, Geoffrey, lui qui n'a jamais rien abîmé, jamais rien remarqué ni personne, ou je n'aurais pas... ou peut-être je n'aurais pas... de toute façon. Et il refuse de dire un mot, sauf à Thomas, et il parle à Thomas d'une horrible voix artificielle et lugubre. Je ne l'en aurais jamais cru capable, honnêtement.

— Était-il prudent de sortir ?

— Que veux-tu dire par là ? Je ne peux pas rester enfermée, pas avec ce qui s'est passé. Je ne le peux pas. Il fallait que je te voie. Quoique tu n'aies pas l'air transporté de joie de me voir.

— Je ne peux pas être transporté de joie quand tu es si alarmée. Ça m'alarme moi aussi. »

Elle resta silencieuse quelques instants, allant et venant à grands pas et réarrangeant les objets, les coupes de Wedgwood ornées de silhouettes fugitives et de rameaux forestiers, et le cairn de pierres. Elle prit une grande inspiration, théâtralement.

« Je me sens très bien ici. Tu vois, je me sens très bien, maintenant. Qu'est-ce que tu faisais ? »

Elle s'approcha et s'assit sur le bras du fauteuil. Il lui passa tristement le bras autour des hanches. Elle examina ses papiers, habitude qu'il détestait en n'importe qui, et tira sur le bout d'un formulaire.

« Alexander Miles Michael. Que c'est joli, quels jolis prénoms. Qu'est-ce tu fais ? Alexander, dis-moi qu'est-ce que tu fais donc ? Tu n'es pas à la recherche d'un nouvel emploi ?

— J'y pense seulement. »

Elle tira, avec son efficacité habituelle, sur la pile de papiers et mit à découvert les autres formulaires.

« Cinq autres emplois. Tu dois être désespéré, même si c'est seulement dans tes pensées.

— Eh bien dit-il avec précaution, il semble vraiment qu'il y ait une sorte de crise. Du moins dans mes pensées. Tu ne crois pas ?

— Tu as dû te faire envoyer ces formulaires bien avant hier soir.

— Il y avait une crise bien avant hier soir.

— À cause de moi.

— Et de Thomas », dit Alexander avec franchise. L'existence de Thomas l'alarmait sincèrement.

« Thomas ? Thomas ? Allais-tu nous quitter ?

— J'étais juste en train de penser.

— Tu pourrais nous emmener. Je viendrais. Je t'aime. Tu pourrais réellement t'en aller, et nous viendrions, et recommencerions à zéro, comme il faut.

— Jenny chérie...

— Tu ne voudrais pas me quitter ?

— Non, non. Je n'en avais pas l'intention. Je t'aime, Jenny.

— Mais tu pourrais très bien t'en aller, et nous emmener, ça changerait tout, ça serait franc et honnête, et pour le mieux.

— Et Thomas alors ?

— Il t'aime. Il est petit. Il viendrait.

— Jenny. Si j'étais Thomas, je... Je veux dire, il a sa propre vie.

— Je pourrais laisser Thomas. En fait, je ne veux pas, je ne veux pas laisser Thomas, mais que nous reste-t-il, à lui ou à moi, dans la situation actuelle ?

— Beaucoup, peut-être. Comment le savoir, juste maintenant, dans la situation actuelle ? Jenny, mon amour, attendons que la pièce ait été jouée. Elle signifie beaucoup pour moi. Et tu y es si bonne, si tu veux bien essayer de l'être – même si j'ai tout gâché, du moins en partie...

— Non, ne dis pas ça. Tu n'as rien fait de tel. Entre toi et moi tout va très bien, nous allons très bien, mon chéri. Je suis venue pour le prouver.

— Quoi ?

— Tout serait allé très bien pour toi sans Thomas. Ce que tu viens de dire m'en rend sûre et certaine. Je savais que tu broierais du noir, je savais que tu souffrirais, je suis venue parce je le sais, si nous essayons maintenant tout ira très bien, nous nous le devons à nous-mêmes.

— Jenny – nous sommes dans un collège de garçons – dans mon studio – au beau milieu de la matinée.

— Tu ne vas pas faire le difficile sur absolument tout. J'aurais dû ne tenir aucun compte de tes objections depuis longtemps. Ce n'est pas comme si ça t'arrivait souvent. » Vivement. « C'est vrai ça ?

— Oui, dit-il avec franchise.

— Bon, alors. » Sa jupe tomba sur le plancher. Elle étendit la jambe et défit ses jarretelles. Elle était nue à côté de son bureau, nue sous la Danaïde, nue dans son lit étroit de célibataire. Il se déshabilla, poliment, sans hâte, et grimpa dans le lit. Il n'arriva à rien. S'il l'avait pu, il l'aurait fait, se dit-il sinistrement, pour couper court au désarroi, pour en terminer, une bonne fois pour toutes. Mais il n'y arriva pas. Il tourna le visage du côté du mur.

Jenny, cramoisie jusqu'au bout des seins, éclata brusquement en sanglots bruyants. Alexander fut épouvanté par sa douleur et son humiliation. Il la prit dans ses bras et la berça en murmurant, « T'émotionne pas, ah ! t'émotionne pas », tout en se demandant, à ce moment-là même, où il était allé pêcher une expression pareille, une expression du Nord qui n'était pas à lui, et en finissant par la trouver avec une ironie désabusée, quelques instants après, chez l'amant de Lady Chatterley. Jenny continua à pleurer sans s'arrêter, de plus en plus vite, de plus en plus fort. Il comprit qu'elle ne trouvait rien d'autre à faire, qu'elle ne savait que dire, ni comment le toucher.

« T'émotionne pas, c'est tout simplement que ce n'est pas le bon moment, nous avons tellement les nerfs à vif tous les deux, nous n'avons pas dormi, et je me sens nerveux ici, à l'heure qu'il est... Cela ne signifie rien, réellement, tout ira bien quand...

— Quand. Mais quand ? Oh je voulais agir pour le mieux et j'ai rendu les choses bien pires. Je m'impose, je me donne en exhibition, je te mène à la trique...

— Le mot est malheureux.

— Alexander, ne ris pas.

— Et pourquoi ? Que faire d'autre ? Tu ferais mieux de rire, toi aussi. Pour l'instant. Je t'assure, tout ira bien...

— Quand ? Quand donc ?

— Quand le moment et le lieu conviendront.

— Alors tu nous prendras avec toi, tu m'emmèneras loin d'ici.

— Je ne sais pas. Je n'arrive pas à penser.

— Honnêtement. Je ne vois pas comment tu peux honnêtement vouloir agir autrement.

— Eh bien, dans ce cas, dit Alexander sur un ton apaisant, je dois vouloir agir ainsi, c'est certain. »

Elle fit un sourire mouillé et se remit à pleurer, plus doucement. Il la serra contre lui. Elle caressa son membre obstinément flasque, et ses flancs, d'un geste nerveux, comme s'il risquait d'exploser ou de manifester de la répugnance. Il se montra patient. Elle dit, « Tu es si blanc, tu es si beau, tu as l'air si intact, si neuf, j'aime te voir.

— Eh bien ça, tu le peux », dit-il, et quelque chose dans sa voix dut l'alarmer ou la gêner, car elle sauta à bas du lit et se mit à se rhabiller à la hâte. Il s'habilla, avant qu'elle ne puisse changer d'idée, et la raccompagna, avant qu'elle ne puisse proposer de rester. Il se força même à prendre l'air plus marri qu'il se sentait l'être. Pour l'heure il était tout à fait satisfait de se voir attribuer une détresse psychique qu'il n'éprouvait pas. Cela semblait la mettre d'une humeur tolérante et incertaine qui était ce qu'il pouvait décemment espérer de mieux.

Il retourna, se sentant échauffé et un peu poisseux, à ses formulaires, et en remplit un de plus. Cela lui prit dix minutes environ, après quoi il entendit à nouveau qu'on montait l'escalier en courant, et la porte fut de nouveau ouverte. Il présuma que c'était Jenny qui revenait chercher quelque chose ou lui faire une autre mise en garde pressante. Cette fois, c'était Frederica.

« Il fallait que je vous voie, dit Frederica, il n'y a que vous. » Son pouls s'emballa. « Je ne peux pas dire de même, dit-il, malheureusement.

— Non, je sais, dit-elle. J'étais en embuscade. Dans les tomates. Par chance j'avais un livre. Et il fait un beau soleil dehors. Alors j'ai somnolé dans les tomates et j'ai lu des petits bouts de ce livre. Les tomates ont une terrible odeur, elles sentent le métal chaud pulvérisé et un truc en plus, peut-être le soufre – non ? – c'est une odeur qui se jette sur vous et attaque votre métabolisme, ou c'est ce que je trouve, ce matin, n'ayant pas dormi et me sentant écorchée et hypersensible à tout. Mais le soleil était aussi agréable que les tomates étaient sinistres, et je suis un petit peu plus cultivée que lorsque je me suis mise en route, vaille que vaille.

— Un petit peu plus cultivée en quoi ?

— Eh bien j'ai repris *Femmes amoureuses*. J'ai brusquement eu peur d'être Gudrun. Je veux dire que j'ai vu la maison comme un horrible piège, de la même façon que la maison en brique rouge des Brangwen dans ce livre, et papa a réellement été infect avec moi, et j'ai pensé à la manière dont Steph et moi parlions jadis de vous, et j'ai pensé que Steph était Ursula, et alors j'ai vraiment été décontenancée parce que cela ne laissait que Gudrun, et je ne veux pas avoir à être elle.

— Vous pourriez toujours lire quelqu'un d'autre.

— C'est vrai. C'est vrai. J'aime Lawrence et je l'exècre. Je le crois et je le rejette totalement en même temps tout le temps. C'est exténuant. Peut-être était-ce juste le titre. Je veux dire que je voulais lire un livre appelé comme cela. Que lire alors ? Donnez-moi quelque chose, quelque chose de différent.

— Que préférez-vous ?

— Ce que j'aime plus que tout, à l'heure actuelle, c'est Racine. »

Il pensa à Racine et à *Femmes amoureuses*, puis à Frederica Potter, et ne put établir qu'un seul lien.

« *Vénus tout entière à sa proie attachée.*

— Non, pas ça, pas ça, l'horrible balancement de l'inéluctable. Laissez-moi vous dire mes subtiles pensées sur l'alexandrin, que je n'ai pas pu mettre dans ma copie de bachot, ou à peine, tant les questions étaient limitées. Je crève de connaissances sur Racine que je ne dirai jamais à personne, et à force je finirai par ne plus les avoir. C'est terrible.

— Vous allez les dire, dit-il. Parlez-moi de l'alexandrin. »

C'était un bon professeur, non que, comme Bill, il communiquât avec charisme de la passion et un sentiment d'importance, mais parce qu'il savait écouter, il savait poser la question suivante, il savait suivre l'enchaînement des idées. Il créa un espace de temps où Frederica put lui parler de l'alexandrin. Il s'assit, sentant la chaleur de la chair empourprée de Jenny s'estomper sur ses bras et son ventre, il regarda cette fille, qui avait toujours rugi et grondé en s'adressant à lui, hésiter entre l'hyperbole lawrencienne et des trivialités d'affreux jojo, et elle lui parla, nettement, clairement, avec d'abondantes citations et un calme et un ordre croissants, de la structure d'un alexandrin, puis de deux, et puis de tirades entières, de *Mithridate* à *Athalie*, des ironies appuyées de *Britannicus* à la fièvre ardente de *Phèdre*. Elle était assise bien droite sur une chaise dure et il pensa qu'elle avait l'oreille juste, l'oreille très juste, et puis se rappela que c'était une actrice aux muscles ligaturés et sourit à part lui, ce sur quoi elle dit, comme si elle avait entendu sa pensée : « J'aime l'alexandrin parce qu'il est tellement froid et tellement précis sur la page, il est tellement lucide, et pourtant je n'imagine pas qu'il puisse être interprété sans gestes extravagants et une espèce de vrombissement qui détruiraient complètement sa symétrie. Je n'imagine pas qu'on l'interprète sans rester juste immobile et faire de temps en temps un ample geste du bras, verticalement, ou laisser tomber la tête dans les mains. Êtes-vous du même avis ?

— Cela paraît juste.

— Je vous aime. »

Cela s'enchaînait si naturellement, toute cette explication avait été un gage d'amour, ainsi offert, ainsi reçu, pensa-t-il.

« Je vous aime », dit-il aussi simplement que possible, voulant en quelque sorte qu'elle sût que ses paroles précautionneuses et hésitantes, puis aisées, abstraites et passionnées, l'avaient ému comme une autre femme, rose et nue devant son âtre, ne l'avait pas fait. L'inviolable voix s'il en fût jamais. Non, pas cela, seulement combien il est rare de faire l'offrande d'une pensée. On avait toujours dit à Alexander qu'elle était intelligente et il l'avait accepté de confiance. Elle-même le lui avait assez souvent dit.

« Je vous aime parce que vous êtes très intelligente, précisa-t-il pour lui montrer que maintenant il le savait.

— Je vous aime parce que vous savez écrire.

— Sont-ce de bonnes raisons ?

— Eh bien les romans diraient que non. Les héros de roman ne sont pas amoureux parce qu'ils comprennent tous les deux que Racine est – est ce qu'il est. C'est comme les maths, en réalité, sauf que je ne suis pas bonne en maths, j'allais dire sensuel mais ce n'est pas ça, ou du moins le plaisir sensuel, c'est la géométrie, pas la sexualité. En fait, je ne sais pas grand-chose de la sexualité, je ne devrais pas en parler. Qu'est-ce que je disais ? Ah oui, si nous étions dans un roman il serait on ne peut plus suspect, et de très mauvais augure, d'être là à débattre sèchement de métrique.

— Si nous étions dans un roman ce dialogue serait coupé, pour cause d'artifice. On peut s'adonner à la sexualité dans un roman, mais pas à la discussion de la métrique racinienne, même si l'on en est passionné. Pound a dit que la poésie est une sorte de mathématique inspirée, elle vous donne des équations qui ne concernent pas les triangles et les sphères dans l'abstrait, mais des émotions humaines. Wordsworth a dit que métrique et sexualité sont fonctions de la circulation sanguine, vous savez, et du « grand principe élémentaire du plaisir dans lequel nous vivons, agissons et existons ». Nous pouvons entendre circuler le sang l'un de l'autre, Frederica, en une sorte de mathématique inspirée, en incantations précises et secrètes.

— Comme c'est joli.

— Oui. Je vais vous donner un livre qui n'est pas *Femmes amoureuses*. Je vais vous donner mon exemplaire défraîchi des *Poètes du XVIe siècle*, parce qu'il contient l'"Océan à Cynthia", imprimé avec des fautes et une orthographe très curieuse, mais il faut que vous lisiez ce flux et ce reflux.

— Je le conserverai toujours », dit-elle, moqueuse et sérieuse, parodique et sincère.

Ils restèrent assis l'un en face de l'autre à se regarder.

« Les gens dans les romans de Lawrence, reprit-elle, s'aiment à cause de leur moi indicible, de leurs reins ténébreux, de leur distance sidérale et tout ça. Ils sermonnent et ils jacassent, mais ils ne parlent pas, quoique lui, Lawrence, ne s'en prive pas. Il aimait le langage, il a menti en un sens quand il a fait connaître toutes ces valeurs "au-delà" du langage ou "sous" le langage. J'apprécie le langage, pourquoi n'a-t-on pas le droit d'aimer en faisant usage du langage ? Les gens chez Racine expriment l'inexprimable. C'est bizarre, j'allais dire qu'il a un langage très restreint, mais Lawrence aussi, de cette espèce, et tous deux font connaître des formes de ce qui n'est pas du langage, et pourtant l'un est aussi clair, aussi précis, aussi explicite sur ce que ce n'est pas, que l'autre se perd en jappements, marmonnements et... ah je ne sais pas. J'aime beaucoup le passage des bagues, le pâté de venaison, et le lapin, je crois. Une raison pour laquelle j'apprécie tant Racine est que papa ne le fait pas. Il ne comprend pas le français. Je crois qu'il le croit froid et immoral. Je ferai peut-être du français et de l'allemand. Il n'arrive pas si bien à édicter des jugements de valeur culturels sur cc qui n'est pas anglais.

« Je vous demande pardon, Alexander, je suis à un tel point ivre de vous, et de manque de sommeil, et maintenant de vous voir, et d'avoir cette conversation, que je n'arrive pas à me taire, je suis un vrai moulin à paroles, je n'imagine pas qu'on puisse être heureux plus d'un jour ou deux à la fois, alors je pense qu'il faut que j'en profite au maximum.

— Vous avez dit que Bill a été infect. Que s'est-il exactement passé ?

— Il a dit que j'étais une saligaude, dit Frederica avec une immense satisfaction verbale, il m'a flanqué des coups et il a mis en lambeaux presque toutes ces jupes en papier, dont je lui ai dit qu'elles ne m'appartenaient pas. J'ai dit que je n'appréciais pas son langage, en plus, et que mes affaires ne regardaient que moi, et il a dit certainement pas, pour rien au monde, et je l'ai frappé. Joliment, le poing serré, en plein dans l'œil. Il est tout gonflé. Il m'a expédiée au lit, où je suis allée, et où j'ai fait un somme, et puis quand je l'ai entendu aller au petit coin je me suis enfuie et j'ai couru jusqu'ici.

— Ce n'est certainement pas un récit fidèle.

— Eh bien non. Il est un peu arrangé et me présente sous un jour flatteur et ingénieux, et il est considérablement abrégé, ce dont vous devriez être reconnaissant. Ça a été un drôle de pastis. Il n'a pas été soufflé mot de vous, si c'est ce qui vous tracasse.

— Un peu, c'est vrai.

— Ne vous en faites pas. Son esprit fonctionne lente-ment, il est encore tellement occupé à en vouloir à Daniel que je pense sincèrement qu'il ne s'intéresse qu'à lui, et au fait que je me sois salie et que j'aie perdu des effets qu'il avait payés de sa poche. Je lui ai dit que j'allais les récupérer.

— Est-ce que cela l'a rasséréné ?

— Il ne m'a pas crue.

— Je ne peux pas, je ne peux en aucun cas me fourrer dans un guêpier avec lui, les vôtres, et vous à l'âge que vous avez. C'est comme débaucher des élèves, Frederica. Ça ne se fait pas.

— Ah bon ! Ce n'est pas ce que dit Wilkie. J'aurais cru – je ne sais pas, le lycée n'est le modèle de rien, il est exsangue – pour ma part, j'aurais cru que c'est un ins-tinct primordial, de subvertir ce rapport. Une variante possible du trucmuche œdipien, je veux dire pas vérita-blement interdit de toute éternité, seulement le règle-ment de l'école, dont nous savons tous qu'il existe pour être brisé. Je voudrais être votre élève. Nous y trouve-rions de l'agrément. Comme Héloïse et Abélard.

— Je n'appelle pas cela de l'agrément.

— Oh, c'était leur temps, comme nous le disions. Et ceci est le nôtre. Nous y vivons. Même mon papa ne brandit pas un couteau de boucher.

— Vous êtes horriblement rassurante.

— Eh bien, il faut bien que je dise quelque chose. Et c'est vrai. » Elle se leva et vint s'asseoir là où Jenny s'était assise, sur le bras de son fauteuil. Son regard effleura les formulaires de candidature. S'ils lui dirent quelque chose, elle ne le manifesta d'aucune façon. Elle toucha ses cheveux et il éprouva des picotements dans ses veines.

« Vous ne voulez pas me faire l'amour ?

— Je ne crois pas que je puisse. Cela ne semble pas honnête. Envers diverses personnes. Y compris vous. Et moi, je crois.

— Je comprends. Je crois que cela n'a pas d'impor-tance. Entre vous et moi, ici et maintenant. »

Ici et maintenant, une fille de dix-sept ans, voilà ce qu'elle était, se dit-il. Elle n'avait pas encore de vie réelle pour s'étendre devant et derrière elle, pour la soumettre aux tractions des causes et effets passés, des devoirs, des échecs qui minent. Elle était innocente – enfin, presque. Et pour cette raison, lui disait son entendement, vulnérable. Ce qu'il lui ferait, ou ne lui ferait pas, pourrait modifier toute son existence. Elle ne donnait pas l'impression que ceci fût vrai, observa le corps d'Alexander, endossa son bon sens. Elle avait l'air tenace, autonome, simplement désireuse d'agir.

« Serrez-moi, en tout cas.

— Ce n'est pas que je n'aie pas vraiment envie de vous.

— Non. Simplement des scrupules. C'est très bien. Il y aura des foules d'occasions. Serrez-moi juste un peu. Sans obligation. »

Il la souleva, l'installa sur ses genoux, contre son sexe tumescent, et la serra. Ils restèrent parfaitement immobiles. Dans la forêt de son esprit le sous-bois craqua furieusement ; il était en voiture, dévalant une pente abrupte, fonçant en perdant le contrôle. Il poussait des cris perçants et silencieux, dans sa tête, éprouvant le plaisir vertigineux qu'il avait connu, enfant, dans le grand huit, et l'impitoyable pulsation littéraire lui dit, non pas du fond de son enfance mais en soupirant avec l'accent germanique des vers de *La Terre vaine*, qu'il fallait tenir de toutes ses forces, qu'il n'existait pas d'expressions pures ou particulières, mais que c'était sans importance, qu'il n'existait certainement pas de lycéennes en leçon particulière ou à distance sidérale à tenir sur ses genoux, pour dire la vérité vraie. Et *Lolita* n'était pas encore écrit. Il continua à la tenir, de toutes ses forces. Elle aboya d'un rire sauvage. Si elle l'y avait incité, il aurait pu la prendre et l'aurait effectivement prise. Mais elle ne le fit pas. Elle craignait un éventuel saignement, en fait, et la découverte de son mensonge, et calculait rapidement qu'un moment qui se prolongerait tout à loisir et sans interruptions ferait certainement mieux l'affaire. Et aussi, si elle respectait ses scrupules, pensait-elle, ils finiraient, comme la plupart des scrupules, par lui sembler fâcheux, avec le temps. Si l'on respecte un scrupule un jour ou deux, s'expliqua sagement Frederica, on finit par avoir l'impression d'avoir fait son devoir envers lui, et par espérer que les circonstances, ou la nécessité, le lèveront. Et aussi, elle avait sa propre réticence. Racine était une chose, mais les serres et le bec de Matthew Crowe et, plus loin encore, les pincements des gros doigts d'Ed en étaient une autre. Elle ne voulait pas se rebeller contre l'impossible, Alexander conquis. Pas au moment même, pensa-t-elle en caressant ses jolies clavicules arquées sous sa chemise, où elle avait accompli une si étonnante avancée.

L'ultime visiteur d'Alexander frappa à la porte. Une fois invité à entrer, son préambule fut également plus hésitant. Il dit, « Il fallait que je vienne vous voir, j'en ai peur. Vous êtes le seul que j'ai pensé pouvoir consulter, voyez-vous. »

Alexander pensait très rarement à Marcus quand celui-ci n'était pas, comme à ce moment, en face de lui. Depuis Ophélie il avait conclu qu'il y avait une chose « qui n'allait pas » chez ce garçon, chose qu'il attribuait aisément et spécieusement aux difficultés flagrantes de son ascendance et de sa position. Ce jugement se compliquait du fait que penser à Ophélie lui rappelait encore le visage et la voix de ce garçon. Pis encore, Ophélie lui revint immédiatement à l'esprit en le voyant sans expression, blond pâle, décharné et fragile. Quand il pensait effectivement à Marcus, comme il essaya alors de le faire, il décidait que leurs rares rencontres avaient toutes consisté en tentatives étouffées par Marcus de lui dire ou de lui montrer quelque chose. Il voulait décourager cela, en raison du sentiment si anglais que mieux vaut tenir à distance l'hystérie endémique, en raison aussi d'une inquiétude personnelle à l'idée de s'immiscer dans des sphères d'influence si directement gouvernées par Bill Potter. La matérialisation du fils de Bill Potter, désespérément poli, respirant la peur, était en un sens un châtiment divin pour ce que Bill eût certainement considéré comme un attentat à la pudeur sur la personne de sa fille.

« Asseyez-vous », dit-il avec nervosité.

Marcus s'assit sur le bord inconfortable d'une chaise dure et regarda autour de lui. Il embrassa la pièce, les murs polychromes pâles et clairs, l'affiche polychrome des Ménestrels, les Acrobates de Picasso dans leur désert gris-rose, le Garçon aux roses, la lisse et brillante Danaïde, le cairn de pierres placé sous elle. Il goûta la suite ordonnée des formes ovoïdes de l'albâtre et de celles, sombres et irrégulières, brillantes et terreuses, rondes et planes, du calcaire et des silex ; il goûta les lignes de ces deux séries de formes par rapport aux ronds et aux rectangles des hanches blanches et du pourtour noir de la Danaïde. La pièce témoignait d'une juste pondération entre l'espace et les corps dans l'espace. Cela lui donna, momentanément, une impression de plus grande sécurité.

Lui aussi se rappelait Ophélie. Il détourna les yeux du dangereux Garçon, à cause de sa lourde guirlande. L'épisode d'*Hamlet* avait fait d'Alexander un confident ou confesseur possible sinon idéal, simplement parce que c'était lui qui avait dirigé la mise en scène, et donc les faits et gestes et les mouvements de Marcus. Peut-être Marcus avait-il en fait permis à Lucas de se comporter comme il l'avait fait parce qu'il s'était habitué à l'idée d'être dirigé d'une manière ou d'une autre. Personne d'autre, hormis son père, n'avait jamais pris la peine de lui dire comment se comporter.

Marcus fit longtemps l'inventaire silencieux des lieux, ce qui accrut la nervosité d'Alexander.

« N'allez-vous pas me dire pourquoi vous êtes là ? »

Marcus sursauta.

« Je ne sais par où commencer. Cela n'aura pas l'air sensé. En fait, cela aura l'air fou. Je crois que c'est fou. Probablement, en tout cas. Presque certainement.

— Qu'est-ce qui est fou ? Ou bien qui l'est ?

— Monsieur, le problème, le vrai problème est que j'ai

peur de ce qui peut arriver à M. Simmonds. J'ai peur de ce qu'il peut faire. »

Alexander n'avait pratiquement jamais prêté attention à Lucas Simmonds, dont la normalité était peu remarquable, banale même, et la conversation dans la salle des professeurs un flot soigneusement débité de fadaises professionnelles. Alexander évoqua ce visage souriant. Cette mine de joueur de cricket et autres sports de plein air salubres. De personnage secondaire d'un roman policier dû à une plume féminine, bien mis et pensant bien. Pas assez haut en couleur pour Wodehouse. Qui ne fait jamais parler de soi en son absence.

« Monsieur, il dit qu'il y a des guetteurs à sa fenêtre. Il dit, monsieur, qu'il est sur écoute. C'est-à-dire lui et son studio, sous surveillance électronique. Je crois qu'il va conduire sa voiture trop vite. »

Marcus avait décidé d'aborder un minimum de faits les plus crédibles, simplement pour attirer l'attention sur la situation critique de son ami. Il leva des yeux remplis d'espoir. Le front élégant d'Alexander était profondément barré par la perplexité. Marcus ajouta quelques faits.

« Il dit que son esprit a été détruit par des destructeurs sur un destroyer. Et aussi peut-être des bribes de son équipement biomorphique, à ce qu'il dit. Il a vu une bouteille de lait remplie de sang. Il a découpé des trous avec des ciseaux sur les tableaux de l'homme et de la femme au labo Croupi. Je crois qu'il a découpé des grenouilles en petits morceaux.

— C'est son travail.

— Ça dépend comment. »

Alexander essaya de réfléchir. Son esprit était ou avait été occupé par des corps féminins, des replis de chair, le cantique du sang et de la pensée. Les bouteilles de lait et les grenouilles découpées d'une manière suspecte en petits morceaux dépassaient ses compétences.

« Eh bien que déduisez-vous de tout cela ?

— Monsieur, je ne sais pas. Il pense que je sais des choses que je ne sais pas. Je n'en comprends pas autant qu'il le croit.

« — Comment se fait-il que vous soyez censé comprendre tout cela ?

— Monsieur, c'est mon ami. »

C'était une réponse véridique, désespérée et généreuse. Elle était également retorse, en ce qu'elle évitait certaines choses dont Marcus ne croyait pouvoir se résoudre à parler, s'il pouvait s'en dispenser, les capacités singulières dont il était doté et à cause desquelles l'amitié avait été exigée et accordée. Alexander la crut retorse dans un autre sens. « Ami » n'était pas un terme totalement innocent au collège de Blesford Ride. En vérité c'était un terme qu'il valait mieux éviter, dans les cas de simple amitié. Alexander n'avait jamais entendu attribuer d'« amis » ni à Marcus Potter ni à Lucas Simmonds. Mais il y avait beaucoup de choses dont il n'entendait pas parler. Il fixa le garçon, dont le visage blanc autour de ses lunettes avait une certaine ressemblance avec la pâleur crayeuse de sa sœur, mais dont les yeux, les cheveux et la physionomie avaient une absence de couleur évanescente. Il jeta un coup d'œil involontaire à l'insolent Garçon, tellement différent, sur le mur, et frissonna délicatement. Si Frederica n'était pas une vierge fragile, ce garçon l'était assurément, et l'infortuné Simmonds avait joué avec le feu, avec une chose instable et explosive. Un remous de sympathie hors de propos envers ce conjectural Simmonds le submergea. Les garçons sont terribles. Il demanda, d'une voix plus menaçante qu'il ne le voulait, « Pourquoi venir me raconter tout cela ?

— Je vous l'ai dit, monsieur, parce que j'ai peur de ce qui pourrait arriver. Je veux dire que nous avons failli nous tuer, tous les deux, la dernière fois.

— La dernière fois ?

— La dernière fois que nous sommes allés – faire – eh bien, une espèce de voyage ensemble, nous avons failli nous tuer, il les appelait des voyages d'étude, des genres de sorties sur le terrain – avec un but – je ne veux pas en parler, je – il a failli nous tuer, en revenant. Il dit que la vitesse provient du corps. »

Marcus n'avait pas l'art de la parole. Sa voix morne ne réussissait en rien à exprimer l'horreur de cette vertigineuse course par monts et par landes. À dire vrai, il parlait sur un ton qui pouvait paraître dolent, et qui fut désastreusement jugé tel.

« Alors vous pensez que vos relations sont maintenant trop dangereuses ?

— Eh bien, non, ou plutôt, oui, c'est ça, mais ce n'était pas pour ça que je suis venu. J'ai peur de ce qu'il peut faire.

— Je n'ai toujours pas une idée claire de ce qu'il a effectivement fait, dit Alexander, délicat et légèrement hostile. Dites-le-moi. »

Marcus essaya. Cela ne lui fut pas facile. Il lui fut impossible, quand il s'agit de le faire, de prononcer les mots Dieu, ou religieux, ou lumière, et tout en parvenant néanmoins à parler avec force circonlocutions de l'«expérience» et de certains de ses aspects secondaires telles les images hypnagogiques, il aboutit au résultat curieux que sa version expurgée pour protéger l'inexprimable fut un récit donnant beaucoup plus l'impression de «relations personnelles» qu'il ne le voulait. Alexander essaya de déceler des indices. L'art et le danger d'être un bon confident sont étroitement liés. Les deux consistent à entendre ce qui est dit tout en écoutant ce qui ne l'est pas, de paraître avoir compris une chose dotée d'une foule de sens probables, de sorte que le flot de confidences ne diminue pas et que la personne qui se confie finisse par livrer un sens lucidement dégagé. Alexander était d'habitude un bon confident parce que, pour une part, il était un confident réticent et paresseux, ce qui signifiait qu'il évitait le danger de traiter les confidences d'autrui comme sa propriété privée. Il aurait également dû être un bon confident parce qu'il prenait un intérêt dramatique calmement professionnel au déroulement des histoires, mais c'était une faiblesse en lui : il préférait les histoires anciennes, complexes et terminées. Mais dans le cas présent il écouta mal. Il n'avait pas dormi et il était troublé par la sexualité, Jenny et Frederica. Il entendit les mots hésitants de Marcus et les structura. Marcus parla de «cette chose» et de «cette affaire» pour ne pas leur donner de nom, et Alexander logea ces termes dans les cases d'interprétation disponibles. Marcus parla de «relations» en pensant à la géométrie, aux ondes radioélectriques et à ce qui perturbait la concentration de Lucas, et Alexander, prêtant un sens biologique à ces murmures, en déduisit que Marcus et Lucas avaient eu des relations ensemble. Il se mit à poser à Marcus des questions plus directes sur ce que Lucas lui avait «fait». Il eût de beaucoup préféré ne rien savoir mais jugea de son pénible devoir de laisser Marcus parler, si Marcus le voulait, ce qu'effectivement il faisait, mais avec tant de détours que la marche de son récit était épouvantablement pesante. Marcus murmurait à présent une chose incompréhensible à propos de la bouche de l'enfer. Il était clair pour Alexander que l'homme et le garçon étaient tous deux criblés de culpabilité calviniste. Il essaya l'approche directe.

« Mais quels contacts physiques y a-t-il eu ? »

Marcus se mit à expliquer qu'il n'y en avait pas eu, vérité générale même si elle n'était pas parfaitement exacte, se souvint de Whitby et rougit jusqu'au blanc des yeux.

« Vous avez honte ? dit Alexander.

— En fait, c'est lui qui a eu honte, dit Marcus. Mais ce n'est pas ce qui importe.

— On veut toujours croire que ce qui importe n'est pas réellement important », dit Alexander avec gentillesse. Il se sentait irrationnellement irrité par ce garçon pâle, irrationnellement convaincu qu'il avait fait marcher l'infortuné Simmonds, l'avait entraîné dans des affres de frustration et de conscience impuissante.

Marcus, pour sa part, commençait à se dire que cette conversation prenait une sinistre ressemblance avec celle où Lucas s'était montré agressif, germanique et curieux de savoir s'il se tripotait. Il dit, avec ce qui équivalait pour lui à de la colère :

« Ce n'était pas sexuel. Je veux dire. Ce ne l'était pas. Pas... » Il avait les larmes aux yeux et le sang battait dans l'enchevêtrement des veines étalées sous la mince peau de son visage et de son cou.

«Je sais que vous avez sérieusement besoin de dire cela, vous vous sentez atteint et corrompu par cette expérience, c'est évident. Je vois bien que vous taisez certaines choses, des choses que vous n'avez pas dites, que vous n'arrivez pas à vous résoudre à dire...

— Pas des choses de cet ordre.

— Très bien. Si vous le dites. Je ne veux pas être indiscret.

— Vous ne comprenez pas.

— Comment comprendre ce que vous ne dites pas? Je crois que j'entrevois assez clairement, néanmoins, les contours de cette affaire. Je suppose que vous la jugez maintenant trop pour vous – parce qu'elle vous répugne ou vous dégoûte, parce que votre ami se comporte d'une drôle de façon.

— Là n'est pas la question. J'ai peur de ce qu'il peut faire.

— Que pourrait-il faire?»

Marcus chercha ses mots. Il avait complètement échoué à faire qu'Alexander imagine Lucas. Il dit lentement, «Il dit qu'il faut que nous allions visiter le champ des mille cairns sur la lande de Fylingdales. Je sais que si nous y allons nous nous tuerons. Je le sais.»

Cinq ou six grosses larmes coulèrent lentement sur son visage sans expression.

«Je ne crois pas que vous le ferez», dit – cordialement pour lui – Alexander. «Mais en tous les cas il y a une solution simple. Vous ne devez pas y aller. Vous devez simplement lui dire que cette histoire est terminée – que vous sentez qu'elle est potentiellement dangereuse et destructrice. Ce qui est bien ce que vous faites.» Il ne croyait ni possible ni convenable de servir à Marcus un topo sur l'automobile comme symbole de puissance sexuelle, et pourtant son esprit littéraire construisait une série d'images puissantes de la peur des énergies destructrices, en Simmonds et en Potter.

«Il a besoin de moi.

« — Il ne peut pas avoir réellement besoin de quelqu'un qu'il angoisse au point où il vous angoisse. Les gens sont étonnamment résistants. Inutile de vous croire indispensable – pratiquement aucun de nous ne l'est, nous avons seulement besoin de le croire. Si vous n'êtes pas capable de prendre soin de vous-même, Marcus Potter, vous n'êtes pas capable de prendre soin de qui que ce soit. »

Spécieux, ces derniers propos, et partiellement faux, mais c'était ce que les gens ont besoin et envie d'entendre, assurément. On ne pouvait se les tenir à soi-même, mais, ah ! aux autres, il y avait une certaine vertu, une certaine innocence.

« Mais que va-t-il faire ?

— Quelqu'un doit lui parler. J'essaierai de m'en charger. C'est pour cela que vous êtes venu ? Et il vous faut rentrer chez vous et dire à votre père quelque chose – aussi peu que possible – et vous faire expédier en vacances. Partir chez une tante.

— Je n'ai pas de tantes. Ce n'est pas une bonne idée, de parler à mon père. »

Alexander aurait pu se proposer. Mais comment dit-on à un homme, « Quelqu'un tourne autour de votre fils de seize ans », quand l'on a soi-même à peine sorti la main de sous les jupes de sa fille de dix-sept ans et que l'on a encore les narines remplies de l'odeur de la chaleur sèche de sa peau ?

« Je veux seulement qu'on garde un œil sur lui.

— Je garderai un œil.

— Réellement ?

— Réellement. »

Il lui parlerait de cricket en déjeunant. Il le croiserait par hasard dans le cloître. Il n'y manquerait pas. Il ajouta, « Oubliez tout cela, libérez votre esprit de ce fardeau ».

La chose était facile, pensa-t-il, pour certains.

37

La première

Ce qu'Alexander aurait pu, à la réflexion, décider de faire par rapport à ses trois visiteurs fut, dans une certaine mesure, éclipsé par la soirée d'ouverture de sa pièce, qui tombait en ce même soir du début d'août. Souvent auparavant, quand la perspective de cet événement l'avait plongé dans les affres, il s'était focalisé sur le succès ou l'échec de son œuvre. Comme Stephanie imaginant un mariage abstrait, il n'avait pas envisagé les désordres de la chair, de la conscience et des simples difficultés relationnelles qui l'accableraient alors – et pourtant on pourrait arguer qu'il aurait dû le savoir, lui qui avait prophétisé à Jenny avec une étrange justesse, à l'époque de leur sordide bois sacré sur la Butte du Château, précisément dans quelle mesure toute entreprise prolongée de ce type a des chances de tourner à la saturnale. En allant prendre place sur les gradins d'acier et de planches en demi-lune, il était inquiet du nombre de choses intimes qui allaient être rendues publiques, de sa secrète connaissance de la Reine Vierge à sa tentative pour écrire de la poésie flamboyante, et à ses péchés par omission et par commission de ces quelques derniers jours. À présent, bien sûr, au moment où les spectateurs faisaient craquer l'hémicycle en l'escaladant plus ou moins en ordre, les acteurs ne portaient plus aucun intérêt à ses vues. Il y avait cette créature impersonnelle et composite à satisfaire, à gagner, à conquérir.

Toute trace des folles réjouissances de la veille au soir avait été effacée par des hommes armés de balais, de paniers et de piques. Le gravier de la terrasse était lisse et ratissé, sans un éclat de verre. Les pelouses étaient tondues et satinées. Lauriers, ifs et grands pins avaient été taillés là où, en grimpant, les garçons avaient laissé des rameaux pendants et des branches cassées. Les globes opaques de la lumière hespéridienne veloutée y étaient suspendus en bon ordre, prêts à répandre leurs rayons à la nuit tombée. Palanquins, tourelles roulantes, trônes et remparts étaient alignés derrière la maison. L'ensemble instrumental flûtait et violonait, invisible dans le jardin en contrebas. Ce premier public était dense et avait une composition différente de ceux qui lui succéderaient. Des dignitaires régionaux parés du collier d'or de leur charge, l'évêque en guêtres et gilet violet, encadré de recteurs ruraux, le vice-chancelier et les doyens de faculté de la future université, les notabilités de la trésorerie et du conseil des beaux-arts, le vicomte du voisinage et ses amazones de filles, des industriels et la presse. Il y avait des dames du pays qui avaient fait de la couture et réuni des bracelets, les parents et amis des acteurs, et des gens qui avaient simplement acheté un billet. Dans l'avant-dernière catégorie se rangeaient Geoffrey Parry, venu avec son fils Thomas sous prétexte qu'il n'était pas possible de trouver quelqu'un pour garder un enfant aussi nerveux, et la famille Potter. Parmi les authentiques spectateurs se trouvaient Lucas Simmonds, dont la présence n'était ni prévue ni désirée par les deux personnes qui auraient pu y trouver quelque intérêt, et Ed, le représentant en poupées.

Des autocars ouverts, partis de différents lieux, convergeaient vers Long Royston. On pouvait se procurer des billets pour *Astraea ou la Reine Vierge* incluant le prix du transport depuis Calverley, Scarborough, Durham ou York. On pouvait s'offrir un séjour dans une chaîne d'hôtels de la côte nord, ou dans des auberges villageoises, incluant le spectacle, avec transport optionnel depuis Manchester, Édimbourg, Birmingham et Londres. Crowe était à maints égards un aussi bon homme d'affaires que son bisaïeul. Le succès de cette entreprise lui faisait se demander s'il n'aurait pas mieux réussi dans les voyages et manifestations culturelles qu'en faisant donation de Long Royston à l'université. Mais s'il était entreprenant, il ne manifestait d'énergie que par intermittence et n'avait aucune intention d'en consacrer beaucoup au tourisme. Les cars pénétraient dans une cour intérieure où ils débarquaient leurs passagers, lesquels pouvaient acheter du thé et des brioches, ou bien de la bière, ou encore du gin, à la cafétéria, avant de flâner dans les allées et les sentiers gazonnés en direction du demi-O en bois.

C'est à ce terminus que Frederica, blêmissante, aperçut un homme de forte carrure, Ed, mettre pied à terre et promener autour de lui des regards de propriétaire. Elle frissonna. Elle vit en Ed une espèce de De Flores ou de spectre de Banquo, un forfait ambulant qui se dresserait pour l'humilier. Elle se recula de la fenêtre de la cuisine et se cogna contre Wilkie, qui lui demanda, « Tu as vu quelque chose de désagréable ?

— Un homme que je connais. Enfin, pour ainsi dire. » Ed se dirigeait sans se presser vers la cafétéria.

« Il est venu te voir jouer ?

— Grand Dieu, non. Il ne sait pas qui je suis, je veux dire qu'il ne sait pas que je suis dans la pièce. »

Wilkie lui donna une petite tape. Il donnait des petites tapes à tout le monde. Pas facile de le prendre mal. « Et quelles nouvelles de ta passion pour monsieur-notre-reine-vierge-des-tantes ? »

Avant Wilkie, Frederica n'avait idée ni de cet emploi du mot tante, ni de son imputation à Alexander. Mais sa réaction instinctive avait caractéristiquement été de ne pas passer pour naïve ou bornée. Alors elle dit d'un air entendu qu'elle ne pensait pas que ce fût exactement le terme qui convenait, qu'elle savait po-si-ti-ve-ment que ce n'était pas le cas, de fait.

« Aha !, dit Wilkie.

— Aha ! », dit Frederica, tiraillée entre le désir de ne rien dire de ses relations avec Alexander et celui de les rendre tout à fait réelles à ses propres yeux en en discutant. Comme Alexander, c'était une créature du verbe ; comme la Cohorte, elle aurait aimé, si les gens l'avaient assez aimée pour lui parler, papoter et faire le récit de ses expériences et de ses triomphes.

« Tu as suivi mes conseils.

— D'une certaine manière.

— Et maintenant tu es rayonnante.

— Pour ainsi dire.

— Je meurs tout de bon de curiosité, mon chou.

— Je ne peux rien dire…

— Bien sûr. » L'attention de Wilkie dévia. « Regarde, Frederica. Harold Hobson. Ivor Brown. Des flopées de critiques. Ton existence transfigurée du jour au lendemain, si tu as de la chance. La mienne aussi. Et la sienne, évidemment. Penses-tu, dans le tréfonds de ton cœur, que c'est une vraiment bonne pièce, chérie ? »

Frederica saisit une intonation qui ne lui plut pas, chercha un faux-fuyant, gagna du temps.

« Et toi ? dit-elle.

— Je pense qu'il y a une assez forte chance que ce soit un succès délirant. Je ne crois pas que ce type de théâtre en vers deviendra franchement populaire, à la fin des fins, pourtant. C'est comme les bricoles du couronnement et les horribles toilettes des dames d'honneur, une espèce de revenez-y sans style, sans le mordant de la parodie.

— C'est exactement de cela qu'il s'agit, selon lui. De vraie poésie moderne, surtout pas de parodie, surtout pas de réalisme moderne doctrinaire.

— Très louable. Tu crois qu'il y est arrivé ?

— Et toi ?

— Tu es remarquablement évasive pour un bas-bleu despotique. Mais je présume que je ne flanquerai pas ton interprétation par terre si je te dis que non, je ne le crois pas. Éviter la parodie signifie qu'il ne lui est resté que des échos involontaires – flous et mous – de choses anciennes et pas si anciennes que ça, des filets d'orthodoxie, Eliot et Fry, ni sang, ni os, ni tripes.

— Ce n'est pas équitable. Mais c'est une description reconnaissable.

560

— Brave petite ! Qui plus est, il n'a pas résolu le vieux problème postromantique du monologue intérieur au théâtre. C'est bougrement statique – comme Eliot, comme Fry. Rien ne se passe. Et quand on y pense, le résultat est monstrueusement négatif, car de l'avis de tous beaucoup l'ont résolu. En raison, précisément, des échecs du dix-neuvième siècle, je crois que les vers sont une cause perdue. On pourrait utiliser la prose comme Brecht ou une sorte de pastiche beau parleur style grand guignol. Mais vers et réalisme psychologique – c'est le pire amalgame possible – les deux sont hors du coup.

— Tu ne peux pas dire qu'une chose est hors du coup, juste comme ça. Toute forme vaut par l'écrivain qui l'adopte.

— Je m'interdis de te croire. Quel âge as-tu ? Dix-sept ans. Préviens-moi le jour où tu trouves que certaines formes sont historiquement possibles et d'autres non. Le jour où tu décides d'être femme de lettres et où tu te lances dans un long roman né des amours de Proust et de George Eliot, et qu'il ne tient pas sur ses pattes, que son langage se gangrène et que ses êtres réels se révèlent des pantins survoltés.

— Je ne serai jamais femme de lettres.

— Félicitations.

— Peut-être pourrait-on s'y prendre comme Racine – »

Wilkie ne répondit rien à cela. Frederica le soupçonnait de n'avoir pas lu Racine – il n'était pas omniscient – et d'être, comme elle, peu disposé à admettre son ignorance. Elle respectait cela, en un sens. Elle respectait la sévérité iconoclaste de Wilkie, en partie parce que c'était dans l'air du temps, perceptiblement moderne, mais en partie aussi parce qu'il semblait vraiment attacher du prix à la définition précise de véritables pensées. Néanmoins, elle s'éloigna. Si elle devait réciter les tirades d'Alexander, cela ne l'aiderait en rien de ressasser des réflexions sur les échos flous. Juger n'était pas à l'ordre du jour. Il était curieux qu'elle ne pensât pas – et elle ne le pensait certainement pas – que Wilkie ou bien lançait ou bien la poussait à lancer une attaque personnelle contre Alexander. Ce qu'il avait dit avait un léger parfum de vacherie à la mode, mais il n'était pas une peau de vache.

Alexander observait les critiques. Ils s'étaient dans l'ensemble généreusement accordés à voir des promesses dans *Les Ménestrels*. Leur présence était plus dense et plus visible pour *Astraea* parce qu'ils s'étaient organisés pour se transporter en cohortes. C'est alors qu'il vit les Potter. Bill avait pour une certaine raison envoyé des billets à Daniel et Stephanie et décrété que la famille viendrait au grand complet. Alexander, qui avait décidé qu'il serait intolérable de suivre la pièce aux côtés de Lodge, ou même de la costumière, était seul dans un coin tout en haut. Il s'aperçut que les Potter montaient droit sur lui en file indienne. Daniel, massif et rapide, fut le premier à l'atteindre. Les planches oscillèrent sous son poids. Fermant la marche, Marcus regarda vers le haut, baissa les yeux et trébucha, s'attirant un grognement de la part de Bill, qui portait une chemise de flanelle, col ouvert. Alexander, comme beaucoup de spectateurs ce soir-là, était en smoking.

« On ne vous gêne pas ? dit Daniel.

— Non, non.

— Ça se pourrait. Vous pourriez préférer rester seul. Non que j'aie le pouvoir de déplacer cette équipe.

— Vous pourriez vous asseoir et me servir de rempart.

— Ouais. Je vais installer ma femme entre nous, cependant, et la tenir éloignée d'eux. »

Stephanie s'assit à côté d'Alexander. La popeline rose était tendue sur sa poitrine. Elle était drapée dans un châle de soie verte à longues franges. Elle avait voulu à tout prix que personne ne sache rien pour le bébé, étant donné que Bill ne manquerait pas de vociférer, Winifred d'être aux petits soins, et tout le monde, spécialement Frederica, d'en conclure qu'il avait été conçu hors des liens du mariage. C'était dur pour Daniel, qui était obsessivement intéressé par la moindre modification corporelle et aurait naturellement manifesté une bruyante sollicitude. Alexander la regarda avec affection.

« Vous êtes bien comme cela ?

— Si je n'attrape pas le vertige.

— Aucun risque, une fois que cela aura commencé.

— Si tu as le vertige, dit Daniel, nous changerons de place. Peut-être que nous ferions mieux de le faire de toute façon.

— Non, chut. Je suis très bien. »

Marcus était verdâtre, comme si la mention du mot vertige lui en avait donné un. Alexander vit plus bas devant eux la petite rangée des professeurs de Blesford Ride, tous en smoking, certains avec leur épouse. Les Thone, Geoffrey Parry qui faisait sauter Thomas sur ses genoux, Lucas Simmonds, le visage luisant de propreté, les cheveux bouffants lavés de frais, la mine affable et ordinaire. Ne sachant rien de ses vues ni sur le théâtre ni sur l'anthropocentrisme de la Renaissance, Alexander ne partageait pas les alarmes de Marcus à le voir là. De fait, il trouvait rassurante sa mine obstinément joviale après le regard furieux de Bill et l'agitation dissimulée de Daniel.

La musique commença à jouer. Telle une gigantesque nuée d'oiseaux qui s'installent pour la nuit, le public s'agita, se trémoussa, s'arrangea, s'apaisa et s'immobilisa sur son multiple perchoir. Thomas Poole et Edmund Wilkie entrèrent nonchalamment en scène, chacun par un bout de la terrasse, s'approchèrent l'un de l'autre, se serrèrent la main et se mirent à parler. Délicatement ils se livrèrent à une parodie des bergers esthètes et à l'évocation de la douceur de l'âge d'or d'Ovide. Wilkie était un acteur qui n'était jamais franchement bon tant que les représentations n'avaient pas commencé. À présent il était évident qu'il allait être très bon : désabusé, affectueux, triste, spirituel, explosif. Alexander se cala sur son siège avec un soupir.

Stephanie était venue sans s'attendre à grand-chose. Elle avait perpétuellement la nausée maintenant et son univers semblait réduit à son être biologique. Elle observait ses propres actions avec une curiosité impersonnelle et paresseuse. Elle remarquait, par exemple, qu'elle avait du mal à terminer ses phrases – écrites, parlées, ou simplement pensées. Dès l'instant où elle avait ne fût-ce qu'une idée nébuleuse de ce qu'elle voulait dire, ou aurait pu dire, cela semblait suffire, et elle laissait les mots se perdre dans le vide et le silence. Ce jour-là ses pensées n'étaient pas allées jusqu'à une véritable pièce de théâtre à laquelle elle assisterait. Elle avait résolu des problèmes pratiques, comme arriver à l'heure et trouver à mettre par-dessus sa robe quelque chose de suffisamment informe. Elle avait fouillé des problèmes émotionnels, la sollicitude de Daniel, les probables prises de bec de Bill avec Daniel et son jugement dévastateur sur l'œuvre d'Alexander, le besoin de donner à Frederica un soutien moral. Elle n'avait pas précisément conçu qu'elle assisterait au déroulement de l'action d'une véritable œuvre d'imagination.

Elle fut donc surprise par sa densité et son énergie, comme elle ne l'eût peut-être pas été si elle était venue avec des idées préconçues ou l'intention de critiquer. Elle était d'une nature peu encline à juger : elle absorba *Astraea* avec l'attention absolue qu'elle appliquait aux plateaux d'objets à mémoriser dans son enfance, aux poèmes, et désormais à Daniel. Elle éprouva un sentiment qu'elle avait parfois en présence d'œuvres d'art « propices », celui d'avoir devant soi une chose réussissant, réalisant ce qui aurait dû, selon les règles esthétiques en vigueur, être impossible. L'œuvre d'Alexander contenait la possibilité d'être un assemblage de pièces et de morceaux, une robe à fanfreluches verbales, une reconstitution historique avachie par la sensibilité plutôt qu'acérée par la nécessité politique. Par la suite toutes ces choses-là devaient être dites. Mais Stephanie vit ce qu'Alexander et Lodge avaient voulu que les gens vissent.

Elle vit la jeune Elisabeth, toute blanche, rester assise comme une souche devant la Porte du Traître, et refuser d'entrer. Elle vit la moribonde Elisabeth, toute blanche, rester assise comme une souche, en chemise de nuit, sur un coussin heureusement placé au même endroit de la terrasse, et refuser de s'étendre pour mourir. Elle vit la blanche apparition intermédiaire d'Astraea et les palpitantes Grâces danser en rond sous les ramures noires de l'éternelle forêt et les fruits dorés de la lumière. Elle vit des motifs et des motifs brisés : Ralegh faisant superbement tourner des globes terrestres et célestes au cours d'une radieuse audience accordée par une encore jeune reine ; Ralegh incarcéré dans l'épilogue, faisant tourner les mêmes globes dans sa sombre tour. Catherine Parr offrait des pommes à la jeune fille dans le verger, Virgo-Astraea durant le masque de cour offrait des pommes d'or au portrait de Gloriana, Robert Cecil enjôleur persuadait la vieille reine d'en mâchonner juste une bouchée. Elle vit la symétrie de la jeune fille écartelée dans l'herbe sous le soleil ardent et de la vieille femme qu'on apprêtait, la nuit venue, ses dames d'honneur disposant les plis de sa chemise de nuit, après son ultime combat, en sillons marmoréens. Et dans le jardin en contrebas résonnait la plainte grêle du rebec. Elle remarqua que le tableau vivant constitué par les acteurs groupés pour le rappel, la jeune princesse contemplant sur son piédestal la vieille reine sculpturale que ranimait Astraea de la pointe de son épée, était une muette parodie de la résurrection d'Hermione dans *Un conte d'hiver*. Elle le dit, d'une voix somnolente, à Alexander, qui en fut ravi et indiqua qu'il avait joué tout du long sur les thèmes du retour à la vie et de la renaissance, et des dernières pièces de Shakespeare, mais que Lodge avait pensé à *La Primavera* de Botticelli, et Stephanie dit que oui, elle l'avait vu, cela marchait, le langage avait une densité... Sa voix retomba. Il lui toucha la main par gratitude.

« Frederica a été merveilleuse, dit-elle.

— Je l'ai trouvé aussi.

— En fait ils l'ont tous été. Mais il m'a semblé qu'elle était plus à la hauteur que...

— Oui, c'est vrai. Elle l'est.

— Le public est devenu fou.

— Ça m'en a tout l'air. » Il ajouta, « Voulez-vous venir dans les coulisses ? Voir Frederica ? Il faut que je file d'ici et que j'y aille. »

Le public applaudissait et trépignait en cadence. Le chœur des bouteilles s'était invisiblement rassemblé et

gargouillait irrépressiblement, quoique pas très scrupuleusement, la musique des sphères qu'une partie des
spectateurs reprenait en chœur, comme une foule de
supporters, comme un chœur céleste, dans une super-
production hollywoodienne, ou dans l'empyrée de Milton. Alexander escorta Stephanie, en contournant cette
multitude qui applaudissait et scandait des acclamations, jusque dans le pandémonium des loges des
acteurs. Il était porté par des vagues sonores et voulait
toucher Frederica. Des visions l'obsédaient, de cuisses
entraperçues, de poignets délicatement anguleux.

Frederica regardait dans le miroir en se démaquillant.
Son visage était luisant, de crème, de larmes, de chaleur,
de passion. Il la regarda, par-dessus son épaule, dans les
yeux.

« J'ai amené Stephanie. Je ne peux pas rester. Il faut
que j'aille voir Marina.

— Je sais. »

Elle continua à regarder dans le miroir, sans ciller, la
houppette de coton immobile dans sa main, ses yeux
noirs étincelants.

« Mon Dieu, Frederica. Je vous parlerai plus tard. Il y
a des choses qu'il faut que je fasse. Je n'arrive pas à me
concentrer.

— Bien sûr. Je rôderai dans les parages. Je sais très
bien rôder. Vous le savez. »

Stephanie s'approcha. Si les ondes de cette excitation
sexuelle l'atteignirent, elle n'en laissa rien paraître et se
contenta de fourrager paisiblement sous son châle vert.

« Tu as été merveilleuse, Frederica. Je ne me suis pas
rappelé un instant que c'était toi.

— Ça, c'est une louange. » Frederica se tourna d'un air
méchant vers Alexander. « Et vous ? Après tout le mal
que j'ai donné, vous êtes-vous rappelé un instant j'étais
moi ? Avez-vous fait attention à moi ?

— Sous certains aspects, pas du tout. Sous d'autres,
tout le temps. » Il se pencha pour lui donner un baiser
ostensiblement désinvolte. Ses genoux tremblaient.

« Allez parler à la vieille reine, allez-y, vous pourrez toujours revenir me parler après. »

Frederica apprenait vite. Dans les premiers stades de la passion, ses contraintes suffocantes et ses ardeurs furieuses, il existe une pulsation que l'on peut, avec une souffrance des plus agréable, contrôler et exacerber, par exemple en congédiant l'être aimé avant qu'il ne s'en aille de lui-même. Il s'éloigna à travers une foule élogieuse vers la vieille actrice. Frederica se tourna, survoltée, vers Stephanie.

« Il m'aime.

— Oui. Je vois. C'est sûr. Il t'aime. »

Elle croisa les mains sur sa taille épaisse sous les franges vertes et réfléchit. Les deux sœurs virent Jenny sur son tabouret tendre la main et parler d'une voix pressante à Alexander, qui se pencha pour l'embrasser, elle aussi, s'inclinant avec une grâce inquiète. Il ôta la main de Jenny agrippée à son plastron et la posa doucement sur la peau maintenant cramoisie entre la fraise et la pièce d'estomac. Jenny lui saisit la main et la retint là, sous la sienne. Frederica regarda, jaugea, puis elle se mit à se brosser les cheveux en détachant ses boucles de leur échafaudage.

« Que va-t-il arriver ? dit Stephanie placée au centre d'un champ de charges et décharges électriques. Tu ne peux pas détruire des vies entières.

— Je le peux. Je le ferai. Je suis libre de faire ce qui me plaît.

— Tu ne peux pas. Tu es officiellement une enfant.

— Tu sais bien que je ne suis plus une enfant. Je veux… Je veux, je veux et je veux.

— Je veux que tu sois heureuse.

— Il y a d'autres façons d'être heureuse que de vivre dans une HLM et de préparer des litres de thé à des vieilles biques. N'importe comment, heureuse n'est pas la question. La question est que c'est réel. C'est réel, c'est bien vivant, c'est arrivé.

— Frederica, des gens seront meurtris.

— C'est leur problème.

— Tu seras meurtrie.

— Si je le suis, j'encaisserai. »

Alexander plongea son regard, par-dessus l'épaule de Marina Yeo, dans le miroir noir entre les ampoules blanches. Elle aussi, enduite de crème, effaçait la pâleur mortelle et les cernes bleu-noir de ses yeux aux paupières tombantes, en même temps que certains sillons – mais pas tous – qui marquaient son front et sa mâchoire.

« Est-ce que cela ne porte pas malheur, demanda-t-elle, de surgir dans le miroir des gens par-derrière ?

— Je ne connaissais pas celle-là. Je suis juste venu vous dire que vous avez été miraculeuse.

— Eh bien, ne caressez pas vos sourcils, Narcisse, et sortez de ma lumière. J'ai des yeux pour voir, et je vois parfaitement que le miroir accroché au mur ne vous dit pas que je suis la plus belle de toutes. Ce n'est pas vrai ? La lune mortelle a souffert son éclipse. Attention, mon cher enfant, pendant que je vois si ces rides sont indélébiles ou effaçables. Alors vous avez été satisfait, dites-vous ?

— J'ai été enivré et enchanté et tellement ému – vous avez rendu la fin magique.

— Vous n'êtes pas doué pour les compliments.

— Alors, si vous le savez, vous savez quand je parle sincèrement. »

Elle rit et étira sa bouche veloutée dans un sens puis dans l'autre, les lèvres souples comme du chevreau.

« Elle avait raison de ne pas vouloir de miroir. Pouvez-vous me réciter ce poème de Kipling, Alexander chéri ?

> *— En arrière, en avant, de côté, passa-t-elle*
> *Pour oser du miroir braver la vue cruelle. –*

Celui-là ?

— Quelque chose comme ça. Enfin ! ce n'est plus qu'un accessoire à mon âge, un visage. Ce n'est plus vous, vous savez. Mon visage est ma richesse, mon gagne-pain, mais il n'est pas moi. Maintenant allez-vous-en, et quand j'en aurai mis un neuf, pour la presse, vous pourrez revenir prendre mon bras. Je pense que ça va marcher. La salle a été assez bonne, vous ne trouvez pas ?

— Tout le monde vous a adorée. » Il lui baisa la main, salua le visage hagard dans le miroir et sortit.

En haut, dans la grand-salle, grouillait une foule compacte, le public, les acteurs et tutti quanti. Alexander avança par petites étapes, dans un concert de louanges, vers Crowe et Lodge. Il aperçut Geoffrey et Thomas et changea de cap, trop heureux de se trouver rejeté contre Thomas Poole, qui, sous l'effet du maquillage, de la fatigue ou du manque d'oxygène, avait le teint plutôt gris à la lumière des projecteurs braqués au-dessus de sa tête sur les nymphes de Diane et leur fardeau roidi.

« Thomas. Merci. Tu as été tellement bon.

— Félicitations, c'est un succès. Je viens de parler aux journaux locaux et au type du *Manchester Guardian* et ils sont totalement emballés. Écoute – tu es mon ami –, il faut absolument que je te parle. De ce que tu as vu l'autre soir.

— N'y pense plus. Je n'ai rien vu.

— Foutre non ! tu as très bien vu. Ça m'est égal. Ou presque égal, quoi qu'il en soit. La seule chose, c'est que je n'arrive plus à avoir les idées claires... Je ne peux pas continuer comme ça. Alexander – il faut que j'en parle à quelqu'un. Je suis abominablement amoureux de cette – de cette gamine – et...

— Tu es sûr que tu as envie de m'en parler ? »

Thomas, homme trapu, blond et placide, ne bougea pas et dit, « Si ça ne t'ennuie pas.

— Ce n'est pas juste le songe d'une nuit d'été ?

— Je doute qu'une telle pensée m'ait jamais effleuré. En tout cas, ce n'est plus possible maintenant. Le fait est qu'elle est... elle est enceinte. À ce qu'elle croit. Je ne sais pas comment je peux vivre sans elle, mais j'ai assez de jugeote pour me rendre compte qu'elle peut et qu'elle doit vivre sans moi – je veux dire, regarde-la, je ne suis personne, juste un prof de deuxième ordre qui fait la classe à d'autres profs, tandis qu'elle... dans un an ou deux… à l'heure actuelle je peux la rendre heureuse, ou le pourrais… Et puis avec ce qui arrive.

— Thomas… que veux-tu que je fasse ?

— Je ne sais pas. Rien. Écouter. Tu es discret, et raisonnablement de bon conseil. Il fallait que je parle, que je voie si j'avais le courage de le dire d'une voix ordinaire. Je vois que oui. Est-ce que tu l'as vue, en bas ? Je n'ose pas m'approcher d'elle.

— Elle était ravissante dans la pièce.

— Virgo-Astraea. Elle ne l'était pas, tu sais. Pas vierge. Je ne l'aurais jamais touchée, mais elle m'a dit – elle m'a fait comprendre – qu'elle savait ce qu'elle faisait. Qu'elle baisait son cousin comme une dingue dans les bosquets et les granges pendant qu'on les croyait à la chasse, à ce qu'elle dit.

— Et Elinor… » Elinor était la femme de Thomas Poole.

« Elle est ici, quelque part. Il faut que je me taise, que j'aille la retrouver. Je suppose qu'il faudrait que je trouve un médecin. Ce n'est pas le genre de problème que j'aie jamais… Elinor. Depuis trois ans nous avons eu une litée de mômes le plus clair du temps, le grand lit de Ware, et je ne m'en plains pas, j'adore ça, je les adore, Elinor et mes mouflets – tu devrais les voir. Seulement voilà. Voilà. Voilà qui est tellement pire que tout, Alexander, que j'arrive à peine à me rendre compte qu'ils existent, la plupart du temps. Je suis assez sain d'esprit pour savoir que ça ne peut pas durer, pas comme ça – mais mon fameux équilibre mental est absolument incapable de me mener un poil plus loin. Seigneur, cette fille – elle me fait faire des choses que j'aurais jugées puériles et dégradantes –, prétendre que je vais faire réparer la voiture, inventer des réunions de jury, la toucher dans les autocars. Des choses que je ne pourrais me résoudre à avouer tout haut – et qui sont effectivement puériles et dégradantes. Et délicieuses. Je sais que tu as aussi tes problèmes – est-ce que ta dignité te turlupine ? Je ne fais pas le malin, j'ai besoin de ma dignité. C'est en partie ce qui lui a plu en moi. Et maintenant je suis un jocrisse de bon à rien qui tire la langue.

« Je suppose que je ferais mieux de dégoter un médecin, tu ne crois pas ? Mais je ne peux pas supporter l'idée – je veux dire, c'est mon enfant, ce le serait – et elle est encore une gamine, elle va dans cette école avec un beau petit portique et une tourière à la porte, comme un couvent. »

Alexander fut mis dans l'impossibilité de répondre à cette tirade totalement inattendue par l'arrivée de Marcus Potter, le regard fixe et l'air absent de manière encore plus prononcée que d'habitude. Il ouvrit et referma silencieusement la bouche en face d'Alexander, à qui il parut que le destin le terrassait par un nombre excessif de parallèles et analogies ridicules.

« Parlez, mon garçon », dit-il presque méchamment à Marcus tout en essayant de répondre au regard désespéré de Thomas Poole par un regard d'excuse et de compréhension inutile.

« Monsieur, pardonnez-moi. Monsieur, venez, s'il vous plaît.

— Que se passe-t-il encore ?

— Monsieur, mon père s'est pris de querelle avec l'évêque. Une horrible querelle, ou plutôt une querelle sur des choses horribles. Et lui, M. Simmonds, monsieur – il est là aussi, et il a l'air de croire – eh bien, il paraît très excité et il a l'air de croire qu'ils n'arrêtent pas de parler tout particulièrement de lui. J'ai peur.

— Si vous croyez que je vais aller délibérément servir de tampon entre votre père et l'évêque… » commença Alexander, ajoutant d'un air maussade, « et ce soir entre tous… »

Les yeux pâles de Marcus Potter se remplirent de grosses larmes. Thomas Poole, homme bon, dit, « Ne vous en faites pas, Marcus, j'étais en train de harceler M. Wedderburn de mes problèmes bien moins urgents. Ce qui est juste aussi impardonnable au plus fort de son triomphe. Allons, Alexander, tu peux te permettre d'être magnanime et tu dois voir, même toi, la nécessité immédiate de séparer Bill Potter et l'évêque. »

Il poussa légèrement du coude Alexander, qui aperçut par-dessus l'épaule de Marcus le visage grognon du petit Thomas Parry dans les bras de son père.

« Ah, dit Geoffrey d'une voix chargée de sous-entendus. Voici Alexander. Viens, Thomas, tu aimes bien Alexander. Je me suis laissé dire que tu aimes beaucoup-beaucoup Alexander. Fais coucou à Alexander. »

Alexander s'éloigna précipitamment avec Marcus. Thomas Poole dit hâtivement à mi-voix, « Ça tombe bien, tu vois. Non que je ne sois affreusement désolé pour Parry, le pauvre vieux, ne t'y trompe pas. Pourquoi sommes-nous tous incapables de vivre paisiblement ? Tu as de la chance, tu n'as pas d'attaches. N'en forme pas. Pauvre vieux Parry. Les femmes sont tellement impitoyables. Quelle banalité je débite là. Je ne parle pas d'Elinor, bien sûr. Pour l'amour du ciel, Alexander, fais-moi taire. »

L'évêque, les Ellenby, les Orton, les Potter, Mlle Wells et plusieurs ecclésiastiques de second plan, groupés au fond de la grand-salle, un verre de champagne à la main, hurlaient. Au moment où Marcus ramena Alexander ils hurlaient à tue-tête leurs points de vue sur une série de questions qui s'enchaînaient en passant, en gros, de la douleur du dépècement, de l'exécution, de la crucifixion et de l'éviscération, à la régénération, et encore une fois à la douleur. Également présents, Lucas Simmonds hurlait également et Edmund Wilkie, sans hurler, offrait une profusion de renseignements psychosomatiques sur les seuils de la douleur et l'image du corps à qui pouvait l'entendre. Quand Alexander s'approcha avec une certaine hésitation, Bill semblait en train de décréter avec des vociférations à peine contrôlées que l'évêque était un boucher sanguinaire, l'évêque, lie-de-vin mais lucide, faisait, selon toute apparence, un exposé à Simmonds sur la nécessité de souffrir, et Simmonds se tordait les mains sans discontinuer tout en faisant des remarques agitées sur l'ablation des tissus gangrenés. Wilkie était encore vêtu de l'habit de velours noir de sa nuit de veille dans la Tour mais avait remis ses grosses lunettes roses. Felicity Wells était engoncée dans sa traîne vert gazon, son faux-cul, sa fraise et son vertugadin. Frederica était absente, mais Stephanie, présente, gardait une attitude penchée, lourdement gracieuse et songeuse à côté de Daniel, telle la Vénus antique de *La Primavera*.

La conversation n'avait pas débuté de la sorte. Mlle Wells avait mené Stephanie avec les Ellenby saluer ce cher évêque. L'évêque, assez bel homme de haute stature et de triste figure, à l'abondante crinière noire mouchetée de blanc, la taille bien prise et l'air intelligent, avait complimenté Stephanie sur ce qu'il avait entendu dire de son excellent travail auprès des adolescents, des jeunes mariées, des malades reclus et infirmes. Stephanie, qui avait pris la décision mûrement réfléchie d'aider Daniel de son mieux dans les domaines de sa charge où aucun conflit doctrinal ne pouvait se manifester, aurait, à vrai dire, accepté ce compliment de bonne grâce si son père n'avait sautillé d'un pied sur l'autre derrière elle, comme un poids mouche en train de se préparer à envoyer un coup sur le lisse et très légèrement convexe gilet en soie violette de l'évêque.

L'évêque, apercevant Bill, avait entrepris, répandant automatiquement une nappe de mazout sur une mer agitée, de formuler quelques observations sur l'épanouissement de leur patrimoine culturel, le sentiment de véritable communion donné par la levée en masse de la population, à preuve les églises, les écoles et les excellents cours du soir pour adultes de Bill, dans l'effort soutenu et partagé de cette manifestation artistique. Bill avait dit que l'évêque pouvait parler pour lui. Pour sa part, il ne croyait pas que grand-chose de notre culture, y compris, s'il pouvait le dire, l'Église, pût ou dût être revivifié. Qu'ils gisent et meurent décemment, voilà ce que lui disait, dit-il. Et du reste il avait bien peur de devoir préciser qu'il ne croyait certainement pas à ce genre de théâtre, qu'il rangea sur ces entrefaites dans la catégorie de la nostalgie d'une chose qui n'avait jamais existé, le rêve, certes charmant mais illusoire, d'une époque qui avait en fait été odieuse, brutale et sanglante. Un état policier et despotique, aux mains d'espions, de tortionnaires et de bourreaux, dont il notait qu'il n'avait pas été pipé mot ce soir. C'était de la sorte que ce que Marcus avait si justement défini comme une « horrible dispute » avait démarré.

Mlle Wells s'était nerveusement écriée d'une voix pointue que la pendaison avec dépècement et écartèlement du Dr Lopez avait bel et bien été signalée, ne fût-ce que brièvement ; Wilkie avait spontanément ajouté que la description originale, absolument macabre, avait été coupée ; le martyre de Campion avait été effleuré ; Lucas Simmonds avait demandé, avec une intensité disproportionnée, si la douleur et la souffrance étaient qualitativement différentes en ces temps plus rudes, soit à voir, soit à subir. Une de ces curieuses conversations irrépressibles sur ce que l'homme est capable de faire à son prochain avait, à ce point, éclaté ; l'évêque avait invoqué le témoignage des saints massacrés du *Livre des martyrs* de Foxe et du camp de concentration de Bonhoeffer ; Lucas Simmonds avait fait le récit de ce qu'on lui avait raconté, quand il servait sur un destroyer dans le Pacifique, de ce que les Japonais faisaient aux prisonniers de guerre récalcitrants. Wilkie remarqua que d'utiles études avaient été effectuées sur le rapport entre l'emplacement de la douleur et l'endroit où le stimulateur est appliqué, et aussi sur la réaction qui, lorsque le corps tout entier est en proie à la douleur, rend un homme capable de détacher sa conscience, sortir de son corps et regarder la douleur suivre son cours. Lucas se montra très intéressé par cela et pressa Wilkie d'en dire davantage sur le mécanisme psychologique qui rend de telles choses possibles. L'évêque, à ce point, remarqua qu'il existait des choses pires que la douleur et la peur de la douleur, pires que la mort et la peur de la mort. C'étaient l'ignorance et le mal. Il avait lui-même été aumônier à la prison de Bentham il y avait quelques années, et il avait toujours refusé de laisser ceux qu'il nomma « ses » condamnés aller à la potence l'esprit embué ou stupéfié par la morphine, de peur qu'ils ne perdent la véritable chance, en cet ultime instant, du repentir ou de la conversion. Il était, à dire vrai, pour ce motif, partisan du maintien de la peine capitale.

C'est à ce point que Bill s'était mis à beugler. Il avait traité l'évêque de pervers arrogant et sanguinaire. Marcus partit chercher Alexander. L'évêque, paterne, lie-de-vin et coriace, continua à écouter en donnant l'impression que ses adversaires, naïfs et superficiels, n'avaient pris en considération ni la véritable nature ni les conséquences réelles de sa propre position.

Quand Alexander, Thomas Poole et Marcus arrivèrent, Bill se livrait à une description éloquente des terreurs dégradantes éprouvées dans une cellule de condamné. À quoi l'évêque répliqua sereinement et, en ce qui le concernait, sincèrement, que Bill n'avait pas d'expérience directe de ce genre de situation, et que lui-même avait assisté, participé, à des moments de grande beauté et d'intense gloire en de si peu propices circonstances. Bill brailla que c'était encore plus honteux. Stephanie était en larmes. Lucas parlait de l'aveuglement de notre moderne hypersensibilité, pour soutenir l'évêque, qui semblait trouver ce soutien déplaisant. « Si ton œil t'offense, arrache-le, s'écria Lucas. Ou une jambe, ou un bras, ou n'importe quoi d'autre. »

Wilkie dit à Alexander, « Ça a commencé par une discussion du charme exagéré de votre description de l'Angleterre des Tudor ». Bill se tourna vers Alexander et dit qu'ils avaient maintenant abordé des questions infiniment plus importantes que celle-là, puis se remit à accabler l'évêque de statistiques d'innocents shérifs dont les cheveux avaient blanchi et la raison s'était égarée du jour au lendemain dans l'accomplissement de leur mission. L'évêque dit qu'une grande foi et une grande force étaient effectivement requises, et Lucas, s'emberlificotant dans des propos incohérents, dit que le premier homme était de la terre, terrestre, et devait être entièrement, fût-ce au prix de la douleur, éliminé, afin que lève le blé immortel, ce qui provoqua un clappement de langue sonore et audible de l'évêque, et une reprise des rugissements de Bill concernant la nature répugnante, sauvage et assoiffée de sang du christianisme, qui adorait un corps fracassé et un moi écrasé. Puis il se tourna vers Daniel et lui dit qu'il devait être fou d'escompter qu'il puisse sanctionner le mariage de sa fille dans cette secte frustrée et dénaturée. Lucas dit qu'un corps écrasé libère une âme glorieuse, l'évêque dit fermement qu'il n'était pas sûr que certaines des réactions de M. Simmonds – c'était bien M. Simmonds ? – fussent tout à fait saines, et que lui-même ne se faisait aucunement le champion d'une telle obsession, oui, obsession, de la douleur ou de l'anéantissement, mais seulement de leur saine acceptation, ce sur quoi Lucas Simmonds, tête basse, dégoulinant de sueur, rougit comme un coquelicot à force d'agitation, et Daniel prit la parole. Il s'adressa en premier lieu à Bill et lui dit n'escompter rien de lui, sinon des ennuis, et en second lieu à l'évêque, pour lui dire brièvement et sans détour qu'il croyait son raisonnement inique, cruel et injustifiable.

Il fut instantanément évident que Daniel était le plus en colère de tous, qu'il pouvait à peine parler tant sa furie était grande. Il ajouta que personne ne lui avait encore fourni une bonne raison de tuer froidement qui que ce soit, ni encore moins de mêler qui que ce soit d'autre à la tuerie, et que maintenant il allait ramener sa femme à la maison. Bill fut en quelque sorte réduit au silence par ce soutien vigoureux, inattendu et probablement non souhaité. Daniel mit le bras autour de sa femme et l'emmena sans un regard en arrière. M. Ellenby dit à l'évêque que Daniel était un diamant brut et l'évêque répondit, glacial, que Daniel aurait pu avoir la courtoisie d'attendre sa réponse. Lucas Simmonds quitta brusquement la grand-salle en courant. Alexander vit les Parry, en trio maintenant, s'avancer inexorablement vers son groupe orageux. Il pensa qu'il faudrait qu'il parle à Marcus. Ou à Lucas. Ce type était incontestablement bizarre, pas de doute, il avait l'air bouffi et ratatiné jusqu'à en être déformé, en quelque sorte, et il était nimbé d'une sorte de halo électrique d'angoisse ou de terreur quasi tangible. Il dit, « Je suis sûr que ce que j'avais dit est juste. Vous ne pouvez pas prendre le risque de rester mêlé à quoi que…

— Il faut que quelqu'un l'aide », répondit Marcus.

Alexander considéra l'évêque, qui avait pris une mine

nettement courroucée, et Bill, qui faisait la tête. Il pensa un instant à entraîner Marcus à la poursuite de Lucas, ce qui eût éludé l'évêque, Bill, les Parry et l'insoluble et terrifiant problème inverse de Thomas Poole, mais il en fut empêché. Flottant comme des divinités descendues au moyen de machines, s'avançaient depuis l'autre bout de la salle Crowe et ses trois Elisabeth, Marina, Frederica et Anthea, en lui faisant des sourires et des signes de la main. Crowe, encore habillé en baron Verulam, brandit son long bâton tel Comus calmant sa populace, ou sa mère, Circé, renvoyant les pourceaux à leur pâtée.

« Alexander – c'est votre jour de gloire, mon bon – la presse est délirante de joie – venez vous montrer – on vous réclame positivement à cor et à cri, mon garçon – on meurt du désir de vous rencontrer – bonsoir, Monseigneur, c'est un triomphe, je suis sûr que vous en conviendrez, un merveilleux travail d'équipe – venez, Alexander, pardonnez-moi, il faut que je vous l'arrache – aidez-moi, mesdames – bonsoir, Jenny chérie, vous avez été fabuleuse, le *Yorkshire Post* a promis une mention spéciale, Bess Throckmorton par le doux Sir Walter si rudement forcée – si convaincante, voilà le mot – et toi aussi, bien sûr, mon vilain malin jeune milord, ta réputation est faite, elle aussi – et maintenant venez, pardonnez-nous, je vous prie, bonsoir, Bill, je suis content que vous ayez pu venir. Alexander, venez, venez. »

Marcus sortit sur la terrasse à la recherche de Lucas. Il le trouva près du palanquin royal, la respiration haletante, le sourire forcé. Il n'arrivait pas à comprendre pour quelle raison Lucas était venu à la soirée, à moins que ce ne fût par un besoin fanatique ou pathétique de garder l'œil sur lui.

« Monsieur. Est-ce que ça va ? Vous aviez l'air… »

Lucas répondit avec irritation que ça allait très bien, mieux que très bien. Ils étaient simplement happés dans la coulée de très amples mouvements de force. Ils avaient un rôle à jouer. Ils devaient être sûrs de ce que ce rôle était. Ils étaient requis d'aller à Fylingdales vendredi.

« Monsieur, je ne peux pas. Je ne peux plus venir. J'ai peur. »

Naturellement qu'il avait peur, riposta le chérubin congestionné, avec une irritation encore accrue, en assenant un grand coup de poing sur les minces panneaux dorés du palanquin. Il ne pouvait espérer mettre de réels pouvoirs en branle sans avoir peur, ce n'était pas raisonnable. Selon toute vraisemblance ils allaient geler vendredi, ou griller, ou s'évanouir dans la pure énergie, et il ne resterait rien d'eux à part des ombres comme les gens d'Hiroshima après la déflagration. Cette perspective sembla lui causer un plaisir furieux. Nous avons toujours su ce que nous risquions, souligna-t-il, doucement raisonnable. Ce n'est pas vrai ?

Marcus dit que non, il ne l'avait pas toujours su. Et que maintenant… maintenant… il n'était pas sûr qu'ils n'aient pas tout inventé.

« Et les transmissions ? La lévitation à Owger's Howe ? Vos photismes ? Est-ce que nous les avons inventés ?

— Non. Certes non. Mais peut-être – n'étaient-ils pas – ce que vous-même – ce que tous les deux – on croyait.

— Nous ne savons pas, nous ne savons pas avec certitude ce qu'ils étaient. Il n'existe qu'un seul moyen de le découvrir.

— Non. J'ai peur.

— Mais c'est vous qui voyez, qui avez le don.

— Je n'en suis pas sûr. Je n'ose pas. Il faut que vous m'en teniez quitte.

— Vous n'êtes pas – dégoûté par moi ? »

Marcus se mit à pleurer. Lucas considéra ses larmes d'un air glacé. Il répéta sa question.

« Non. Je vous l'ai déjà dit. Je suis terrorisé. Je vous l'ai dit.

— Alors il me faudra y aller seul. Seul, je suis presque assuré d'échouer. Mais il n'y a pas d'autre solution. »

Marcus le supplia faiblement de renoncer. Lucas ricana. Il dit, « Très bien. Allez-vous-en. Il est trop tard pour reculer mais vous pouvez vous leurrer si bon vous semble. Ce que vous craignez est partout et fera ce qu'il fera quand bon lui semblera. »

Marcus, sanglotant, et pas entièrement sincère, s'écria

que c'était de Lucas qu'il avait le plus peur – « De vous, de vous, de vous ». À ces mots Lucas lui envoya brusquement un coup violent en pleine figure, lui fendant le coin de la bouche, et il lui dit de le laisser seul, dans ces conditions, et s'éloigna précipitamment sur la terrasse. Marcus s'assit à côté du palanquin, tenant sa tête endolorie entre ses mains et pleurant à chaudes larmes. Les gens qui flânaient dans les parages le crurent ivre, s'écartèrent avec discrétion et le laissèrent seul.

Deux personnes, entre autres, passèrent devant Marcus, tard dans la soirée, en courant : Alexander et Frederica. Tous deux fuyaient. Alexander fuyait les Parry, qui avaient détaché leurs yeux de son visage pour se chamailler sur la question de savoir qui devait changer la couche nauséabonde de Thomas, et Frederica fuyait le représentant en poupées, qui avait levé le bras, fait claquer ses doigts et commencé à se frayer un chemin vers elle à travers la foule. Il n'était pas invité, mais à peu près n'importe qui pouvait être, et était, entré de force. Il était concevable de parler d'Ed avec Wilkie, mais pas avec Alexander, à qui elle avait simplement dit qu'il lui fallait absolument sortir. Il avait convenu que cela paraissait une bonne idée, et ils s'étaient donc mis à courir, entendant derrière eux des vivats légèrement ironiques et des rires non dissimulés. Dans la nuit, en l'entendant respirer et bondir, il se sentit proche d'elle. Dans le jardin du bassin ce fut autre chose. Ils demeurèrent gauchement dans les bras l'un de l'autre, chacun sentant nettement que l'autre était anguleux et réticent. Tous deux revirent fugitivement le galbe blanc, la belle fermeté des fesses et des mollets d'Anthea Warburton. Il ne pouvait pas culbuter Frederica Potter sous un buisson. Quant à Frederica, elle ne pouvait pas prendre l'initiative de tels ébats. Alors ils demeurèrent enlacés, se figeant déjà dans des poses familières comme des enfants qui jouent aux statues. Elle l'accabla de bavardages, rappelant des compliments outrés, des incidents de scène, des faux pas. Il lui imprima son désir d'un silence plus désirable et bientôt elle se tut. Il posa un doigt sur ses lèvres froides.

« Et maintenant, qu'allons-nous faire ? »

Pas de réponse.

« Nous ferions peut-être mieux de convenir de tout oublier ? »

Pas de réponse.

« Rien de bon ne peut en résulter.

— Je le veux.

— Si peu sera possible.

— Ça m'est égal. Je vous veux, vous.

— Mais que faire ? »

Elle ne le savait pas. Le lit, le mariage, la communion des âmes, une continuation perpétuelle de cette délicieuse crise.

« Laissons les choses agir. Je vous aime. »

Elle dit cela d'une voix impérieuse et menaçante qui le fit fondre. Quelque part au tréfonds de sa conscience il savait qu'elle parerait par elle-même à toutes les conséquences. Elle avait le visage renfrogné, incolore et froid. Elle était la déesse chienne dans le bois sacré, sa propre création, ou évocation, elle était la fille intouchable qu'il est sans danger de vouloir parce qu'on ne peut pas l'avoir. Il resserra son étreinte ; elle se tortilla et l'attira contre elle, l'entraînant à des enlacements qui n'appartenaient pas à son répertoire habituel. Elle se mit à rire aux éclats, à rire sans s'arrêter, dans le jardin, lascive et innocente, aux commandes, et il sut qu'il aurait beau protester, il était pris au piège, il se laisserait mener par la pure et simple curiosité.

Pendant les trois semaines qui suivirent tous deux furent tellement empêtrés l'un par l'autre ainsi que par le succès, que l'identification qu'il faisait d'elle comme de sa déesse chienne se teinta d'une ironie nouvelle. Les journaux s'extasiaient hors de toute mesure, comme souvent à l'époque. L'événement était un triomphe culturel. Alexander était l'astre nouveau le plus prometteur au firmament dramatique depuis Shaw. Hommage fut rendu à Lodge et à Marina Yeo. Wilkie et Frederica suscitèrent plus d'attention que leur dû, de l'avis du reste de la troupe. Frederica découvrit son propre visage, pointillé par le papier journal, jetant des regards noirs et dédaigneux sous une couronne de fleurs dans le *Yorkshire Post* et le *Manchester Guardian*. Des dames corpulentes et des jeunes gens anxieux, envoyés par des magazines féminins et des journaux locaux, prirent rendez-vous pour discuter le succès phénoménal d'une lycéenne de province qui faisait du théâtre en amateur. Elle leur dit qu'elle voulait être une grande actrice comme Marina Yeo. Elle leur dit qu'elle attendait ses résultats au bac «dans les affres et les tremblements». Elle dit qu'elle était d'une famille littéraire. Elle donna son avis sur la virginité d'Elisabeth. Elle joua à jouer son propre rôle.

Alexander alla à Manchester parler à la radio de la renaissance du théâtre en vers. Il fut sollicité, contre de fortes sommes, d'écrire sur l'histoire, la poésie, les femmes, dans des revues universitaires, des revues branchées, des revues vulgaires, et essaya de le faire. Il fut contacté pour une production londonienne d'*Astraea* avec quelques changements et une troupe entièrement professionnelle. Rien de tout cela, qui répondait à leurs attentes, ne parut tout à fait réel ni à l'un ni à l'autre, tant leurs facultés de concentration et de délectation étaient sapées par le simple désir. Bill – «c'est dégoûtant», s'exclama Frederica avec une immense satisfaction – vira de bord. Il transporta dans sa poche de poitrine une liasse de coupures de presse avec des portraits de sa fille assise sur une pierre, cognant du poing contre un mur de pierre, écartelée sur le sol.

Le reste de la troupe manifestait une plus forte hostilité envers Frederica qu'auparavant et usait à son sujet de termes comme «imbuvable» et «vaniteuse», sans une parfaite équité. Elle était, certes, grisée par toute cette histoire. Elle se promenait au soleil dans les prés fleuris de cerfeuil sauvage et riait toute seule en se rappelant son portrait dans la vitrine du photographe de Blesford, mais ce plaisir-là était si étroitement mêlé à la jubilation narcissique de son corps enfin désiré par Alexander, que son plus grave manquement consistait à avoir toujours l'air de tomber de la lune, attitude qui paraissait insultante à qui choisissait de le prendre ainsi. Alexander chantait ses louanges aux journaux et lesdites louanges étaient publiées. « Une interprétation extrêmement intelligente, lui lut Wilkie dans les jardins de Long Royston. Tant de sensibilité à la poésie, dit-il. Tu as gagné.

— C'est vrai que je suis intelligente.

— Et c'est ce que nous savons tous jusqu'à la nausée. Comment cela se passe-t-il sur d'autres fronts ? As-tu couché ? Y a-t-il du poison dans ton café ? »

L'aventure, ou ce qu'elle était d'autre, était devenue horriblement publique avant d'avoir eu le temps de se définir par elle-même. La troupe, par un de ces renversements collectifs de l'opinion et de la curiosité dont les groupes fermés sont capables, avait choisi d'admirer, en principe, l'opiniâtreté de Frederica dans la « conquête » de son homme réticent, tout en persistant à ne pas l'aimer pour sa façon inconsidérée et acharnée de lui courir après, ainsi que pour sa tendance à monopoliser la publicité. (Wilkie, mieux organisé, jouissant déjà d'une réputation d'excentrique, de polymathe et de « génie », et figurant déjà au fichier de la Nouvelle Documentation de la BBC, jonglait déjà avec plusieurs agents et menait une habile opération d'autopromotion sans s'attirer d'antipathie ni de haine.) Néanmoins la troupe avait capricieusement décidé de mépriser Alexander d'avoir capitulé devant une campagne de séduction aussi évidente. Et ne le montrait pas trop : sa pièce était merveilleuse, et les reflets de la gloire ne l'étaient pas moins. Mais tout le monde était discrètement aux petits soins avec Jennifer Parry, des garçons rampaient à plat ventre sous les buissons et suivaient Alexander et Frederica à la trace, de pelouse en pelouse, s'ils décidaient d'aller se promener tous les deux ; des courtisans élisabéthains se penchaient aux fenêtres à meneaux pour regarder, voire ricaner, s'ils tentaient de s'asseoir sur un banc tous les deux.

Alexander, qui ne savait plus du tout où il en était, n'était que tangentiellement conscient de ces manèges. Frederica, assez stoïquement habituée à n'être pas aimée à cause de sa place de première à tous les examens, arrivait à supporter de n'être pas aimée à cause des journaux avec une assez grande force de résistance, mais elle n'en était pas moins incapable par tempérament de se montrer humble ou conciliante dans ses propos. Il était plus ardu de faire face à l'attention portée à sa sexualité et elle en souffrait sans pouvoir solliciter la sympathie ni d'intéressantes confidences. Le succès lui donnait une assurance accrue. Elle leur montrerait à tous. Sauf à Alexander. Même lui s'exposait à des réprimandes pour sa poltronnerie, ce dont il tirait un sombre plaisir. Il était évident que cela ne pouvait pas continuer ainsi, par nature, encore très longtemps. Il fallait que quelque chose arrive et change la donne. Ce que cela pourrait être n'était pas du tout évident.

38

Saint-Bartholomew

Le 24 août, qui était le jour de la Saint-Bartholomew et de l'anniversaire de Frederica Potter, fut, par une heureuse coïncidence, celui où les résultats du baccalauréat de Frederica arrivèrent par la poste. C'était le lundi de la dernière semaine de représentations. Stephanie se rendit à l'église, qui était l'église Saint-Bartholomew, de bonne heure, ce matin-là, pour s'occuper des fleurs à l'intention du saint. Les fleurs étaient une autre chose dont elle pensait pouvoir, en tant qu'épouse du vicaire, s'occuper de bonne grâce. Elle avait essayé de se renseigner sur saint Bartholomew, mais il était apparu que c'était un saint dont on ne savait presque rien, et que ce presque rien était sanglant. C'était un apôtre qui avait visité l'Asie Mineure, le nord des Indes occidentales et la Grande Arménie, où il avait été écorché vif et ensuite décapité. Son identité était incertaine. Il n'était pas impossible qu'il fût en réalité le même personnage que Nathanaël, originaire de Cana en Galilée, dont le Christ avait dit, « Voici un véritable Israélite, en qui il n'y a point de fraude ». Ses déplacements étaient également incertains. « L'Inde », découvrit Stephanie, signifiait pour les Grecs et les Latins indifféremment l'Arabie, l'Éthiopie, la Libye, la Parthie, la Perse et les royaumes des Mèdes. Par ses errances il ressemblait au Dionysos des *Bacchantes*, ainsi que, supposat-elle, pour avoir été écorché, déchiqueté et reconstitué. Elle avait espéré un moment que l'église de Daniel était dédiée à un Bartholomew plus local, saint Bartholomew de Durham, bénédictin originaire de Whitby qui avait coulé quarante-deux années de vie érémitique sans incidents dans la cellule de saint Cuthbert sur l'île de Farne et y était mort paisiblement vers 1193. Mais la petite statue du saint dans sa niche près de la chaire n'était identifiable que grâce à son couteau à la main, l'instrument de son martyre. Il y avait aussi, dans la chapelle latérale, un mauvais agrandissement de la peinture de Michel-Ange qui représente le martyr descendant en furie dans les nuages du Jugement dernier de la Sixtine, brandissant son couteau au-dessus de sa tête et traînant sa peau morte et racornie sur laquelle est représenté le visage déformé de l'artiste. Stephanie décida d'environner et en partie de masquer ces deux images d'un nuage de fleurs sauvages.

Elle était maintenant, pour un observateur attentif, visiblement enceinte, et s'était déguisée dans une tenue de dame patronnesse, sarrau ou bourgeron plissé de toile verte qui faisait penser à une blouse de cuisinier, un tablier de jardinier ou un surplis laïque, souliers plats confortables, un sécateur dans la poche du sarrau, une corbeille de branchages et de rameaux fleuris au bras. Elle pouvait encore monter à bicyclette et elle avait suivi lentement, en se tenant bien droite, les petites routes de campagne pour cueillir ombellifères et marguerites blanches, ellébore vert, branches d'églantine, épis penchés de folle avoine et d'orge, digitales mouchetées et pâles. Elle aurait voulu une tache de rouge, écarlate ou cramoisi, par égard pour le martyr anonyme, mais les coquelicots fanent avant d'être cueillis et les pivoines – juste possibles – étaient certainement trop pour la délicate brume vert, blanc, or et violet pâle qu'elle composait.

Elle avait depuis un certain temps déjà cessé de détester le bâtiment de l'église. S'y trouvant seule, occupée à tasser du grillage dans les vases, verser de l'eau et courber les tiges, elle était heureuse. Ce matin-là, pourtant, comme plusieurs matins auparavant, elle n'était pas seule. Lucas Simmonds était présent, dans une attitude de prière rébarbative, en attente tout près d'un pilier et de la peinture de la bouche de l'enfer. Elle jeta un rapide coup d'œil dans sa direction, alla sans bruit sur ses semelles de crêpe jusqu'aux fonts baptismaux, se dit qu'il avait l'air aux portes de la mort ; que des pois de senteur étaient la solution et pourraient être demandés à Mme Ellenby ; que quelque chose devait ou tout du moins pouvait aussi être arrivé à Marcus ; que Simmonds avait besoin d'aide mais avait recherché le silence qu'il ne convenait pas de briser.

Alors elle poursuivit silencieusement sa besogne, et Lucas resta silencieusement en prière ou au supplice, jusqu'au moment où la porte s'ouvrit sous le porche dans un branle-bas de tornade à l'irruption de Frederica qui remonta l'allée centrale à grand bruit.

« Regarde ! cria-t-elle, regarde ! » sans rien regarder elle-même, et Stephanie, agenouillée, se releva lentement, prit la carte postale à présent encrassée et éraillée que Frederica brandissait, et lut une liste de notes si extraordinairement excellentes qu'il était momentanément difficile d'y croire.

« Bien, dit Stephanie. Bien. Es-tu contente ? Bon anniversaire. »

Frederica fit des bonds autour du lutrin, ébouriffant les ombelles de carotte sauvage qui émirent des nuages de pollen.

« Ne fais pas ça, c'est fragile, j'y ai passé des heures.

— C'est joli. C'est pour quoi ? La fête des moissons ?

— Non, grande bête. Pas encore. C'est la Saint-Bartholomew.

— Bien sûr, mon anniversaire. Le jour du massacre de la Saint-Barthélemy. Je les ai massacrés, dis donc, personne ne peut me battre.

— Ne crie pas dans l'église. Il y a des gens qui essaient d'y être au calme. »

Frederica regarda autour d'elle. « Oh ! Lui ! Steph, qu'est-ce qu'il fabrique ici ? Il me fait froid dans le dos.

— S'il te plaît, aie la grâce de te taire. Ta voix porte.

— Steph, je peux faire n'importe quoi, je peux faire n'importe quoi, mieux que n'importe qui, je peux faire...

— Tu ne peux pas faire un horrible gâchis de mes

fleurs », dit Stephanie aussi doucement qu'elle le put. On ne peut témoigner d'admiration ni adresser d'encouragement à qui s'admire et s'encourage si éperdument en personne.

« Steph, chose inouïe, papa donne une fête pour moi, une fête pour mon anniversaire, de véritables réjouissances avec champagne et fraises, au collège, dans le jardin des Maîtres, ou le cloître s'il pleut. Un buffet à l'heure du déjeuner, samedi, le jour de la dernière. En fait, il m'a envoyée vous inviter, toi et Daniel – pas question qu'il aille chez vous, évidemment, mais il m'a envoyée ici. J'ai vu Daniel, il m'a dit de venir ici, que tu y étais.

« Ah oui, et papa a décroché son téléphone et invité Alexander, ce qui est à se tordre de rire, d'un certain point de vue. Mais quand même magnifique. Ma coupe déborde.

— Prends garde de ne pas glisser », dit Stephanie, parlant peut-être de sa corbeille, peut-être de la vie. Frederica agitait les bras en effectuant de surprenants petits bonds dans toute la nef. Il devint évident, quand Alexander, d'abord, et Daniel, ensuite, firent leur entrée sous le porche, que Frederica avait converti l'église en lieu de rendez-vous et de réjouissance. Alexander avait l'air d'un phalène mâle attiré par une chimie de miel et de musc. Daniel avait l'air de Daniel. Frederica exhiba sa glorieuse carte postale à ces deux nouveaux venus. Lucas Simmonds demeura à genoux près du pilier, les yeux fermés. Frederica sautilla, trébucha sur la corbeille, fit en sorte qu'Alexander la rattrape.

Stephanie leur tourna le dos, un dos massif, et se remit à disposer des campanules dans le bouillonnement des graminées. À l'exception de l'églantine, les fleurs d'été dont l'écume voilait le sévère saint de la Sixtine, l'ellébore, la digitale, les cousines de la ciguë, dégageaient une odeur vivante mais fétide, verdâtre et impure. Des pois de senteur étaient indubitablement nécessaires. Daniel vint lui caresser la colonne vertébrale et sa lourde main la réchauffa là où déjà ses muscles la faisaient souffrir.

Les Potter, se disait-il, manquent cruellement du sens de l'observation. Comment peuvent-ils ne pas s'apercevoir de sa pâleur, sa lourdeur, sa lente détermination nouvelle ? Les Potter sont intarissables sur le sujet des notes et des résultats, les 18, les 19, les notes portées sur les copies, les notes reportées sur des bouts de carton, les résultats notés, les résultats notables dans le monde et par tout le monde. Bill Potter est capable de déserter le mariage de sa fille aînée et de tourner en ridicule le petit bout du cérémonial auquel il assiste, mais il rompt allègrement une stricte habitude de pingrerie nordique pour arroser des résultats et des notes au champagne. Daniel les méprisait. Son imagination était assez puissante quand il s'agissait d'une femme qui craint de souffrir ou d'un homme, lui en personne, qui a regardé d'autres hommes aimer, bien ou mal, leurs fils, et peut donc mesurer à quel point il sait et ne sait pas s'il aimera le sien. Mais son imagination n'arrivait pas à établir de corrélation entre de muettes notes noires et la connaissance bien documentée de la précision de la passion racinienne ou la rédaction claire, tout au moins, d'une étude sur la terreur dans *Hamlet* et dans *Lear*. Daniel ne désirait pas être évêque et n'établissait donc aucun rapport entre ses énergies furieusement mobilisées et l'ambition, comme il le faisait de l'obsession des Potter vis-à-vis des notes et des résultats.

Lorsque Marcus pénétra dans l'église, tous ceux qui s'y trouvaient déjà crurent qu'il était à leur recherche. Frederica pensa qu'il était venu pour son anniversaire ou ses résultats ; Alexander, qu'il était en quête d'un conseil ou d'une aide qui n'avaient toujours pas été donnés ; Stephanie, qu'il était, comme elle, tourneboulé par la nouvelle initiative de Bill pour une raison précise, peut-être par le souvenir des malheureux essais de stimulation et de promotion du « génie » diagnostiqué en lui. Daniel supposa qu'il avait un problème d'ordre religieux, et Lucas, comme il apparut par la suite, ne douta pas un instant qu'il eût été appelé par les signaux spirituels que lui-même émettait, des messages-phalènes d'une autre nature.

Il s'arrêta, en tout cas, et hésita à la porte en les voyant tous là, visiblement prêt à tourner les talons et à prendre la fuite. Frederica agita sa carte postale dans sa direction et brama ses notes, Stephanie s'avança pour le toucher, Alexander s'esquiva derrière le lutrin, Lucas Simmonds ouvrit les yeux, se releva avec aisance et s'avança jusqu'à la balustrade du chœur où il se retourna et s'adressa au garçon avec la brusquerie de qui ne plaisante pas.

« Il vous en a fallu du temps pour recevoir le message. Je savais que nous serions en sécurité ici. Je vous ai dit que prières et préparation seraient requises. J'étais conscient qu'il y avait beaucoup d'interférence et de vous savez quoi de statique – ne disons pas son nom, même en ce lieu – mais il ne m'a pas semblé qu'ils pourraient capter quoi que ce soit depuis ce lieu, ou du moins j'en ai pris le risque, j'en ai pris le risque. Mon Dieu, si je puis m'exprimer ainsi, je suis content de vous voir. Il y a eu de violentes attaques, je puis vous l'assurer, des attaques infernales. Maintenant que vous êtes là, nous tiendrons bon. »

Il prit acte de la présence des autres.

« Bonjour, monsieur le pasteur. Wedderbum. C'est sans doute trop espérer que de croire que vous êtes tous venus préparés à lutter à genoux. Quoi qu'il en soit, je vous souhaite le bonjour. Marcus ! »

Marcus tint bon. Il ouvrit la bouche mais aucun son n'en sortit. Il essaya de tendre la main, ne le put, mais n'imagina pas qu'un démon ou un esprit élémental électrique malfaisant la retenait. Il flaira la chaude odeur de talus du cerfeuil sauvage sur la pierre froide. Il tint bon. Daniel fit quelques pas vers lui et Marcus tituba un peu en tendant une main que Daniel saisit.

« Dis-moi ce que tu veux faire, dit Daniel avec précaution.

— Je – ne – sais – pas. »

Alexander approcha vivement. « Voulez-vous rentrer chez vous ? »

Marcus secoua sa tête couleur de paille.

« Chez Daniel ? » suggéra Alexander.

Marcus hocha la tête. Sous son pantalon de flanelle ses genoux s'entrechoquaient. Il essayait de ne voir ni la bouche de l'enfer ni Lucas trahi. Sa tête bourdonnait de messages comme des serpents ailés qui s'enroulent et se déroulent, sa boîte crânienne était traversée de fulgurances en blanc, or et pourpre impériale, son corps était une chose susceptible à tout moment, juste comme Lucas l'avait prophétisé, de se dissoudre et disparaître sans même laisser derrière ses propres débris. Chez Daniel il y avait tout un attirail de coussins, de théières, d'objets humains divers et variés, horriblement réels et juste peut-être apaisants, et qui, à moins de broyer comme un étau, à moins d'être comme les souliers en pierre de la Fontaine Larmière de la Mère Shipton, pourraient juste être des bouées de sauvetage rebondies et chaudes. Il agrippa la main puissante et sèche de Daniel. « Emmène-moi », dit-il.

Daniel était inquiet pour Lucas, dont la guérison de l'âme lui incombait au moins aussi certainement que celle de Marcus Potter, autre victime, de son point de vue pratique, de la survalorisation des notes et des résultats. Les âmes, les âmes au moins aussi péremptoires que celle-ci, n'étaient pas sa préoccupation naturelle, quoiqu'il fît de son mieux pour celles qu'il lui avait été donné de rencontrer. Mais en cet instant l'assez évanescent Marcus s'agrippait à son corps comme un noyé ; réagissant à cet appel, il partit donc avec lui. Alexander, qui se sentait responsable inutilement, et un peu moins effrayé par Marcus que par Lucas, partit avec eux, et Frederica s'élança sur les traces d'Alexander.

Stephanie ramassa sa corbeille, s'approcha de la vasque en albâtre près de la balustrade du chœur et dit avec précaution à Lucas Simmonds :

« J'étais en train d'arranger les fleurs dans l'église, pour la fête du saint, la Saint-Bartholomew. » Il s'élevait de cet homme un relent de transpiration, brillantine douceâtre, phénol et mauvaise haleine que ses narines hypersensibles de femme enceinte captèrent et humèrent, ce qui lui valut un bref haut-le-cœur. La bonne éducation des Anglais est une chose horrible, pensa Stephanie. Je devrais lui demander ce qui le terrifie, je devrais lui proposer de m'agenouiller avec lui, je devrais lui dire que Marcus est malade. Je ne peux pas. Je ne peux pas. Elle fit quelques allées et venues, aussi calmement que possible, prenant un arrosoir vert d'eau fraîche, jetant quelques arums et œillets fanés que Mme Elleby, dont le style était plus conventionnel, avait mis la semaine précédente.

« Asseyez-vous, je vous en prie », dit-elle vaguement, comme une maîtresse de céans dans son église. À sa surprise, il s'assit juste là où il était, sur les marches du chœur, appuyant la tête dans ses mains. Elle tassa du grillage, sans le regarder. Il dit, avec un semblant de son ancienne jovialité :

« Alors, le bébé est pour quand ?

— Personne ne le sait », dit-elle vite. Puis elle ajouta, « Autour de Pâques. Je veux dire que personne ne le sait parce que nous n'avons rien dit.

— Je l'ai vu. »

Cette idée lui déplut, comme si elle était nue. Elle essaya de l'écarter, à la légère.

« Vous êtes biologiste. C'est votre domaine.

— Ne dites pas ça. Je déteste la biologie.

— Je ne l'ai jamais aimée non plus », dit-elle sereinement, niaisement, en rembourrant la vasque où elle disposa les marguerites en une sorte d'éventail à partir du centre. « C'était la seule science que j'arrivais à comprendre, pourtant. Il m'en fallait une pour avoir le droit de faire des lettres. Je n'entendais rien aux sciences abstraites, maths et consorts. C'est toujours de la biologie qu'on fait faire aux filles.

— Les plantes, dit-il. Ou les pierres. Cela ne me fait rien. Mais il faut être meilleur que moi pour échapper à la biologie animale et se spécialiser. Je suis un besogneux. Pourquoi vous êtes-vous mariée ?

— Pour avoir une vie privée », dit-elle sincèrement, en voyant fugitivement le visage de Daniel, tel quel, de près.

« Non qu'elle soit vraiment privée. Il y a tellement de visites.

— Pour avoir une vie privée. » Il réfléchit. « Je n'ai pas de vie privée. Je n'ai pas de vie. Je ne touche personne. Je vous demande de me croire. Il y a des raisons.

— Et Marcus ? dit-elle avec beaucoup de précaution.

— Marcus est doué. Marcus – peut voir – ce que personne ne peut voir. Marcus n'est pas – comme les autres.

— Il irait mieux s'il l'était, dit-elle d'un ton presque acerbe.

— Dites ça si vous voulez. Ce n'est pas vrai. »

Il se leva, le moment de contact rompu, et retourna à sa méditation, ou vigile, contre le pilier. Elle poursuivit lentement son travail jusqu'au moment où tous les récipients, près des fonts baptismaux, de la chaire, du lutrin, de l'autel, furent remplis, pâles, candides, verdoyants. Daniel revint.

« Tu vas bien ? Veux-tu aller voir Marcus ? Frederica est pire qu'inutile et Alexander se contente de s'appuyer contre les meubles avec une mine effrayée. »

Elle se haussa sur la pointe des pieds et lui murmura à l'oreille ce que Lucas avait dit.

« Je vais traîner par ici, dit Daniel. Il voudra peut-être parler.

— J'ai couvert ton saint Bartholomew de fleurs.

— Très joli, dit Daniel. Très joli. Pour une femme qui ne voulait pas avoir de fleurs à Pâques.

— Je n'ai pas dit qu'il est ressuscité. J'ai dit que je l'ai couvert de fleurs, lui, son couteau et son enveloppe de peau. »

Daniel considéra saint Bartholomew, la version de Michel-Ange, rendue bleue et floue par l'intervention d'un piètre imprimeur, se frotta le ventre et dit, « Eh bien, s'il n'est pas ressuscité, il descend avec une drôle de furie ». Il pensa, l'espace d'un instant, au supplice de l'écorchement, à sa propre graisse retenue par une mince peau étanche, à la façon dont un homme peut déborder, à la forte musculature du saint en colère, et puis il toucha la peau tendue de Stephanie et dit, « Allons, va-t'en

592

d'ici, va voir Marcus ». Un corps dans un corps, son fils.

Il s'agenouilla, pendant un certain temps, attendant que Simmonds se relève, se demandant s'il devait lui parler aussitôt. Quand Simmonds se releva, Daniel se releva aussi, précipitamment, et pendant un instant ils regardèrent d'un côté à l'autre de l'église. Puis Simmonds leva la paume en direction de Daniel pour le mettre en garde, fit un signe de tête saccadé en direction de l'autel, et partit. Daniel le suivit, jusqu'au cimetière, et ne fit qu'entendre la petite voiture de sport vrombir dans la rue paisible. Il sortit de l'enclos au moment où Simmonds disparaissait dans un nuage de poussière blanche.

39

Fête au Panthéon

La fête donnée par Bill en l'honneur de Frederica, échafaudée à la hâte et mise en exécution à la va-vite, avait toutes les chances, comme on aurait pu s'en douter, de susciter des difficultés. Elle se tint au Panthéon, et non dans le jardin clos, car le ciel était menaçant. La lourdeur du temps avait suffisamment rétabli son emprise sur le Yorkshire pour que la fête fût un étrange amalgame de goûter et de libation : thé, sandwiches au jambon, génoise et fraises devaient être suivis d'un verre de champagne par personne, à peu près, pour boire à la santé de Frederica. Les invités étaient principalement les amis et collègues de Bill, enseignants de cours d'adultes, secrétaires de cours du soir, responsables de l'Association pour l'éducation ouvrière, dames qui faisaient du théâtre amateur, et ceux des professeurs du collège qui étaient *personae gratae*. Ces derniers incluaient M. et Mme Thone, ès qualités, Alexander et, pour une certaine raison, Geoffrey Parry dont Bill avait décidé que, tout bien considéré, il avait montré qu'il avait des tripes, même si elles étaient cabochardes, au sujet de Thomas Mann. Frederica dit que c'était une métaphore incohérente et répugnante et Bill, l'admettant allègrement, dit que des tripes cabochardes étaient certes répugnantes mais, comme il l'avait dit, dignes de respect. La raison pour laquelle les Parry s'étaient empressés d'accepter cette invitation posait un problème d'un autre ordre, pensa Frederica, problème qui ne laissait pas de la turlupiner. L'euphorie initiale de ses résultats d'examen se dissipait et elle commençait à se rendre compte qu'elle était une très lente et maladroite exploratrice du comportement humain. Il lui fallut beaucoup de temps pour voir ce que Daniel avait aperçu tout de suite, que Bill ne donnait pas cette fête uniquement pour elle, mais pour se venger de Stephanie de l'avoir forcé à payer le champagne qui célébrait son abandon d'une carrière de lauréate et son mariage avec un gros vicaire. Et donc, lorsque Bill fit venir Frederica et lui demanda de dire lesquels de ses « amis » elle souhaitait convier à la fête, elle se mit à percevoir les difficultés créées par la proclamation *urbi et orbi* de ses 18 et ses 19, ainsi que l'imprudence qu'il y aurait à mettre en présence son univers scolaire et familial quotidien et le monde imaginaire d'*Astraea*, où il avait paru facile de mépriser gentiment la rumeur publique née de sa conduite avec et envers Alexander. Elle ne souhaitait pas que pareille rumeur s'infiltre dans l'allée des Maîtres. Elle se mit, de fait, à se demander ce qu'elle souhaitait vraiment. Elle dit qu'elle souhaitait inviter Wilkie. Thomas Poole venait en tout cas, en tant qu'ami respecté de Bill, alors elle suggéra Anthea Warburton, qu'elle n'aimait pas, mais dont elle sentait que, pour des raisons personnelles, elle se montrerait discrète sur le chapitre d'Alexander. Elle suggéra Lodge, qui était taciturne, et Mlle Wells, qui ignorait tout, et qui se montrerait gentille avec Stephanie, vis-à-vis de laquelle Frederica se sentait très sotte et très coupable. Son autre seul allié était Crowe, et elle ne savait pas dans quelle mesure c'en était toujours un, après l'épisode dans la chambre du Soleil dont il n'avait plus jamais été question. En outre, Bill ne supporterait pas Crowe. Il vouait pour sa part une immense admiration à Marina Yeo, à laquelle, en conséquence, un carton fut envoyé. Mlle Yeo répondit avec grâce, en invoquant son âge, ses maux de tête, la longueur de la série de représentations et la nécessité de recouvrer toute son énergie en vue des exigences de la dernière. Wilkie dit à Frederica qu'elle savait fort bien ce que cette excuse-là voulait dire, mais promit de n'être pas, pour sa part, pire que légèrement en retard à ses agapes. « De la vieille reine à la jeune vierge, rebroussant le cours du temps, dit-il, j'accourrai. Y as-tu pourvu ? – À quoi, demanda Frederica avec humeur. À ta virginité, petite sotte, répondit Wilkie, à ça. » Frederica dit que non, qu'elle n'avait rien fait et qu'elle était dans un état épouvantable, parce qu'elle avait commis un mensonge, parce qu'elle avait eu la surprise de découvrir qu'elle paniquait, et parce qu'Alexander se montrait, en un sens, tellement distant, même lorsqu'il était très tendre, et tellement nerveux, le bel enfant, qu'il était impossible de lui en parler comme à Wilkie, et qu'elle s'était donc enfoncée de plus en plus profondément dans un bourbier de mensonges de circonstance dont Dieu seul savait où et comment ça finirait, sauf qu'il fallait absolument que ça finisse, car elle ne pouvait plus supporter de continuer, et de se consumer, comme ça. « Bien sûr que non, fit Wilkie, bien sûr que non. »

La fête fut une de ces fêtes qui, à la différence des saturnales de Crowe, ne prennent pas leur essor. Au début elle sembla en bonne voie. Il y avait assez de gens à discuter ferme de pédagogie, de la réussite ou de l'insuccès de diverses méthodes d'enseignement de la poésie et d'éducation des adultes, pour qu'une certaine courtoisie intelligente joue un peu, grâce à quoi le trouble et l'émoi de Mlle Wells purent être apaisés et mués en sourires par de sagaces remarques de Wilkie sur Herbert ; grâce à quoi Alexander put faire gracieusement figure de pédagogue face aux ménagères littéraires de Bill venues d'Arkengarthdale ; grâce à quoi les prouesses de Frederica purent être tout uniment métamorphosées en succès de bon aloi par Thomas Poole qui la prit à part et l'entretint de la langue des *Quatre Quatuors*. Il se demandait, dit-il, si la pensée, l'élément doctrinal, rendait le poème fade ou aride, et Frederica, pointant son attention sur la nature de l'espace et du temps dans la poésie aride d'une culture aride, oublia qu'elle avait vu la nudité rebondie de son interlocuteur sur la pelouse sombre, lui parla comme elle avait parlé à Alexander des rythmes de Racine, le trouva sympathique et lui eut de la gratitude. Et Poole, qui souffrait mille morts, garda par la suite de cette conversation, comme Frederica le fit aussi, le souvenir disproportionné d'un instant de sagesse et de gravité dans une folle journée.

Il y avait cependant des taches noires et troubles dans la lumière universitaire. L'une d'entre elles était Marcus, revêtu de son seul costume propre, assis avec raideur sur le bord du mur du cloître et fixant la pelouse sans la voir. Daniel et Stephanie ne lui avaient rien arraché d'autre que l'assurance que ce qui s'était passé était bel et bien terminé, et qu'il préférait ne pas en parler. Alexander avait confié à Daniel sa propre version du « problème » de Marcus, ce qui l'avait grandement soulagé de son sentiment de responsabilité impuissante. Daniel avait réfléchi à ce qu'Alexander lui avait raconté et à ce que Lucas avait dit à Stephanie, et il avait gardé le silence. Il regrettait de plus en plus de ne pas être ce qu'il appelait un « religieux », ce par quoi il entendait peut être un visionnaire, ou encore un mystique. Sa force existante ne pourrait être utile dans cette situation qu'une fois que ladite situation aurait échappé à tout contrôle, pour autant qu'il puisse en juger. Il gardait un œil sur le garçon, et un autre sur sa femme.

Winifred, à qui personne n'avait rien dit, se tenait aussi près qu'elle l'osait de Marcus et le regardait regarder dans l'espace. Il s'était éclipsé elle ne savait où, plus grièvement, plus foncièrement que jamais. Si elle tentait de le suivre, il risquait, du moins le croyait-elle, de s'évanouir tout à fait. Et s'il ne le faisait pas, l'expérience de toute une vie, ou du moins de toute sa vie conjugale, lui avait appris que si elle trahissait de l'agitation, Bill viendrait les accabler, l'un ou l'autre ou tous les deux, d'un excès d'amour ou de haine, les forcer ou les entraîner à un corps à corps hargneux et démoniaque, et que pour éviter cela il n'y avait d'autre recours que la passivité, toujours la passivité.

Mme Thone observait Winifred avec froideur. La douleur endurcit et l'infinie douleur endurcit infiniment, quoi qu'en disent les consolateurs, et la souffrance n'ennoblit pas, même si elle prête parfois une certaine dignité rigide à la carcasse qui souffre. Winifred, pour Mme Thone, était simplement une femme qui avait un fils et ne pouvait ou ne voulait rien faire pour les problèmes de ce fils. Le fils de Mme Thone était mort un jour d'été et, l'hiver, Mme Thone se sentait plus indulgente envers les mères de fils vivants qui manquent de sagesse et de perfection. Ce jour-là elle contempla les mornes taches de soleil et d'ombre nuageuse sur la pelouse du collège, posa légèrement la main sur les hanches inutilement larges de Pallas Athéna, et but son thé, inflexible.

Alexander, toujours aussi beau, s'approcha sur ses longues jambes du groupe formé par Frederica et Thomas Poole et, d'une voix qu'il espérait celle d'un vieil ami de la famille, essaya de la féliciter de ses notes époustouflantes. Elle grimaça un sourire, horriblement, comme autrefois, et il se demanda un instant ce qui s'était emparé de lui pour en être à désirer si précisément caresser de la main ces chaudes jambes brunes et des lèvres ce cou mince, et comme son imagination rendait son désir précis, il sut que ce qui s'était emparé de lui, quelque nom qu'il lui donne, le tenaillait toujours.

« Nous discutions tranquillement d'Eliot, dit tristement Poole.

— Continuez, je vous en prie », dit Alexander, essayant de s'écarter de Frederica en s'appuyant contre la plus proche monstruosité de pierre, qui était l'aveugle, l'honnête, l'incorruptible et le très-haut Arthur. Anthea Warburton, en popeline à boutons de rose sur une superposition de jupons de tulle empesé blanc, approcha et toucha le coude de Poole.

« Peux-tu faire quelque chose ? dit-elle de sa petite voix terne et bien élevée, je me sens affreusement vaseuse.

— C'est l'abus de thé », dit Frederica cordialement, avant de noter, trop tard comme d'habitude, la connivence alarmée et tendue des deux hommes. Vaseuse ? Vaseuse. Jargon des familles. Un vieux mot. Ah ! Grand Dieu ! J'ai encore mis les pieds dans le plat. Elle fut surtout mortifiée de la puérilité de sa remarque sur le thé, puis se demanda avec inquiétude pourquoi Alexander, oui, Alexander, était lui-même tellement paniqué. À cet instant, comme par accident, Elinor Poole apparut, suivie de près par Jennifer Parry qui portait son fils sur la hanche et qui fut à son tour suivie par son mari. Bill s'était approché des tables, se préparant clairement à prendre la parole, et les bouchons de champagne sautèrent.

« Eh bien –, dit Jenny d'une voix abominablement forte et stridente à Frederica. Pour quand l'heureux événement ? » Frederica tourna les yeux vers Anthea, les détourna et, d'une manière défensive, lissa sa jupe sur son ventre plat.

« Quel heureux événement ? rétorqua-t-elle en fronçant les sourcils.

— La prochaine naissance. Chez vous. Je suppose que nous célébrons cela en même temps que vos succès, non ? Pourtant, si j'étais Stephanie, je ne sais pas, entre nous soit dit, si je me serais embarquée dans la maternité avec une si joyeuse promptitude. Il est trop tard pour le lui dire, ma chère, et je serai naturellement tout sourires, mais laissez-moi vous dire, Frederica, pour ce que ça vaut, ne le faites pas. N'abandonnez pas, n'arrêtez pas, ne vous muez pas en vache laitière et en bonniche, ne croyez pas que la mort de l'esprit peut s'éviter en se précipitant un petit moment sur un livre entre deux tas de couches et d'assiettes sales, parce que ce n'est pas le cas. L'adultère, on peut en trouver le temps, mais la vie, non ! et la pensée, non ! et ne les laissez jamais – » Elle fusilla du regard Poole, Anthea, Elinor, Alexander et la triste Winifred qui s'était jointe à eux – « Ne les laissez jamais vous dire quoi que ce soit d'autre. » Elle tira sur les petites jambes potelées de son fils, qui lui enserraient la taille. « Descends de là, espèce de petit vieillard des mers. Va voir papa. Tu es un petit vieillard des mers, et le fait que tu sois un adorable patapouf n'arrange pas les choses, elle les rend pires. M'écoutez-vous, Frederica Potter ? Le merveilleux de cette conversation – ou de ce monologue pour le moment, mais je vais la fermer, ne vous inquiétez pas – c'est que vous n'allez pas m'écouter, parce que c'est moi qui vous parle, et que vous allez vous méfier de mes intentions et que vous aurez raison. Mais moi aussi j'ai raison et vous le découvrirez un jour, d'une façon ou d'une autre. *Sufficit!* Ah Geoffrey, charge-toi donc de cette bestiole trempée. Je vais aller de ce pas congratuler Mme Orton. Je voudrais te dire un mot, Alexander, avant la dissolution de cette joyeuse assemblée, si ça ne te dérange pas. »

Alexander acquiesça d'un signe de tête, sans piper. Frederica braqua les yeux sur Stephanie et se demanda pourquoi elle n'avait pas remarqué ce qui était évident. Elinor Poole fouilla dans son sac pour y pêcher un mouchoir et, quand Thomas lui entoura les épaules de son bras, Anthea se mit à toussoter correctement, avec de petits spasmes dans le fond de la gorge. Geoffrey Parry prit son fils et s'assit sur le mur du cloître de l'autre côté de Pallas Athéna. L'enfant posa la tête dans le creux de l'épaule de l'homme. Mme Thone fit le tour et s'assit à côté d'eux.

Frederica ne savait pas trop où aller et ne pouvait rester à regarder sa mère dans les yeux, alors elle partit retrouver Stephanie. Les serveuses du collège enlevaient les tasses à thé et les remplaçaient par des verres de vin pétillant. Alexander considéra l'impitoyable dos de Frederica, croisa le regard tragique de Thomas Poole et, se tournant avec une gracieuse sollicitude vers Anthea Warburton dont il aurait voulu que la terre s'ouvre pour l'engouffrer, il lui demanda si elle se sentait tout à fait bien, s'il pouvait aller lui chercher un verre d'eau ou de vin, et si elle ne voulait pas venir un peu plus à l'ombre. Elle y vint, à son grand soulagement, permettant ainsi à Thomas Poole de trouver le mouchoir de sa femme, et à Alexander de s'éloigner, provisoirement il le savait, de Jenny. Jenny, mue par une Mégère intérieure déchaînée, marcha droit sur Bill, qui s'éclaircissait la gorge en prévision du discours de félicitations qu'il avait préparé, avec des citations de l'éloge d'Ascham célébrant l'érudition de la jeune princesse. Elle félicita Bill, comme elle avait félicité le reste de la famille, de l'heureux événement qui approchait, consciente maintenant, ce qui n'avait pas été le cas auparavant, que les Potter ignoraient l'état de Stephanie. Bill, écoutant d'une oreille en se raclant la gorge, saisit brusquement la portée de ses paroles, et Winifred, se hâtant inutilement, arriva à temps pour le voir fusiller Daniel d'un regard de répulsion si intense et disproportionnée qu'elle crut un instant qu'il était devenu fou pour de bon et qu'il allait lancer les bouteilles, ou les plateaux d'argent, à la tête de son noir et robuste gendre.

Daniel avertit Stephanie qu'il se mijotait quelque chose, il en avait bien peur.

Bill commença à parler beaucoup trop vite, et plutôt à bâtons rompus, non de Roger Ascham mais de l'éternité de l'œuvre de la pensée, ou de l'art, ainsi que de l'*Areopagitica*. « Car les Livres ne sont choses absolument mortes, mais renferment une puissance de vie en eux qui les rend aussi actifs que l'âme dont ils sont issus... Autant, ou presque, tuer un Homme qu'un bon Livre ; qui tue un homme, tue une créature douée de raison, une Image de Dieu ; mais qui détruit un bon Livre, tue la raison même, tue l'Image de Dieu, telle, pour ainsi dire, qu'elle apparaît à la vue. La vie de maint homme est un fardeau pour la Terre », dit Bill, en jetant des regards furieux à Daniel, « mais un bon Livre est le précieux sang vital d'un maître esprit... »

« Un fardeau pour la terre est ce qu'il pense certainement de moi, dit Daniel rondement et tranquillement.

— Après quoi en a-t-il ? demanda Stephanie qui avait manqué, dans une rêverie vague et confuse, l'essentiel de ce qui s'était passé jusqu'alors.

— Il est en train de te dire que les bouquins valent mieux que les bébés », dit Daniel. Bill s'était mis à tonitruer tortueusement, rappelant qu'il avait toujours été un chaud partisan de l'égalité de l'éducation des femmes et des hommes, et louant l'excellence de la pièce d'Alexander et de l'éducation de son héroïne.

« Ah mon Dieu, dit Stephanie. Il sait tout. Il est fou de rage.

— Je crois qu'il croyait possible de se débarrasser de moi, plus ou moins, dit gaiement Daniel, mais la situation acquiert un peu trop de consistance, pourrait-on dire.

— Tu n'as pas besoin de prendre l'air si calme et tranquille à ce sujet.

— Je ne vois pas pourquoi je ne le prendrais pas. Ça ne me fait rien. Je m'occuperai mieux de mon fils que lui du sien.

— Ce sera peut-être une fille.

— Ou de ma fille », dit Daniel qui n'était pas prophète.

Bill exprimait des vœux enflammés d'un mystérieux courroux pour que Frederica fasse de ses talents, de ses nombreux talents, meilleur usage que lui-même, il craignait d'avoir à le dire, ne l'avait fait de ceux qu'il avait reçus en partage. Un homme ne possède d'autre avenir que son enfant, à moins d'être assez remarquable ou doué pour être un maître esprit et donc son propre avenir…

Une voiture démarra par-derrière. Elle déboucha du porche entre les tours sur les chapeaux de roue et mordit dans un hurlement sur une demi-lune de gazon. Basil Thone s'avança sur la pelouse en protestant. Marcus Potter se mit à courir sur ses traces, obéissant à une impulsion complexe, en agitant les bras frénétiquement mais silencieusement.

« Simmonds », dit Alexander à Anthea Warburton, et il l'abandonna sans cérémonie. Marcus continua à courir, quoique Simmonds et sa coccinelle, après avoir démoli quelques plates-bandes et une belle bordure, eussent déjà disparu, laissant un crissement, un bourdonnement et une odeur de brûlé flotter dans l'air. Alexander s'élança à la poursuite de Marcus. Daniel, tapotant l'épaule de Stephanie, s'ébranla dans le sillage d'Alexander. Bill s'arrêta de parler. Frederica se mordit la lèvre et releva le menton.

Alexander rattrapa Marcus à une certaine distance sur la route de la lande. Le garçon courait, tête penchée, titubant misérablement, respirant avec de grands spasmes. Alexander n'était pas en très bonne condition non plus, mais il piqua un sprint et essaya, d'une voix haletante, de dire au garçon de s'arrêter ; Marcus continua à courir sans lui prêter attention. Pendant plusieurs minutes Alexander trotta ridiculement à côté de lui en disant des choses comme « … ne sert à rien… vous ai dit qu'il valait mieux ne pas… soyez raisonnable ». Il entendit Daniel se rapprocher dans un martèlement de tonnerre et se jeta désespérément sur Marcus, un peu comme s'il le plaquait au rugby, comme si c'était une question d'amour-propre masculin que de mettre lui-même la proie au sol sans laisser Daniel le faire. Ils s'écroulèrent tous les deux sur la route et Marcus se débattit comme un animal, lui qui avait paru si immatériel, mordant et griffant et envoyant parfois de faibles coups. « … essayer de vous aider… » hoqueta Alexander.

« Il était mon ami », dit Marcus, usant de l'imparfait, comme si Lucas Simmonds était déjà mort.

Daniel arriva, se planta sur la route poussiéreuse et baissa les yeux sur eux.

« Arrêtez, dit-il. Ne faites pas les imbéciles. Ça ne sert absolument à rien, il est loin maintenant. Rentre à la maison, Marcus.

— Non.

— Bon, qu'est-ce que tu vas faire, alors ?

— Je – » dit Marcus. Il suffoqua. Il pensa qu'il allait peut-être mourir, là sur la route. Ce n'était pas une pensée cruelle. « Je – » répéta-t-il, les poumons convulsés. Il roula les yeux, puis s'évanouit.

Daniel s'avéra expert en matière de respiration artificielle, dont la pratique s'avéra nécessaire. Alexander resta inutilement à genoux dans la poussière, observant son efficacité, puis, une fois que le garçon eut recommencé à respirer dans un frémissement, il aida Daniel à le transporter lentement au collège. Bill vint à leur rencontre, blême et indécis à présent. Daniel, qui avait retrouvé son souffle, l'enjoignit de faire en sorte que l'enfant soit admis à l'infirmerie et un médecin appelé immédiatement. Alexander, qui n'avait pas retrouvé son souffle, s'agrippa à une colonne, les poumons déchirés, les yeux embués. Son visage était égratigné, ses vêtements crottés, ses beaux cheveux en bataille. À travers ses larmes brûlantes il vit Frederica s'éloigner à grandes enjambées, sa fête et sa dignité fichues. Les Parry, à l'inverse, venaient vers lui. Il chercha où était Poole, mais ne le vit pas.

« Si tu as un instant, Alexander, dit Jenny, je souhaite te parler. » Elle fit signe d'avancer au reste de sa famille à la remorque. « Geoffrey peut entendre ce que j'ai à dire, nous en avons déjà discuté. »

Alexander se mit à envisager une scène assez semblable à ce qu'il avait déjà subi, le jour où une dame l'avait gracieusement assuré que tout avait été une erreur et qu'en réalité elle n'avait jamais cessé d'aimer son mari un seul instant. De telles scènes étaient le prix à payer pour le genre délicat de vie amoureuse qu'il menait.

« J'ai dit à Geoffrey ce qui s'est passé.

— Oh ?

— Très exactement ce qui s'est passé, dit Jenny sur un ton inutilement comminatoire.

— C'est-à-dire ? dit Alexander sottement.

— Nous avons couché ensemble. Deux fois. Je l'ai dit à Geoffrey. Geoffrey va demander le divorce, pour adultère.

— Mais –

— Pour ce qui est de Thomas, Geoffrey ne veut pas se séparer de Thomas, mais… » – là, il lui monta aux yeux quelques larmes – « moi non plus. C'est la vérité, moi non plus, quoi que j'aie pu déclarer à son sujet. Je l'aime. Je t'aime. Comme je l'ai dit à Geoffrey. Geoffrey dit que nous devons tous trois tenir conseil pour délibérer raisonnablement du sort de Thomas. »

Alexander regarda Geoffrey sans réagir, l'adjurant par la pensée de dire quelque chose, ou peut-être de lui flanquer son poing dans la figure, ce qui, lui semblait-il, aurait certainement été indiqué et, avec un peu de chance, définitif. Geoffrey, s'aperçut-il avec horreur, était amusé. Geoffrey était, tout du moins en partie, satisfait de la tournure des événements. Geoffrey, présuma-t-il, envisageait déjà la vie avec une séduisante fille au pair et de longues heures à la bibliothèque avec Thomas Mann. Il pensa à dire, «Geoffrey, ta femme est pure et sans tache en ce qui me concerne, je ne suis même pas arrivé à bander». Ce n'était pas le genre de phrase qu'il était capable de proférer. Il pensa, plus machiavéliquement, à assurer Geoffrey que, lui aussi, il aimait Thomas et ne pouvait songer un seul instant à séparer Thomas de sa mère, car Geoffrey, il le voyait bien, se battrait pour Thomas, même s'il se moquait de ce que Jenny faisait maintenant. Mais de telles assurances lui restèrent coincées à travers du gosier. Pour commencer, il n'était pas le moins du monde prêt à assurer ni Geoffrey ni Jenny qu'il allait emmener Jenny avec lui. Comment foutre, pensa-t-il, hors de lui, peut-elle songer à s'enfuir avec un type qui n'arrive même pas à bander?

«J'ai parlé à Geoffrey de tous ces formulaires de candidature, poursuivit-elle implacablement. Ce serait plus facile, bien sûr, si tu projettes de t'en aller.

— Geoffrey –, dit Alexander.

— Je n'ai rien à ajouter à ce qu'a dit Jenny, dit Geoffrey, l'amusement s'épanouissant sur son visage.

— Il y a des choses qu'elle ne t'a pas racontées.

— Rien, j'en suis sûr, qui serait susceptible de modifier ce que je souhaite maintenant», dit Geoffrey Parry, qui avait totalement perdu sa mine contrainte de l'épisode du landau et recouvré son allure ordinaire de lettré.

«Nous en reparlerons après le dernier soir, dit gentiment Jenny. Je veux dire, la dernière soirée de ta pièce.»

Les Parry s'éloignèrent, avec toutes les apparences d'une famille en complète harmonie, et Alexander fit lentement l'ascension de sa tour.

40

La dernière

Peut-être y avait-il eu trop de fêtes. Peut-être y avait-il une impression trop forte de menace et d'orage dans l'air. Toujours est-il que la dernière représentation de la pièce s'acheva, non pas vraiment sur un cri plaintif, mais au mieux sur une vibration mélodieuse. Alexander y assista du début à la fin en proie à des sentiments où se mêlaient un désir et une terreur qu'il n'aurait pas, auparavant, cru possibles. Un effet paradoxal de l'ultimatum de Jenny, et de la fête de Frederica en général, était de rendre impératif, primitif et exclusif son désir de posséder, avoir, prendre, sauter, baiser Frederica Potter. Aucun de ces termes ne faisait partie de son vocabulaire habituel. Il ne se disait pas dépuceler parce qu'il supposait que cela avait déjà eu lieu. Il voulait aussi, pour la première fois, malgré l'incuriosité nonchalante qui lui était habituelle en de telles matières, savoir exactement quand, et par qui, le dépucelage avait été accompli. Sous son nez pendant sa pièce ? Ou plus tôt ? En plein air ou dans une maison ? Par Crowe, Wilkie, ou un jeune inconnu boutonneux de Blesford Ride ? Dieu sait qu'il y en avait suffisamment. Il ressentait énormément d'aigreur envers Thomas Poole, qui avait trempé son biscuit avec une réussite tellement signalée, encore qu'inopportune, et une nette aversion envers Daniel Orton, bien en chair et content de lui, dont la réussite s'avérait n'avoir pas même été inopportune. Il fut horrifié par ses propres émotions durant la scène des coups de ciseaux, qui se déroula dans une lumière moins généreuse que durant les heureuses semaines précédentes, et même sous quelques menaçantes gouttes de pluie. La Frederica rigide du début de l'été frétillait et cambrait son pelvis, balançait en l'air une cheville musclée et exposait la presque totalité de son sein menu d'une manière qui l'agaça par son outrance et provoqua une inopportune érection. C'était drôle, pensa-t-il, d'être resté indifférent à Wilkie fourrageant dans le décolleté de Jenny. C'était révoltant. Il s'était personnellement conduit comme un imbécile, oui, lui en personne. Au moins, à tout le moins, devait-il avoir en compensation ce qu'il savait vouloir à présent. Cette foutue gamine. Non, pas foutue. Quand elle disparut en courant, dans ses jupes déchirées, il demeura vissé sur son siège à attendre son retour pour le monologue de la Tour, qu'elle récita, se surpassant, hystérique et glacée. *Ego flos campi*. Les femmes de pierre ne saignent pas. Je ne saignerai pas. Alexander eut l'impression que ses propres et dures intentions se changeaient en pierre.

Pendant l'entracte il voulut aller lui parler mais fut harponné par Thomas Poole, dont il ne désirait plus recevoir les confidences. Poole dit que si seulement Alexander supportait de tenir le rôle de l'Invité à la noce pendant dix minutes il lui en serait éternellement reconnaissant, et Alexander dit, méchamment pour Alexander, que Poole s'était trompé de poète selon toute vraisemblance, il était censé être Edmund Spenser, doux poète du doux amour conjugal, le grand changement dans la sensibilité de l'épopée amoureuse si l'on devait en croire C.S. Lewis, et que si lui, Alexander, était lui, Poole, ce que Dieu merci il n'était pas, il battrait en retraite dans l'amour conjugal, illico. Poole ne parut pas s'apercevoir de la méchanceté d'Alexander, ou de sa jovialité maladroite, mais enchaîna en expliquant solennellement qu'il avait à présent déniché un médecin grâce, qui l'eût cru, à Marina Yeo en personne. Qui avait déclaré que sa carrière dans le passé avait dépendu de la connaissance de médecins sûrs pourvus de maisons de santé sûres, et qu'elle considérait comme un service public de donner ces noms. Le pro-

607

blème restait de persuader Anthea, de lui faire prendre les dispositions nécessaires, ce qui était entièrement déplaisant, et de trouver l'argent, ce qui, vu son salaire, n'était pas une mince affaire. Marina Yeo fréquentait l'élite, gynécologiquement aussi bien qu'autrement parlant.

Alexander lui dit qu'il se ferait un plaisir de lui prêter de l'argent, car la pièce semblait en rapporter beaucoup. Quant à Anthea, si elle paniquait, cela se comprenait aisément...

Poole dit que non, elle ne paniquait pas. Elle était folle de rage à l'idée de rater des vacances prévues à Juan-les-Pins. Et elle n'aimait pas, disait-elle, que des médecins la tripotent. Alexander observa que c'était peut-être un euphémisme pour cacher de pires terreurs, et Poole répondit qu'il aimerait pouvoir le croire. Tous deux, là-dessus, burent un whisky bien tassé.

Frederica, rôdant dans les buissons à la fin du deuxième acte, n'ayant pas envie d'enlever sa jolie robe pour la dernière fois, rencontra Anthea en blanche et diaphane couronne de clinquant et dentelles argentées, qui vomissait parmi les lauriers.

« Ça va ?

— Tu vois bien que non. Ça vient par vagues atroces. Si je règle ça maintenant, j'arrive à continuer et à agiter mon épée et ma gerbe de blé sans avoir le tournis. Est-ce que j'ai des traces de dégobillage sur mes volants ?

— À peine un soupçon. »

Frederica cracha sur son mouchoir et frotta. Il y avait une petite trace visqueuse sur le bout pointu d'une épaisseur de volant.

« Je suppose que tu as deviné que j'ai le ballon.

— Qu'est-ce que tu vas faire ?

— M'en débarrasser. Il faut que j'arrive à convaincre papa et maman que j'ai une bonne raison d'aller passer une semaine ou deux à Londres. Marina va devoir m'aider.

— Pourquoi le ferait-elle ?

— Eh bien c'est elle qui a trouvé le toubib, la clinique et le reste. Elle m'aidera jusqu'au bout.

— Tu te sens mal ? »

Anthea-Astraea, blanche comme un linge dans le jour qui s'assombrissait, regarda le visage interrogateur et roux de Frederica.

« Je me sens vaseuse. Je me sens vaseuse toute la sainte journée. Je n'ai plus goût à rien. Le sexe, le champagne, les fraises, les applaudissements des gens, les fringues aussi, parce qu'elles ne vont plus, ni rien de rien, si tu veux le savoir. Je suis vraiment furieuse. Je croyais qu'on pouvait faire confiance aux gens bien pour prendre les précautions qui s'imposent. Il faudra que je fasse mieux attention à moi. Et si tu juges que je suis dure et insensible, Frederica Potter, demande-toi ce que je pourrais bien être d'autre. »

Elle partit d'un bond, silhouette légère et fantastique, prendre sa place dans la dernière représentation du masque. *Redit et virgo, redeunt Saturnia regna.* Ainsi psalmodia anachroniquement Thomas Poole, et la gerbe de blé de la fertilité et l'épée de la justice ne frémirent que très légèrement en leur immobilité de statue.

Frederica trouva Wilkie. Elle était au bord des larmes. Il lui attrapa le bras – il sortait du viol final de Bess Throckmorton – et dit, « Hé, doucement ! qu'est-ce qui se passe ?

— Je ne sais pas. C'est Anthea. Elle est malade. Cela m'afflige.

— Elle n'est pas malade, elle a le ballon. Ça sera vite réparé. Marina l'affirme.

— Réparé n'est pas du tout le terme qui convient.

— Je l'admets. Je suis d'accord, il vaut mieux prévenir que guérir. Peut-être la passion l'a-t-elle emporté sur les mesures préventives. Allons ! Allons ! J'espère continuer à mener mieux que ça mes affaires. Qu'en est-il des tiennes ?

— Je ne sais pas. Je n'arrive pas. Je panique.

— Tu es une bandeuse.

— Ah, c'est comme cela que ça s'appelle ? Je ne connaissais pas ce mot-là. Eh bien non, ce n'est pas vrai, et tu le sais, c'est juste que je ne sais pas quoi faire. J'ai menti, et maintenant il y aura du sang, au mieux, et je ne connais rien – aux précautions à prendre – et il ne sait pas que je n'y connais rien – et je ne sais tout simplement pas ce que je dois faire – ni comment – et il croit que je sache – que je sais – et je panique.

— Je me suis laissé dire que le sang est généralement un mythe.

— Ah bon ! Pourtant la plupart des mythes sont fondés sur la réalité, certaines personnes doivent saigner quelque part dans le monde, je ne sais ni où ni quand, alors pourquoi pas moi ? Je t'en prie, arrête d'ergoter. Je ne suis pas une bandeuse, pas plus que je ne suis comme cette fille dit l'être, dure et insensible. Je veux dire que je ne pourrais pas être, regarde Stephanie, toute crémeuse, il faut que tu penses aux autres possibilités, Wilkie, comme celles que les bébés sont merveilleux, ou sont des personnes, ou que sais-je ? Ce n'est pas que je m'imagine vouloir jamais en avoir un, je dois dire. Je suppose que celui de Steph était tout autant un cas de la passion l'emportant sur les mesures préventives, seulement Steph a plus de tripes, si c'est bien ça que je veux dire. Dans un sens comme dans l'autre, ce n'est pas un bon exemple pour moi. Qu'est-ce que je vais bien pouvoir faire ?

— Eh bien, dit Wilkie, mes projets branlent un peu dans le manche, pour être honnête. J'avais prévu une belle petite virée au bord de la mer, deux ou trois jours à moto quand tout ça serait terminé, avec ma copine, et voilà qu'elle me dit qu'elle est retenue à Cambridge et ne vient pas. Veux-tu venir ? Juste pour faire un tour ?

— Je ne peux pas. Pas avec papa, maman, Marcus, Alexander, et Alexander, et encore Alexander. Tu sais bien que je ne peux pas.

— Ça résoudrait un tas de problèmes. On prendrait du bon temps. »

Frederica sourit sardoniquement. « Tu ne crains pas les effets d'une bandeuse ?

— Il n'y en aurait pas. Je veux dire, non, je ne les crains pas, alors il n'y en aurait pas, et puis, en plus, il n'y a aucune raison que tu paniques avec moi, parce que tu n'en pinces pas aussi sottement pour moi et que tu ne m'as pas raconté de mensonges. Alors il n'y aurait pas – ce genre d'effets – pour cette raison-là aussi. Alors pourquoi ne viens-tu pas ? On prendrait du bon temps.

— Je ne sais jamais ce que tu veux vraiment, Wilkie.

— C'est facile. Je veux être le meilleur. Tout le reste – y compris les gens – passe après.

— Le meilleur en quoi ?

— En tout. Alors c'est ça, mon vrai problème. Ça m'empêche de dormir la nuit. Si tu es le meilleur en tout, comment savoir que faire ensuite ? Quoi qu'il en soit, pense au bord de la mer. Je pars demain. Je passe te voir et je t'emmène, ou bien te donne un baiser d'adieu. »

Et alors le soleil se coucha pour la dernière fois sur la dernière scène d'*Astraea*, et la plupart des acteurs se cachèrent derrière les buissons et les fourrés pour regarder s'ils le pouvaient, tandis qu'Alexander et Crowe, installés tout en haut des gradins, voyaient, ce dont était privée ce soir-là une grande partie du public, l'unique languette rouge du soleil en son déclin. Il y avait eu des soirs où il s'était couché dans toute la gloire de son orbe de sang derrière la maison, la terrasse et le coussin, il y avait eu des soirs où le ciel bleu paon avait été magnifiquement balafré de cramoisi argenté. Ce soir-là d'épais nuages amoncelés de plus en plus haut faisaient régner l'ombre avant l'ombre de la nuit, et l'éclairage sur Marina Yeo dut être renforcé par une lampe à arc de la maison, dont la lumière un peu blafarde répandit infiniment plus de clair-obscur qu'Elisabeth Ire ne l'eût jugé séant.

Là était-elle assise, en tout cas, pour la dernière fois, dans sa chemise de nuit plissée, sur son énorme coussin de soie crème, sous la haute et désormais notoirement pesante perruque rouge. Les mètres d'étoffe radiée portés par Elisabeth II pour le simple moment sacramentel de la cérémonie du couronnement avaient influé sur la conception de ce vêtement de nuit, dont le véritable poids n'aurait peut-être jamais pu être soupçonné en voyant avec quelle aisance Marina, avant de commencer sérieusement, en fait, à mourir, le faisait traîner ou tournoyer derrière elle.

Là était-elle assise, le doigt, ainsi que l'histoire, la mythologie et le texte le dictaient, puérilement dans sa bouche et, comme c'était une pièce en vers, elle se parla à elle-même, avec une éloquence entrecoupée, de la nature des choses, la solitude, la virginité, le pouvoir, l'ombre qui approche. Robert Cecil, les épaules voûtées, montait et descendait avec affairement les marches de la terrasse. Des femmes, qui rappelaient Charmian et Iras, l'entouraient dans l'attente. Le coussin avait des coutures gansées et de fantastiques nœuds de ganse aux quatre coins. La reine parla de l'Angleterre, jasa de prairies vertes, se remémora avec colère que l'anneau avec lequel elle avait été mariée à l'Angleterre avait dû être scié quand l'âge lui avait déformé l'annulaire. Le doigt du gage appela-t-elle ce doigt-là, en se souvenant avec quelque invraisemblance d'une autre comptine de son enfance. Elle parla aussi de mutabilité et, en termes ovidiens, de l'âge d'or, des fleuves de lait et du blé perpétuellement mûrissant. Puis elle tomba dans le silence.

Lodge donna un coup de coude dans les côtes d'Alexander.

« Le meilleur moment de théâtre pur que j'aie jamais monté. »

Lentement, lentement, la forme assise, le dos bien droit et la tête surmontée d'une tourelle de joyaux, s'inclina et reposa sur le coussin. Mlle Yeo savait captiver l'auditoire pendant un temps démesuré, en mourant. La perruque rouge roula, rappelant à qui était sensible aux motifs visuels la description antérieure de la perruque de Marie Stuart tombant de sa tête décapitée, et là femme chenue sombra, pâle comme la mort, parmi les plis crème du coussin. Là elle se convulsa, se débattit et se raidit au centre de son aurore de plissé blanc, et les femmes s'approchèrent avec amour et firent d'elle son propre monument, rajustant vêtements et membres, replaçant une rose cramoisie entre les paumes tendues et jointes de cette icône Tudor. À cause du temps et de la lampe à arc, la blancheur de la scène fut mise davantage en relief que jamais auparavant, et l'actrice sembla sans visage, mis à part le nez crochu qui avait été si soigneusement façonné chaque soir avec de la cire, et ne le serait plus jamais. Une fois qu'elles l'eurent disposée sur le coussin, il devint possible de l'emporter, ce qu'elles firent, blanche, douce et immobile.

« J'ai un peu forcé, dit Lodge. Elle s'est bel et bien couchée, la vieille garce, pour finir. Mais quel théâtre. »

Il y eut de sobres adieux sur la terrasse après la pièce. On en était déjà à prendre leurs costumes aux acteurs et à les ranger dans des caisses en osier pour Stratford et autres lieux. Wilkie, pour une certaine raison, ordonnait une lugubre destruction du matériel du chœur des bouteilles. Il avait un endroit dans la cour des écuries où toutes les bouteilles devaient être jetées, et alors que certains gamins prenaient plaisir au fracas ct au tintamarre, d'autres protestaient en pleurnichant qu'ils avaient eu l'intention de garder leur bouteille personnelle en souvenir. Et à quoi donc croyaient-ils, dit sévèrement Wilkie à ces réfractaircs, que servirait une seule note, sans la formation au complet ? Ils pourraient faire sonner n'importe quelle bouteille n'importe quand. Non, non, tout devait être brisé maintenant, il gardait l'organigramme par devers lui et, un beau jour, en d'autres lieux, il le promettait, la musique des sphères retentirait à nouveau. Entretemps il ne voulait pas que son idée soit mutilée et, de plus, le verre brisé tintait joliment. Alors ils lancèrent, lancèrent et lancèrent encore, dans une cacophonie de verre volant en éclats.

Frederica s'approcha de Crowe, qui était occupé, semblait-il, à écouter Marina donner à Anthea de raisonnables conseils. Elle dit qu'elle souhaitait le remercier pour tout ce qu'il avait fait. Elle dit – en hésitant davantage – qu'elle souhaitait le consulter sur son avenir. Il répondit, avec la plus grande urbanité, qu'il serait enchanté de la conseiller sur ce chapitre, si elle le désirait vraiment, et il lui donna un verre de quelque chose – en quoi elle crut reconnaître avec crainte du xérès très doux, si peu vraisemblable que cela puisse paraître. Et sur quoi au juste, demanda Crowe, avait-elle particulièrement besoin d'un conseil ?

Eh bien, dit Frederica, elle avait toujours voulu être actrice. Elle se demandait si, avec cette presse – elle ne dit pas, ce rôle – derrière elle, elle pouvait tenter un conservatoire, ou même un centre dramatique, tenter de miser là-dessus. C'était ce qu'elle voulait vraiment, une carrière au théâtre. Crowe avait-il une suggestion particulière sur la façon de s'y prendre ? Crowe sourit et lui tapota l'épaule. Il sourit encore davantage.

« Naturellement, dit-il, les conseils de Lodge vous seraient plus utiles que les miens, ou même peut-être – mais c'est douteux – ceux de ce cher Alexander. Mais vous m'avez demandé les miens. Et je vais vous les dire, ma chère petite. Alors armez-vous de courage. Pour faire une carrière dramatique il vous faut d'abord » – il se fit tout sucre tout miel – « vous trouver un nouveau visage, et un nouveau corps. Et puis apprendre à jouer autre chose que vous-même. Il se peut que vous soyez capable de toutes ces choses-là. Mais mon conseil serait de faire ce que papa suggère, de vous contenter de faire du théâtre en amateur pour votre récréation, et de miser sur ces excellents résultats au baccalauréat dont nous avons tant et tant entendu parler. Vous n'êtes pas vraiment capable de jouer, savez-vous. Vous avez été choisie parce que vous ressembliez à votre personnage, et ces personnages-là ne courent pas les rues. Vous avez dit – à juste titre – que l'aimable Anthea avait été choisie pour son charme et sa grâce, mais au théâtre, en général, je dis bien au théâtre et en général, Frederica, ces qualités-là sont légèrement plus recherchées que les vôtres. Je pense comme vous qu'il vaudrait mieux que la voix de l'aimable Anthea fût un peu moins gazouillante, mais il faut admettre qu'on ne peut pas tout avoir, encore que les conservatoires regorgent de jouvencelles qui conjuguent charme, grâce et voix suave avec un minimum de cette intelligence si spéciale – qui n'est pas votre genre – qu'on demande aux actrices.

— Je vois, dit Frederica.

— J'en suis persuadé. Puis-je vous féliciter encore une fois pour votre excellente interprétation, qui a dépassé toute attente – même la mienne. L'intuition s'est révélée juste, tout bien considéré. Et puis-je vous souhaiter bonne chance à Oxford, ou Cambridge, ou n'importe où ailleurs. Et maintenant je dois retourner à l'intéressant petit problème d'Anthea. Au revoir, Frederica. »

Quelques larmes – pas beaucoup, car elle était d'une fierté farouche – se mêlèrent à la graisse lorsque Frederica se démaquilla devant la glace pour la dernière fois. Elle observa Marina Yeo à la dérobée. Marina était laide. N'avait peut-être jamais été belle. Pouvait, supposa-t-elle, avoir toujours semblé l'être. Ce que Crowe avait dit s'expliquait par le lit du Solcil, mais était également sérieux, elle eut l'intelligence de le comprendre, et même, elle eut également l'intelligence de le reconnaître, probablement vrai. La cause était entendue. Elle observa aussi Jenny, qui paraissait fébrile, mais pas abattue comme avant. Elle regarda son propre visage. Crowe avait raison, il était bizarre et ne ressemblait à rien, c'était un visage d'institutrice, avec des taches de rousseur, une bouche et un menton pointus. Quant à ses seins – elle retira son baleinage pour la dernière fois – c'étaient à peine des seins, des bosselures plutôt, et elle avait d'autres bosselures en d'autres endroits, les coudes, les genoux, que les projecteurs adoreraient faire ressortir. Alexander approcha derrière elle.

« Je vous ramène ?

— Ramenez Mme Parry.

— Je pense que son mari va venir la chercher.

— Il ne le fait pas d'habitude.

— C'est la dernière. N'ayez pas de scrupules. Frederica, Frederica, venez donc. »

Elle vint. Elle le laissa l'emmener sans jeter, ni l'un ni l'autre, un regard en arrière à Jennifer. Elle s'assit à côté de lui dans la voiture et versa quelques larmes.

« Qu'y a-t-il, mon amour ?

615

— Crowe dit que je suis trop laide pour être actrice. Et que je suis incapable de jouer quelqu'un d'autre que moi. Trouvez-vous un nouveau visage, m'a-t-il dit. L'horrible, c'est qu'il a raison.

— Je ne comprends pas pourquoi vous voudriez être actrice. Pas avec une intelligence comme la vôtre. Et Dieu sait que vous n'êtes pas laide.

— C'est vrai ?

— Oui, c'est vrai. Un côté sexy austère, a dit Lodge la première fois qu'il vous a vue, quand j'étais si aveugle et têtu comme un mulet. Il n'a pas dit la moitié de la vérité. Chaque centimètre de vous est… vous êtes… Vous êtes la seule femme – de toute ma vie, je le jure – qui m'ait mis dans un tel état de paroxysme. Si cela vous amuse.

— Cela ne m'amuse pas du tout », dit-elle lentement. Cela l'effrayait, même dans son état présent, qu'Alexander puisse penser, ou désirer, qu'elle soit capable d'amusement à propos de paroxysme sexuel. Elle était une imbécile doublée d'une ignorante. Elle avait voulu un Alexander qui était insaisissable, inexprimable, clos.

« Je vous aime, Frederica. Vous êtes ridiculement jeune, et il y a autour de nous d'épouvantables exemples d'erreur, et tout ça est impossible du début à la fin, et je vous aime.

— Je vous ai toujours aimé. »

Il l'emmena de Long Royston et quand ils passèrent la loge et les grilles ornementales, il lui vint à l'esprit qu'elle ne reviendrait jamais. Du moins pas tant que la nouvelle université n'aurait pas modifié tout le paysage au point de le rendre méconnaissable. Elle s'était plus ou moins imaginé qu'elle deviendrait une visiteuse familière et bienvenue en ce lieu, qu'elle se promènerait dans le parc, les potagers, les cours des écuries. Elle entendit derrière elle le léger fracas du verre brisé. Envolée, cette musique. C'était vraiment comme être chassée du paradis. La grille aurait dû résonner en se refermant, mais ne le fit pas, car il y avait beaucoup d'autres voitures.

Alexander la conduisit à très vive allure à la Butte du Château, s'arrêta entre les baraques Nissen et s'empara d'elle. Il essaya, ce qui ne lui ressemblait pas du tout, de lui arracher ses sous-vêtements et lui fit mal avec les élastiques, avec les ongles, en tirant sur ses poils.

« Je dois, je dois », répétait-il, encore incapable en cet instant d'un verbe rationnel. Frederica se débattait, comme elle l'avait naguère fait dans l'espoir d'une réaction, pour se garder intacte.

« Pas ici, pas maintenant », répétait-elle. Alexander bataillait, mais pas très virilement. Ils étaient gênés, et un peur meurtris, par le changement de vitesse et le frein à main.

« Écoutez – Alexander – je trouverai quelque chose, je viendrai demain, c'est promis – si vous me ramenez chez moi à l'instant. Il s'est passé trop de choses. Je me sens sale. S'il vous plaît.

— Bien sûr. »

Il la ramena chez elle. Ils convinrent de se retrouver le lendemain, peut-être sur le point du chemin de fer, près du Bout de Là-bas, et d'aller faire une grande promenade paisible, loin de tous ces endroits, et de chercher voies et moyens. Dès qu'il fut parti et qu'elle se retrouva seule dans son lit étroit de l'allée des Maîtres, elle fut submergée par le désir confus et tardif de toucher sa peau satinée, de respirer l'odeur de ses cheveux, de lui donner... ce qu'elle avait à donner. Elle s'endormit en serrant les poings de colère et de désir.

Alexander, regardant sans avoir sommeil par la fenêtre de sa tour la lune jouer sur les serres des tomates, fut accidentellement témoin des zigzags et embardées du retour de Lucas Simmonds, qui rentra comme il était parti, sauf qu'à présent il roulait lentement, tant bien que mal, en mordant sur des péninsules de pelouse et de fleurs. Impartial et froid, Alexander observa Simmonds, tout échevelé, débouler plus au moins de la voiture et se diriger comme un homme ivre vers sa propre tour. Il ne ferma pas la portière. Alexander songea à lui venir en aide, et ne put se résoudre à le faire – il n'y avait aucune aide qu'il puisse apporter en cas de démons guettant à la fenêtre et de bouteilles de lait remplies de sang devant la porte, et si Simmonds ne déraillait pas une bonne nuit de sommeil lui ferait plus de bien, serait le mieux. Penser à Simmonds lui était désagréable, aussi. Il pouvait le remettre au lendemain. Que ce type ne soit pas mort, mais en train d'aller tranquillement se coucher, démentait au moins en partie les théories tourmentées de Marcus Potter.

41

La Mare Croupie

Le lendemain était un dimanche. Marcus se réveilla dans sa chambre, entendit avec soulagement les râles et les sifflements familiers de sa respiration pénible, ouvrit des yeux lourds, les referma et sombra dans un sommeil sans rêve. Il était malade. Il n'était pas responsable.

Alexander, qui n'avait pas dormi, se sentit honteux de sa conduite envers Lucas Simmonds la veille au soir. Il se rappela également que Geoffrey et Jennifer allaient presque certainement rappliquer avec leurs nouveaux plans pour son avenir, et décida, avec un mélange de lâcheté et de courage, de sortir. Il franchit le cloître jusqu'à la tour de Lucas, au pied de laquelle attendait au soleil une bouteille de lait immaculée à capsule dorée, et il monta légèrement l'escalier en courant. La porte de Simmonds était ouverte. Alexander frappa. Il n'y avait personne. Alexander entra et nota que le lit avait servi normalement et qu'un pyjama était jeté en travers de l'oreiller comme s'il avait été normalement ôté. Il sentit une odeur de pain grillé et de sueur. Il ne lui appartenait pas d'ouvrir une fenêtre. Il décida d'avoir l'œil sur Simmonds et d'aller se promener dans la direction de Frederica Potter.

Frederica eut du mal à sortir parce que Bill se querellait obscurément avec Winifred à propos de la grossesse de Stephanie. Que Winifred ne pût à l'évidence être tenue en rien pour responsable de la conception de leur futur petit-enfant n'empêchait nullement Bill de l'accabler de reproches, en répétant à tue-tête que tout s'expliquait maintenant, que ce marmot avait été engendré hors des liens du mariage, que les hommes d'Église devraient avoir des principes, qu'il tournerait publiquement Daniel Orton en ridicule. Winifred, contrairement à ses habitudes, pleurait. Elle pleurait, non sur le sort de Stephanie, qu'elle enviait amèrement, mais sur celui de Marcus, qu'elle aimait et avait négligé. Elle ne soufflait mot de Marcus à Bill, de crainte qu'il n'invente quelque chose à faire à son sujet, comme un interrogatoire en règle de Lucas Simmonds, à supposer qu'on puisse lui mettre la main dessus. N'importe quelle initiative de Bill serait pire que l'inertie. Cette pensée la faisait pleurer, avec pour résultat que Bill vociférait de plus belle. Quand Frederica annonça qu'elle allait se promener, Bill clama qu'il n'en était pas question. Winifred dit qu'elle ne voyait pourquoi elle n'irait pas, et Frederica battit en retraite dans la cuisine et s'échappa par la porte de derrière. Dès qu'elle fut dehors, toute seule, au soleil, elle rentra en possession de son corps et rayonna d'espérance et de terreur. Elle se mit à courir en remontant le Bout de Là-bas, sachant qu'Alexander devait l'attendre, qu'il ne pouvait que l'attendre, aussi sûrement qu'elle savait que l'herbe était dure et que le train passait dans un bruit de tonnerre à l'horizon.

Beaucoup de gens semblaient penchés à la fenêtre de cet express précisément, en poussant des cris et en montrant du doigt. Elle crut qu'ils avaient reconnu son célèbre visage, et puis, de manière plus plausible, qu'elle avait, dans la fièvre du moment, oublié de mettre un vêtement essentiel. Elle hésita, s'arrêta et regarda autour d'elle. C'est ainsi qu'Alexander, sur le pont, et Frederica, sur la ligne de touche du terrain de rugby, virent la silhouette dans la Mare Croupie, un homme nu qui chantait d'une voix forte. Ils avancèrent lentement. En approchant, Frederica par derrière et Alexander par devant, ils reconnurent Lucas Simmonds, Frederica à ses cheveux bouclés ainsi qu'à une certaine protubérance importune de ses fesses ivoirines, Alexander à son visage cramoisi et crispé. Simmonds remuait l'eau noire satinée du bassin circulaire avec une longue perche qu'il manœuvrait de la main gauche. La Mare Croupie, qui n'avait pas été sondée depuis longtemps, devait être plus profonde qu'on ne le supposait. Du moins recouvrait-elle les genoux dodus de Simmonds en ballottant et clapotant. Ce qu'il chantait était pour une part *Ô viens, ô viens, Adonaï*, avec des voyelles interminablement allongées et roucoulées, et pour une autre part le psaume 136 dans la version de Milton chantée à l'office dominical de Blesford Ride deux fois par trimestre en moyenne. Les vers du texte de Milton, souvent tronqués, se dissipaient dans le susurrement de l'eau. Une certaine dose de colère et de fébrilité se manifestait dans la façon dont le bâton frappait l'eau quand les mots échappaient, et une exultation véritable, étrange et forte, sonnait dans les paroles dont Simmonds se souvenait. Sa toison, sur sa tête et sur son corps, était très soigneusement parée de fleurs, herbes des champs, persil d'âne, becs-de-grue, coucous, cornes-du-diable, grandes marguerites des prés soigneusement disposées, avec des épis de seigle, d'orge, et de longues tresses de pattes-d'oie retombant en écheveaux poisseux.

Quand Alexander approcha de plus près il vit que la main droite tenait un couteau de boucher très pointu, et que de petites entailles, et très probablement de plus grandes aussi, formaient un lacis sur la face interne des cuisses nappées de sang miroitant en train de se ternir.

Alexander vit que Lucas était fou. Il n'avait jamais un seul instant supposé qu'il lui arriverait un jour de voir quelqu'un d'aussi classiquement, splendidement, archétypalement fou. Mais il lui était impossible tout autant de se mettre à imaginer son propre état d'esprit ni de penser à la conduite à tenir. Il pensa qu'il devait probablement s'approcher avec intrépidité. Il s'avança.

« Simmonds. Simmonds, mon vieux. Puis-je faire quelque chose pour vous ? »

Simmonds, avec un regard de concentration féroce, fixa le soleil et continua à chanter. Alexander avança jusqu'au bord de la mare. Simmonds, pataugeant dans l'eau avec quelques éclaboussures, fit un geste très menaçant avec le couteau dans sa direction. Alexander recula. Il s'avisa de la présence de Frederica et lui fit frénétiquement signe de s'en aller. Frederica s'approcha, et Simmonds se retourna pour lui faire face. Ainsi vit-elle enfin dans toute leur gloire flétrissante sa couronne et son plastron fleuris, et les languissantes fleurs pourpres enroulées dans les fines touffes du pelage de son pubis. Elle vit aussi le sang et le couteau.

« Rentrez chez vous, dit Alexander, soyez raisonnable. Courez chez vous et trouvez du secours.

— Pas de secours, psalmodia Simmonds. Pas de secours.

— Allez-y, dit Alexander à Frederica, vite. »

Elle se mit à courir.

Alexander s'accroupit sur le bord du bassin, à une certaine distance, et observa, hypnotisé, les organes génitaux de Simmonds, qui étaient volumineux et, quoique ensanglantés, non fléchis. Simmonds baissa la tête, frappa l'eau et chanta d'une voix suave qui s'estompait dans des silences renfrognés. Alexander se demanda avec agitation ce qu'il ferait si ce dément se fourrait dans la tête de courir vers la voie ferrée, ou de tenter résolument de se châtrer. Simmonds se mit à tourner en rond. Alexander décida que d'une façon générale il préférait le voir de dos.

Frederica fit irruption dans une dispute familiale augmentée de la présence de Daniel et de Stephanie qui avaient décidé, en proie à un certain découragement, d'essayer d'améliorer les choses en faisant conjointement amende honorable de la conception de leur enfant. Elle clama :

« Au secours, au secours, Lucas Simmonds est en plein délire à se tortiller comme un ver dans la Mare Croupie, Alexander y est et il le menace avec un coutelas. Et quand je dis à se tortiller comme un ver, je veux dire qu'il est nu comme un ver. Au secours. Couvert de

622

fleurs et d'autres plantes, comme le roi Lear ou l'amant de Lady Chatterley. Faites quelque chose. On a toujours dit qu'il y avait des sangsues dans la mare, c'est horriblement noir. Il a un air épouvantable, il n'arrête pas de chanter.

— Une ambulance, dit Daniel à Stephanie. – Arrête de hurler comme ça », dit Daniel à Frederica. Il était toutefois trop tard pour cette mise en garde. Marcus apparut, pâle et tremblant, sur le palier. Stephanie parlait au service des urgences, expliquant qu'elle voulait une ambulance pour le terrain de rugby – le Bout de Là-bas – au collège de Blesford Ride. Non, ce n'était pas un accident de sport, elle pensait que la présence de la police pourrait s'avérer nécessaire – un homme dangereux avec un couteau… à maîtriser.

« Inutile de te régaler de la situation, dit Daniel avec humeur à Frederica.

— Je ne fais rien de tel, c'est juste ma manière de m'exprimer, et je suis venue chercher du secours, c'est l'essentiel, non ? répliqua Frederica en relevant la tête avec dédain comme une ménade et en rayonnant théâtralement de fatuité.

— Tu aurais pu mettre une sourdine à tes fichus braillements », reprit Daniel. Frederica regarda autour d'elle d'un air confondu d'incompréhension. Marcus descendit doucement l'escalier et tira Daniel par la manche.

« Tu y vas ? Est-ce que je peux – y aller ? »

Daniel envisagea le problème.

« Tu n'es pas obligé.

— Je savais qu'une chose terrible allait arriver. Je suis responsable de lui. Il faut que j'y aille.

— S'il faut, il faut. Si ça rend les choses pires, ou si je te le dis, tu rentres ici, tu m'as compris ?

— Il n'ira pas, dit Bill.

— C'est sa vie, dit Daniel. Vous l'avez laissé la vivre et en arriver là sans vous en mêler. Maintenant qu'ils sont dans un sale pétrin, s'il croit devoir aller jusqu'au bout, je dis qu'il le peut.

— Cet homme est un dément.

— Moi aussi, peut-être, dit Marcus en tiraillant très doucement de ses doigts pâles la manche de la veste de Daniel. Peut-être – arriverai-je à le calmer. Avant – il faisait – ce que je lui disais.

— Toi, tu fais ce que je te dis, moi, dit Bill.

— Et pourquoi donc ? » dit Daniel qui était, comme il devait se l'avouer plus tard, bougrement en rogne contre Bill pour son propre compte et, de ce fait, manquait peut-être de clairvoyance s'agissant de Marcus.

« Il faut absolument que j'y aille. Si quelque chose – arrive – je serai – responsable toute ma vie.

— Viens alors », dit Daniel. Là-dessus, Stephanie tira à son tour Daniel par la manche. « Tu crois ?

— La vérité vaut mieux que l'imagination, et Marcus a raison, cette affaire le regarde. Viens. »

À ces mots, ils franchirent l'allée du jardin et gagnèrent le Bout de Là-bas, Marcus vacillant entre Daniel et Stephanie, Bill et Winifred derrière eux, et Frederica, réduite au silence par l'inconvenance de son raffut, à la remorque. Lucas Simmonds était toujours dans la mare, chantant d'une voix un peu rauque à présent, et Alexander, toujours accroupi, montait inutilement la garde. Daniel alla droit à Lucas.

« Nous sommes venus vous chercher. »

Lucas se mit à tourner en rond.

« Pourquoi ? » dit Daniel qui se serait volontiers passé de l'auditoire bouche-bée qu'il trouvait embarrassant. Il voulait sincèrement savoir pourquoi – pourquoi Lucas avait choisi d'entrer dans ce bassin en cet état de nudité fleurie.

Simmonds brandit le couteau. Marcus courut vers lui.

« Monsieur ! Monsieur ! C'est un malentendu. Je sais que j'aurais dû venir, je ne pensais pas ce que vous pensez que je pensais, j'y crois vraiment, aux photismes, aux herbes, monsieur, nous avons vu, vraiment vu, il y a des relevés scientifiques – mais ce n'est pas le bon moyen. »

Lucas se tourna, baissa la tête comme un taureau et roula des yeux furieux. Marcus fit un pas en avant et tendit la main.

« S'il vous plaît, sortez de là. »

Très posément Lucas Simmonds fit gicler la fine vase noire de la Mare Croupie en larges éclaboussures sur le jeune garçon, sa chemise propre, son pantalon gris, son visage blême aux taches de rousseur.

« Allez-vous-en. Vous n'allez pas vous mettre à être bon envers moi. Pas vous. »

Il se remit à frapper l'eau. Un ambulance apparut, escaladant le talus au bord du terrain.

« Qui alors ? » dit Daniel tandis que divers ambulanciers et policiers traversaient le Bout de Là-bas, avec civière, camisole de force et couverture rouge, sous le soleil ardent. « Qui ? »

Lucas Simmonds considéra d'un air désespéré les gens en cercle, les Potter en si grande foule, Alexander fragile, Daniel pesant. Il sortit du bassin, qui fit un bruit de succion, vint à Stephanie et enfouit sa tête brûlante dans sa poitrine. Il demeura ainsi, grotesquement voûté, car c'était une femme de petite stature, grotesquement zébré, boue noire, cuisses rouges, corps blanc, cou écarlate, éclaboussures des fleurs, et elle l'entoura de ses bras, avec un haut-le-cœur, et dit sans aucun sens, « Ça ne fait rien.

— Je vous l'ai dit, je vous l'ai dit, je suis sans vie privée, je ne touche jamais personne.

— Ça ne fait rien.

— Les destructeurs arrivent.

— Non, non. C'est un peu de paix.

— Ne croyez pas cela, madame. J'y suis déjà allé. Il n'y a pas de paix en de pareils lieux, juste des lumières blanches et l'annihilation du temps et de l'espace raisonnables. Je crois que je veux pas y aller. »

Il se redressa sans force et agita son couteau, alors la petite troupe d'hommes se précipita sur lui par-derrière, le ceintura, le terrassa, lui prit le couteau et le fourra dans l'ambulance. La porte se referma.

« Où vont-ils l'emmener ? dit Marcus.

— À l'hôpital général de Calverley, je pense, dit Daniel. Il y a un service de psychiatrie.

— C'est bien ?

— Pas mal. Il y a mieux et il y a pire. Il va se calmer, là-bas.

— Il ne veut pas... »

De retour à l'allée des Maîtres, Winifred insista pour que Marcus, dont la respiration sifflait horriblement, soit remis au lit. Alexander resta avec Frederica à écouter Bill fulminer contre l'immoralité fondamentale de toute intrusion dans la vie des élèves. Stephanie s'assit et ferma les yeux. La peau de cet homme avait été brûlante sous ses doigts, il avait posé sa bouche mouillée sur sa poitrine, elle ne se délivrerait jamais de la pitié, elle avait envie de prendre un bain. Bill dit qu'il allait monter avoir une conversation sérieuse avec Marcus, découvrir exactement ce qu'ils avaient fabriqué tous les deux, s'assurer que le garçon avait bien compris que ces ignominies étaient terminées une fois pour toutes. Winifred dit qu'il faudrait d'abord lui passer sur le corps – il fallait laisser Marcus tranquille, il ne fallait ni le chapitrer ni le cuisiner, il lui fallait du calme et de la solitude. Winifred avait raison, mais parce que, contre toute attente, elle eut gain de cause, il ne fut pas découvert avant la fin de l'après-midi que Marcus avait escaladé la fenêtre de sa chambre, malgré son asthme et tout le reste, et qu'il avait disparu. Il fallut à Bill et Winifred deux jours et demi pour retrouver leur fils, ce qui aurait pourtant pu se faire facilement. Bill commença par affirmer en l'air que le garçon était « sain et sauf » et « juste sorti faire un tour ». Winifred était convaincue que Marcus, de son propre chef selon toute vraisemblance, était mort. Quand Bill accepta tardivement d'appeler la police, bien du temps se perdit en recherches dans les friches et les rivières. Alexander sillonna inutilement les routes transversales et Wilkie, enrôlé par Frederica, parcourut la campagne sur sa machine pétaradante, scrutant fossés et fourrés. Daniel téléphona à l'hôpital général de Calverley, qui répondit que Marcus Potter n'était pas là, pas plus que Lucas Simmonds, lequel avait été examiné, transféré sous sédatif et admis au Mont des Cèdres, important asile à une quarantaine de kilomètres de Calverley, en pleine campagne, dans un domaine entouré de murs. Daniel téléphona alors au Mont des Cèdres, qui l'informa que Lucas Simmonds était encore sous sédatif et qu'il n'y avait aucune trace de Marcus Potter.

Frederica accompagna Alexander. Elle se sentait bizarre. Son attention s'envolait dans toutes les directions. Parfois elle voyait en pensée la nudité congestionnée de l'homme, parfois la mine inconsistante de son frère, mais n'arrivait pas à établir de rapport entre les deux. Parfois une espèce d'épuisement brûlant s'emparait d'elle, et avec cet épuisement venait le désir, alors elle touchait les jambes d'Alexander à côté d'elle. Parfois, à ce geste, il tremblait de désir, et parfois d'irritation. Lui non plus ne pouvait fixer son attention, ni sur le désastre annexe, ni sur la jeune fille, à présent. Il avait divers bouts de papier dans ses poches, messages de la secrétaire du collège disant que Mme Parry, ou parfois le Dr Parry, avait téléphoné, mais il avait réussi à éviter d'avoir effectivement à répondre à aucun des ces appels. Il avait également reçu deux épaisses missives de Jenny, qu'il n'avait pas ouvertes. Comme Frederica, *mutatis mutandis*, ses pensées étaient désagréablement ramenées à l'étalage écarlate des organes de Lucas Simmonds.

Quant à Marcus, il marchait. Daniel avait eu instinctivement raison. Seulement, le moment de ses appels avait été mal choisi et le standard de l'hôpital, mal informé et inefficace. Tout d'abord Marcus avait gagné Calverley à pied par les routes secondaires, exalté par la marche et respirant plus facilement au fur et à mesure qu'il progressait. Il était convaincu qu'il avait, en partie par inadvertance, rompu l'attache qui retenait Lucas à la réalité, et qu'avec cette attache son propre et mince lien, par le truchement de Lucas, avec la vie quotidienne, avait disparu. Il aurait dû aller avec lui voir les pierres et se faire tuer, ne cessait-il de penser, mais sans savoir vraiment pourquoi cela eût mieux valu. N'importe comment, il avait mal agi. Bien agir consistait à rester fidèle à Lucas. Il cheminait dans l'herbe des bas-côtés, et le pollen, en s'élevant, congestionnait ses paupières et les muqueuses de sa gorge. Il ne lui parvenait pas de messages, mais il avait l'horrible impression que la lumière attendait le moment de jaillir sur lui, hostile, s'il relâchait les curieuses défenses d'insignifiance et d'inanité qu'il avait érigées. De même qu'il craignait la lumière, de même s'était-il mis à craindre la maison de l'allée des Maîtres, qu'il voyait comme une combinaison de cases carrées noires où l'on errait sans fin, dans une chaleur intolérable, pour aboutir à des murs nus et des tournants.

Quand il atteignit Calverley, il eut recours à la ruse. Il trouva l'hôpital après avoir trouvé un plan des rues à l'extérieur de la cathédrale, et il s'y rendit à pied, en faisant un détour par un périphérique facile à suivre mais horriblement long, bruyant et poussiéreux. Une fois arrivé, il sentit qu'il avait l'air bizarre, ce qui était dangereux, et qu'il était effectivement bizarre, sous l'effet de l'émotion, la faim, la fièvre des foins, l'asthme et l'épuisement. Il n'avait ni l'envie ni la force de manger, mais n'avait rien pris depuis deux jours déjà.

Il s'assit sur un banc du parc et se permit quelques larmes silencieuses. Cela procédait de la ruse, car les larmes le détendirent, lui rendant ainsi possible de faire ce qu'il devait et d'user d'une bonne voix normale pour demander à voir Lucas Simmonds. Il épousseta son pantalon poussiéreux avec ses mains et essuya ses chaussures avec son mouchoir, avec lequel il tenta ensuite, sans grand succès, d'enlever la pellicule de poussière de ses lunettes. Puis il se leva et fit quelques pas en flageolant jusqu'au moment où il se jugea capable de pénétrer dans l'hôpital d'un pas vif, ajusta ses lunettes souillées sur son visage souillé, se tourna dans la bonne direction et se remit en route.

Il haïssait et redoutait les hôpitaux. L'odeur, l'écho, le remue-ménage, le dépérissement. Il s'engouffra entre les portes battantes de cet hôpital-ci et s'adressa à un portier d'une voix glapissante qui miraculeusement se tempéra en un bruit conforme, poli et neutre.

Il lui fallut tenir le coup pendant une demi-heure de transbordements de cage de verre en cage de verre, de portier en infirmière et encore en infirmière et enfin en infirmier. Ce dernier savait, et il le lui dit, que Lucas Simmonds avait été envoyé dans un établissement à la campagne. Quel établissement? L'infirmier était un brave homme, il écrivit les renseignements sur un bout de papier et il dessina une petite carte routière dont, malheureusement peut-être, l'échelle ne signifia rien pour Marcus à ce moment-là. Marcus remercia d'un signe de tête raide, craignant, s'il parlait davantage, d'être trahi par quelque nouveau glapissement ou tremblement.

Après quoi – et cela lui prit deux jours – usant d'un surcroît de ruse en dormant dans une meule de foin pour conserver ce qu'il considérait risiblement comme ses « forces », il rallia à travers la campagne l'asile d'aliénés du mont des Cèdres. Il ne conserva guère de souvenirs de cette marche, à part la poussière, la sueur et les larmes collées à la peau comme un masque mortuaire, et le fait d'avoir bu dans une flaque d'eau assez sale, ce qui lui donna la nausée, juste avant de tomber sur un abreuvoir à bestiaux à peu près tolérable. Il est presque certain qu'il parcourut – personne ne le calcula ni ne le sut jamais – un plus grand nombre, un beaucoup plus grand nombre de kilomètres que nécessaire, tournant plusieurs fois en rond avant de trouver les hauts murs du domaine, autour desquels il tituba et trotta de plus belle jusqu'au moment où il parvint à un portail, et à une l'allée, et franchit l'un, et suivit l'autre. Le mont des Cèdres était, comme Blesford Ride, mais en beaucoup plus grand, de style gothique victorien et, toujours comme Blesford Ride, de fait, doté par le munificent et libéral ancêtre de Crowe pour une gestion humaine, comme la Retraite à York.

Trop las à présent pour ruser, Marcus monta des marches, agrippa une femme en blouse blanche et dit qu'il était venu rendre visite à son ami, M. Lucas Simmonds, et craignait d'arriver un peu tard. Il ajouta cette dernière précision pour rendre plus plausible son air empourpré et haletant. Il glapit et gémit, et laissa gronder les orgues de son asthme pour couvrir sa voix mal contrôlée. Il avait en fait mis la main sur la meilleure personne possible, une visiteuse bénévole, bienveillante, possessive et empressée, laquelle dit d'une voix dubitative qu'elle pensait que M. Simmonds ne recevait pas de visites. « Quelle ânerie ! » s'écria Marcus dans une stupéfiante imitation des aboiements de son père. « Bon » dit la visiteuse, elle allait se renseigner, et elle s'enfonça lentement dans un corridor, Marcus sur ses talons, et gagna une salle où des vieillards en chemise de nuit, ou en pantalon de flanelle et chemise de couleurs gaies, étaient assis devant leur casier ou auprès d'une longue fenêtre. Au bout de cette salle, la visiteuse vira à la recherche d'une infirmière-chef, et Marcus découvrit Simmonds couché dans un lit de fer, les yeux fixés au plafond, son visage d'angelot hébété et enflammé.

« Monsieur, dit Marcus. Monsieur, je suis venu vous voir. »

Simmonds tourna la tête sur le côté et regarda.

« Je suis désolé d'avoir l'air affreux, je crois. Je suis venu à pied.

— Le lieu où nous sommes est incertain.

— Non, pas du tout, il s'appelle le mont des Cèdres, c'est un endroit tranquille, je sais où c'est, je suis venu à pied. »

Simmonds regarda d'un œil fixe. Marcus pensa : Il va me cracher dessus, il va juste fermer les yeux, il va vomir ou quelque chose comme cela. Simmonds regarda d'un œil fixe. Puis il dit, formant les mots très soigneusement :

« Asseyez-vous. »

Marcus s'assit. Il saisit sous le drap la main flasque de Lucas et la tint dans la sienne. Elle tremblait. Il dit :

« Vous voyez, je suis venu. Il faut que vous me disiez, mais pas maintenant, pas encore, quand vous le pourrez. Ce qui s'est passé.

— Oh. Il ne s'est rien passé. Juste – une chose – abominable.

— Cela n'a aucune importance, monsieur. Il faut vous guérir.

— Ils vont – m'amputer par petits bouts. Pas ceux qu'il faudrait. Par petits bouts de cervelle. Ils vont… ils mutilent ma mémoire. Alors – on perd – son travail. Sans doute cela – en tout cas. Ne les laissez pas. Ne partez pas – Marcus. Merci – merci beaucoup – d'être venu. »

Marcus sentit que seul son masque mortuaire de poussière empêchait son visage de se plisser de pleurs. Il dit :

« Je ne partirai pas. Je promets que je ne partirai pas. »
Simmonds dit :
« Je voudrais – parler tout bas. »
Marcus abaissa son visage d'argile plus près de la bouche qui peinait.

« J'ai peur – mais ça – ne compte pas – moi. C'est vous – le vrai de vrai. Le miracle. Ne les laissez pas – vous mettre en cage. Ne laissez pas. Ne laissez personne – s'emparer de votre cerveau. Dieu – vous veut.

— Ou autre chose.

— Dieu ou autre chose. » Simmonds eut un sourire morne. « Ou moi. Vous ne partirez pas.

— Non, je ne partirai pas. »

Il ne partit pas, pendant un certain temps, mais Lucas et lui durent livrer une bataille complexe contre des forces qui finirent par s'avérer insurmontables. Tous deux versèrent des pleurs, tous deux, à un certain stade, poussèrent des hurlements, Marcus essaya de se cramponner au lit quand on le touchait. Une injection disposa de Simmonds, aussi Marcus passa-t-il la dernière partie de sa veille, après que les sursauts du corps de Simmonds eurent été suivis par la torpeur, à contempler une masse de ronflements. Tant qu'on ne sut qui il était, aussi incroyable que cela puisse paraître, on le laissa au chevet de Simmonds, non sans venir de temps en temps le questionner sur son identité, ou essayer de savoir comment il était venu. Il répondait par des sourires polis, poussiéreux, fantomatiques.

Le troisième appel téléphonique plus désespéré de Daniel donna finalement aux responsables de l'hôpital une idée du problème qu'ils avaient sur les bras, et Marcus, au bout du compte, en relevant sa tête lasse après avoir bu un verre d'eau – il avait persisté à refuser toute nourriture –, vit ses parents avancer vers lui dans la salle. Winifred détourna les yeux de la forme sur le lit. Bill dit : « Maintenant tout va bien, tu peux rentrer à la maison maintenant, et toutes ces âneries vont cesser, comme si elles n'avaient jamais existé ».

Marcus se mit à hurler. Il fut stupéfait de se montrer capable de faire tant de bruit, stupéfait encore de ne pouvoir s'arrêter, stupéfait enfin de la protection que ses clameurs érigeaient autour de lui. Le visage de son père parlait instamment et sa voix était inaudible. Un vieillard dit à Marcus – Marcus crut que c'était à Bill – de la boucler. Un médecin fut appelé. Une infirmière robuste fut appelée. Marcus hurla, sanglota et reçut une injection. Bill et Winifred parlèrent avec les médecins, et il fut décidé que Marcus et eux resteraient à l'hôpital, pour la nuit, et qu'eux le veilleraient, afin qu'il se sente en sécurité quand il reprendrait connaissance. Ils pourraient alors discuter ensemble de ce qu'ils feraient. Winifred téléphona à Frederica et lui dit que Marcus était retrouvé, mais malade, à l'hôpital, où ils étaient aussi, et qu'ils ne rentreraient pas ce soir. Cela n'ennuierait pas Frederica de rester seule, certainement. Qu'elle n'oublie pas de fermer les portes à clé, et de prévenir Daniel, qui avait trouvé où était Marcus, elle s'en tirerait très bien toute seule.

Frederica dit qu'elle s'en tirerait parfaitement.

42

La vierge dans le jardin

Frederica arrêta les recherches. Trouver Alexander était facile, ce dont elle n'avait pas encore cessé de s'étonner, après tant d'années à l'aimer et à ne l'apercevoir qu'avec un tressaillement de cœur, et par inadvertance, toutes les deux ou trois semaines, ou même à de plus longs intervalles. Maintenant, comme un amoureux, il ne la quittait jamais sans lui indiquer où le joindre ou lui laisser un message. C'était un terrible pouvoir. Qu'il tienne tant à ce qu'elle soit sûre de lui conférait à Frederica un terrible pouvoir.

Wilkie était plus dur à trouver, maintenant que la pièce était terminée. Tout le temps qu'elle se jouait il avait loué une chambre à Calverley mais avait le plus souvent dormi à Long Royston, et la chambre à Calverley, où Frederica n'était jamais allée, n'avait pour appeler qu'une cabine dans le vestibule ; la plupart du temps, le téléphone sonnait interminablement en écho, mais il était parfois décroché par de parfaits inconnus qui ne savaient pas qui était Wilkie, ou bien qui l'avaient aperçu deux ou trois semaines plus tôt peut-être, mais pas depuis. Alors elle laissa à Alexander des messages le priant d'aller voir dans des endroits vraisemblables, et attendit que Wilkie réapparaisse, ce qu'il fit, déboulant dans l'allée des Maîtres dans un grondement de tonnerre, en grosses lunettes et blouson de cuir comme les messagers de la mort de Cocteau dans *Orphée*. Frederica n'avait jamais vraiment cru qu'Alexander et elle réussiraient à retrouver Marcus ; elle prit conscience, en voyant la tête de Wilkie émerger de sa caverneuse coquille, qu'elle avait redouté que lui le retrouve horriblement flasque et mutilé.

«Tout va bien. Il est retrouvé. Il était allé dans l'asile de dingues où ce type a été mis. Dans deux asiles de dingues. À pied. Ils disent qu'il est lui-même malade, ils ne disent pas si c'est grave, ils ne disent pas s'il est fou, lui aussi, ou quoi.

— Je vois. Eh bien, je vais retourner à mes projets de départ. Tu ne viens pas?

— Comment le puis-je? Les parents sont restés avec lui, Marcus, il est en observation, j'ai la maison à moi. Je suis responsable.

— Responsable de quoi? Il n'y a rien ici, vraiment, dont tu puisses l'être. Un pieux mensonge, une invitation chez une amie, ferait l'affaire. Ça te ferait du bien, un bol d'air marin.

— Ne dis pas de bêtises. Je ne peux pas. Entre boire un café.

— Non merci. J'ai des choses à faire.» Il commença à remettre gants et casque. «C'était juste pour secourir une âme en détresse. Je te ferai signe. Avant peu, avant de partir. Prends bien soin de toi.»

Il enfourcha son engin, lança plusieurs fois le moteur à grand bruit, et partit dans un vacarme d'enfer, tel un invraisemblable chevalier noir. Frederica rentra dans la maison et s'y promena de pièce en pièce. Elle ne s'y était jamais trouvée seule, le petit silence et le vide lui faisaient un peu peur – mais les choses avaient aussi commencé à prendre un tour assez agréable où s'alliaient irréalité et disponibilité. Elle enferma dans un placard de la cuisine un vase qu'elle n'avait jamais aimé, ce qui la poussa à retourner dans le séjour pour se débarrasser des photos de famille posées sur la tablette du secrétaire. Elle flanqua dans un tiroir Stephanie et elle fillettes, avec une certaine allégresse, mais resta en contemplation devant Marcus bébé, troublée par une évidence dont elle n'avait jamais eu conscience : l'immensité de l'amour que Winifred vouait à ce bébé, l'immensité de sa propre haine à son égard, la manière dont elle s'était protégée de cette haine, et en avait protégé Marcus, par le recours à ce qui la frappait à présent comme une extraordinaire ignorance volontaire de la nature et des habitudes de son frère. Elle l'avait simplement traité comme une quantité injuste dans sa vie sociale, un objet de ressentiment. Elle le fourra dans un tiroir, lui aussi, puis compléta la collection avec la totalité des pipes de réserve, des cure-pipes et des cendriers de Bill. Elle regrettait que Wilkie ne soit pas entré boire un café. De toute sa vie elle n'avait jamais eu nulle part où inviter quelqu'un ou organiser quelque chose, et il n'avait pas pris garde à cette circonstance capitale, il avait juste dit non et était parti.

Elle était sur le point d'aller impétueusement couper des roses derrière la maison, ce que Winifred ne faisait jamais, lorsque l'automobile argentée d'Alexander s'arrêta en douceur devant la porte. Il franchit l'allée en quelques bonds, tel un cerf aux abois, détournant la tête pour éviter de voir la barrière des Parry, désireux de ne pas même savoir si un rideau bougeait ou un rai de lumière filtrait sous une porte. Frederica lui ouvrit la porte assez majestueusement.

« J'ai toute une maison à moi.

— Ah bon, laissez-moi entrer, ne restez pas sur le pas de la porte, si cela ne vous fait rien. Comment va-t-il ? Comment va Marcus ?

— Oh, il va bien. Ils l'ont retrouvé. En fait, non, il n'est pas très en forme, mais ils l'ont retrouvé. Il était parti dans cet hôpital psychiatrique. Daniel avait raison, c'est juste que personne ne savait qui il était. Maintenant il est alité là-bas, lui aussi, assez malade, d'après maman, mais elle ne dit pas si c'est grave, ni de quoi il s'agit. En tout cas ils sont allés le rejoindre, et j'ai une maison à moi. »

Elle conduisit Alexander dans la salle de séjour de ladite maison et demanda :

« Voulez-vous du café ?

— Merci beaucoup », répondit Alexander, poliment.

Elle remua des casseroles avec grand affairement et piètre compétence. Alexander la suivit et s'adossa au buffet pour la regarder. Tous deux étaient inhibés par ce que la maison avait de contradictoire. C'était un lieu clos et ils s'y trouvaient seuls tous deux, comme au secret. C'était la maison de Bill Potter, où Frederica était une enfant réprimandée et Alexander un jeune collègue, et où la fureur, la vie familiale, le régime fastidieux et monotone de la propreté, des repas et du sommeil, pesaient lourdement dans l'atmosphère. Ils rapportèrent le café dans le séjour, prirent chacun un siège et se lancèrent dans une conversation assez courtoise à propos de Marcus.

« J'ai mauvaise conscience, dit Alexander. Il est venu me dire, Marcus, que ce type était en train de devenir fou, et je ne l'ai pas pris au sérieux. »

Pour une certaine raison – qui n'avait rien à voir avec ce que Marcus avait pu ressentir – cette confidence mit Frederica très en colère.

« Pourquoi faire une chose pareille? Pourquoi vous importuner? Ils sont fous, fous à lier, tous les deux. Qu'avez-vous fait?

— En fait – j'ai cru – que c'était une histoire de sexe. Je lui ai conseillé de garder ses distances.

— Mais c'était ce qu'il fallait, c'était le bon sens.

— C'était visiblement l'inverse. J'étais embarrassé. À cause de vous.

— À cause de moi?

— Oui, je ne me sentais pas en position de parler. Le détournement de mineurs. Votre père. Tout cela.

— Ce n'est pas très sympa de me dire ça.

— Ne réagissez pas comme cela. Vous n'êtes pas très sympa.

— Pas très sympa?

— Que croyez-vous donc? Si vous l'étiez, nous ne serions pas assis comme ça. Nous serions en train de nous inquiéter pour Marcus.

— Ça ne servirait à rien de le faire. Ça ne l'aurait sans doute pas fait avant, ça ne le fera certainement pas maintenant.

— Dites-moi comment il va.

— Je vous l'ai dit. Je ne sais pas. »

Ce sur quoi ils burent leur café en silence, tout en pensant à l'impensable Marcus, et à l'encore plus impensable Lucas qu'ils avaient néanmoins, et conjointement, vu.

Le téléphone sonna. C'était Winifred, qui dit que l'état de Marcus avait empiré, qu'il ne voulait ni ne pouvait s'alimenter, qu'il était inconscient la plupart du temps et ne pouvait être transporté. Elle restait auprès de lui.

« Et papa ?

— Il dit qu'il doit rester aussi. »

Il n'y avait pas d'affinités entre Winifred et Frederica. Nulle sympathie ne fut exprimée à Winifred, qui n'en demandait aucune. Frederica dit, « Ça me fait un drôle d'effet, de rester ici toute seule sans rien à faire ».

Il y eut un silence hébété à l'autre bout du fil.

« Je me sens affreusement mal, il y avait la pièce et maintenant il n'y a plus que cet abominable gâchis concernant Marcus, et rien d'autre. Tu es toujours là ?

— Oui, Frederica.

— Je pourrais partir quelques jours, avec une camarade.

— Laquelle ?

— Oh, Anthea. Anthea Warburton. Tu sais, la fille sympathique qui jouait dans l'intermède de la pièce.

— Oui. Bon. Pardonne-moi, je suis incapable de penser, je me fais tellement de souci pour Marcus. Vas-y donc.

— Ça ne t'ennuie pas ?

— Non, non. Je ne comprends pas pourquoi tu en fais une telle histoire.

— Je pensais que tu pourrais avoir besoin de moi, d'une certaine façon.

— Non », dit Winifred, qui pensait avoir peut-être juste une chance de conserver assez de calme et de force pour s'occuper de Bill et de Marcus si quelqu'un faisait purement et simplement disparaître Frederica pendant quelques jours.

« Bon, je regrette qu'on n'ait pas besoin de moi. Je vais partir. Ou peut-être que non. J'ai dit à Alexander et à Wilkie d'interrompre les recherches.

— Merci.

— Est-ce qu'il a dit quelque chose ? »

Il avait supplié de voir Lucas, il avait dit à ses parents de s'en aller, il avait hurlé sans fin qu'il ne voulait pas rentrer à la maison.

« Rien vraiment, dit Winifred. Il est malade.

— Ah bon. C'est affreux. Alors vous ne rentrez pas ?

— Non.

— Tu m'as l'air dans un sale état. Ne te fais pas de souci pour moi. Si je n'y arrive pas, je partirai. Je ne manquerai pas de vous tenir au courant.

— Merci.

— Ça se terminera peut-être très bien », fit Frederica avec une pointe de doute. Elle parla dans le vide. Sa mère, par pur épuisement, avait raccroché.

« Comment va-t-il ? demanda Alexander

— Plus mal, dit Frederica. Ils ne rentrent pas.

— Qu'est-ce qu'il a ?

— Elle ne le dit pas. Elle ne dit rien. Elle n'a pas confiance en moi. Elle n'aime que lui.

— Vous ne pouvez pas lui en vouloir.

— Croyez-vous ça ? Je lui en veux, au contraire, je lui en veux énormément.

— Je crois que je vais m'en aller, maintenant.

— Non, ne partez pas. Ne partez pas. Je vous demande pardon. Je tape sur les nerfs des gens parce que je ne sais que faire, je ne suis à ma place nulle part, j'ai beau me mettre en avant, personne ne me voit. Peu importe, j'en conviens, comparé à ce que Marcus traverse, quoi que cela puisse être, mais ça m'importe à moi, j'ai besoin d'exister, je ne peux pas me réduire à néant.

— Arrêtez de virevolter. Je vais m'en aller maintenant. Je ne peux pas rester assis dans la maison de votre mère, comme ça, et éprouver ce que j'éprouve, avec tout ce qui se passe.

— Non! non! Ne partez pas. Restez avec moi. Je panique dans cette maison, toute seule.

— Que puis-je faire ici ? J'ai l'impression d'avoir déjà trahi leur confiance une fois, et voici que je recommence. Je me sens atroce. »

Frederica ne désirait pas savoir cela. Il y a avait quelque chose de désastreux, en définitive, dans des confessions de doute, d'insuffisance ou de culpabilité, de la part d'Alexander, à cette heure et en ce lieu. Cela renforçait son dangereux sentiment de pouvoir sur lui, sur les choses, d'une manière intolérable. Elle répondit à ces propos par une verve insouciante.

« Ce n'est qu'un endroit comme un autre. Briques et mortier, fauteuils, machins, et ce ne sont ni vos fauteuils ni les miens, juste des fauteuils qui se trouvent là en ce qui nous concerne. Vous pouvez me peloter dans le jardin de Long Royston, sur la Butte du Château, ici même, ça n'a pas d'importance, le lieu n'a pas d'importance, c'est juste – une question de préférence. D'esthétique. L'amour n'est pas une affaire d'esthétique. Ici, c'est juste un endroit comme un autre. »

Alexander, dont la nature était profondément esthétique, choisit de réagir à cette déclaration en disant qu'il était désolé, qu'il voyait qu'elle était réellement bouleversée, qu'il n'aurait pas dû lui causer d'autres tracas. Frederica dit qu'il ne fallait pas qu'il s'en aille, que, si bizarre que cela puisse paraître, elle avait peur de se retrouver seule dans cette maison, qu'elle avait de sinistres pensées. Peut-être Alexander resterait-il déjeuner.

Il resta déjeuner. Ils mangèrent de la mortadelle, des carottes en conserve, du vieux pain, de la betterave aigrelette en bocal, et burent du thé. Frederica observa que c'était un repas infect, et Alexander fit chorus. Tous deux, après les débauches de l'hospitalité de Crowe, commençaient à éprouver sérieusement le besoin d'une boisson forte, ce qui était impossible à moins de sortir, ce que, sous le regard de Jennifer, ils ne voulaient pas risquer. Après le déjeuner ils retournèrent dans la salle de séjour et Alexander s'empara de Frederica sur le canapé. Ce ne fut pas une réussite. Tous leurs membres étaient dans des positions incommodes et Frederica était raide de terreur. Cela l'entraîna, avec un renouveau de verve, à dire que puisqu'ils disposaient de toute une maison, il vaudrait mieux qu'Alexander monte au premier.

« Non, dit Alexander. Pas ici.

— C'est juste une maison, ma maison, ma chambre, je veux que vous veniez. »

Ils montèrent. Alexander se souvenait de sa brève incursion dans la chambre de Stephanie, le jour du mariage, à la recherche de petites épingles dorées. Il se souvint ensuite de son autre incursion dans la version infiniment plus colorée et « contemporaine » de ce type de maison, chez Jennifer Parry. Pourquoi les femmes, même Frederica, étaient-elles apparemment forcées de se comporter en agents immobiliers et de faire fièrement étalage des conforts exigus de leurs cubes de briques ? Frederica avait la conception radieuse, dont il était totalement inconscient, que cette maison ne lui semblerait jamais plus aussi incontestablement un bloc compact. Elle avait imaginé Alexander dans cet escalier, pénétrant dans sa chambre. Elle convertissait dans son imagination des pans entiers de la maison. Elle ouvrit toute grande la porte de sa petite chambre et dit, comme elle n'avait jamais cru le faire, « Entrez ».

Il fut ému par sa pauvreté. Les rares objets, le linoléum, les gravures passées, les piles de livres qui n'avaient pas assez d'étagères. Pas de coiffeuse, seulement un miroir carré au-dessus d'une vieille commode en chêne. Dans un coin du miroir était glissée une photographie assez floue de lui-même, découpée dans un journal ; dans un autre coin, une grande épreuve brillante de Frederica dans son costume d'Elisabeth. Cela l'émut aussi, quoique différemment. Frederica, surprenant son regard, dit, « Je vois bien que Crowe avait tout à fait raison, j'ai eu le rôle parce que je lui ressemble. Au lycée on me fait jouer les hommes, et Crowe m'a choisie à cause d'une similitude fortuite de physionomie. C'est humiliant.

— Ce n'était pas seulement cela. On ne peut pas triompher d'un tel rôle pour une simple raison de ressemblance.

— Je ne saignerai pas », dit-elle pensivement, et eut brusquement le trac, là, en plein jour, à l'idée de ce qui pourrait arriver. Alexander, pour des raisons à lui, eut tout aussi brusquement le trac. Il s'assit précautionneusement au bout du lit, lui fit signe de s'asseoir auprès de lui, et dit, « Je n'arrête pas de penser que votre père va faire irruption dans la pièce. Je me sens en complète insécurité. Et en pleine faute de goût, ce qui m'importe, à dire vrai.

— Je ne vois pas comment vous pouvez vous le permettre. Toute cette affaire est d'un goût exécrable, mais c'est ainsi, et nous voilà, et nous ne sommes pas en complète insécurité. Je crois. »

Alexander la prit dans ses bras et l'allongea sur le lit. Il l'embrassa. Son impression d'être surveillé s'intensifia, tandis que Frederica sentait s'aggraver la crainte qu'il découvre son ignorance. Elle se redressa brusquement, telle une poupée culbuto.

« Ça ne va pas du tout, dit-elle.

— Certes. Je vous l'ai dit.

— Quel gâchis, avec tant d'espace rien que pour nous.

— Peut-être ce soir », dit Alexander, en posant une main insistante sur le pli de son aine redevenue à présent voluptueusement inaccessible. Elle soupira.

« Je pourrais revenir beaucoup plus tard, avec une bouteille de vin. Quand vous serez sûre qu'ils ne rentrent pas.

— Je pourrais vous faire à dîner.

— Certainement.

— Aux chandelles. À la nuit close.

— Splendide.

— Cela vous plairait, Alexander ?

— Oui, dit-il. Oui. Je viendrai à pied, tranquillement, à la nuit close, par les terrains de jeu, puis par la porte de derrière, et nous nous assiérons pour boire tranquillement, et nous aurons une nuit, toute une nuit –

— Et cela ne vous gênera pas que ce soit dans cette maison ?

— Je vous veux », dit-il, aussi ardemment qu'il le pouvait. Il croyait que la maison ne le gênerait pas autant, à la nuit close. N'importe qui peut se glisser dans n'importe quelle maison, à la nuit close, clandestinement, pour l'amour ; les choses paraîtraient différentes.

Cette décision prise, ils s'allongèrent et s'étreignirent avec une passion stérile, un bref instant, entièrement vêtus, puis Alexander se leva et s'en alla.

Il reprit sa voiture et rentra pensivement au collège. Cette fois il regarda la maison de Jenny, mais elle était silencieuse et aveugle au bord de la rue. Et elle ne donnait pas, se dit-il, sur le terrain de jeu, car elle était trop près du bout de l'allée des Maîtres. Il avait les poches bourrées de lettres laissées sans réponse. Il devait, pensat-il, se rappeler de les vider avant son rendez-vous du soir. Outre les épaisses enveloppes non décachetées de Jenny, il avait des réponses à la plupart des candidatures qu'il avait expédiées en folle quantité. Tout le monde semblait vouloir de lui. Il était convoqué pour entretien à Oxford, à la BBC de Manchester, à la BBC de Londres, au collège privé de vieille renommée du Dorset. Il avait aussi des lettres écrites de leur propre initiative par des éditeurs de théâtre, des agents littéraires, un producteur londonien, un producteur américain à la réputation douteuse, et divers cercles littéraires de lycées, universités, villes et campagnes. Il était quelqu'un. Il était mobile. Il montait en grade. Et tout ce qu'il avait dans la tête, c'était l'image d'un homme robuste, nu dans une mare, et d'une lycéenne féroce dans une vilaine maison de brique, attendant la nuit close. Il serait sans doute plus sensé de ne pas y aller, tout simplement de faire ses valises et de s'en aller. Dès l'instant où cette pensée lui vint, il prit conscience, avec une vague de faiblesse et de chaleur, que c'était hors de question. Il avait des choses à régler avec Frederica, ici et maintenant, avant de pouvoir s'appartenir à nouveau. Il les réglerait, à la nuit close. Quant à Geoffrey et à Jenny, il leur écrirait tout simplement et leur dirait la vérité, comme il la voyait, toute la vérité, à tous les deux, et la vérité le libérerait. Mais pas tout à fait encore.

Frederica prit conscience qu'il lui faudrait aller faire des achats. La mortadelle n'avait franchement pas fait l'affaire une première fois, et ne la ferait certainement pas une fois de plus. Elle prit conscience qu'elle n'avait jamais préparé de dîner pour personne et ne savait vraiment pas comment s'y prendre. Elle prit conscience qu'elle n'avait presque pas d'argent. C'était avant l'ère d'Elizabeth David, et les idées que Frederica se faisait de ce qui constituait un bon dîner pour deux provenaient de *Woman's Own* et de l'exemple rarissime de sa mère. Pamplemousse garni de cerises, canard rôti, salade de fruits frais et crème fraîche ? Hors-d'œuvre variés, pavé de bœuf, pommes de terre en robe des champs et salade, suivis de bananes au four avec du rhum et de la crème fraîche ? De la glace ? Un potage accompagné de petits pains chauds, suivi d'une truite, suivie d'un diplomate généreusement arrosé de xérès ? Elle ne se fiait pas à elle-même du soin de rôtir un canard, ni de choisir et de cuire un pavé de bœuf sans produire quelque chose de racorni et d'immangeable. Il n'y avait ni xérès ni rhum et elle n'avait pas d'argent pour s'en procurer. Impossible de se rappeler ce qui entrait dans la composition de hors-d'œuvre variés, car elle n'en avait jamais mangé à son goût. Elle savait que le potage devait être préparé à la maison, pas en boîte, et n'avait pas la moindre idée de la manière de cuisiner ou d'improviser une soupe. Les seuls éléments de tous ces menus à être dans ses cordes étaient les pamplemousses et les pommes de terre en robe des champs, aussi décida-t-elle d'en acheter et d'essayer de puiser de l'inspiration pour le plat principal en examinant la vitrine du boucher de Blesford. C'est ce à quoi elle s'employait, mélancoliquement, son cabas rempli de pommes de terre, pamplemousses, bleu danois et crackers, quand Wilkie passa avec son habituel fracas. Frederica entra précipitamment dans la boucherie. Le boucher consulté suggéra une belle côtelette de porc, et Frederica, qui ne connaissait pas la différence entre une côtelette de porc et une côtelette d'agneau, et ne savait même pas s'il existait ou non des côtelettes de bœuf, en acheta assez mollement deux, parce qu'elle se rappelait vaguement que les personnages masculins de Dickens trouvent souvent les côtelettes très succulentes, et que celles, ni bonnes ni mauvaises, qu'elle-même avait mangées n'étaient jamais aussi affreuses que du bifteck mal préparé.

Quand elle ressortit, il ne lui restait presque plus d'argent pour le choix non résolu du dessert, et Wilkie l'attendait sur le trottoir.

« On fait sa petite ménagère ? » dit-il aimablement.

Frederica le foudroya du regard. « J'essaie de préparer à dîner pour quelqu'un. Mais je n'ai pas d'argent.

— Je pourrais t'offrir une bouteille de vin.

— Je n'ai pas besoin d'en acheter. Mais j'ai des problèmes de dessert. »

Wilkie balança son casque et exprima un vif intérêt envers les problèmes de dessert. Frederica énuméra la salade de fruits, les bananes au rhum, le diplomate au xérès. Wilkie dit qu'il ne jugeait rien de tout cela très bon, et suggéra une belle grappe de raisin et des chocolats fins, pour lesquels il lui prêterait l'argent nécessaire, si cela pouvait lui rendre service. Il l'accompagna avec la plus grande obligeance, lui sélectionna sa grappe de raisin, lui acheta les chocolats, critiqua défavorablement son choix de fromage, insista pour qu'elle retourne prendre un morceau de vrai lancashire ou wensleydale, et s'offrit à la raccompagner derrière sa moto. Les emplettes furent sanglées sur le porte-bagages. Ses cheveux roux flottant au vent, Frederica tangua en haletant sur le siège arrière, et ils regagnèrent l'allée des Maîtres. Cette fois, sans y être invité, Wilkie entra dans la maison. Il regarda avec intérêt Frederica virevolter dans la cuisine à la recherche de plats présentables et de bougies.

« Qui vient, alors ? »

— Alexander. Ils sont tous partis s'occuper de Marcus. C'est Alexander qui vient.

— Je vois. Le coup classique. Souper fin, vin, chandelles, conversation, et au dodo. Dieu du ciel, tu es complètement siphonnée, Frederica Potter.

— Que veux-tu dire ?

— Je t'ai dit qu'il fuyait les banlieues et les tasses de thé. Et te voici à jouer les maîtresses de maison, sans montrer, si je puis me permettre, le moindre talent en la matière, et à préparer la grande scène de la séduction bourgeoise. Il va prendre la poudre d'escampette. Avant ou après.

— Je le veux.

— Vraiment ? Dans une maison ? Dans cette maison ?

— C'est un assez bel acte de destruction. Comme un sacrilège. Il a passé toute la matinée ici.

— Je vois. Et si c'est un acte de destruction, pourquoi paniquer pour des côtelettes et du bleu danois ? Et s'il a passé toute la matinée ici, as-tu perdu ta fleur, et si oui, pourquoi diable est-il parti, et pourquoi les chandelles et les pamplemousses, ma fille ?

— Ça ne te regarde pas.

— C'est exact. Je m'en vais, si tu veux, et te laisse à tes préparatifs. Pourquoi ne pas mettre un vase de roses au milieu de la table ?

— Oh, Wilkie, ne t'en va pas, je suis dans le pétrin, je suis tellement paniquée, et non, rien ne s'est produit ce matin, pourtant ça aurait dû, et maintenant je ne vois pas comment ça se produira jamais, parce que, si je ne suis pas paniquée, c'est lui qui l'est, et *vice versa*.

— S'il réussit à te sauter, ici même, ce soir, je t'assure que c'est la dernière fois que tu le vois. Et s'il ne le fait pas, c'est toi qui n'en auras jamais le cran. Tu es dans un beau pétrin, mon petit chou.

— Je ne vois pas ce qui t'autorise à être aussi catégorique.

— Tu as raison, rien. C'est comme une petite idée. Mes petites idées sont souvent justes. J'ai comme une petite idée que tu as envie d'annuler la fête.

« — Moi ? Je l'aime. Je le veux.

— Tu aurais quand même pu l'avoir au mauvais moment et au mauvais endroit. Ça arrive tout le temps. L'amour, l'état de manque, deux personnes d'âge opposé ou suivant des directions opposées. Regarde Marina et moi. J'aurais pu l'aimer, si j'étais né vingt ans plus tôt, ou si je n'avais pas ma copine à Cambridge, ou si je pouvais supporter de jouer les gigolos. Mais cela étant, je peux la baiser plus ou moins affectueusement, à titre temporaire, et voilà tout. Elle le sait.

— Qu'éprouve-t-elle ?

— Ce qu'elle sait pouvoir se permettre d'éprouver. C'est une femme sensée, pas une tête de linotte.

— J'éprouve une envie terrible de te flanquer ces horribles côtelettes à la figure, Edmund Wilkie.

— Mieux vaudrait prendre ta chemise de nuit, grimper sur ma moto, et laisser Alexander te régler ton compte d'une autre et meilleure façon. »

Frederica posa les côtelettes inertes sur l'égouttoir.

« J'ai dit à ma mère que j'irais peut-être passer quelques jours chez une amie.

— Ha ha ! tu as dit ça ! vraiment ? Et qu'a-t-elle répondu ?

— Elle a demandé chez qui, et j'ai dit, cette fille sympathique, Anthea Warburton, et elle a dit très bien. »

Wilkie se mit à rire. Il rit aux éclats. Frederica l'imita d'une manière assez hystérique. Quand ils eurent fini de s'esclaffer, Wilkie dit, « Allons, prends ta chemise de nuit, ta brosse à dents, un maillot de bain et une serviette.

— Tu ne m'aimes pas, Wilkie.

— Non. J'aime ma copine. Pour ainsi dire. Tu ne m'aimes pas, non plus.

— C'est affreux.

— C'est le bon sens. Je vais te montrer un ou deux trucs, et ensuite tu seras capable de te débrouiller toute seule. À l'heure qu'il est, c'est moi qui suis au bon endroit au bon moment, ici même. Va chercher ta chemise de nuit. »

Frederica alla chercher sa chemise de nuit. Edmund Wilkie, homme d'ordre aux pratiques rien moins que parfaites, empila les ingrédients du dîner en une belle pyramide au milieu de la table de la cuisine. Frederica revint, ses affaires dans un sac à dos, et Wilkie, avec un léger sourire, dit :

« Et maintenant, appelle ta mère et Alexander, pour ne pas paniquer, déprimer ou changer d'avis en chemin, et puis nous filons.

— Je ne peux pas appeler Alexander. Pas maintenant.

— Écris-lui un mot. Nous le déposerons au collège. »

Frederica obtempéra. Winifred eut l'air de ne pas s'émouvoir de ses allées et venues et le mot fut remis, par Wilkie, au portier du collège, lequel dit d'un air sombre que c'était pas facile de joindre m'sieu Wedderburn ces temps-ci. « Bon », fit Wilkie, et il rejoignit Frederica et la moto.

L'après-midi touchait à sa fin. Wilkie dit qu'ils s'arrêteraient au prochain grand garage pour acheter un casque à Frederica et que, si elle ne s'offusquait pas qu'il lui donne quelques tuyaux sur la façon de se tenir à moto, ils rouleraient mieux, plus sûrement et plus vite. Par exemple, il fallait qu'elle se penche en avant, sans se balancer de côté, et qu'elle l'enserre solidement par la taille en épousant ses mouvements. Cela serait de toute façon un bon entraînement. Ils allaient prendre par Calverley, puis à l'est par la lande, au sud par Goathland, et descendre sur Scarborough, où il pensait arriver avant le dîner. Frederica dit qu'une chose affreuse lui était arrivée une fois à Goathland. Wilkie observa que dans ce cas cela ferait du bien à son hypersensible psyché de foncer à travers en moto, et qu'elle pourrait tout lui raconter, si elle pensait que cela lui ferait du bien, une fois à Scarborough.

Frederica commença par tirer un intense plaisir de la motocyclette. Le casque, quand elle l'eut, lui donna l'impression d'avoir une seconde tête en hauteur, une tête vide de surcroît. Wilkie le lui mit, se moqua d'elle, puis mit le sien, abaissant ses grosses lunettes, de sorte que seule sa bouche assez recourbée demeura visible d'un visage humain. Ladite bouche était fendue en un large sourire. Une fois en mouvement, Frederica prit conscience que le vent violent qu'ils provoquaient ainsi que le moteur lui imposaient un silence total dans une trombe de vacarme inhumain, et la chose lui plut. Lui plaisait aussi le singulier mélange d'intimité et de distance d'un tel rapport avec un homme. L'ample postérieur de Wilkie, et son corps tout contre. Les bras robustes de Wilkie serrant et tournant les poignées, et les siens lui enlaçant étroitement, mais non amoureusement, la taille. La surface muette du dos gainé de cuir, le globe lisse et brillant, sans éraflures, de l'arrière du casque. Les jambes de Wilkie montaient et descendaient de temps en temps, et pas les siennes. Au bout d'un moment, la nuit tombant, elle eut froid aux jambes, très froid, car elle était partie en jupe paysanne, sans bas, et en sandales. Au bout d'un autre moment encore, elle s'engourdit et eut mal. La lande s'assombrit et commença à disparaître. Frederica n'aperçut pas grand-chose de ce spectacle, car elle avait la tête fort consciencieusement enfoncée dans l'omoplate de Wilkie et voyait sans interruption, mais uniquement, la bande du bas-côté, le défilé du macadam, la ligne blanche et la lueur des catadioptres. Ils s'arrêtèrent une fois dans un routier pour boire une tasse d'extrait de café et s'assirent à côté d'un juke-box beuglant et trépidant, les membres trop raidis et les traits trop tirés par le vent pour parler ou sourire. Puis Wilkie exprima des inquiétudes pour les jambes glacées de Frederica, avoua avoir manqué de jugeote, et insista pour lui prêter un pantalon de ciré jaune vif, immensément trop grand pour elle, qu'elle enfila tant bien que mal en s'aidant de ses doigts gourds dans des toilettes très nauséabondes. Là, également, elle se rappela Alexander, attrayant, élégant, résistant à son pouvoir sans se sentir insuffisant. Elle se rappela le jardin noyé où ils étaient restés comme des statues, les faisceaux lumineux qui reliaient la scène aux gradins à la hauteur de leur passion naissante et partagée. Tout irait bien. Elle avait écrit qu'il avait raison, qu'elle avait tort, que la maison était impossible, qu'elle s'était mal conduite, avait honte, était partie réfléchir à la situation et ne manquerait pas de rentrer.

L'affreux pantalon jaune crissait et glissait quand elle rejoignit Wilkie à grand-peine en le retenant à deux mains. Il poussa un grognement de rire et dit qu'elle avait l'air informe et affreuse, et que si elle désirait un bon déguisement anonyme, rien ne valait un harnachement de moto qui n'est pas à la bonne taille.

Quand à la fin ils atteignirent Scarborough, Frederica était néanmoins transie et ankylosée dans une position arquée dont elle n'était pas sûre de jamais réussir à se redresser. Wilkie vrombit le long du front de mer, changeant de vitesse avec force cahots, et de l'autre côté de la balustrade se trouvaient la mer noire, ses crêtes blanches apparaissant et disparaissant, les traits de lumière de la digue, et plus loin des bateaux, et plus loin encore la pointe de la falaise et le phare. Le cœur de Frederica bondit dans sa poitrine, comme à chaque fois qu'elle voyait la mer, en toute circonstance, n'importe quand, ainsi qu'elle ferait toujours, pensa-t-elle, car elle avait à peine dix-huit ans et, comme Daniel, n'était pas prophète. Wilkie se dirigea tout droit sur le Grand Hôtel et gara la moto.

« Plus c'est grand, plus c'est anonyme, moins il y a de questions, et plus on s'amuse, fit-il. Je l'ai constaté. Reste ici et essaie d'enlever ce pantalon, sinon tu ne réussiras jamais à gravir le perron, et je vais demander des chambres. Ou une chambre. »

Il revint et dit qu'il avait pris une chambre. Il retira sa petite chevalière et lui suggéra de la mettre, le chaton en dedans. « Ça a déjà marché », expliqua-t-il.

Elle le suivit en boitillant. Il avait écrit dans le registre, M. et Mme Edmund Wilkie, Cambridge. Elle traîna son sac à dos, sentant bien qu'elle ne ressemblait à aucune Mme Machin Chouette, mais les portiers se montrèrent polis, souriants même, ils s'inclinèrent et ouvrirent les ascenseurs, les portes, et elle se retrouva, en compagnie d'Edmund Wilkie, dans une chambre haute de plafond, avec des rideaux de brocart rouge et or, un dessus-de-lit de dentelle, une coiffeuse en forme de haricot, un tapis moelleux et silencieux. Il y avait aussi un immense lit, avec des lampes sur des petites tables et des boutons de sonnette.

Wilkie entrechoqua les casques comme des noix de coco et ne fit aucune tentative pour la toucher. Il lui dit de prendre un bain chaud, ce qu'elle fit, de se maquiller pour avoir moins l'air d'une écolière en escapade, ce qu'elle fit, et de venir dîner avec lui, ce qu'elle fit, dans une salle à manger rouge, or et crème, avec des lustres, du linge de table en damas blanc empesé, et de lourds couverts d'argent. Wilkie rit de la tête qu'elle fit. « Voilà qui a bon air, dit-il. Le grand tralala, Frederica. Pas pour les gens comme nous, tu comprends, mais le grand tralala pour les hommes qui travaillent dans les industries du Yorkshire et qui viennent passer le week-end avec leur femme ou leur secrétaire. Commande ce que tu veux, dans les limites du raisonnable. Je suis plein aux as. Et j'attends en plus une rentrée d'argent pour une émission où je suis prévu.

— Une émission ?

— Oui. Et même deux. De deux sortes. Une sur mes drôles d'expériences avec les verres colorés, qui ont produit des résultats assez intéressants. Et puis je joue Parolles dans un enregistrement de *Tout est bien* que doit faire la société Marlowe. Mon avenir n'a toujours pas d'orientation claire, vois-tu. Je progresse sur tous les fronts. Il se pourrait que je lâche Cambridge, tout de même, si je décide ma copine à venir avec moi. Ça commence à avoir l'air de ne servir à rien de décrocher une peau d'âne. »

Ils mangèrent du potage julienne, du homard thermidor et, pour le dessert, un composé de meringue, crème, sucre, glace et amandes, qui cherchait à ressembler à un cygne voguant les ailes repliées. Ils burent des flots de bourgogne blanc. Wilkie plaisanta gentiment et pressa Frederica de lui confier ce qui lui était arrivé à Goathland, mais elle ne put rien dire, sinon que des choses bizarres lui avaient été racontées, une histoire d'âne dans un bordel. Les ânes dans les bordels, dit Wilkie, remontent à Apulée et sont monnaie courante. Regarde ce joli petit dessert, dit Frederica. Juste comme ce qu'Elisabeth aurait pu manger à vrai dire, pensat-elle, et dit-elle. Cela lui rappela à nouveau Alexander, et elle se tut.

« Ne te fais pas de souci, dit Wilkie. Tu as laissé un mot. Il n'avait pas envie de venir dans cette maison, pas vraiment envie, tu le sais avec une certitude absolue. Je te rendrai à lui. »

Alexander n'avait pas reçu le mot. Il avait évité de peu Jennifer, qu'il avait aperçue au pied de son escalier juste à temps pour se glisser lui-même sous le porche de Lucas Simmonds, où miroitaient à présent plusieurs bouteilles de lait que personne ne semblait avoir décommandées. Il ne considéra pas qu'il lui revenait de le faire. Après avoir vu Jennifer s'en aller, il courut à sa voiture et roula au hasard. À un certain moment il croisa Crowe dans la Bentley, qui klaxonna péremptoirement et poursuivit sa route. Il sortit de voiture à Blesford et acheta un gros bouquet de bleuets, asters blancs et marguerites des champs. Il prit conscience que ses poches étaient encore pleines de missives acharnées dont il ne voulait pas parsemer sa petite chambre à coucher, et aussi qu'il avait chaud, qu'il avait les cheveux en broussaille et qu'il aurait mieux fait d'aller se rafraîchir. Néanmoins il ne tenait pas à rentrer dans sa tour. Il fourra les lettres dans la boîte à gants qu'il ferma à clé. Il s'arrêta dans un pub, but deux pintes de bière, se rappropria tant bien que mal aux toilettes. Il se rappela sa promesse d'apporter du vin et acheta deux bouteilles de rosé d'Anjou. La nuit venue, il revint garer sa voiture au collège et partit à pied, longea le jardin des Maîtres, franchit le pont, passa devant les lisses eaux noires de la Mare Croupie, et obliqua en direction de la barrière du jardin. Son cœur battait à tout rompre. Sa respiration était heurtée. Il le ferait.

Devant la barrière, l'obscurité de la maison le frappa. Une maison déserte se reconnaît par d'autres sens que la vue, mais il se dit qu'il ne savait plus où il en était, que cela ne pouvait être, qu'elle avait dit et répété, comme une chose importante, « à la nuit close ». Il sentit l'odeur d'herbe coupée du terrible Bout de Là-bas et le chaud parfum des roses non coupées de Winifred – Virgo, Albertine, King's Ransom, Papa Meilland, Elizabeth of Glamis. Il cogna à la porte de derrière et à la porte-fenêtre. Il appela Frederica. Pas de réponse. Il planta ses bouteilles sur le seuil de la porte-fenêtre et déposa sa botte de fleurs à côté d'elles. Feignant la désinvolture, il revint à la barrière où il s'appuya. Il leva les yeux pour inspecter les fenêtres des chambres, avec l'air – s'il y avait eu quelqu'un pour l'observer comme Stephanie avait vu Lucas – de l'amant de lady Chatterley. Il s'assit dans l'herbe et serra ses genoux entre ses bras comme les enfants. Des vers de *Viens dans le jardin, Maud* lui trottaient par la tête avec une persistance ridicule. Reine, deux fois, des roses et des lis. La rose blanche pleure, elle s'est attardée. J'accours, ma colombe, j'accours, mon beau trésor. Il eut la conviction que cet instant était absurde, et que lui-même était absurde.

Le temps passa. Il arpenta le jardin, mais il n'y a pas beaucoup de place pour ce faire derrière les maisons de l'allée des Maîtres. Il perdit son calme et fit voler à coups de pied les bleuets et les marguerites à travers la pelouse. Il cria, « Salope, salope, je le savais », à la lune. Son potentiel de colère ainsi que de désir avait ses limites. Il se souvint des rires lascifs du chœur des bouteilles et éprouva un instant de froide incompréhension, comme Démétrius lorsque le charme est rompu par Puck et Obéron. Il savait qu'arriverait un moment, dans très peu de temps, où il ne parviendrait même plus à comprendre comment il s'était retrouvé à faire le pied de grue dans ce jardin. Si tel était le cas, rien ne l'empêchait de s'en aller, de partir de ce jardin, de Blesford Ride, du nord de l'Angleterre, juste à présent. C'était le regard furieux de Frederica, sa volonté, qui l'avait retenu, et où qu'elle pût être juste à présent, lui était libre. Il flanqua quelques coups de pied de plus dans les bleuets, sans brutalité; ses tempêtes étaient de courte durée et retombaient vite. Il pensa à en faire autant aux bouteilles de vin, mais il ne le fit pas. Qu'elles restent où elles étaient, comme une offrande, que chacun interpréterait comme il le voudrait. Lui ne serait plus là pour le voir. Il s'en allait. L'épisode avait pris fin.

43

Flots de sang

En temps voulu Wilkie conduisit Frederica dans la chambre, où le couvre-lit était à présent enlevé et le coin du drap rabattu avec soin.

« Eh bien, dit-il, nous pourrions aussi bien nous coucher. »

Après s'être lavés et déshabillés sans la moindre démonstration ils se couchèrent. Wilkie approcha tout nu du lit ; Frederica l'entrevit, blafard, dodu, bronzé sur les mains, le cou et le V de l'échancrure de sa chemise, et le chose, terme qu'elle lui donna, rouge, rigide et en voie d'érection. Elle détourna la tête. Il y eut une odeur de dentifrice, petite odeur inhumaine, et de savon, ainsi qu'un courant de tension entre leurs corps chauds. Wilkie fit un bruit de froissement de papier et de latex, le dos tourné, tout blanc, et elle vit les muscles de son cou raides de concentration.

« Et maintenant, dit-il, écoute-moi. Je suis un scientifique. Je vais t'expliquer comment tout ça fonctionne, ce qui procure aux femmes du plaisir, ce qui m'en procure à moi, et comme ça tu n'auras pas peur et je me régalerai, si nous y allons en douceur et avec soin. D'accord ? »

Frederica hocha la tête. Wilkie s'assit dans le lit et se servit d'elle presque comme d'un modèle de démonstration dans une classe de biologie humaine, la touchant ici et là de ses doigts délicats et secs, lui disant qu'ici elle aimait être caressée, là elle aimait être chatouillée, ici lui-même était sensible et pouvait être titillé ou excité.

Il murmura quelque chose concernant la nécessité d'un lubrifiant et prit un petit pot de vaseline dont, s'étant à nouveau pudiquement retourné, il s'enduisit avec soin. Il se montra courtois, dogmatique et sûr de lui. Plus tard dans la vie Frederica devait découvrir que la connaissance qu'il avait de ces choses en général, et de ses réactions à elle en particulier, n'était pas aussi exhaustive qu'il aurait pu le croire ou le prétendre. Sur le moment elle lui fut reconnaissante de paraître si positif et tranquille. Plus tard, aussi, elle lui devint reconnaissante de l'avoir mise en mesure de faire des découvertes supplémentaires avec aplomb.

Tout d'abord, Frederica fut étonnée par une espèce de commentaire suivi murmuré à son oreille. (Wilkie ne l'embrassa pas. Comme si cela ressortissait à une intimité inappropriée.) « Ah ! dit Wilkie en la pénétrant avec un glissement appliqué, quelle belle poussée. Seigneur, c'est étroit. Est-ce que ça va ?

— Oui », dit Frederica en serrant laconiquement les lèvres. Wilkie émit un grognement et s'activa pendant un certain temps. « C'est bon ?

— Oh oui », dit Frederica qui ne trouvait cela ni particulièrement bon ni particulièrement mauvais, plutôt comme un Tampax persistant, mais qui était contente que cela soit en train de se produire.

Après quelques instants, et avec un surcroît de vaseline, Wilkie se mit à la caresser tout autour du clitoris. Cela parut à Frederica un geste ridicule, et aussi quelque chose d'inutilement indiscret, malgré la présence beaucoup plus volumineuse de Wilkie, beaucoup plus profondément en elle.

« C'est bon ?

— Oui, très », dit Frederica, fronçant les sourcils de concentration. De vagues ondoiements et frissonnements d'émoi se produisaient en elle, un relâchement, un étourdissement au creux du ventre, comme une glissade fulgurante en toboggan, comme le début de l'ivresse. Elle réprima fermement tout cela, percevant avec son corps, au-delà de ses facultés de jugement, qu'au terme de ces ondes de sensation avait lieu une capitulation de son autonomie qu'elle n'allait pas atteindre.

« Remonte les genoux. »

Elle les remonta. Wilkie lui toucha les seins, ce qui lui rappela Crowe, et murmura quelque chose concernant le « tissu érectile », phénomène biologique dont elle avait décidé qu'il était surestimé. Il continua à la besogner efficacement. Elle continua à être assez malléable, se concentrant pour ne pas se laisser aller. Les gens, pensa Frederica, ont des fesses ridicules, un mélange ridicule de tremblote et de musculature. Elle rit.

« Heureuse ?

— Oh oui.

— Bien. Bien. »

Frederica pensa, avec un éclair de nausée, à la description que fait Lawrence du déploiement en ondes vermeilles de la volupté de Constance Chatterley. Ce qu'elle-même éprouvait, c'étaient des vibrations verticales de chatouillement localisé, des messages électriques discontinus qu'elle s'empressait d'amortir. Wilkie s'arrêta de parler et accéléra la cadence. Frederica observa son visage avec intérêt. Il avait la bouche ouverte, la lèvre pendante, les yeux fermés, la respiration haletante. Le petit ventre grassouillet était chaud et moite de sueur sur le sien. Après un certain temps il se mit à aller vraiment très vite, poussa soudain un grognement sonore, absolument privé, et laissa tomber la tête, très lourdement un instant, sur sa poitrine, l'air tragique et épuisé. Frederica éprouva une sorte d'oscillation et de crispation en elle, provenant de lui ou bien d'elle, elle n'en était pas sûre ; il y eut aussi un peu de douleur et une palpitation brûlante. Wilkie retira son pénis adroitement et promptement, se détourna pour s'occuper de lui-même et retomba sur les oreillers, le dos tourné.

« Alors ça t'a plu ? dit-il d'une voix étouffée en respirant péniblement.

— Oh oui.

— Tu n'as pas joui.

— Désolée. » Elle ne comprit pas exactement, malgré l'évocation de lady Chatterley, ce qu'il voulait dire.

« Non, non, c'est sans doute de ma faute. Nous recommencerons. Une fois j'ai emmené une fille dans un hôtel et, chaque fois qu'elle jouissait, elle hurlait comme un sifflet de locomotive, à vous déchirer le tympan, c'était affreux. Les gens venaient frapper à la porte pour voir si j'étais en train de l'assassiner. Il m'était impossible de modérer ce hurlement. Dommage, vraiment.

— C'est tout mouillé.

— Oui, c'est normal. » Il soupira. « Ça t'a fait mal ?

— Pas trop. »

Il parut sombrer dans le sommeil. Frederica fixa sa nuque et se dit que jamais elle ne l'avait moins bien connu, jamais elle ne s'était sentie moins proche de lui qu'en cet instant, depuis le jour de leur première conversation. Elle avait appris une chose. Elle avait appris que l'on pouvait faire – ça – d'une manière raisonnablement sociable et courtoise sans intrusion dans votre vie privée, sans modification de votre solitude. On pouvait dormir toute la nuit avec un étranger, et n'apercevoir que sa nuque, et se sentir plus indépendante que n'importe où ailleurs. C'était une chose utile à savoir. Qui supprimait l'horrible ou bien/ou bien de la condition des femmes telle qu'elle l'avait vue. Ou bien l'amour, la passion, le sexe et toutes ces choses-là. Ou bien la vie de l'esprit, la solitude, les autres. Il y avait une troisième voie : on pouvait être seule sans être seule au lit, si l'on ne faisait pas d'histoires. Elle aussi allait se tourner de l'autre côté et s'endormir.

Elle s'endormit et fut réveillée, malgré tout, dans un état de panique, par le sang. Elle tira sur Wilkie.

« Wilkie – s'il te plaît – c'est très mouillé – vraiment.

— Hmmm ?

— S'il te plaît. J'ai l'impression d'être couchée dans des flots de mouillé.

— Ça ne va pas, dit l'obligeant Wilkie. Voyons voir. » Il sauta hors du lit et rabattit les draps, en faisant remarquer qu'il y avait effectivement eu du sang sur le Durex, mais pas assez pour qu'il pense nécessaire de le mentionner.

Le sang surgissait et se répandait autour de Frederica, ses cuisses étaient écarlates et une flaque se formait dans son dos. Même le calme Wilkie blêmit un peu à ce spectacle et lui demanda si elle se sentait mal.

« Je ne crois pas. Juste mouillée.

— Assieds-toi. »

Elle s'assit, et dit qu'elle se sentait effectivement mal, juste un peu.

« Regardons ça, à quelle vitesse ça coule. »

Il baissa la tête et dit que cela ne semblait pas jaillir, ni même surgir, très perceptiblement. Il dit qu'il allait faire un tampon avec une serviette de toilette et qu'elle devait s'asseoir dessus, et qu'il s'occuperait du lit.

« Wilkie – c'est affreux, c'est embarrassant.

— Ne dis pas de bêtises. Les hôtels sont faits pour régler ce genre de problème. Tant que tu te sens bien. Mais je ne vais pas dormir dans une mare de sang, même mon sang-froid a des limites. Je vais nettoyer tout ça. Allons, assieds-toi sur cette serviette et ne bouge pas. »

Elle l'observa, fascinée, enlever le drap souillé, le rincer de son mieux dans la cuvette et l'étaler sur un radiateur. Puis il refit le lit en mettant par-dessous le drap du dessus et les couvertures par-dessus. Puis il épongea Frederica avec un gant de toilette, et la réexamina ainsi que la serviette.

« Ça ne semble pas correspondre à une hémorragie, trancha-t-il avec son habituelle assurance. Je dirais plutôt un fort saignement hyménal.

— Ça t'est déjà arrivé ?

— La réponse est non. Ça ne me plairait pas que ça arrive souvent, d'ailleurs, c'est un peu alarmant. Et ça fait beaucoup de saletés. Je crois que je vais m'abstenir de vierges. Tu es peut-être le seul service rendu aux vierges, Frederica. Et maintenant si tu te recouches doucement, je vais t'envelopper dans toutes ces serviettes et les attacher sur toi, et ensuite nous pourrons dormir un peu. Si ça devait empirer il faudrait appeler un médecin, mais ça ne sera pas le cas. Tu es simplement le genre de fille qui saigne beaucoup.

— Tu sais te montrer très utile.

— L'homme qu'il faut au moment où il le faut à l'endroit où il le faut. Je te l'avais bien dit. Ma pauvre vieille. À quoi bon apporter ton costume de bain, aussi, si ça refuse de s'arrêter. Et maintenant concentre-toi sur l'arrêt de ce flux, que l'esprit triomphe de la matière, et réveille-moi si tu es inquiète. »

Dix minutes plus tard il dormait.

44

Retours

Bill et Winifred revinrent à Blesford le lendemain. Ils ramenaient Marcus avec eux, en ambulance. Marcus était sensiblement amaigri et jetait des regards de folle terreur sur tout. Quand il vit la maison de l'allée des Maîtres il se mit à se démener, à hurler, à gesticuler avec une énergie dont on ne l'aurait pas cru capable. Puis il s'évanouit sur le gravier. Ils le portèrent dans la maison et le déposèrent sur le canapé. Quand il revint à lui il se remit à hurler et à se débattre. Un médecin fut appelé par téléphone. L'ambulance revint et Marcus repartit. Le psychiatre de l'hôpital demanda à voir Winifred seule.

Frederica et Wilkie passèrent une journée sur la plage. Le vent soufflait, glacial et mugissant, en provenance de la mer du Nord. Wilkie fit quelques ricochets et Frederica boitilla à ses côtés, emmaillotée dans du coton hydrophile et saignant, sinon à profusion, du moins considérablement plus qu'elle y était habituée. Finalement elle dit qu'elle regrettait d'être rabat-joie, qu'il fallait qu'elle s'asseye, qu'elle ne tenait pas sur ses jambes. Wilkie la ramena au Grand Hôtel où elle resta recroquevillée sur le lit, croyant lire des regards de pitié et de curiosité sur le visage des femmes de chambre et des portiers. Wilkie s'en alla téléphoner et revint en disant que sa copine désirait sa présence à Cambridge de façon assez urgente, qu'elle était un peu contrariée de n'avoir pas réussi à le joindre, et que s'offrait la possibilité d'un rôle dans une production de *L'Enfant des fées* au festival du théâtre étudiant à Munich. Alors, si cela ne lui faisait rien, ils feraient mieux de rentrer.

Alexander donna une quantité de coups de téléphone. Il se sentait plein d'allégresse. Maintenant qu'il était sorti de ce jardin, son succès et son avenir paraissaient lui appartenir. Il prit ses dispositions pour voir la BBC à Manchester et se rendre à Londres pour des entretiens, et puis encore à Oxford pour la bourse d'études. Il refusa l'entretien au collège du Dorset, il en avait par-dessus la tête de l'enseignement pour le moment. Il fit apporter ses malles de la cave et quelques caisses à thé des réserves du collège. Il alla voir le Dr Thone et lui présenta officiellement sa démission. Il ferma sa porte, condamna sa porte extérieure, mit son écriteau ouvragé sur ABSENT, et s'attaqua à ses bagages.

Daniel reçut une lettre de Sheffield, d'une écriture inconnue. En l'ouvrant il apprit que sa mère avait fait une mauvaise chute, s'était fêlé la hanche en plusieurs endroits et serait hospitalisée pendant quelques semaines, voire quelques mois. À la fin de cette période il serait fort possible qu'elle soit dans l'incapacité de continuer à se débrouiller toute seule comme elle l'avait fait jusque-là. Il semblait être, écrivaient les autorités de l'hôpital, son plus proche et, de fait, son unique parent, bien qu'elle n'eût pas demandé à le voir. Il se rendit à la gare et prit un train pour Sheffield.

Thomas Parry contracta une infection compliquée de l'oreille moyenne, avec une fièvre de cheval, et hurla sans discontinuer pendant cinq jours et cinq nuits. Geoffrey et Jenny l'épongèrent avec des serviettes fraîches, tentèrent de le faire boire et le veillèrent.

Le psychiatre dit à Winifred que la cause première des maux de Marcus semblait être la peur de son père, et qu'il était on ne peut plus souhaitable qu'il reprenne des forces ailleurs, auprès de quelqu'un de compréhensif et de moins alarmant, si cela était faisable. Il ne voulait pas le garder, car l'hôpital ne lui faisait pas de bien et lui rappelait le souvenir fâcheux et indésirable de Lucas Simmonds, lui-même très malade, dont mieux valait qu'il reste entre les mains des médecins.

Anthea Warburton s'en alla passer une quinzaine de jours chez la charitable Marina Yeo, puis des vacances au soleil avec des amis et des cousins à Juan-les-Pins.

Frederica et Wilkie, roulant avec toute la majesté dont une motocyclette est capable, regagnèrent Blesford et firent une arrivée vrombissante allée des Maîtres. Dans la direction opposée, derrière l'autobus de Blesford, s'éloignait la Triumph argentée d'Alexander. Elle avait, ce qui n'avait pas été le cas jusque-là, une galerie soigneusement chargée et recouverte d'une bâche attachée avec des cordes. Frederica vit très nettement Alexander, magnifiquement coiffé, souriant, protégé et lointain derrière la vitre verdâtre du pare-brise. Alexander vit Wilkie assez nettement, compte tenu des protubérances d'insecte du casque et des lunettes, et il vit aussi un frison et une houppe de cheveux roux derrière la passagère accrochée à Wilkie, ce qui lui permit de l'identifier. Il reporta son attention sur la route devant lui et continua à sourire, manquant ainsi les signaux et sautillements nerveux de Jenny Parry à la barrière de son jardin. Il n'était pas dans la nature d'Alexander de laisser aux autres le dénouement, la crise ou l'apothéose auxquels ils auraient pu avoir droit dans la vie, et pourtant il savait parfaitement que dans l'art de tels partages sont nécessaires. Ses fins, comme ses commencements, étaient choses solitaires. Il débraya et s'enfuit à une vitesse accrue.

Wilkie déposa Frederica, lui prit son casque et le fixa avec une courroie sur le siège arrière – « il servira à ma copine », dit-il – puis il releva sa visière pour l'embrasser.

Elle dit, « Je te reverrai, n'est-ce pas ?

— Probablement. Le monde est petit. Prends bien soin de toi ».

Il sangla son visage, aussi, dans un blindage de protection en plastique, et grimpa sur sa moto. Elle resta sur le trottoir et le regarda s'éloigner dans des vrombissements à la suite d'Alexander. Elle vit Jennifer Parry dans l'allée de son jardin et se mit à comprendre ce que sous-entendaient la galerie et le comportement d'Alexander. Elle rentra dans la maison et y fut accueillie par les rugissements furieux de son père qui voulait savoir où elle avait encore inventé d'aller, pourquoi elle avait laissé la maison dans un état aussi épouvantable, avec des aliments même pas cuits disséminés aux quatre coins de la cuisine, et pourquoi, lorsqu'il avait ouvert la porte-fenêtre, des bouteilles de vin s'étaient brisées en mille morceaux sur le dallage. Le jardin était aussi répugnant que la cuisine, sa mère était absolument bouleversée, et tout ce qu'elle trouvait à faire c'était de partir se balader tranquillement avec ses amis du beau monde. Frederica fut sauvée de la nécessité de répondre à ces reproches, qui jetaient un peu plus de lumière trouble sur les sentiments et mouvements possibles d'Alexander, par le téléphone, auquel Bill répondit. C'était, annonça-t-il, en revenant voûté et abattu, sa mère. Il dit à Frederica ce que Winifred avait dit que le psychiatre disait de Marcus. Il ajouta qu'il avait toujours cru qu'ils savaient tous qu'il ne pensait pas à mal – quand il faisait et qu'il disait certaines choses parfois. Frederica remarqua avec humeur, l'esprit toujours occupé d'Alexander, qu'il était évident que Marcus ne l'avait pas compris, la preuve, et que s'il voulait le savoir, elle pensait que Stephanie ne l'avait pas compris non plus, mais que elle, Frederica, si ça pouvait le consoler, était plus coriace, et qu'elle savait qu'il n'allait pas, au beau milieu de cette crise, faire une histoire pour des côtelettes crues sur la table de la cuisine et des bouteilles de vin dans les massifs de fleurs. Elle nota alors l'expression de son visage, et sentit un pincement de pitié et plus qu'un pincement de peur. Elle chercha une solution pratique. Il y avait Daniel, dit-elle. Marcus semblait faire confiance à Daniel. Elle l'avait remarqué. Peut-être Daniel et Stephanie accepteraient-ils de prendre Marcus jusqu'à ce qu'il ait un peu recouvré ses esprits, ou fait ce qu'il pouvait avoir d'autre à faire.

Bill répliqua sombrement qu'il y avait à peine la place, dans ce ridicule petit logement, pour une personne de plus, encore moins pour deux en comptant le bébé, et que Daniel avait suffisamment à faire. Frederica observa qu'il y avait une chose à dire de Daniel, c'est qu'on ne pouvait jamais affirmer avec certitude qu'il avait suffisamment à faire. Bill se crispa et resta pensif, puis il mit son manteau et se précipita à la cité Askham.

Il était apparu, précisément, qu'il allait être impossible aux Orton de rester à la cité Askham. Daniel revint de Sheffield et dit craindre qu'ils n'aient à héberger définitivement sa mère. M. Ellenby leur trouva une petite maison ouvrière dans un quartier de Blesford où les jeunes couples de la bourgeoisie remettaient ce type d'habitations à neuf pour en faire de minuscules pavillons où démarrer dans la vie, et il suggéra à Daniel de charger ces fainéants du club des jeunes de retaper celle-là. Stephanie, après la surprise de l'irruption de Bill, ses larmes d'autoaccusation, sa représentation dramatique de la situation critique de Marcus et de sa propre culpabilité, dit à Daniel qu'il était autant de leur devoir de prendre Marcus chez eux, s'il y consentait, que la mère de Daniel. Bien sûr, approuva Daniel. Bien sûr, ils devaient prendre Marcus. Si Marcus le voulait bien. Marcus, lorsque Daniel alla le voir à l'hôpital et lui poser la question, dit qu'il le voulait effectivement. Ce fut l'unique chose qu'il dit pendant plusieurs jours.

L'automne arriva et le temps se rafraîchit. Marcus fut amené à la cité Askham où il dormit sur le canapé de la salle en attendant que la maison soit habitable. Frederica retourna au lycée de jeunes filles de Blesford et commença à préparer ses examens d'entrée à l'université. Il lui était vite devenu évident qu'Alexander était parti pour de bon. Elle se sentait humiliée, mais aussi délivrée de la tension de sa présence, du désir, d'une crise à préparer ou éviter, elle se sentait autonome. La leçon la plus utile de l'été avait été, découvrit-elle, qu'il lui était loisible d'établir une séparation entre les choses, entre les gens. De s'allonger sur son lit et pleurer Alexander, et Wilkie aussi, et même *Astraea*, mais ensuite de sauter prestement sur ses pieds et de trouver à sa disposition d'amples réserves d'énergie et de concentration à dépenser allègrement dans son travail. Elle était satisfaite que le simple jalon du saignement, si malpropre qu'il ait été, fût une chose du passé. Elle était ébranlée et décontenancée par le changement de ses parents. Bill avait annulé un bon nombre de classes et passait son temps à tourner en rond dans la maison, anxieusement, en pantoufles. Il ne parlait à personne, et souvent même ouvrait et refermait la bouche en silence comme s'il refoulait littéralement ses paroles. Winifred restait des journées d'affilée dans son lit. Frederica travaillait pendant ce temps-là, pour se procurer une voie de sortie, et pour l'amour des livres. Mais un soir, sentant le danger que les émotions s'infiltrent à travers les lamifications de son attention, elle décida d'aller chez Daniel et Stephanie, pour voir par elle-même comment Marcus allait, ce que l'on pouvait espérer, ou craindre.

Daniel lui ouvrit la porte, ne sourit pas, mais la fit entrer. Elle dit gaiement, « Je suis juste passée, pour vous voir. C'est insupportable à la maison. Oppressant. »

Daniel aurait pu dire la même chose, mais ne le voulait pas. Il dit, « Eh bien, assieds-toi, maintenant que tu es là. Je vais te faire une tasse de thé. »

Stephanie et Marcus étaient assis en silence sur le canapé, côte à côte, et le corps fluet de l'un était d'une manière étrange soutenu et calé par le corps ballonné de l'autre. Stephanie fit signe de la tête à Frederica, comme si Marcus était un enfant ou un malade à ne pas déranger. Marcus ne donna aucune apparence de l'avoir remarquée.

Depuis l'arrivée de Marcus l'existence des Orton avait entièrement changé. Les deux premiers jours Marcus s'était tourné vers Daniel, geignant comme un enfant s'il le perdait de vue. Stephanie avait remarqué que cela irritait Daniel et en avait été consternée. Elle essaya de prendre la relève : elle resta assise pendant de longues heures auprès de Marcus, dans une immobilité silencieuse et neutre, comme elle l'avait fait avec Malcolm Haydock ; ce n'était pas, à dire vrai, si différent. Un jour elle l'avait informé que Lucas Simmonds avait été de nouveau transféré et qu'on le disait apparemment plus calme. Marcus avait demandé si Lucas avait été maltraité ou rudoyé, et en apprenant que non il avait donné à Stephanie une version de ses peurs pour Lucas et pour lui-même, des espérances détruites de Lucas, des photismes, des transmissions, de la lumière. Elle n'y avait pas compris grand-chose mais avait pensé, peut-être à tort, que ce qui lui était demandé n'était pas de comprendre mais de « tout accepter », et elle s'était mise en devoir, avec sa conscience habituelle, d'accepter Marcus. Le domptage des animaux entrait dans sa façon d'agir, comme naguère dans ses images concernant Malcolm Haydock. Elle fit en sorte qu'il puisse poser la tête sur ses genoux pendant de longues heures, sans rien faire, sans bouger. C'est dans cette attitude que Daniel les retrouvait de plus en plus souvent en rentrant du travail. Il acceptait l'immobilité thérapeutique de Stephanie, il essayait de ne pas intervenir.

Pour l'heure, il partit dans la cuisine préparer la tasse de thé de Frederica, remuant bouilloires et assiettes, piétinant de placard en placard. Au bout d'un certain temps Frederica le rejoignit. Elle chuchota, « C'est tout le temps comme ça ? Va-t-il se rétablir ?

— Je l'ignore.

— Comment y arrives-tu ?

— Je ne sais pas très bien. » Daniel eut un bref sourire sardonique. Il n'aimait pas Frederica Potter. Il n'allait pas lui dire ce qu'il éprouvait, lui qui de toute façon ne le disait habituellement à personne. Mais la réponse était qu'il y arrivait tout juste. Étant un être moral, il était épouvanté par sa façon de réagir devant la présence de Marcus, et devant Stephanie elle-même. Il rêvait chaque nuit de meurtre. Le pâle et innocent Marcus massacrant son futur enfant. L'enfant déchirant en deux, sous ses propres yeux, une Stephanie ensanglantée. Lui-même, Daniel Orton, poursuivant Bill Potter à travers le Bout de Là-bas avec le couteau à découper de Lucas Simmonds. Et, le plus abominable de tout, une terreur perpétuelle de la suffocation : sa propre masse qui se vautrait accidentellement sur un enfant, sur son enfant ; une monstruosité humide et lourde qui écrasait et asphyxiait sa propre vie. Impossible d'en parler à sa femme et de l'effrayer, elle était enceinte et elle faisait ce qu'elle croyait bien. Il était sincèrement désolé pour Marcus. Il regrettait le temps des rires et de la chaleur dans le petit logement, un temps à jamais révolu. Même d'un point de vue purement pratique il ne pouvait rien dire : les murs étaient minces, le logement minuscule, le garçon toujours inerte mais vigilant et nerveux.

« Comment y arrives-tu, Daniel ? répéta Frederica.

— Ça va avoir une fin. Il y aura plus d'espace dans la maison. Il surmontera le choc. C'est à espérer. Et il y aura le bébé. »

Il resta un instant à observer, comme il l'avait souvent fait, comme il l'avait fait le soir de ses noces, le pneu noir tournoyant dans un sens puis dans l'autre au bout de sa potence, l'aubépine tordue et la mer de boue marbrée de chenilles. Elle observa avec lui.

« Chez nous tout le monde est aujourd'hui passif, amorphe, comme si l'énergie était une indécence. Je travaille mais je ne me sens attachée à rien, en l'air, à la dérive.

— Ouais.

— Mais toi, tu parais – un peu englué dans les problèmes.

— Ah ouais, dit Daniel sans détourner les yeux. En plein dans la vie, c'est ce que je suis. C'est le cours normal des choses. » Il se l'était dit et redit, encore et encore. Mais ses forces étaient émoussées par l'inquiétude ; pour la première fois depuis sa conversion il admettait l'éventualité d'être totalement empêché d'user de ses énergies. Il sentit comme l'ombre de cette inquiétude chez la mince et sotte jeune fille à côté de lui.

« Tout ira bien quand tu seras à l'université. C'est seulement l'attente.

— Je crois que oui. Et toi – quand le bébé sera né.

— Ouais.

— Et Marcus ?

— Je l'ignore, Frederica. Il n'est pas mon genre de problème pratique. »

Il empila les tasses et un paquet de biscuits et ils revinrent dans la petite salle. Marcus avait la tête sur l'épaule de Stephanie ; il était affalé comme un bonhomme de paille ; ses mains et ses jambes flasques étaient immobiles. Elle, assise comme une pietà disgracieuse et empruntée, regarda Daniel par-dessus les cheveux pâles de Marcus, avec ce qui semblait être une patience qui regardait sans voir. Il l'avait dégelée autrefois, et pourrait sûrement recommencer. Il dit encore une fois à Frederica, « C'est une question de temps – d'attente – de patience pour le moment – pour nous tous ».

Attente et patience, de ce type inactif, ne lui venaient pas facilement. Ni à Frederica, décida-t-il, sans grande sympathie pour elle. Il lui donna une tasse de thé et ils restèrent tous deux assis dans un silence morose, à regarder le couple immobile et passif sur le canapé. Ce n'était pas une fin, mais puisque cela dura un temps considérable, c'est un aussi bon endroit qu'un autre pour s'arrêter.

TABLE

6562

Composition Chesteroc International Graphics
Achevé d'imprimer en France (La Flèche)
par Brodard et Taupin
le 9 avril 2003. 18511
Dépôt légal avril 2003. ISBN 2-290-32836-7

Éditions J'ai lu
84, rue de Grenelle, 75007 Paris
Diffusion France et étranger : Flammarion